BLUME • STEIN

FRENCH
THREE YEARS
REVIEW TEXT

ELI BLUME

Former Chairman of the Foreign Language Department
Forest Hills High School
New York City

D0367764

GAIL STEIN

Foreign Language Department
Martin Van Buren High School
New York City

When ordering this book, please specify either **13535** or
BLUME/STEIN FRENCH THREE YEARS REVIEW TEXT

AMSCO

AMSCO SCHOOL PUBLICATIONS, INC.,
a division of Perfection Learning®

Please visit our Web sites at:
www.amscopub.com and *www.perfectionlearning.com*

Cover photograph: Montmartre et Sacré-Cœur,
by Kotoh/Zefa/H. Armstrong Roberts

Illustrations and maps by Susan Detrich

ISBN: 978-1-56765-301-4

Preface

BLUME/STEIN FRENCH THREE YEARS is designed to give students a comprehensive review and thorough understanding of the elements of the French language and the highlights of French culture. Abundant and varied exercises help students master each phase of the work.

ORGANIZATION

For ease of study and reference, the book is divided into five parts. Parts One to Three are organized around related grammatical topics. Part Four covers the culture of France, dealing with language, geography, history, life-style, literature, art, music, architecture, and science. Part Five provides materials for comprehensive practice and testing of the speaking, listening, reading, and writing skills.

GRAMMAR

Each grammatical chapter deals fully with one major grammatical topic or several closely related ones. Explanations of structure are brief and clear. All points of grammar are illustrated by many examples, in which the key elements are typographically highlighted.

A book intended for third-level review of French assumes that students have completed a basic sequence. Care has been taken, however, especially in the critical *Part One: Verbal Structures*, to avoid the use of complex structural elements that are treated in other parts of the book. To enable students to concentrate on the structural practice, the vocabulary has been carefully controlled and systematically "recycled" throughout the grammatical chapters.

In order to enrich the scope of the book, a number of grammatical elements not usually found in books of this type are included. Among these elements are special uses of verbs (Chapter 16), expressions with prepositions (Chapter 23), comparative and superlative expressions (Chapter 25), and fractions and multiple numbers (Chapter 26).

EXERCISES

For maximum efficiency in learning, the exercises directly follow the points of grammar to which they apply. Carefully graded, the exercises proceed from simple assimilation to more challenging manipulation of elements and communication. To provide functional continuity of a grammatical topic, the exercises are set in communicative contexts. Many are also personalized to stimulate student response.

While the contents of the exercises afford extensive oral practice, the book's format also encourages reinforcement through written student responses, including English to French exercises intended to sharpen composition skills. The grammatical chapters conclude with Mastery Exercises, in which all grammatical aspects in the chapter are again practiced in recombinations of previously covered elements. All directions to exercises are in French.

FLEXIBILITY

The topical organization and the integrated completeness of each chapter permit the teacher to follow any sequence suitable to the objectives of the course and the needs of the students. This flexibility is facilitated by the detailed table of contents at the front of the book and the comprehensive grammatical index at the back. Teachers as well as students will also find the book useful as a reference source.

CULTURE

The cultural chapters in Part Four are entirely in French. Every effort was made to keep the narratives clear and readable. In addition to their wealth of cultural information, these narratives provide extensive reinforcement of structural and syntactical elements reviewed in Parts One through Three. To encourage students to read for comprehension with minimal interference from footnote referencing, footnoted meanings have been limited to unusual words and idioms. These footnotes are keyed by number to the text line in which the footnoted element occurs. Each cultural chapter includes exercises designed to test comprehension.

OTHER FEATURES

The Appendix features complete model verb tables and the principal parts of common irregular verbs, common reflexive verbs, prepositions, and basic rules of French punctuation and syllabication. French-English and English-French vocabularies and a comprehensive Index complete the book.

BLUME/STEIN FRENCH THREE YEARS is a thoroughly revised and updated edition. With its comprehensive coverage of the elements of French, clear and concise explanations, extensive practice materials, functional vocabulary, and readable cultural narratives, the book will help students strengthen their skills in the French language. As students pursue proficiency, they will also gain valuable insights into the culture of France.

Thanks are due our consultants who reviewed substantial parts of the manuscript and made valuable suggestions: Ms. Marie-Noelle Car, Churchill High School, Potomac, MD; Ms. Rita S. Priore, Revere (MA) High School; Ms. Diane M. Regan, Olney High School, Philadelphia, PA; Dr. Allen R. Remaley, Saratoga Springs (NY) High School; Ms. Norma R. Seefeldt, Lawrence Central High School, Indianapolis, IN; and Mr. Pierre B. Simonian, Hinsdale (IL) Central High School.

Contents

PART TWO
Noun/Pronoun Structures; Prepositions

PART THREE
Adjective/Adverb and Related Structures

PART FOUR
Civilization

PART FIVE
Comprehensive Testing:
Speaking, Listening, Reading, Writing   *503*

xiv Contents

PART

Verbal Structures

ONE

1

Present Tense

A verb is a word that expresses an action or state of being.

1. Regular Verbs

a. Affirmative

The present tense of regular verbs is formed by dropping the infinitive ending **(-er, -ir, -re)**, and adding the following endings:

parl*er*	chois*ir*	vend*re*
I speak	*I choose*	*I sell*
je parl*e*	je chois*is*	je vend*s*
tu parl*es*	tu chois*is*	tu vend*s*
il / elle parl*e*	il / elle chois*it*	il / elle vend
nous parl*ons*	nous chois*issons*	nous vend*ons*
vous parl*ez*	vous chois*issez*	vous vend*ez*
ils / elles parl*ent*	ils / elles chois*issent*	ils / elles vend*ent*

NOTE: The third person singular of **rompre** and **interrompre** ends in **-t:**

il romp*t*   **il interromp*t***

Exercice A

Décrivez ce qui se passe dans la classe de français de M. Leclerc:

> EXEMPLE: le professeur / expliquer la leçon
> **Le professeur explique** la leçon.

1. nous / étudier le vocabulaire
2. Hubert / regarder le tableau
3. je / saluer le professeur
4. les garçons / poser des questions
5. vous / chanter «Frère Jacques»

2

6. Anne / parler français
7. tu / goûter des spécialités françaises
8. les filles / écouter des disques français

Exercice B

Aujourd'hui, la classe de français déjeune au restaurant français. Qu'est-ce que les élèves remarquent? Complétez chaque phrase avec un verbe approprié de la liste suivante:

choisir	grossir	remplir	rougir
finir	maigrir	rôtir	garnir

1. Le serveur _____ les verres.
2. Le chef _____ un poulet.
3. Nous _____ des plats français.
4. Tu _____ parce que tu manges très peu.
5. Les garçons _____ parce qu'ils mangent beaucoup.
6. Le garçon _____ les tables avec des fleurs.
7. Je _____ parce que je suis embarrassée.
8. Vous _____ le dessert rapidement.

Exercice C

Votre voisine, Mme Laforêt, est malade. Elle demande à votre famille de l'aider. Décrivez ce qui se passe:

EXEMPLE: Mme Laforêt / attendre le médecin
            Mme Laforêt attend le médecin.

1. je / entendre le médecin sonner à la porte
2. tu / descendre ouvrir la porte
3. Mme Laforêt / répondre aux questions du médecin
4. vous / interrompre le médecin
5. Mme Laforêt / perdre patience
6. nous / attendre la fin de la visite médicale
7. mes parents / rompre le silence
8. Mme Laforêt / entendre le diagnostic avec soulagement

b. Negative

In the negative, **ne** (**n'** before a vowel or vowel sound) precedes the conjugated verb and **pas** follows it:

| Je *ne* **joue** *pas* au tennis. | *I don't play tennis.* |
| Ils *ne* **rougissent** *pas.* | *They aren't blushing.* |

Exercice D

Votre petite sœur est très obstinée. Elle dit toujours le contraire de ce que vous dites. Exprimez ses réponses à vos remarques:

> EXEMPLE: Jean-Luc joue bien de la guitare.
>   Jean-Luc **ne** joue **pas** bien de la guitare.

1. Pierre réussit toujours aux examens.
2. Nous déjeunons à midi.
3. Annette rompt sa promesse.
4. Les garçons finissent le match de base-ball.
5. Il embrasse la fille.
6. Les Dumont attendent leurs enfants.
7. Le professeur rend les examens aujourd'hui.
8. Elle désobéit à ses parents.
9. Elles restent à la maison.
10. Nous vendons nos jouets.
11. Henri quitte la maison.
12. Nous entendons la musique.

C. Interrogative with **est-ce que**

A question may be formed by beginning a sentence with **est-ce que**. **Est-ce que** becomes **est-ce qu'** before a vowel or vowel sound:

Elles dansent bien.	*Est-ce qu'*elles dansent bien?
C'est ton manteau.	*Est-ce que* c'est ton manteau?
Tu arrives tôt.	*Est-ce que* tu arrives tôt?

Exercice E

Un nouvel élève arrive dans votre classe. Posez-lui des questions en utilisant est-ce que:

> EXEMPLE: tu / danser bien
>   **Est-ce que** tu danses bien?

1. vous / aimer les États-Unis
2. nous / finir les devoirs
3. ta sœur / travailler à la bibliothèque
4. je / répondre bien à tes questions
5. Pierre / t'attendre après l'école
6. tes parents / perdre souvent patience
7. les filles / te parler souvent
8. tu / réussir dans tous tes cours

d. Interrogative with inversion

A question may also be formed by inverting the subject pronoun and the verb and joining them with a hyphen. If the subject pronoun is **il, elle,** or **on,** and the verb ends in a vowel, a **-t-** is inserted between the verb and the pronoun*:

Tu travailles dur.	*Travailles-tu* dur?
Ils finissent tard.	*Finissent-ils* tard?
Elle présente son ami.	*Présente-t-elle* son ami?
On parle anglais ici.	*Parle-t-on* anglais ici?

When the subject of a question is a noun, the noun is retained before the inverted verb and pronoun:

Jean quitte la classe.	**Jean** *quitte-t-il* la classe?
Les fleurs poussent.	**Les fleurs** *poussent-elles?*

NOTE:

1. In spoken French, as in spoken English, a question may be asked with regular word order and interrogative intonation:

Tu travailles dur?	*You work hard?*
Jean quitte la classe?	*Jean is leaving the class?*

2. Interrogative adverbs like **où, quand, pourquoi,** or **comment** are used either with inversion or **est-ce que** to form questions:

Quand **faites-vous** vos devoirs? *Quand* **est-ce que vous faites** vos devoirs?	*When do you do your homework?*
Comment **Paul va-t-il?** *Comment* **est-ce que Paul va?**	*How is Paul doing?*

Exercice F

Vous commencez l'année scolaire dans une nouvelle école et vous voulez mieux connaître les élèves. Posez les questions suivantes:

EXEMPLE: Pierre / étudier beaucoup
            Pierre étudie-t-il beaucoup?

1. Marie / finir toujours son travail scolaire
2. les filles / pardonner à leurs ennemis
3. vous / attendre toujours votre sœur à la sortie des cours

*Inversion with the subject pronoun **je** is limited to a few verbs: **ai-je?** (*have I?*), **puis-je?** (*may I?, can I?*), **sais-je?** (*do I know?*), **suis-je?** (*am I?*).

   4. Sylvie et Aline / obéir à leurs parents
   5. Marie / conseiller ses amies
   6. Jacques / interrompre souvent ses professeurs
   7. tu / trahir tes amis
   8. Robert / cacher la vérité
   9. vous / travailler dur
   10. les élèves / défendre leurs idées
   11. Marianne / gaspiller son temps
   12. elle / rompre toujours ses promesses

Exercice G

Votre sœur parle avec son amie Anne au téléphone. Vous n'entendez que les réponses de votre sœur. Exprimez les questions qu'Anne lui pose en vous servant de **quand, où, comment** *ou* **pourquoi:**

Exemples:	Anne:	***Comment** vas-tu?*
	Votre sœur:	Je vais très bien.
	Anne:	***Pourquoi** ton téléphone est-il toujours occupé?*
	Votre sœur:	Mon téléphone est toujours occupé parce que je suis bavarde.

1. Anne:
   Votre sœur: La surprise-partie a lieu chez Nicole.
2. Anne:
   Votre sœur: Elle habite près du parc.
3. Anne:
   Votre sœur: Je vais chez elle avec Irène en métro.
4. Anne:
   Votre sœur: Je rencontre Irène à la station de métro.
5. Anne:
   Votre sœur: Je pense rentrer avant minuit.
6. Anne:
   Votre sœur: Je suis triste parce que Philippe ne vient pas.

e. Negative interrogative

In negative questions using inversion, **ne** and **pas** surround the inverted phrase:

Révisent-ils la leçon?	*Do they review the lesson?*
Ne **révisent-ils** *pas* la leçon?	*Don't they review the lesson?*
Parle-t-elle français?	*Does she speak French?*
Ne **parle-t-elle** *pas* français?	*Doesn't she speak French?*

Negative questions may also be expressed with regular word order and interrogative intonation:

Elle ne parle pas français?   *She doesn't speak French?*

Exercice H

Il y a un malentendu entre Luc et Jean-Paul et vous voulez savoir pour-quoi. Posez des questions pour trouver ce qui se passe:

EXEMPLE: Jean-Paul / parler à Luc
Jean-Paul *ne* **parle-t-il** *pas* à Luc?

1. Luc / défendre sa position
2. les garçons / écouter leurs amis
3. vous / téléphoner aux garçons
4. les filles / agir
5. leurs amis / entendre la dispute
6. Jean-Paul / trahir son ami
7. vous / donner tout de suite votre opinion
8. Jean-Paul et Luc / réussir à faire la paix
9. Jean-Paul / continuer à se disputer
10. Luc / décider d'oublier la querelle

Exercice I

Avec un(e) camarade de classe menez le dialogue suivant:

1. Vous: Quels sports n'aimes-tu pas regarder à la télévision?
Camarade:
2. Vous: Dans quel sport n'es-tu pas bon(ne)?
Camarade:
3. Vous: Quel programme de télévision n'aimes-tu pas?
Camarade:
4. Vous: À qui ne téléphones-tu pas souvent?
Camarade:
5. Vous: Pourquoi n'étudies-tu pas l'espagnol?
Camarade:
6. Vous: Quel genre de musique n'aimes-tu pas écouter?
Camarade:
7. Vous: Quelle nourriture ne manges-tu pas du tout?
Camarade:
8. Vous: Dans quelle matière n'es-tu pas fort(e)?
Camarade:

2. Spelling Changes in Certain -er Verbs

a. Verbs ending in **-cer** change **c** to **ç** before **o** to keep the soft **c** sound:

prononcer (*to pronounce*): **je prononce, tu prononces,**
 il/elle prononce, *nous prononçons,* **vous prononcez,**
 ils/elles prononcent

Like **prononcer:**

annoncer *to announce*
avancer *to advance; to be fast*
 (*of clocks and watches*)
commencer *to begin*
effacer *to erase, efface*

lancer *to throw, launch*
menacer *to threaten*
placer *to place, set*
remplacer *to replace*
renoncer à *to give up, renounce*

Exercice J

Pendant la journée le directeur entre dans votre classe et vous pose des questions. Exprimez ses questions et les réponses des élèves:

EXEMPLES: prononcer bien les mots français (oui)
Le directeur: *Prononcez-vous* **bien les mots français?**
Les élèves: **Oui,** *nous prononçons* **bien les mots français.**
menacer le professeur (non)
Le directeur: *Menacez-vous* **le professeur?**
Les élèves: **Non,** *nous ne menaçons pas* **le professeur.**

1. lancer des avions en papier (non)
   Le directeur:
   Les élèves:
2. placer les livres sur la table (oui)
   Le directeur:
   Les élèves:
3. annoncer le résultat du match en classe (non)
   Le directeur:
   Les élèves:
4. effacer le tableau (oui)
   Le directeur:
   Les élèves:
5. commencer tout de suite la leçon (oui)
   Le directeur:
   Les élèves:

6. avancer l'horloge (non)
Le directeur:
Les élèves:

b. Verbs ending in **-ger** insert a mute **e** between the **g** and the **o** to keep the soft **g** sound:

voyager (*to travel*): **je voyage, tu voyages, il/elle voyage,** *nous voyageons,* **vous voyagez, ils/elles voyagent**

Like **voyager:**

arranger to arrange	**diriger** to direct
ranger to put away, put in order	**manger** to eat
	nager to swim
changer to change	**neiger** to snow
corriger to correct	**obliger** to oblige, compel
déménager to move (to another residence)	**partager** to share, divide
	plonger to plunge, dive
déranger to disturb	**songer (à)** to think (of)

Exercice K

Votre ami Grégoire vous demande ce que vous et votre famille faites en vacances. Utilisez les suggestions suivantes pour décrire vos activités:

SUGGESTIONS:	je	arranger le voyage d'avance
	nous	changer souvent de vêtements
	mes cousins	déranger tout le monde
	mon père	diriger les excursions
	nous	manger beaucoup
	mes parents	nager dans la piscine
	ma famille et moi, nous	partager la même chambre
	ma sœur	ranger les affaires de tout le monde
	mon frère et moi, nous	songer à apprendre un nouveau sport
	ma cousine	voyager en avion
	ma mère	changer d'habitudes

EXEMPLE: **Ma mère change d'habitudes.**

C. Verbs ending in **-yer** change **y** to **i** before mute **e:**

employer (to use): *j'emploie, tu emploies, il/elle emploie,*
  nous employons, vous employez, *ils/elles emploient*

Like **employer:**

ennuyer *to bore, bother*	**nettoyer** *to clean*
envoyer *to send*	**renvoyer** *to fire, send back,*
essuyer *to wipe*	*postpone*

NOTE: Verbs ending in **-ayer** may or may not change the **y** to **i** in all present-tense forms except **nous** and **vous:**

essayer (to try)

j'essaye or **j'essaie**	**nous essayons**
tu essayes or **tu essaies**	**vous essayez**
il/elle essaye or	**ils/elles essayent** or
il/elle essaie	**ils/elles essaient**

Exercice L

Nicolas aide Mme Junot. Exprimez les questions de Mme Junot et les réponses de Nicolas:

EXEMPLES: nettoyer les chambres (oui)
  Mme Junot: **Nettoyez-vous les chambres?**
  Nicolas: **Oui, je nettoie les chambres.**

envoyer Joseph faire les courses (non)
  Mme Junot: **Envoyez-vous Joseph faire les courses?**
  Nicolas: **Non, je n'envoie pas Joseph faire les courses.**

1. essuyer les tables (non)
    Mme Junot:
    Nicolas:
2. employer un balai (oui)
    Mme Junot:
    Nicolas:
3. renvoyer le jardinier (non)
    Mme Junot:
    Nicolas:
4. essayer de tout faire aujourd'hui (oui)
    Mme Junot:
    Nicolas:

5. ennuyer le chat (non)
Mme Junot:
Nicolas:
6. payer le livreur (oui)
Mme Junot:
Nicolas:

d. Verbs with mute **e** in the syllable before the infinitive ending change mute **e** to **è** when the next syllable contains another mute **e**:

> **mener** (*to lead*): *je mène, tu mènes, il/elle mène,* **nous menons, vous menez,** *ils/elles mènent*

> Like **mener:**

acheter *to buy*	**enlever** *to remove, take off*
achever *to complete*	**geler** *to freeze*
amener *to bring, lead to*	**lever** *to raise, lift*
élever *to bring up, raise*	**peser** *to weigh*
emmener *to lead away, take away*	**promener** *to walk*

> NOTE: Two verbs with mute **e, appeler** and **jeter,** and compounds of these verbs, double the consonant instead of adding the grave accent:
>
> > **appeler** (*to call*): *j'appelle, tu appelles, il/elle appelle,* **nous appelons, vous appelez,** *ils/elles appellent*
>
> > **jeter** (*to throw,* throw away): *je jette, tu jettes, il/elle jette,* **nous jetons, vous jetez,** *ils/elles jettent*

Exercice M

Madame Constant est le chef du personnel dans une grande société. Exprimez ce qu'elle demande à Philippe, son secrétaire, et ce qu'il lui répond:

> EXEMPLE: jeter toujours les papiers inutiles
> > Mme Constant: **Jetez-vous toujours les papiers inutiles?**
> > Philippe: **Oui, je jette toujours les papiers inutiles.**

1. enlever toujours votre chapeau
Mme Constant:
Philippe:

2. acheter de nouveaux stylos
   Mme Constant:
   Philippe:
3. peser les paquets
   Mme Constant:
   Philippe:
4. appeler souvent le directeur
   Mme Constant:
   Philippe:
5. achever toujours le travail à faire
   Mme Constant:
   Philippe:
6. amener les employés dans la salle de conférence
   Mme Constant:
   Philippe:

e. Verbs with **é** in the syllable before the infinitive ending change **é** to **è** only before the mute endings **-e, -es, -ent:**

espérer (to hope): *j'espère, tu espères, il/elle espère,* **nous espérons, vous espérez,** *ils/elles espèrent*

Like **espérer:**

célébrer to celebrate   **protéger** to protect
posséder to possess, own   **répéter** to repeat, rehearse
préférer to prefer

NOTE: Verbs ending in **-éer** keep the **é:**

créer (to create): **je crée, tu crées, il/elle crée, nous créons, vous créez, ils/elles créent**

Exercice N

Le professeur pose des questions à la classe. Exprimez les réponses des élèves en utilisant le verbe de la question:

EXEMPLE: — Que **créez-vous** pour la Fête française à l'école?

— Je __crée__ un dessert français nouveau.
— Nous __créons__ un spectacle de chansons.

1. — Quelle sorte de film **préférez-vous?**
   — Je _____ les histoires d'amour.
   — Nous _____ la science-fiction.

2. — Que **répétez-vous?**
   — Je _____ ma chanson.
   — Nous _____ les phrases en français.
3. — Que **célébrez-vous?**
   — Je _____ mon anniversaire.
   — Nous _____ la victoire de notre équipe.
4. — Quel cadeau **espérez-vous** recevoir?
   — J'_____ recevoir de l'argent.
   — Nous _____ recevoir des vêtements.
5. — Qui **protégez-vous?**
   — Je _____ mon petit frère.
   — Nous _____ nos amis.
6. — Quelle voiture **possédez-vous?**
   — Je _____ une Ferrari.
   — Nous _____ une Renault.

3. Verbs Irregular in the Present Tense

The following verbs have irregular forms in the present tense:

aller (to go): *je vais, tu vas, il/elle va,* **nous allons, vous allez,** *ils/elles vont*

asseoir (to seat, sit): *j'assieds, tu assieds, il/elle assied, nous asseyons, vous asseyez, ils/elles asseyent**

avoir (to have): *j'ai, tu as, il/elle a, nous avons, vous avez, ils/elles ont*

battre (to beat): *je bats, tu bats, il/elle bat,* **nous battons, vous battez, ils/elles battent**

boire (to drink): **je bois, tu bois,** *il/elle boit, nous buvons, vous buvez, ils/elles boivent*

conduire (to lead, drive): **je conduis, tu conduis,** *il/elle conduit, nous conduisons, vous conduisez, ils/elles conduisent*

Like **conduire:**

construire to construct	**produire** to produce
traduire to translate	**inscrire** to enroll, register

connaître (to know, be acquainted with): *je connais, tu connais, il/elle connaît, nous connaissons, vous connaissez, ils/elles connaissent*

*Alternate present-tense forms: **j'assois,** etc.; **nous assoyons,** etc.

Like **connaître:**

disparaître to disappear   **paraître** to appear
reconnaître to recognize

courir (to run): *je cours, tu cours, il/elle court, nous courons,*
vous courez, ils/elles courent

craindre (to fear): *je crains, tu crains, il/elle craint, nous craignons,*
vous craignez, ils/elles craignent

Like **craindre:**

atteindre to reach, attain   **peindre** to paint
éteindre to extinguish, turn off   **plaindre** to pity
joindre to join

croire (to believe): **je crois, tu crois,** *il/elle croit,* **nous croyons,**
vous croyez, ils/elles croient

devoir (to owe, have to, be [supposed] to): *je dois, tu dois,*
il/elle doit, nous devons, vous devez, ils/elles doivent

dire (to say, tell): **je dis, tu dis,** *il/elle dit, nous disons, vous dites,*
ils/elles disent

dormir (to sleep): *je dors, tu dors, il/elle dort, nous dormons,*
vous dormez, ils/elles dorment

Like **dormir:**

endormir to put to sleep   **sentir** to feel, smell
mentir to lie   **servir** to serve
partir to go away, leave   **sortir** to go out, leave

écrire (to write): **j'écris, tu écris,** *il/elle écrit, nous écrivons,*
vous écrivez, ils/elles écrivent

Like **écrire: décrire** (to describe)

être (to be): *je suis, tu es, il/elle est, nous sommes, vous êtes,*
ils/elles sont

faire (to do, make): **je fais, tu fais,** *il/elle fait, nous faisons,*
vous faites, ils/elles font

falloir (to be necessary): *il faut*

lire (to read): **je lis, tu lis,** *il/elle lit, nous lisons, vous lisez,*
ils/elles lisent

mettre (to put, put on): *je mets, tu mets, il/elle met,* **nous mettons,**
vous mettez, ils/elles mettent

Like **mettre**:

permettre to permit
promettre to promise

remettre to put back, postpone;
to deliver

mourir (to die): *je meurs, tu meurs, il/elle meurt, nous mourons, vous mourez, ils/elles meurent*

ouvrir (to open): *j'ouvre, tu ouvres, il/elle ouvre, nous ouvrons, vous ouvrez, ils/elles ouvrent*

Like **ouvrir**:

couvrir to cover
découvrir to discover

offrir to offer
souffrir to suffer

plaire (to please): **je plais, tu plais,** *il/elle plaît,* **nous plaisons, vous plaisez, ils/elles plaisent**

pleuvoir (to rain): *il pleut*

pouvoir (to be able): *je peux, tu peux, il/elle peut, nous pouvons, vous pouvez, ils/elles peuvent*

prendre (to take): **je prends, tu prends, il/elle prend,** *nous prenons,* **vous prenez, ils/elles prennent**

Like **prendre**:

apprendre to learn, teach
comprendre to understand, include

reprendre to take back
surprendre to surprise

recevoir (to receive): *je reçois, tu reçois, il/elle reçoit, nous recevons, vous recevez, ils/elles reçoivent*

Like **recevoir: apercevoir** (to notice); **concevoir** (to conceive)

rire (to laugh): **je ris, tu ris,** *il/elle rit,* **nous rions, vous riez, ils/elles rient**

Like **rire: sourire** (to smile)

savoir (to know): *je sais, tu sais, il/elle sait, nous savons, vous savez, ils/elles savent*

suivre (to follow): *je suis, tu suis, il/elle suit,* **nous suivons, vous suivez, ils/elles suivent**

Like **suivre: poursuivre** (to pursue, chase)

taire (to hush up; to conceal): **je tais, tu tais,** *il/elle tait, nous taisons, vous taisez, ils/elles taisent*

tenir (to hold): *je tiens, tu tiens, il/elle tient, nous tenons, vous tenez, ils/elles tiennent*

Like **tenir:**

appartenir à to belong to
obtenir to obtain

retenir to hold back

valoir (to be worth): *je vaux, tu vaux, il/elle vaut, nous valons, vous valez, ils/elles valent*

venir (to come): *je viens, tu viens, il/elle vient, nous venons, vous venez, ils/elles viennent*

Like **venir: devenir** (to become); **revenir** (to come back)

vivre (to live): *je vis, tu vis, il/elle vit,* **nous vivons, vous vivez, ils/elles vivent**

Like **vivre: survivre** (to survive)

voir (to see): *je vois, tu vois, il/elle voit, nous voyons, vous voyez, ils/elles voient*

Like **voir: revoir** (to see again)

vouloir (to wish, want): *je veux, tu veux, il/elle veut, nous voulons, vous voulez, ils/elle veulent*

Exercice O

Vous conversez avec des camarades de classe. Complétez les phrases de chaque dialogue avec la forme correcte du verbe de la première phrase:

EXEMPLE: — **Voulez-vous** nous accompagner au cinéma?

   — Non. Nous ne __voulons__ pas vous y accompagner.
   — Moi, je __veux__ bien vous y accompagner.

1. — Pouvez-vous nous prêter votre livre de français?
   — Non. Je ne _____ pas.
   — Alors nous ne _____ pas faire nos devoirs.
2. — Connaissez-vous cette fille?
   — Non. Je ne la _____ pas.
   — Nous ne la _____ pas non plus.
3. — Qu'est-ce que vous promettez à vos parents?
   — Je leur _____ de réussir.
   — Et nous, nous leur _____ d'étudier beaucoup.
4. — Voulez-vous aller au parc aujourd'hui?
   — Non. Je _____ rester à la maison.

— Nous, nous _____ jouer au base-ball, mais eux, ils _____ jouer au basket.

5. — À quelle heure partez-vous?

— Je _____ à 2 h.

— Nous ne _____ pas avant 2 h 15.

6. — Qu'est-ce que tu écris?

— J'_____ une lettre à mes grands-parents.

— Pierre et moi, nous _____ une lettre à nos parents.

7. — Quand est-ce qu'il revient?

— Je ne sais pas. Moi, je _____ à midi.

— Nous, nous _____ à midi et demi.

8. — Qu'est-ce que vous prenez pour aller à l'école?

— Moi, je _____ le métro.

— Pierre et Luc _____-ils le métro aussi?

9. — Quel cadeau ouvres-tu d'abord?

— J'_____ d'abord le cadeau de mon petit ami.

— Nous _____ le cadeau de notre cousin.

10. — De quel instrument sais-tu jouer?

— Je _____ jouer de la guitare.

— Nous ne _____ pas jouer d'un instrument.

11. — Est-ce que tu dis toujours la vérité?

— Bien sûr que je _____ toujours la vérité! Et vous, Richard et Bernard, _____-vous toujours la vérité?

— Nous ne _____ jamais de mensonges!

12. — Qu'est-ce que vous buvez le matin?

— Nous _____ du jus d'orange. Qu'est-ce que vos frères _____?

— Henri _____ du lait et André _____ du café.

13. — Quel livre lis-tu pour le cours de littérature?

— Je _____ «Le Rouge et le Noir».

— Nous, nous _____ «Le Père Goriot».

14. — Avec qui sortez-vous?

— Nous _____ avec Hughes et Monique.

— Quelle coïncidence! Je _____ avec eux aussi!

Exercice P

Vous écrivez une composition intitulée «Une journée ennuyeuse». Complétez la composition avec la forme correcte du verbe:

Il _____ aujourd'hui et je _____ d'ennui. Ma mère me
  1 (pleuvoir)   **2** (mourir)

_____: «Tu te _____ toujours. Tu te _____ comme
  3 (dire)   **4** (plaindre)   **5** (conduire)

un bébé!» Elle a raison. Je me _____ et je réfléchis. Tout d'un
                          6 (taire)

coup, une idée formidable me _____ à l'esprit. Je téléphone
        7 (venir)

aussitôt à Louis et je lui _____ : «Tu _____ au cirque avec
            8 (dire)   **9** (venir)

moi?» Louis répond: «Tu _____ ?» J'insiste tellement qu'il
            10 (croire)

accepte. Il dit: «Je _____ chez toi. Nous _____ prendre le
        11 (courir)   **12** (pouvoir)

métro pour aller en ville. Je _____ d'arriver en retard. N'oublie
                13 (craindre)

pas ton argent. Il te _____ au moins vingt-cinq dollars. À tout de
            14 (falloir)

suite!» Quelle bonne idée! Mais avant de partir, je _____ faire
                        15 (devoir)

mon lit. Enfin, je _____ mon manteau puis j'attends Louis. Il
        16 (mettre)

sonne et j'_____ la porte. Nous _____ au revoir à ma mère
        17 (ouvrir)   **18** (dire)

et nous _____. Ça _____ parfois la peine de sortir quand il
        19 (partir)   **20** (valoir)

pleut.

4. Uses of the Present Tense

a. The present tense may have the following meanings in English:

Paul *sort.*	*Paul goes (is going) out.*
Ils *vont* au cinéma.	*They go (are going) to the movies.*
***Étudiez*-vous le français?**	*Do you study French? (Are you studying French?)*
Je ne *parle* pas français.	*I do not speak French. (I am not speaking French.)*

b. The present tense is often used instead of the future to ask for instructions or to refer to an action that will take place in the immediate future:

Je le *mets* ici?	*Shall I put it here?*
Je te *téléphone* dans quinze minutes.	*I'll call you in 15 minutes.*

C. The present tense + **depuis** + an expression of time expresses an action or event that began in the past and continues in the present. In such situations, the question is expressed by **Depuis combien de temps . . . ?** + present tense or **Depuis quand . . . ?** + present tense:

Je cherche Marc **depuis vingt minutes.**	*I have been looking for Marc for twenty minutes.*
J'habite ici **depuis 1979.**	*I have been living here since 1979.*
Depuis combien de temps *cherchez-vous* Marc?	*How long have you been looking for Marc?*
Depuis quand *habitez-vous* ici?	*Since when have you been living here?*

NOTE:

1. The construction **il y a** + expression of time + **que** + the present tense also expresses a past action or event that continues in the present. In such situations, the question is expressed by **Combien de temps y a-t-il que . . . ?** + present tense:

Combien de temps y a-t-il que *vous cherchez* Marc?	*How long have you been looking for Marc?*
Il y a vingt minutes que *je cherche* Marc.	*I have been looking for Marc for twenty minutes.*

2. The constructions **voilà . . . que** and **cela (ça) fait . . . que** + present tense may also be used in place of **depuis:**

Voilà dix ans que *j'habite* ici.	*I have been living here for ten years.*
Ça fait une heure que *j'attends.*	*I have been waiting for an hour.*

Exercice Q

Vous êtes le témoin d'un accident et vous aidez les victimes. Un journaliste arrive et vous pose des questions. Répondez-y:

EXEMPLE: Depuis quand êtes-vous ici? (20 minutes)
   Je suis ici *depuis* vingt minutes.

1. Depuis quand travaillez-vous dans ce quartier? (4 ans)
2. Depuis quand attendez-vous la police? (20 minutes)
3. Depuis quand connaissez-vous les victimes? (3 mois)
4. Depuis quand réconfortez-vous les victimes? (un quart d'heure)
5. Depuis quand essayez-vous d'appeler un docteur? (5 minutes)
6. Depuis quand êtes-vous là? (45 minutes)

Exercice R

Vous rencontrez un ami pour la première fois depuis longtemps. Posez-lui des questions en utilisant **combien de temps y a-t-il que:**

> EXEMPLE: être ici
> **Combien de temps y a-t-il que** tu **es** ici?

1. travailler dans cette compagnie
2. apprendre le français
3. étudier à l'université
4. conduire une voiture de sport
5. faire du karaté
6. vivre là-bas

Exercice S

Vous dites à un ami depuis quand vous avez abandonné certaines habitudes:

> EXEMPLE: sucer mon pouce (dix ans)
> **Il y a dix ans que** je ne **suce** pas mon pouce.
> Je ne **suce** pas mon pouce **depuis dix ans.**

1. dormir avec la lumière allumée (onze ans)
2. faire des farces au téléphone (6 mois)
3. mâcher du chewing-gum (1 an)
4. manger des bonbons (3 semaines)
5. arriver en retard (1 mois)
6. jeter des papiers par terre (4 mois)

◆ MASTERY EXERCISES ◆

Exercice T

Tu es une personne très curieuse. Demande à un(e) camarade de classe de répondre à tes questions:

1. Tu: Qui nettoie ta maison?
   Camarade:
2. Tu: Qu'est-ce que tu aimes manger?
   Camarade:
3. Tu: Combien pèses-tu?
   Camarade:
4. Tu: Combien d'argent gagnes-tu en été?
   Camarade:
5. Tu: Qui emmènes-tu au cinéma?
   Camarade:

6. Tu: Où est-ce que tu achètes tes vêtements?
    Camarade:
7. Tu: Quand ranges-tu ta chambre?
    Camarade:
8. Tu: Combien paies-tu pour un cadeau d'anniversaire?
    Camarade:
9. Tu: Quel sport préfères-tu?
    Camarade:
10. Tu: Combien de temps y a-t-il que tu étudies le français?
    Camarade:

■ Exercice U ■

Vos parents reviennent de la réunion de parents d'élèves. Exprimez ce qu'ils vous demandent en rentrant:

> EXEMPLE: sortir avec Lucie (2 mois)
>   Vos parents: **Combien de temps y a-t-il que** tu **sors** avec Lucie?
>   Vous: **Il y a deux mois que** je **sors** avec Lucie.

1. recevoir de mauvaises notes (1 mois)
    Vos parents:
    Vous:
2. faire partie de l'équipe de basket (3 mois)
    Vos parents:
    Vous:
3. faire les devoirs de tes amis (4 jours)
    Vos parents:
    Vous:
4. manquer le cours de maths (1 semaine)
    Vos parents:
    Vous:
5. acheter ton déjeuner à l'école? (1 an)
    Vos parents:
    Vous:

■ Exercice V ■

Il y a une heure que vous attendez votre ami(e). Finalement, vous décidez de partir et de laisser un mot sur la porte où vous écrivez les choses suivantes en français:

you are furious because you have been waiting for him/her for an hour;
you do not understand why he/she is not here;
he/she always arrives on time;

you do not deserve this;
he/she must call you to explain;
he/she can call you after 8:00 P.M.

Exercice W

Renée décrit ce qui se passe dans sa classe de français. Exprimez en français ce qu'elle dit:

1. My friend asks: "How long have you been studying French?"
2. We have been studying French for two years.
3. We love the teacher and we help her.
4. We put everything in order.
5. Everyone cleans the desks.
6. We erase the chalkboard.
7. We begin the lesson on time.
8. We correct the homework in class.

2

Imperative

The imperative is a verb form used to give commands or make requests.

1. Imperative of Regular Verbs

a. The forms of the imperative (**l'impératif**) are the same as the corresponding forms of the present indicative, except for the omission of the subject pronouns **tu** and **vous**:

FAMILIAR		FORMAL	
travaille	*work*	**travaillez**	*work*
choisis	*choose*	**choisissez**	*choose*
attends	*wait*	**attendez**	*wait*

b. The first person plural of the present tense is used to express *Let us* (*Let's*):

Partons **tout de suite.**	*Let's leave right away.*
Jouons **au football maintenant.**	*Let's play soccer now.*
Allons **danser.**	*Let's go dancing.*

NOTE:

1. The familiar imperative of **-er** verbs drops the final **s**:

Explique **la règle.**	*Explain the rule.*
Regarde **ce livre.**	*Look at this book.*

2. In the negative imperative, **ne** and **pas** surround the verb:

Ne **travaillez** *pas* **si dur.**	*Don't work so hard.*
*N'***attends** *pas* **les autres.**	*Don't wait for the others.*

Exercice A

Votre meilleur(e) ami(e) va passer l'été dans une colonie de vacances.
Exprimez ce que vous lui conseillez de faire:

> EXEMPLE: (jouer)   __Joue__ bien avec les autres.

1. (écouter)   _____ les moniteurs.
2. (nager)   _____ toujours avec un ami.
3. (profiter)   _____ de chaque jour.
4. (répondre)   _____ poliment.
5. (réfléchir)   _____ avant d'agir.
6. (téléphoner)   _____ de temps en temps.
7. (choisir)   _____ des activités sportives.
8. (manger)   _____ bien.

Exercice B

Exprimez ce que vous conseillez à votre ami(e) de ne pas faire:

> EXEMPLE: (fumer)   __Ne fume pas.__

1. (désobéir)   _____.
2. (perdre)   _____ tes vêtements.
3. (téléphoner)   _____ tous les jours.
4. (pleurer)   _____.
5. (interrompre)   _____ les moniteurs.
6. (choisir)   _____ de souvenirs très chers.
7. (jurer)   _____.
8. (dépenser)   _____ tout ton argent.

Exercice C

Vos frères n'arrêtent pas de vous embêter pendant que votre amie vous
rend visite. Exprimez ce que vous leur suggérez de faire pour qu'ils
vous laissent tranquilles:

> EXEMPLE: (jouer)   __Jouez__ au basket!

1. (finir)   _____ vos devoirs!
2. (regarder)   _____ un film!
3. (descendre)   _____ en ville!
4. (profiter)   _____ du beau temps!
5. (choisir)   _____ un livre!
6. (écouter)   _____ la radio!

7. (téléphoner) _____ à vos amis!
8. (dessiner) _____ quelque chose!

Exercice D

Exprimez ce que vous demandez à vos frères de ne pas faire:

    EXEMPLE: (embêter) ___**N'embêtez pas**___ mon amie.

1. (toucher) _____ à mes affaires.
2. (rester) _____ dans ma chambre.
3. (prendre) _____ mon baladeur.
4. (agir) _____ comme des enfants.
5. (songer) _____ à rester avec nous.
6. (regarder) _____ la télévision ici.
7. (utiliser) _____ mon téléphone.
8. (crier) _____ .

Exercice E

Votre ami vous demande le chemin pour aller à la plage. Donnez-lui les instructions suivantes:

    EXEMPLE: (commencer) ___**Commence**___ au carrefour des rues Jacques et Lacoste.

1. (remonter) _____ la rue Jacques.
2. (prendre) _____ la rue Royale jusqu'au parc.
3. (traverser) _____ le parc.
4. (continuer) _____ jusqu'au boulevard Printemps.
5. (tourner) _____ à droite au feu.
6. (passer) _____ devant l'église.
7. (choisir) _____ la rue à gauche.
8. (descendre) _____ jusqu'au bout de la rue et tu verras la plage.

Exercice F

Aujourd'hui il pleut et vous ne savez pas quoi faire. Votre ami(e) fait quelques suggestions, mais elles ne vous plaisent pas. Exécutez le dialogue suivant avec un(e) camarade de classe:

    EXEMPLE: rester à la maison
             Votre ami(e): **Restons** à la maison.
             Vous: **Non, ne restons pas** à la maison.

1. écouter ces disques
   Votre ami(e):
   Vous:
2. regarder la télévision
   Votre ami(e):
   Vous:
3. préparer le dîner
   Votre ami(e):
   Vous:
4. visiter le musée
   Votre ami(e):
   Vous:

5. étudier nos leçons
   Votre ami(e):
   Vous:
6. aider nos parents
   Votre ami(e):
   Vous:
7. téléphoner à Janine
   Votre ami(e):
   Vous:
8. finir notre travail
   Votre ami(e):
   Vous:

2. Imperative of Irregular Verbs

The imperative of irregular verbs generally follows the same pattern as regular verbs:

aller:	*va, allez, allons*	**ouvrir:**	*ouvre, ouvrez, ouvrons*
dire:	*dis, dites, disons*	**recevoir:**	*reçois, recevez, recevons*

NOTE:

1. Verbs conjugated like **-er** verbs in the present indicative drop the final **s** in the familiar imperative:

   Offre **un cadeau à ta mère.**   *Offer a present to your mother.*
   Ouvre **la fenêtre.**   *Open the window.*

2. The verbs **avoir, être,** and **savoir** have irregular imperatives:

avoir:	*aie, ayez, ayons*
être:	*sois, soyez, soyons*
savoir:	*sache, sachez, sachons*

   N'*aie* **pas peur.**   *Don't be afraid.*
   Soyons **heureux.**   *Let's be happy.*
   Sachez **bien votre leçon.**   *Know your lesson well.*

3. When linked to the pronouns **y** and **en,** all verbs, regular and irregular, retain the **s:**

   Manges-en la moitié.   *Eat half of it.*
   Vas-y vite.   *Go there quickly.*

Exercice G

Vous allez passer un examen oral important et votre frère aîné vous donne quelques conseils. Complétez les phrases avec la forme correcte des verbes entre parenthèses:

EXEMPLE: (être) _____**Ne sois pas**_____ nerveux/nerveuse.

1. (aller)   _____ directement à la salle des examens.
2. (faire)   _____ de ton mieux.
3. (offrir)   N'_____ pas de détails superflus.
4. (dire)   Ne _____ pas de bêtises.
5. (avoir)   _____ de la patience.
6. (être)   Ne _____ pas intimidé(e).
7. (faire)   _____ attention à ta prononciation.
8. (être)   _____ poli(e).

Exercice H

C'est la rentrée des classes. La mère d'Étienne lui fait certaines recommandations. Exprimez ce qu'elle dit à son fils:

EXEMPLE: arriver à l'heure
            Arrive à l'heure.

1. aller tout de suite en classe
2. faire ce qu'on te dit
3. dire «Bonjour» au professeur
4. ouvrir vite ton cahier
5. écrire bien

6. lire à voix basse
7. recevoir de bonnes notes
8. apprendre tes leçons
9. voir tes amis dans la cour
10. revenir à la maison à 3 h

Exercice I

Exprimez ce que la mère d'Étienne lui dit de ne pas faire:

EXEMPLE: mentir
            Ne mens pas.

1. prendre le métro
2. courir dans les couloirs
3. manger pendant les cours
4. rire en classe
5. craindre le professeur

6. dormir durant les leçons
7. faire le clown
8. être timide
9. ouvrir la porte
10. avoir peur

Exercice J

M. Renoir est à l'hôpital. Vous êtes aide-soignant(e). Exprimez ce que vous lui dites de ne pas faire:

> EXEMPLE: manger trop vite
> **Ne mangez pas** trop vite.

1. boire beaucoup de café
2. courir
3. lire beaucoup
4. avoir peur
5. être inquiet
6. faire trop d'efforts physiques
7. sortir de votre chambre
8. aller dehors
9. recevoir trop de visites
10. craindre le docteur

Exercice K

Exprimez ce que vous lui dites de faire:

> EXEMPLE: boire du thé
> **Buvez** du thé.

1. ouvrir la fenêtre
2. savoir quand vous reposer
3. écrire des cartes postales
4. prendre tous vos médicaments
5. croire le docteur
6. dire la vérité au docteur
7. suivre les conseils des infirmières
8. envoyer une lettre à votre ami
9. promettre de bien manger
10. rire souvent

Exercice L

Vous faites une excursion à la campagne avec votre ami(e) qui est très indécis(e). Exprimez ses réponses quand vous lui suggérez certaines activités. Exécutez le dialogue suivant avec un(e) camarade de classe:

> EXEMPLE: courir dans le champ
> Vous: **Courons** dans le champ.
> Votre ami(e): **Oui, mais ne courons pas** dans le champ tout de suite.

1. faire une promenade
   Vous:
   Votre ami(e):

2. aller dans le bois
   Vous:
   Votre ami(e):

3. déjeuner en plein air
Vous:
Votre ami(e):
4. suivre ce chemin
Vous:
Votre ami(e):

5. monter à cheval
Vous:
Votre ami(e):

Exercice M

Complétez ces instructions pour donner un coup de téléphone d'un ancien téléphone public à Paris:

1. (décrocher) _____ le récepteur.
2. (écouter) _____ la tonalité.
3. (introduire) _____ un jeton dans la fente.
4. (composer) _____ le numéro.
5. (attendre) _____ que quelqu'un vous parle.
6. (pousser) _____ le bouton.
7. (parler) _____ avec la personne.
8. (raccrocher) _____ le récepteur.

♦ MASTERY EXERCISES ♦

Exercice N

Utilisez les suggestions entre parenthèses pour exprimer vos réponses aux situations suivantes:

EXEMPLE: Anne: Il est déjà 8 h et j'ai un rendez-vous à 8 h 15.
Vous: (marcher plus vite) **Marche plus vite.**

1. Robert: Regarde! Ton chien s'échappe.
Vous: (venir ici, Fifi)
2. Marie: Papa a préparé un nouveau plat exotique.
Vous: (en goûter un peu)
3. Charles: Je n'ai pas cassé la fenêtre. Ce n'est pas ma balle.
Vous: (ne pas mentir)
4. Régine: L'école prépare un voyage en France.
Vous: (y aller avec ta classe)
5. Suzette: Il y a un chien méchant par ici.
Vous: (ne pas avoir peur)
6. Pauline: Je ne sais pas si je veux sortir avec Frédéric.
Vous: (ne pas être timide)

7. Liliane: Les bonbons que Paul t'a donnés sont délicieux.
   Vous: (en manger un autre)
8. Gilles: Qu'est-ce que je dois faire de tout cet argent?
   Vous: (mettre cet argent sur la table)

Exercice O

*Vos ami(e)s ont envie d'écrire une excellente composition. Donnez-leur
des conseils pour réussir:*

> EXEMPLE: procéder lentement
> **Procédez lentement.**

1. lire soigneusement les instructions
2. choisir votre sujet
3. faire un plan détaillé
4. écrire votre composition
5. faire attention au vocabulaire
6. relire ce que vous avez écrit
7. vérifier votre grammaire
8. corriger les fautes

Exercice P

Voici de bons conseils. Exprimez-les en français:

1. If you want to have good friends, be generous!
2. Listen to their problems!
3. Applaud their successes!
4. Buy them beautiful presents!
5. Remain faithful!
6. Don't lie to them!
7. Don't exaggerate!
8. Don't forget their birthdays!
9. Don't bother them!
10. Don't look for arguments!

3

Passé Composé

The **passé composé** (past indefinite) expresses an action or event completed in the past. The **passé composé** of most verbs is formed by combining the present tense of **avoir** and the past participle of the verb.

1. Verbs Conjugated With *avoir*

I (have) explained

j'ai		nous avons	
tu as	} expliqué	vous avez	} expliqué
il / elle a		ils / elles ont	

I (have) succeeded

j'ai		nous avons	
tu as	} réussi	vous avez	} réussi
il / elle a		ils / elles ont	

I (have) answered

j'ai		nous avons	
tu as	} répondu	vous avez	} répondu
il / elle a		ils / elles ont	

NOTE:

1. The past participle of regular verbs is formed by dropping the infinitive endings, and adding **é** for **-er** verbs, **i** for **-ir** verbs and **u** for **-re** verbs.

2. In a negative sentence in the **passé composé, ne** precedes and **pas** follows the helping verb:

Je *n'*ai *pas* fini mon travail.   *I haven't finished my work.*
Ils *n'*ont *pas* attendu les filles.   *They didn't wait for the girls.*

3. In an interrogative sentence in the **passé composé,** the subject pronoun and the helping verb are inverted:

As-*tu* fini la leçon?	*Did you finish the lesson?*
La fille a-*t-elle* copié son adresse?	*Has the girl copied his address?*

4. In a negative interrogative sentence in the **passé composé, ne** and
pas surround the inverted helping verb and subject pronoun:

*N'*avez-vous *pas* dansé?	*Didn't you dance?*
*N'*as-tu *pas* oublié quelque chose?	*Haven't you forgotten something?*

Exercice A

Le week-end dernier, Joël et ses amis sont allés en pique-nique.
Exprimez ce qu'ils ont fait:

EXEMPLE: je / parler à mes amies
            J'ai parlé à mes amies.

1. je / allumer le feu
2. tu / griller des hamburgers
3. vous / préparer de bonnes salades
4. Christian / nager dans le lac
5. nous / raconter des histoires drôles
6. Lucie / participer à une course de bicyclettes
7. les filles / marcher dans le bois
8. Gilbert et Viviane / jouer au frisbee

Exercice B

Chaque élève de votre classe a présenté un exposé oral. Exprimez les
réactions de chacun en vous servant des suggestions données:

SUGGESTIONS: saisir l'occasion   choisir un sujet intéressant
                applaudir   accomplir beaucoup de
                remplir son but   recherches
                finir tout de suite   établir la liste des
                réussir cet exposé   événements
                réagir aux commentaires

EXEMPLE: **Henri a fini tout de suite.**

1. J'   4. Cécile   7. Le professeur
2. Nous   5. Vous   8. Tu
3. Les garçons   6. Les filles

Exercice C

Vous avez passé le week-end à faire du ski en montagne. Malheureuse-
ment, votre amie Colette s'est cassé la jambe. Exprimez ce qui est
arrivé:

> EXEMPLE: je / entendre du bruit
> **J'ai entendu** du bruit.

1. tu / tendre l'oreille
2. vous / entendre les cris de Colette
3. je / interrompre ma conversation avec Paul
4. les garçons / répondre à son appel tout de suite
5. les instructeurs / défendre à Colette de bouger
6. elle / perdre un ski
7. nous / attendre l'ambulance
8. le directeur / rendre le prix de l'excursion à Colette

Exercice D

C'est la rentrée des classes. De retour chez vous, votre mère vous pose
les questions suivantes. Répondez-lui négativement:

> EXEMPLE: As-tu oublié ton livre?
> **Non, je n'ai pas oublié** mon livre.

1. As-tu parlé en classe?
2. As-tu désobéi au professeur?
3. As-tu perdu ton argent?
4. As-tu joué en classe?
5. As-tu fini tes devoirs en classe?
6. As-tu interrompu la leçon?

Exercice E

Vos amis et vous partez en voyage. Vous devez arriver à l'aéroport à
l'heure. Exprimez ce que chaque personne n'a pas encore fait:

> EXEMPLE: vous / téléphoner à votre grand-mère
> **Vous n'avez pas téléphoné** à votre grand-mère.

1. Thierry / finir le ménage
2. tu / terminer de faire tes valises
3. les garçons / confirmer le vol
4. nous / descendre les poubelles
5. Liliane / trouver son passeport
6. je / sortir le chien
7. vous / vérifier l'horaire du bus pour l'aéroport
8. elles / entendre la météo

Exercice F

Votre mère vous demande de faire certaines choses à la maison pendant qu'elle fait les courses. Répondez négativement aux questions qu'elle vous pose en rentrant. Exécutez le dialogue suivant avec un(e) camarade de classe:

> EXEMPLE: préparer le dîner
> Votre mère: **As-tu préparé** le dîner?
> Vous: **Je regrette, mais je *n'*ai *pas encore* préparé** le dîner.

1. repasser les chemises
    Votre mère:
    Vous:
2. finir tes devoirs
    Votre mère:
    Vous:
3. répondre à sa lettre
    Votre mère:
    Vous:

4. ranger ta chambre
    Votre mère:
    Vous:
5. brosser le chien
    Votre mère:
    Vous:
6. couper les légumes
    Votre mère:
    Vous:

Exercice G

Vos amis et vous discutez d'une surprise-partie à laquelle vous avez assisté. Posez des questions au sujet de cette fête:

> EXEMPLE: Paul / laisser tomber son verre d'eau
> **Paul a-t-il laissé tomber** son verre d'eau?

1. tu / chanter en français
2. Chantal / jouer de la guitare
3. vous / perdre votre bracelet
4. Robert et Simon / écouter de la musique
5. nous / embarrasser l'hôtesse
6. Olivier / crier
7. Agnès et Irène / finir le gâteau
8. je / répondre poliment à l'hôtesse

Exercice H

Il y a un examen d'histoire aujourd'hui. Vous en discutez avec un ami et vous lui posez des questions:

> EXEMPLE: Hancock / signer la Déclaration d'Indépendance
> **Hancock n'a-t-il pas signé** la Déclaration d'Indépendance?

1. George Washington / couper le cerisier
2. Abraham Lincoln / libérer les esclaves
3. Benedict Arnold / trahir son pays
4. Alexander Graham Bell / inventer le téléphone
5. Pierre et Marie Curie / consacrer leur vie à l'étude du radium
6. Les Français / bâtir Notre-Dame de Paris en quatre-vingt-deux ans
7. Jonas Salk / trouver un vaccin contre la polio
8. Neil Armstrong / explorer la lune

2. Irregular Verbs Conjugated With *avoir*

a. Past participles ending in -u:

avoir:	*eu*	lire:	*lu*	taire:	*tu*
boire:	*bu*	plaire:	*plu*	tenir:	*tenu*
connaître:	*connu*	pleuvoir:	*plu*	valoir:	*valu*
courir:	*couru*	pouvoir:	*pu*	vivre:	*vécu*
croire:	*cru*	recevoir:	*reçu*	voir:	*vu*
devoir:	*dû**	savoir:	*su*	vouloir:	*voulu*
falloir:	*fallu*				

b. Past participles ending in -i:

rire:	*ri*	suivre:	*suivi*

c. Past participles ending in -is:

asseoir:	*assis*	mettre:	*mis*	prendre:	*pris*

d. Past participles ending in -it:

conduire:	*conduit*	dire:	*dit*	écrire:	*écrit*

e. Irregular past participles:

craindre:	*craint*	faire:	*fait*
être:	*été*	ouvrir:	*ouvert*

*The following past-participle forms of **devoir** do not take a circumflex accent: **due, dues, dus.**

Exercice I

Exprimez ce que ces personnes ont fait et n'ont pas fait hier:

> EXEMPLE: il (dire un mensonge / finir ses devoirs)
> **Il a dit** un mensonge. **Il n'a pas fini** ses devoirs.

1. je (lire un livre / voir le film)
2. nous (courir / conduire la voiture)
3. il (recevoir une mauvaise note / ouvrir son livre)
4. vous (être triste / avoir le temps de jouer)
5. elles (vouloir marcher / prendre le taxi)
6. tu (devoir rester chez toi / pouvoir sortir)
7. il (craindre la réaction du professeur / faire ses devoirs)
8. elle (écrire une lettre / mettre les timbres sur l'enveloppe)

Exercice J

Complétez la composition de Jean-Claude intitulée: «Une mauvaise idée» avec le passé composé du verbe entre parenthèses:

Hier, malgré la pluie, j'_____ envie d'aller au cinéma.
                  1 (avoir)

J'_____ une tasse de thé puis j'_____ un mot à mes
   2 (boire)   **3** (écrire)

parents. J'_____ au revoir à mon frère et, enfin,
              4 (dire)

j'_____ mon imperméable. J'_____ les clés de ma
   5 (mettre)   **6** (prendre)

voiture. (J'_____ cette voiture pour mon anniversaire.)
           7 (recevoir)

J'_____ à ma voiture, j'_____ la porte et
   8 (courir)   **9** (ouvrir)

j'_____ démarrer tout de suite. J'_____ conduire très
   10 (pouvoir)   **11** (devoir)

lentement. J'_____ toujours _____ que la pluie n'était pas
            12 (croire)

dangereuse, mais j'avais tort. J'_____ ma route habituelle.
              13 (suivre)

Mais, tout à coup, je n'_____ pas _____ le virage. Je
            14 (voir)

n'_____ pas _____ tourner à temps et ma voiture
   15 (pouvoir)

n'_____ pas _____ la route. J'_____ pris de panique.
  16 (tenir)   **17** (être)

J'_____ éviter une autre voiture, mais je n'_____ pas _____
  18 (vouloir)   **19** (savoir)

comment et j'_____ un accident. Je ne savais pas quoi faire.
             20 (avoir)

Paniqué, j'_____ le pire. Il m'_____ aller aider
           21 (craindre)   **22** (falloir)

l'autre conducteur. Heureusement, l'accident n'était pas grave, sa

voiture était un peu abîmée, mais il n'était pas blessé. Il _____
                                                            23 (comprendre)

ce qui s'est passé. Je lui _____ de faire plus attention et,
                          24 (promettre)

finalement, j'_____ la route de la maison. Après tout, il y
              25 (reprendre)

avait un bon film à la télévision!

3. Agreement of Past Participles

Past participles of verbs conjugated with **avoir** agree in gender and number with a preceding direct object, usually a pronoun:

Il a lavé *sa chemise* et il *l'*a repassée.	He washed his shirt and he ironed it.
***Les robes?* Non, je ne *les* ai pas prises.**	The dresses? No, I didn't take them.
Il a essayé *ces pantalons* puis il *les* a achetés.	He tried on these pants, then he bought them.
Il *nous* a vus au cinéma.	He saw us at the movies.

NOTE:

1. A past participle also agrees with a preceding direct object noun or antecedent element that represents a direct object:

Combien de *livres* as-tu lus?	How many books have you read?
Quelle *robe* avez-vous portée?	Which dress did you wear?
Voici les *cadeaux* qu'elle a reçus.	Here are the gifts she received.
Elle va remplacer les *bagues* qu'elle a perdues.	She's going to replace the rings she lost.

2. Past participles already ending in **-s** remain unchanged when preceded by a masculine plural direct object:

Il a mis le gant.   **Il l'a mis.**
Il a mis les gants.   **Il les a mis.**

3. There is no agreement with preceding indirect objects:

Il a écrit à Marie.   **Il lui a écrit.**
Il a téléphoné à Jean et à moi.   **Il nous a téléphoné.**

4. The past participle of a verb conjugated with **avoir** remains unchanged before an infinitive with its own direct object:

Quelles belles chansons! **Je les**   *What beautiful songs! I heard*
   ai entendu chanter hier.   *them sung yesterday.*
C'est *la fille* que j'ai cru *voir*.   *It's the girl that I thought I*
                                            saw.

Voici *les cadeaux* que ma mère   *Here are the gifts my mother*
   a décidé d'acheter.   *decided to buy.*

In these examples, the direct object belongs to the infinitive, not to the
conjugated verb.

Exercice K

*Vos parents rentrent ce soir d'un séjour en Europe et votre frère et vous
essayez de remettre la maison en ordre. Votre frère vous demande si
vous avez tout fait. Répondez à ses questions:*

EXEMPLE: As-tu fait la vaisselle?
           Oui, je l'ai faite.

1. As-tu rangé ta chambre?
2. As-tu acheté les journaux?
3. As-tu fait les courses?
4. As-tu monté tes vêtements?
5. As-tu nettoyé la maison?
6. As-tu ouvert les fenêtres?
7. As-tu lavé la voiture?
8. As-tu mis les provisions dans le frigo?

Exercice L

*Tout le monde est fier du travail accompli. Exprimez ce que chaque
personne dit:*

EXEMPLE: voici les dessins / il a peint
           Voici les dessins **qu'il a peints.**

1. voici les disques / Pierre a enregistré
2. as-tu lu les livres / elle a écrit
3. montrez-moi les photos / vous avez pris
4. c'est l'histoire / nous avons traduit
5. on parle des lois / ils ont établi
6. où sont les médailles / tu as reçu
7. avez-vous écouté le morceau de musique / j'ai composé
8. nous avons goûté les gâteaux / elles ont préparé

Exercice M

M. Rouleau aide tout le monde. Expliquez comment en complétant la phrase avec la forme correcte du verbe au passé composé:

  1. (envoyer)   Voici le cadeau qu'il m'_____ .
  2. (écrire)   Il nous _____ une carte postale de Paris.
  3. (réparer)   Il a emprunté ma bicyclette puis il l'_____ .
  4. (écouter)   Il t'_____ quand tu avais beaucoup de problèmes.
  5. (conduire)   Il nous _____ à l'hôpital.
  6. (donner)   Ce sont les bonbons qu'il vous _____ .
  7. (planter)   As-tu vu les fleurs qu'il _____?
  8. (enseigner) Il lui _____ la natation.
  9. (conseiller) Il m'_____ de finir mes études.
 10. (vendre)   Il leur _____ sa voiture.

Exercice N

Exprimez ce que vous avez fait dans ces circonstances:

  EXEMPLE: Votre camarade de classe a laissé tomber ses livres. (les ramasser)
             Je les ai ramassés.

1. Une vieille dame est tombée dans la rue. (l'aider tout de suite)
2. Votre ami est allé à l'hôpital. (l'accompagner)
3. Vos sœurs ont voulu manger. (leur préparer un sandwich)
4. Votre père a perdu ses clefs. (les chercher)
5. Hier, votre meilleure amie a célébré son anniversaire. (lui envoyer des fleurs)
6. Votre sœur a annoncé qu'elle va épouser Jean. (l'embrasser)

4. Verbs Conjugated With *être*

a. The **passé composé** of some verbs is formed by combining the present tense of **être** and the past participle of the verb. Most of these verbs express motion or change of place, state, or condition:

> Il *est* **rentré** très tard.   *He came home very late.*
> Nous *sommes* **allés** au cinéma   *We went to the movies*
>   samedi soir.   *Saturday night.*

b. Past participles of verbs conjugated with **être** agree in gender and number with the subject:

MASCULINE SUBJECTS	FEMININE SUBJECTS
je suis tombé	**je suis tombée**
tu es tombé	**tu es tombée**
il est tombé	**elle est tombée**
nous sommes tombés	**nous sommes tombées**
vous êtes tombé*(s)*	**vous êtes tombée*(s)***
ils sont tombés	**elles sont tombées**

> *Sa femme* est **née** en Afrique.   *His wife was born in Africa.*
> Quand **sont-*ils* sortis?**   *When did they leave?*

c. Verbs conjugated with *être:*

aller:	*allé*	**monter:**	*monté*	**tomber:**	*tombé*
venir:	*venu*	**descendre:**	*descendu*	**rester:**	*resté*
arriver:	*arrivé*	**passer:**	*passé*	**devenir:**	*devenu*
partir:	*parti*	**revenir:**	*revenu*	**naître:**	*né*
entrer:	*entré*	**retourner:**	*retourné*	**mourir:**	*mort*
sortir:	*sorti*	**rentrer:**	*rentré*		

> NOTE: The interrogative and negative forms of the **passé composé** of verbs conjugated with **être** are:
>
> > **Elle *n*'est *pas* arrivée.**   *She didn't arrive.*
> > **Est-*elle* arrivée?**   *Did she arrive?*
> > **N'est-elle *pas* arrivée?**   *Didn't she arrive?*

Exercice O

Hier, il a beaucoup neigé et toutes les routes étaient bloquées. En vous servant des suggestions données, exprimez ce qui est arrivé:

SUGGESTIONS: tomber   arriver à l'école en retard
               descendre du bus   partir pour l'école de bonne
               revenir plus tôt   heure
               entrer dans un café   sortir du lycée avant trois
               rentrer à la maison   heures
               retourner chez Michel

EXEMPLE: **Nous sommes arrivés à l'école en retard.**

1. Lucien _____ .   **5.** Nous _____ .
2. Vous _____ .   **6.** Je _____ .
3. Alice _____ .   **7.** Élise et Colette _____ .
4. André et Richard _____ .   **8.** Tu _____ .

Exercice P

Vous venez de rentrer de colonie de vacances. Votre ami(e) veut savoir si vous avez passé de bonnes vacances. Exprimez ses questions et répondez négativement:

EXEMPLE: aller à la campagne
            Votre ami(e): **Es-tu allé(e)** à la campagne?
            Vous: **Non, je ne suis pas allé(e)** à la campagne.

1. partir en avion
        Votre ami(e):
        Vous:
2. sortir sans les autres
        Votre ami(e):
        Vous:
3. descendre à la plage tous les jours
        Votre ami(e):
        Vous:
4. tomber amoureux (amoureuse)
        Votre ami(e):
        Vous:
5. devenir expert(e) en planche à voile
        Votre ami(e):
        Vous:
6. arriver à apprendre à nager
        Votre ami(e):
        Vous:
7. rester au camp tout le temps
        Votre ami(e):
        Vous:
8. revenir par le train
        Votre ami(e):
        Vous:

Exercice Q

Vous discutez avec vos amis d'une fête qui a eu lieu samedi dernier et vous n'êtes pas sûr(e) de certains détails. Exprimez vos questions en utilisant la forme négative:

EXEMPLE: tu / revenir tout de suite avec Anne
            N'es-tu pas revenu(e) tout de suite avec Anne?

1. nous / partir avant minuit
2. il / rester avec ses amis
3. elles / monter pour chercher des disques
4. vous / sortir avant les autres
5. ils / venir avec leurs cousines
6. tu / aller à la fête avec Michelle
7. elle / rentrer de bonne heure

5. Special Verbs

Descendre, monter, passer, rentrer, retourner, and **sortir** are conjugated with **avoir** when they are used with a direct object. Note the changed meanings:

Il est descendu du train.	**Il a descendu** *sa valise.*
He got off the train.	*He took his suitcase downstairs.*
	Il a descendu *l'escalier.*
	He came downstairs.
Elle est montée dans sa chambre.	**Elle a monté** *l'escalier.*
She went up to her room.	*She went upstairs.*
	Elle a monté *ses vêtements.*
	She took her clothes upstairs.
Elles sont rentrées tard.	**Elles ont rentré** *le chien.*
They came home late.	*They brought in the dog.*
Je suis retourné(e) en France.	**J'ai retourné** *la robe* au magasin.
I returned to France.	*I returned the dress to the store.*
Quand es-tu sorti(e) avec Paul?	**Quand as-tu sorti** *ton argent?*
When did you go out with Paul?	*When did you take out your money?*
Je suis passé(e) chez toi.	**J'ai passé** *un mois* en France.
I passed by your house.	*I spent a month in France.*

Exercice R

Exprimez ce que Martine a fait aujourd'hui:

1. (descendre)   Martine _____ et elle _____ ses affaires en même temps.

2. (sortir) Elle _____ ses gants et elle _____ de la maison.

3. (rentrer) Elle _____ parce qu'il a commencé à neiger et elle _____ son chien du jardin.

4. (retourner) Elle _____ dans la cuisine et elle _____ l'omelette dans la poêle.

5. (monter) Elle _____ se coucher et elle _____ l'escalier en courant.

6. (passer) Elle _____ l'après-midi chez moi, et après elle _____ à la bibliothèque.

◆ MASTERY EXERCISES ◆

Exercice S

Vous rentrez de l'école, mais votre mère n'est pas à la maison. Vous trouvez une liste de ce qu'elle devait faire pendant la journée. Exprimez ce qu'elle a fait:

Exercice T

Expliquez en français le problème que vous avez eu avec un cadeau que vous avez acheté:

1. Last week I bought a birthday gift for my cousin Eric.

2. He was born on May 3, 1974.

3. I bought Eric a radio. It cost me $55.

4. I worked hard to earn the money.

5. When I returned home, I turned the radio on and it didn't work.

6. My friend tried to fix it, but he wasn't able to.

7. I returned the radio to the store where I bought it.

8. They told me that I broke it.

9. I asked to speak to the manager.

10. He told me to send the radio to the manufacturer.

11. I returned the radio and fortunately received a new one.

12. I gave it to Eric two weeks after his birthday.

4

Imperfect Tense

The imperfect tense expresses a continuing state or an incomplete action in the past.

1. Forms of the Imperfect

a. The imperfect tense (**l'imparfait**) of regular verbs is formed by dropping the **-ons** ending of the **nous** form of the present tense and adding **-ais, -ais, -ait, -ions, -iez, -aient**:

chanter	finir	répondre
I was singing I used to sing I sang	I was finishing I used to finish I finished	I was answering I used to answer I answered
je chant*ais* tu chant*ais* il / elle chant*ait*	je finiss*ais* tu finiss*ais* il / elle finiss*ait*	je répond*ais* tu répond*ais* il / elle répond*ait*
nous chant*ions* vous chant*iez* ils / elles chant*aient*	nous finiss*ions* vous finiss*iez* ils / elles finiss*aient*	nous répond*ions* vous répond*iez* ils / elles répond*aient*

Quand *j'étais* petite, *je chantais* à la chorale.	When I was young I used to (would) sing in the choir.
***Il finissait* ses devoirs avant le dîner.**	He finished (used to finish) his homework before dinner.
***Vous répondiez* toujours à ses questions.**	You always answered his questions.

b. The imperfect of irregular verbs, with few exceptions, is formed in the same way:

INFINITIVE	PRESENT **nous** FORM	IMPERFECT
boire: **craindre:** **faire:** **voir:**	*buv*ons *craign*ons *fais*ons *voy*ons	je *buvais*, tu *buvais*, il / elle *buvait* . . . je *craignais*, tu *craignais*, il / elle *craignait* . . . je *faisais*, tu *faisais*, il / elle *faisait* . . . je *voyais*, tu *voyais*, il / elle *voyait* . . .

NOTE:

1. The imperfect forms of **être, falloir,** and **pleuvoir** are as follows:

être: j'*étais*	falloir: il *fallait*	pleuvoir: il *pleuvait*

2. Verbs that end in **-ions** and **-iez** in the present indicative have forms ending in **-iions** and **-iiez** in the imperfect: **nous étud*iions*, vous étud*iiez*; nous r*iions*, vous r*iiez*.**

Exercice A

Exprimez ce que ces personnes avaient l'habitude de faire quand elles étaient jeunes:

> EXEMPLE: Nous préparons les gâteaux le samedi.
> **Nous préparions** les gâteaux le samedi.

1. Nous travaillons dur tout le temps.
2. Je finis toujours mes devoirs.
3. Vous étudiez chaque après-midi.
4. Lise et Marc rentrent souvent tard.
5. Les garçons perdent souvent leurs affaires.
6. Les filles choisissent des vêtements à la mode.
7. Tu défends toujours tes frères.
8. Suzanne joue au tennis tous les jours.
9. J'obéis généralement à mes parents.
10. Paul et Henriette réussissent à chaque examen.

Exercice B

Exprimez ce que chacune de ces personnes était en train de faire à six heures hier soir:

> EXEMPLE: nous / regarder la télévision
> **Nous regardions** la télévision.

1. tu / attendre ton ami
2. Daphnée / préparer le dîner
3. Henri / descendre du train
4. nous / étudier pour un examen
5. Marie et Hélène / travailler
6. je / nourrir le bébé
7. vous / jouer du piano
8. Philippe et Paul / finir leurs devoirs

Exercice C

Vous posez des questions à votre grand-mère au sujet de son adolescence. Donnez ses réponses:

1. Où habitais-tu quand tu étais jeune?
2. Avec qui jouais-tu?
3. Avais-tu beaucoup de petits amis?
4. Tes frères, tes sœurs et toi, travailliez-vous après l'école?
5. Tes parents te punissaient-ils souvent?
6. Que faisais-tu le samedi soir?
7. Lisais-tu des romans d'amour?
8. Tes amies et toi, assistiez-vous à beaucoup de fêtes?
9. Quels vêtements étaient à la mode?
10. Voulais-tu visiter d'autres pays?

Exercice D

Vous parlez à votre grand-père de sa vie dans les années trente. Choisissez un camarade de classe pour jouer le rôle de votre grand-père et exécutez le dialogue suivant selon l'exemple:

EXEMPLE:　tu / danser la valse
Vous: **Dansais-tu la valse?**
je / danser le Charleston
Votre grand-père: **Non, je dansais le Charleston.**

1. tu / prendre souvent l'avion
   Vous:
   les avions / être rares
   Votre grand-père:
2. tu / regarder beaucoup la télévision
   Vous:
   la télévision / ne pas exister
   Votre grand-père:
3. que faire / tu pour passer le temps
   Vous:
   je / écouter la radio
   Votre grand-père:
4. où acheter / tu le lait
   Vous:
   le laitier / livrer le lait avec une charrette
   Votre grand-père:
5. combien coûter / les vêtements
   Vous:
   un costume / valoir vingt dollars
   Votre grand-père:

6. combien payer / tu un hamburger
Vous:
je / acheter un hamburger pour cinq cents
Votre grand-père:

7. ta famille / avoir une chaîne stéréo
Vous:
nous / avoir un gramophone
Votre grand-père:

8. combien coûter / un billet de cinéma
Vous:
on / aller au cinéma pour dix cents
Votre grand-père:

9. que faire / tu avec tes amis après l'école
Vous:
nous / jouer aux quilles
Votre grand-père:

10. combien gagner / les jeunes gens
Vous:
beaucoup de jeunes gens / ne gagner que dix dollars par semaine
Votre grand-père:

2. Spelling Changes in the Imperfect of Certain -er Verbs:

a. Verbs ending in **-cer** change **c** to **ç** before **a** or **o** to keep the soft **c** sound:

> **prononcer: je prononçais, tu prononçais, il/elle prononçait,
> nous prononcions, vous prononciez, ils/elles prononçaient**

b. Verbs ending in **-ger** insert mute **e** between **g** and **a** or **o** to keep the soft **g** sound:

> **voyager: je voyageais, tu voyageais, il/elle voyageait,
> nous voyagions, vous voyagiez, ils/elles voyageaient**

Exercice E

Henri, Luc et Anne se rappellent leur classe de français au lycée il y a dix ans. Exprimez leurs souvenirs:

> EXEMPLE: la classe / commencer à dix heures
> **La classe commençait** à dix heures.

1. nous / menacer toujours Paul Jaubert
2. je / placer les livres sur les tables

3. Jacqueline / effacer le tableau tous les jours
4. Maurice et Serge / lancer des avions en papier
5. vous / prononcer mal les mots de vocabulaire
6. le professeur / annoncer les résultats des tests
7. tu / avancer ta montre
8. les filles / commencer les exercices tout de suite

Exercice F

D'après les faits donnés, exprimez ce que les membres de la famille Morpeau faisaient habituellement:

> EXEMPLE: M. Morpeau allait souvent en Europe. (voyager beaucoup)
> **Il voyageait beaucoup.**

1. Nous parlions beaucoup. (déranger nos parents)
2. Jean et Louis allaient souvent à la plage. (nager tous les jours)
3. J'étais très généreux. (partager mes bonbons avec mon frère)
4. Vous nettoyiez bien la maison. (ranger toutes les chambres)
5. Maman voulait maigrir. (manger très peu)
6. Tu étais inconstant. (changer souvent d'opinion)
7. Annick et Odette voulaient réussir. (songer à devenir riches)
8. Papa était le gérant d'une grande entreprise. (diriger toutes les affaires)

3. Uses of the Imperfect Tense

The imperfect tense expresses continuous, habitual, or repeated past actions, events, or situations. It is also used to describe the circumstances surrounding a past action or event.

a. The imperfect is used to describe what was happening, used to happen, or happened repeatedly in the past:

Les oiseaux *chantaient.*	*The birds were singing.*
Nous habitions ce quartier.	*We used to live in that neighborhood.*
Il arrivait **souvent** en retard.	*He would (used to) often arrive late.*
Je lisais **pendant qu'***il écrivait.*	*I was reading (read) while he was writing (wrote).*
D'habitude, *j'allais* en France **tous les étés.**	*Usually, I went to France every summer.*

b. The imperfect is used to describe persons, things, or conditions in the past:

Elle était **blonde** et *avait* **les yeux bleus.**	She *was blond and had blue eyes.*
Il faisait **du vent** et *il neigeait.*	It *was windy and it was snowing.*
La neige *recouvrait* **la terre.**	The *snow covered the earth.*

c. The imperfect expresses a physical or mental state or condition in progress in the past, often with the verbs **aimer, croire, désirer, espérer, être, penser, pouvoir, préférer, regretter, savoir, vouloir:**

Ils croyaient (pensaient, savaient) que c'était important.	They *believed (thought, knew) that it was important.*
Nous voulions acheter une voiture.	We *wanted to buy a car.*
Je savais bien danser.	I *knew how to dance well.*
Vous préfériez lire des poèmes.	You *used to prefer (preferred) reading poems.*
Elle espérait devenir docteur.	She *hoped to become a doctor.*

d. The imperfect expresses the day, the month, and the time of day in the past:

C'était **jeudi.**	It *was Thursday.*
C'était **le mois de janvier.**	It *was January.*
Il était **deux heures.**	It *was 2 o'clock.*

e. The imperfect describes a situation that was going on in the past when another past action or event expressed in the **passé composé** occurred:

Je quittais **la maison quand le téléphone a sonné.**	I *was leaving the house when the phone rang.*
Pendant que *j'attendais* **le bus, j'ai vu un accident.**	While I *was waiting for the bus, I saw an accident.*

NOTE: Two actions going on simultaneously are both expressed in the imperfect:

Elle chantait **pendant que** *je jouais* **du piano.**	She *sang (was singing) while I played (was playing) the piano.*

Exercice G

Vos amis parlent du temps qu'il faisait pendant leur voyage. Exprimez ce qu'ils disent:

EXEMPLE:

Il faisait beau.

1.

2.

3.

4.

5.

6.

Exercice H

Décrivez les noces de Madeleine Vartan et de Roger Bonnard:

EXEMPLE: Madeleine / porter une jolie robe blanche
Madeleine portait une jolie robe blanche.

1. il / faire beau
2. les oiseaux / chanter
3. tout le monde / complimenter le jeune couple
4. Mme Vartan / pleurer de joie
5. M. Bonnard / sourire
6. je / avoir ma caméra vidéo
7. vous / vouloir embrasser les jeunes mariés
8. tu / espérer attraper le bouquet

Exercice I

En vous servant des suggestions données, exprimez ce que chacun était en train de faire avant la panne d'électricité:

SUGGESTIONS: dormir   préparer le dîner
              lire le journal   étudier pour un examen
              aller sortir   conduire sa voiture
              faire le ménage   manger une pomme
              écrire une lettre

EXEMPLE: **Luc préparait le dîner.**

1. Marianne _____ .
2. Nous _____ .
3. Je _____ .
4. Gilles et Christophe _____ .
5. Vous _____ .
6. Raymond _____ .
7. Gisèle et Isabelle _____ .
8. Tu _____ .

Exercice J

Imaginez que vous avez été le témoin d'un vol et que la police vous demande de décrire le crime et le criminel:

EXEMPLE: il / être grand
          Il était grand.

1. ce / être mardi
2. il / être trois heures de l'après-midi
3. le soleil / briller
4. il / faire très chaud
5. le voleur / vouloir voler la bijouterie
6. je / être dans le magasin
7. il / porter un pantalon bleu et une chemise blanche
8. il / paraître une vingtaine d'années
9. il / porter des lunettes
10. il / avoir les yeux bruns et les cheveux blonds
11. il / peser à peu près cent kilos
12. il / avoir une cicatrice sur la joue
13. je / vouloir me sauver
14. je / craindre d'être blessé
15. je / espérer m'en sortir sain et sauf

4. Imperfect With Expressions of Time

The imperfect tense is used with **depuis** + an expression of time to describe an action or event that began in the past and continued for

some time in the past. In such situations, the question is expressed by
Depuis combien de temps . . . ? + imperfect tense or **Depuis
quand . . . ?** + imperfect tense:

Je cherchais le livre **depuis
    vingt minutes** quand je l'ai
    finalement trouvé.

*I had been looking for the
    book for twenty minutes
    when I finally found it.*

Depuis combien de temps est-
    ce que *tu habitais* en France
    avant ton mariage?

*How long had you been living
    in France before your
    marriage?*

Depuis quand est-ce que *tu
    attendais* la lettre que tu as
    reçue aujourd'hui?

*Since when had you been
    waiting for the letter you
    received today?*

NOTE:

1. The construction **il y avait** + expression of time + **que** + the im-
    perfect tense is also used to express an action begun and continued
    in the past. In such situations, the question is expressed by
    Combien de temps y avait-il que . . . ? + imperfect tense:

Il y avait vingt minutes que *je
    cherchais* le livre.

*I had been looking for the book
    for twenty minutes.*

**Combien de temps y avait-il
    que** *tu cherchais* son
    adresse?

*How long had you been
    looking for his address?*

2. The constructions **cela (ça) faisait . . . que** + imperfect tense may
    also be used in place of **depuis**:

Ça faisait dix ans que
    j'habitais Paris.

*I had been living in Paris for
    ten years.*

Exercice K

*Antoine veut savoir depuis quand ses amis faisaient certaines choses.
Exprimez les questions d'Antoine en employant les expressions* **Depuis
quand . . . ?** *et* **Combien de temps y avait-il que . . . ?:**

EXEMPLE: Marie / jouer du violon
            Depuis quand jouait-elle du violon?
            Combien de temps y avait-il qu'elle jouait du violon?

1. Georges / travailler dans un supermarché
2. Étienne / conduire sa propre voiture
3. Anne et Yvette / voyager ensemble
4. tu / courir le marathon
5. nous / être amis

6. Alice / partager sa chambre avec Lucie
7. vous / suivre un régime
8. Alain et Bernard / adopter les animaux perdus

Exercice L

Donnez les réponses aux questions de l'exercice K en employant les renseignements donnés:

EXEMPLE: (cinq ans) **Elle jouait** du violon **depuis cinq ans.**
Il y avait cinq ans qu'elle jouait du violon.

1. (trois mois)
2. (une semaine)
3. (un an)
4. (deux ans)
5. (dix ans)
6. (un mois)
7. (quatre semaines)
8. (sept mois)

♦ MASTERY EXERCISES ♦

Exercice M

En employant les expressions données, décrivez ce que ces personnes faisaient:

EXPRESSIONS: tous les jours   le samedi après-midi
                chaque week-end   le dimanche
                tous les soirs   deux fois par semaine

EXEMPLE:

Arthur et Jean jouaient au tennis chaque week-end.

1.

M. Dubellay ———.

2.

Suzanne et Marie ———.

3.

Robert ———.

4.

Les enfants ———.

5.

Les frères Gérard _____ .

6.

Maman _____ :

Exercice N

Imaginez que vous êtes un auteur célèbre. Répondez aux questions qu'un journaliste vous pose:

1. Vous: Quel âge aviez-vous quand vous êtes arrivé dans ce pays?
Auteur:

2. Vous: Où habitiez-vous?
Auteur:

3. Vous: Saviez-vous parler anglais avant d'arriver?
Auteur:

4. Vous: Étudiiez-vous beaucoup?
Auteur:

5. Vous: Étiez-vous un élève sérieux?
Auteur:

6. Vous: Alliez-vous souvent au musée?
Auteur:

7. Vous: Depuis quand vouliez-vous être écrivain?
Auteur:

8. Vous: Qu'écriviez-vous quand vous étiez jeune?
Auteur:

9. Vous: Cherchiez-vous l'aide de vos professeurs?
Auteur:

10. Vous: Où trouviez-vous les sujets de vos contes?
    Auteur:
11. Vous: Comment gagniez-vous votre vie avant de devenir célèbre?
    Auteur:
12. Vous: Depuis combien de temps écriviez-vous avant de publier
               votre premier livre?
    Auteur:

Exercice O

Émile a reçu une carte d'un ami qui étudiait à Montréal. Exprimez en français ce que cet ami a écrit:

Dear Emile,

(1) Last week in Montreal the sun was shining every day. (2) The weather was beautiful, and the birds were singing. (3) Every day my alarm clock rang very early because I liked to see the sunrise. (4) Then I would take a shower and decide what clothes to wear. (5) I always went out for breakfast to a small café that was close to the university. (6) Each day I ate the same breakfast: croissants and coffee. (7) Then I would go to my classes. (8) My classmates and I usually ate lunch every day in the cafeteria of the university. (9) In the afternoon, I generally went to the library. (10) In the evenings, we always went out. (11) Sometimes we would go to the theater or to the movies or we would chat at a café. (12) I used to return to the dormitory at about 8:30 p.m., and I would have dinner with my friends. What a great week!

Your friend,
Paul

5

Passé Composé and Imperfect Tenses Compared

The basic uses of the **passé composé** and the imperfect tenses are summarized in the chart below:

PASSÉ COMPOSÉ

1. Expresses specific actions or events that were started and completed at a definite point in the past:

   Elle a préparé **le dîner.**
   She prepared dinner.

2. Expresses a specific action or event at a specific point in past time:

   Aujourd'hui *il est sorti* **à 8 h.**
   Today he went out at 8 o'clock.
   Elle a joué **du piano hier matin.**
   She played the piano yesterday morning.

IMPERFECT

1. Describes ongoing or continuous actions or events in the past:

   Elle préparait **le dîner.**
   She was preparing dinner.

2. Describes habitual or repeated actions or events in the past:

   Il sortait **d'habitude à 8 h.**
   He customarily went out at 8 o'clock.
   Elle jouait **du piano chaque jour.**
   She played (would play) the piano every day.

3. Describes persons, things, conditions, or state of mind:

   Il *était* **triste.**
   He was sad.
   Le ciel *était* **bleu.**
   The sky was blue.
   Elle voulait **étudier la musique.**
   She wanted to study music.
   Il *avait* **mal aux dents.**
   He had a toothache.

NOTE:

1. The **passé composé** is usually equivalent to an English simple past and the imperfect to English *was (were) . . . ing*, *used to*, and *would* (meaning *used to*):

Hier *il a plu* **toute la journée.**	*Yesterday it rained all day.*
Il pleuvait **pendant qu'***ils* *jouaient* **au tennis.**	*It was raining while they played (were playing) tennis.*
Il pleuvait **beaucoup en avril.**	*It used to rain (would rain) a lot in April.*

2. The **passé composé** expresses an action or event repeated a specific number of times in the past:

La semaine dernière Henri *est allé* **au cinéma** *quatre fois.*	*Last week Henri went to the movies four times.*

    But:

Henri *allait* **au cinéma** *tous les dimanches.*	*Henri went (used to go) to the movies every Sunday.*

3. The following words and expressions often require the use of the **passé composé:**

    l'année passée (dernière) *last year*
    avant-hier *the day before yesterday*
    d'abord *at first*
    enfin *finally*
    ensuite *then, next*
    l'été (l'hiver) passé *last summer (winter)*
    finalement *finally*
    une (deux . . .) fois *once, one (two) time(s)*
    plusieurs fois *several times*

    hier *yesterday*
    hier soir *last night*
    l'autre jour *the other day*
    ce jour-là *that day*
    un jour *one day*
    le mois passé (dernier) *last month*
    la semaine passée (dernière) *last week*
    soudain *suddenly*
    tout à coup *suddenly, all of a sudden*

4. The imperfect is generally used with the following adverbial expressions, which may imply repetition:

    autrefois *formerly*
    chaque jour (semaine, mois, année) *each day (week, month, year)*
    de temps à autre *from time to time*

    de temps en temps *from time to time*
    d'habitude *usually*
    d'ordinaire *usually, ordinarily*
    en ce temps-là *at that time*
    en général *generally*

fréquemment *frequently*
généralement *generally*
habituellement *habitually*
parfois *sometimes, every now and then*
quelquefois *sometimes*

souvent *often*
toujours *always*
tous les jours (mois) *every day (month)*
tout le temps *all the time*

5. The imperfect tense is used to describe a situation that was going on in the past when another action or event took place. The action or event that took place is in the **passé composé:**

Je faisais **mes devoirs quand le téléphone** *a sonné.*
I was doing my homework when the telephone rang.

J'avais **tellement mal aux dents que j'***ai dû* **aller chez le dentiste.**
I had such a toothache that I had to go to the dentist.

6. The imperfect is used with verbs that express a state of mind in progress in the past:

aimer *to like, love*
croire *to believe*
désirer *to desire*
espérer *to hope*
être *to be*
penser *to think*

pouvoir *to be able, can*
préférer *to prefer*
regretter *to regret, be sorry*
savoir *to know (how)*
vouloir *to wish, want*

Il pensait **toujours à elle.**
He always thought of her.

Je savais **qu'***il* **ne** *pouvait* **pas venir.**
I knew he couldn't come.

When these verbs express a state of mind occurring at a specific point in the past, the **passé composé** is used:

Pour ce travail il *a* **tout de suite** *pensé* **à elle.**
For this job, he immediately thought of her.

Il n'*a* **pas** *pu* **venir hier.**
He couldn't come yesterday.

Exercice A

Qu'est-ce qui s'est passé à la fête de Régine? Lisez l'histoire et choisissez la forme correcte du verbe, au passé composé ou à l'imparfait:

C'_____ samedi soir. Tout le monde _____ à la fête
   1 (a été, était)   **2** (a été, était)

de Régine. Je/j'_____ avec Roger quand tout d'un coup
                   3 (ai dansé, dansais)

j'_____ quelqu'un sonner à la porte.
  4 (ai entendu, entendais)

Je _____ et je/j'_____
    5 (me suis excusée, m'excusais)   6 (suis allée, allais)

répondre. Quand j'_____ la porte,
               7 (ai ouvert, ouvrais)

je/j'_____ le garçon de mes rêves. Il _____
    8 (ai vu, voyais)   9 (a été, était)

grand et mince. Il _____ les cheveux blonds bouclés et
              10 (a eu, avait)

les yeux verts. Je l'_____à entrer et
             11 (ai invité, invitais)

je/j'_____ à lui parler. J'_____
    12 (ai commencé, commençais)   13 (ai appris, apprenais)

qu'il s'_____ Paul et qu'il _____ le cousin
       14 (est appelé, appelait)   15 (a été, était)

de Régine. Il me/m'_____ si
                16 (a demandé, demandais)

je/j'_____ danser et, naturellement,
    17 (ai voulu, voulais)

je/j'_____ oui. Nous _____
    18 (ai répondu, répondais)   19 (sommes restés, restions)

ensemble toute la soirée. À minuit il me/m'_____
                                        20 (a raccompagnée, raccompagnait)

chez moi et nous _____ nos numéros de
               21 (avons échangé, échangions)

téléphone. Cette nuit-là, je me _____ si amoureuse
                            22 (suis sentie, sentais)

que je _____ dormir.
    23 (n'ai pas pu, ne pouvais pas)

![Exercice B]

Complétez cette composition de Marie avec la forme correcte du passé composé ou de l'imparfait:

Quand je/j'_____ petite, je/j'_____ l'été chez ma
         1 (être)   2 (passer)

tante Mathilde qui _____ un petit village en Bretagne. Tous les
               3 (habiter)

vendredis je/j'_____ à la bibliothèque pour emprunter des
            4 (aller)

livres. Je/j'_____ toujours des livres de science-fiction parce
          5 (choisir)

qu'ils me/m'_____. Mais un jour, j'en _____ assez de

        6 (passionner)   7 (avoir)

ce sujet. Le vendredi suivant, je/j'_____ mon petit déjeuner

                             8 (prendre)

puis je _____ à la bibliothèque. Quand j'y _____, le

        9 (partir)   10 (entrer)

bibliothécaire _____ en train de ranger les best-sellers. Je

           11 (être)

lui _____ quels livres il _____ me recommander.

    12 (demander)   13 (pouvoir)

D'abord, il _____ un livre d'Isaac Asimov.

       14 (suggérer)

Je lui _____ que je/j'en _____ assez des histoires de

    15 (expliquer)   16 (avoir)

science-fiction. Alors il me/m'_____ une histoire d'amour

            17 (proposer)

ridicule que je/j'_____. Les livres qu'il me/m'_____

      18 (refuser)   19 (montrer)

ensuite _____ trop érudits. Finalement,

      20 (être)

il me/m'_____ un recueil de poèmes ennuyeux. Du coup,

    21 (offrir)

je/j'_____ par choisir un livre de science-fiction comme

    22 (finir)

d'habitude.

Exercice C

Décrivez la journée de Luc et de son ami Paul. Mettez les verbes en caractères gras au passé composé ou à l'imparfait:

C'**est** une belle journée d'été. Il **fait** beau. Le soleil **brille.** Je n'**ai** pas grand-chose à faire quand, tout d'un coup, le téléphone **sonne.** J'y **réponds.** C'**est** mon ami Paul. Il me **demande** si je **veux** aller à la plage avec lui. Je **dis:** «Oui, avec plaisir!» Alors je **pars** le chercher à 11 h chez lui et nous **allons** à la plage en voiture. Le ciel **est** bleu et l'eau **est** très claire. Nous **trouvons** un endroit pour nous installer et nous **allons** dans l'eau tout de suite. Nous **passons** tout l'après-midi à nager, à parler de nos amis et à nous amuser. L'après-midi **est** formidable.

■ Exercice D ■

Expliquez pourquoi chaque personne a fait les choses suivantes.
Combinez les phrases en utilisant le passé composé et l'imparfait:

> EXEMPLE: Je reste chez moi. Je suis malade.
> **Je suis resté chez moi parce que j'étais malade.**

1. Arthur tombe. Il ne fait pas attention.
2. Tu téléphones à Marc. Tu as envie d'aller au parc.
3. Elle achète un billet. Elle veut voir la pièce.
4. Je vais chez le dentiste. J'ai mal aux dents.
5. Nous plongeons dans le lac. Il fait chaud.
6. Ils écrivent à leurs parents. C'est leur anniversaire de mariage.
7. Elles demandent pardon. Elles regrettent leurs actions.
8. Il sort son traîneau. Il neige beaucoup.
9. Je travaille chez moi. C'est samedi.
10. Elle gagne la compétition. Elle est la meilleure.

■ Exercice E ■

Vous avez eu la grippe et vous ne pouviez pas sortir. Décrivez comment
vous avez passé le temps. Utilisez les verbes au passé composé ou à
l'imparfait:

1. je / décider d'ouvrir la fenêtre pour regarder dehors
2. il / faire chaud
3. tous mes amis / être dans la rue
4. ils / jouer au football américain
5. ils / essayer d'attraper le ballon
6. tout d'un coup Lucien / pousser Nicolas
7. Nicolas / tomber
8. il / ne pas arriver à se lever
9. il / commencer à pleurer
10. il / être furieux contre Lucien
11. il / ne plus pouvoir marcher
12. une ambulance / arriver
13. les infirmiers / emmener Nicolas à l'hôpital
14. cet accident / interrompre leur partie de football

■ Exercice F ■

Décrivez la malchance des personnes suivantes. Utilisez le passé
composé ou l'imparfait. Attention à l'accord du participe passé:

> EXEMPLE: (partir / éclater) Janine _____**partait**_____ en vacances
> quand un orage __**a éclaté**__ .

1. (rouler / arrêter) Denis _____ très vite quand la police l'_____.

2. (sortir / attaquer) Les Pierrot _____ de la banque quand un voleur les _____.

3. (gronder / ouvrir) Michelle _____ sa sœur au moment où sa mère _____ la porte.

4. (monter / sonner) Tu _____ l'escalier quand on _____.

5. (manger / trouver) Je _____ dans un bon restaurant et j'_____ une mouche dans ma soupe.

6. (voyager / éclater) Mes cousins _____ en Europe au moment où la guerre _____.

7. (courir / tomber) Vous _____ quand vous _____.

8. (aller / perdre) Nous _____ acheter des vêtements quand j'_____ mon porte-monnaie.

9. (couper / piquer) Louise _____ des fleurs lorsqu'une abeille l'_____.

10. (lire / remarquer) Paul _____ une bande dessinée en classe quand le professeur l'_____.

Exercice G

Répondez aux questions que votre père vous pose au sujet d'une fenêtre brisée chez un voisin:

1. Où étais-tu cet après-midi?
2. Avec qui jouais-tu?
3. Tes amis et toi, à quoi jouiez-vous?
4. À qui était la balle?
5. As-tu vu la balle casser la fenêtre?
6. Qu'est-ce que tu as fait ensuite?
7. Pourquoi ne m'as-tu rien dit quand je suis rentré cet après-midi?
8. Qui a cassé la fenêtre?

♦ MASTERY EXERCISES ♦

Exercice H

Dix ans après avoir achevé vos études, vous allez à une réunion des anciens élèves du lycée. Racontez à vos amis ce que vous avez fait pendant ces dix ans.

Exercice I

Racontez l'histoire suivante à un(e) ami(e) qui ne parle que le français:

1. Richard thought that it was impossible to win the lottery.
2. Nevertheless, every week he bought a lottery ticket.
3. He knew that, even if he didn't win, the government used the money for education.
4. One day, while he was waiting for the bus, he saw an old woman who was selling lottery tickets in the street.
5. The line for the bus was very long, but he left it and talked to the old woman.
6. She sold a lottery ticket to Richard.
7. When he returned to the bus stop, there was no room on the bus.
8. He had to wait for another bus.
9. That evening he waited anxiously for the announcement of the winning number.
10. When he heard the number he could not believe it.
11. He jumped with joy and called all his friends.
12. On the following day he returned to the street where he bought the ticket.
13. He looked for the old woman, but he couldn't find her.
14. He asked all the shopkeepers if they knew her.
15. He wanted to share the prize with her.

Exercice J

Racontez la fin de l'histoire de l'exercice précédent en français.

6

Passé Simple

1. *Passé Simple* of Regular Verbs

The **passé simple** (past definite) is formed by dropping the infinitive ending and adding the personal endings:

for all **-er** verbs: **-ai, -as, -a, -âmes, -âtes, -èrent**
for regular **-ir** and **-re** verbs: **-is, -is, -it, -îmes, -îtes, -irent**

parler	finir	perdre
I talked	I finished	I lost
je parlai	je finis	je perdis
tu parlas	tu finis	tu perdis
il / elle parla	il / elle finit	il / elle perdit
nous parlâmes	nous finîmes	nous perdîmes
vous parlâtes	vous finîtes	vous perdîtes
ils / elles parlèrent	ils / elles finirent	ils / elles perdirent

The **passé simple** occurs primarily in formal, literary, and historical writings expressing a completed past action.*

Exercice A

Exprimez les accomplissements de ces artistes français en changeant le passé composé en passé simple:

EXEMPLE: Claude Monet a saisi dans sa peinture de multiples effets de lumière.
Claude Monet **saisit** dans sa peinture de multiples effets de lumière.

1. David a défini le style néo-classique.
2. Ingres a exécuté de splendides portraits.
3. Delacroix a employé des couleurs extraordinaires.

*In conversation and informal writing, the **passé composé** is used to express a completed past action.

4. Degas a choisi comme sujet les danseuses de l'Opéra.
5. Picasso et Braque ont lancé le cubisme.
6. Gauguin a représenté des scènes tahitiennes.
7. Watteau a créé de nombreuses scènes pastorales.
8. Toulouse-Lautrec a vendu des affiches de music-hall.
9. Houdon a réalisé les bustes de personnages célèbres.
10. Bartholdi a sculpté «La Liberté éclairant le monde».
11. Rodin a exprimé dans ses sculptures les émotions et la force de la vie.
12. Le Corbusier, architecte célèbre, a cherché des solutions à l'habitat moderne.

2. Spelling Changes in the *Passé Simple*

a. Verbs ending in **-cer** change **c** to **ç** before **a** to keep the soft **c** sound:

> **prononcer: je prononçai, tu prononças, il/elle prononça,
>   nous prononçâmes, vous prononçâtes, ils/elles prononcèrent**

b. Verbs ending in **-ger** insert mute **e** between **g** and **a** to keep the soft **g** sound:

> **voyager: je voyageai, tu voyageas, il/elle voyagea,
>   nous voyageâmes, vous voyageâtes, ils/elles voyagèrent**

Exercice B

La littérature du dix-huitième siècle est une littérature militante et philosophique. Exprimez ce qui s'est passé à cette époque en utilisant le passé simple:

> EXEMPLE: Voltaire / voyager
>   **Voltaire voyagea.**

1. François Marie Arouet / changer son nom en Voltaire
2. Voltaire / dénoncer des erreurs judiciaires
3. Jean-Jacques Rousseau / avancer des idées nouvelles sur l'éducation
4. Montesquieu / rédiger «Les Lettres persanes»
5. Diderot et d'Alembert / diriger la publication de «L'Encyclopédie»
6. les philosophes / exercer une grande influence sur le peuple

3. Verbs Irregular in the *Passé Simple*

avoir: *j'eus, tu eus, il/elle eut, nous eûmes, vous eûtes, ils/elles eurent*

boire:	*je bus, tu bus, il/elle but, nous bûmes, vous bûtes, ils/elles burent*
connaître:	*je connus, tu connus, il/elle connut, nous connûmes, vous connûtes, ils/elles connurent*
construire:	*je construisis, tu construisis, il/elle construisit, nous construisîmes, vous construisîtes, ils/elles construisirent*
courir:	*je courus, tu courus, il/elle courut, nous courûmes, vous courûtes, ils/elles coururent*
croire:	*je crus, tu crus, il/elle crut, nous crûmes, vous crûtes, ils/elles crurent*
devoir:	*je dus, tu dus, il/elle dut, nous dûmes, vous dûtes, ils/elles durent*
dire:	*je dis, tu dis, il/elle dit, nous dîmes, vous dîtes, ils/elles dirent*
écrire:	*j'écrivis, tu écrivis, il/elle écrivit, nous écrivîmes, vous écrivîtes, ils/elles écrivirent*
être:	*je fus, tu fus, il/elle fut, nous fûmes, vous fûtes, ils/elles furent*
faire:	*je fis, tu fis, il/elle fit, nous fîmes, vous fîtes, ils/elles firent*
lire:	*je lus, tu lus, il/elle lut, nous lûmes, vous lûtes, ils/elles lurent*
mettre:	*je mis, tu mis, il/elle mit, nous mîmes, vous mîtes, ils/elles mirent*
mourir:	*je mourus, tu mourus, il/elle mourut, nous mourûmes, vous mourûtes, ils/elles moururent*
naître:	*je naquis, tu naquis, il/elle naquit, nous naquîmes, vous naquîtes, ils/elles naquirent*
plaire:	*je plus, tu plus, il/elle plut, nous plûmes, vous plûtes, ils/elles plurent*
pouvoir:	*je pus, tu pus, il/elle put, nous pûmes, vous pûtes, ils/elles purent*
prendre:	*je pris, tu pris, il/elle prit, nous prîmes, vous prîtes, ils/elles prirent*
recevoir:	*je reçus, tu reçus, il/elle reçut, nous reçûmes, vous reçûtes, ils/elles reçurent*
savoir:	*je sus, tu sus, il/elle sut, nous sûmes, vous sûtes, ils/elles surent*
tenir:	*je tins, tu tins, il/elle tint, nous tînmes, vous tîntes, ils/elles tinrent*
traduire:	*je traduisis, tu traduisis, il/elle traduisit, nous traduisîmes, vous traduisîtes, ils/elles traduisirent*
venir:	*je vins, tu vins, il/elle vint, nous vînmes, vous vîntes, ils/elles vinrent*

> vivre: *je vécus, tu vécus, il/elle vécut, nous vécûmes,*
> *vous vécûtes, ils/elles vécurent*
> voir: *je vis, tu vis, il/elle vit, nous vîmes, vous vîtes,*
> *ils/elles virent*
> vouloir: *je voulus, tu voulus, il/elle voulut, nous voulûmes,*
> *vous voulûtes, ils/elles voulurent*

Exercice C

Exprimez les travaux réalisés par ces Français en mettant les verbes des phrases suivantes au passé composé:

1. Jacques Cartier découvrit le Saint-Laurent.
2. Ferdinand de Lesseps construisit le canal de Suez.
3. Jacques Daguerre perfectionna la photographie.
4. Pierre et Marie Curie découvrirent le radium.
5. Irène et Frédéric Joliot-Curie poursuivirent des recherches sur la structure de l'atome.
6. Jean-François Champollion traduisit les hiéroglyphes égyptiens de la pierre de Rosette.
7. Louis Pasteur mit au point le vaccin contre la rage.
8. Jean-Baptiste Lully créa l'opéra français.
9. Jean-Philippe Rameau aida à définir la science de l'harmonie.
10. Jean de La Fontaine écrivit des fables.

Exercice D

Vous écrivez une rédaction sur la vie d'Albert Camus. Complétez les phrases avec les verbes suivants:

attrapa	donna	fit	naquit
consacra	écrivit	fonda	perdit
devint	éleva	mourut	reçut

Albert Camus _____ en Algérie en 1913. Il _____ son père pendant
                1   2

la première guerre mondiale et sa mère l'_____ dans un quartier
                                         3

populaire d'Alger. Il _____ son diplôme d'études supérieures en 1936.
                     4

Malheureusement, il _____ ensuite la tuberculose. Une fois guéri,
                    5

il _____ une troupe de théâtre. Il _____ ensuite journaliste à Alger,
   6   7

puis à Paris. Il _____ partie de la résistance sous l'occupation
                    8

allemande. Après la guerre, il se _____ à sa carrière d'écrivain. Camus
                                  9

_____ «L'Étranger» en 1942 et «La Peste» en 1947. On lui _____ le
  10   11

Prix Nobel de littérature en 1957. Il _____ en 1960 dans un accident
                                      12

de voiture.

Exercice E

Exprimez au passé simple ce qui se passa lors de l'entrevue de Daniel
pour un poste de professeur dans une école privée:

Tout d'abord, l'école me _____ immense. Une
                         1 (sembler)

cloche _____ et j'_____ des bruits de pas indiquant
       2 (sonner)   3 (entendre)

la fin des classes. Le portier _____ vers moi et
                               4 (venir)

me _____ de le suivre. Nous _____ un grand
   5 (demander)   6 (monter)

escalier. Le portier me _____ que le directeur était très
                        7 (dire)

exigeant. Quelques minutes plus tard, nous nous _____ devant
                                                8 (arrêter)

la porte du bureau du directeur. Il _____ à la porte et le
                                    9 (frapper)

directeur _____ aussitôt. Nous _____. Le portier
          10 (répondre)   11 (entrer)

me _____ puis il _____. Le directeur _____
   12 (présenter)   13 (partir)   14 (avancer)

vers moi. Il s'_____: «Comme vous êtes jeune!»
               15 (écrier)

Je _____ peur. Je _____ que je n'avais aucune
   16 (prendre)   17 (croire)

chance d'obtenir ce poste. Mais le directeur _____ ma
                                             18 (lire)

lettre de recommandation, me _____ plusieurs questions
                             19 (poser)

et m'_____ le poste. En fait, ce _____ très facile.
     20 (offrir)   21 (être)

Exercice F

Récrivez les paragraphes suivants au passé simple:

1. Charlemagne, ou Charles Ier le Grand, a été le souverain le plus puissant du Moyen Âge. En 800, à Rome, le pape l'a couronné empereur d'Occident. Il a gouverné un empire immense en Europe occidentale. Il a promulgué des lois bonnes et justes. Protecteur des arts et des lettres, il a encouragé l'enseignement en créant de nombreuses écoles. Malheureusement, après sa mort, son vaste empire a été démembré.

2. Héroïne nationale de la France, Jeanne d'Arc est née en 1412 à Domrémy, en Lorraine. Elle a cru entendre des voix qui lui ont ordonné de délivrer la France de l'invasion anglaise. À la tête de l'armée française, elle a battu les Anglais à Orléans. Puis elle a fait couronner Charles VII roi de France. Mais elle a été trahie et vendue aux Anglais qui l'ont brûlée vive à Rouen. Après sa mort, les Français ont chassé les Anglais de France.

3. Le cardinal Richelieu a été un grand homme d'état qui a établi l'absolutisme royal. Il a amélioré l'économie et a réformé les finances et la législation françaises. Richelieu a fondé l'Académie française en 1635. Il a fait de la France une nation puissante.

Exercice G

Récrivez les paragraphes suivants au passé composé:

1. Après avoir vécu dans la misère pendant des années, les habitants de Paris commencèrent à se révolter contre Louis XVI et sa femme, Marie-Antoinette. Le 14 juillet 1789, ils attaquèrent la Bastille et prirent d'assaut cette prison qui fut longtemps le symbole du pouvoir absolu. Cet événement historique marqua le début de la Révolution française. En 1793, le roi et la reine furent condamnés à être guillotinés.

2. Napoléon Bonaparte naquit en Corse en 1769. Il commença sa carrière comme capitaine puis devint général. Il participa à un coup d'État qui lui permit de devenir Premier consul. Plus tard, il fut couronné Empereur des Français. Il essaya de conquérir l'Europe, mais il perdit la guerre en 1814 et les ennemis envahirent la France. Le Sénat obligea Napoléon à abdiquer et il partit à l'île d'Elbe. Quelques mois plus tard, il revint en France. Il fut vaincu à Waterloo en 1815 et les Anglais l'exilèrent à Sainte-Hélène où il mourut en 1821.

♦ MASTERY EXERCISES ♦

Exercice H

Il était une fois un petit prince qui habitait une toute petite planète et qui voulait visiter la terre. Exprimez au passé composé ses préparatifs pour le départ:

EXEMPLE: Je décidai de quitter ma planète.
J'ai décidé de quitter ma planète.

1. Je mis ma planète en ordre.
2. Je nettoyai ma maison.
3. Je ramonai mes volcans.
4. J'arrachai les dernières pousses des mauvais arbres.
5. Tous ces travaux familiers me rendirent nostalgique.
6. J'arrosai une dernière fois ma meilleure amie, la fleur.
7. Je la mis sous un globe.
8. Je lui dis au revoir.
9. Elle toussa un peu.
10. Puis elle me répondit: «Je t'aime».
11. Je répétai «au revoir».
12. Elle me sourit.
13. Je fus surpris par sa réaction.
14. Je profitai d'une migration d'oiseaux sauvages pour partir.

Exercice I

Saint-Martin est une belle île caraïbe, moitié française, moitié hollandaise. Racontez l'histoire de cette île en français en utilisant le passé simple:

1. Columbus discovered St. Martin in 1493.
2. He claimed the island for Spain.
3. He named it San Marino.
4. Then he left.
5. The French and the Dutch arrived in 1630.
6. They cultivated tobacco.
7. King Phillip of Spain sent troops to punish these people.
8. He increased the price of salt.
9. Then he forgot about the island.
10. In 1644, Peter Stuyvesant, a Dutchman, attacked the Spanish.
11. He lost the battle.
12. Four years later, the Spanish abandoned the island.
13. Four Frenchmen and five Dutchmen remained on the island.
14. They decided to divide the land.

Future Tense

The future tense expresses an action that will take place in future time.

1. Future Tense of Regular Verbs

travailler	finir	répondre
I will work	I will finish	I will answer
je travaillerai tu travailleras il / elle travaillera	je finirai tu finiras il / elle finira	je répondrai tu répondras il / elle répondra
nous travaillerons vous travaillerez ils / elles travailleront	nous finirons vous finirez ils / elles finiront	nous répondrons vous répondrez ils / elles répondront

NOTE:

1. The future tense of regular verbs is formed by adding the following endings to the infinitive: **-ai, -as, -a, -ons -ez, -ont.**
2. **-re** verbs drop the final **e** before the future ending.

Exercice A

Exprimez ce que ces personnes accompliront demain:

EXEMPLE: (assister) Lucie _____**assistera**_____ à une conférence.

1. (téléphoner) Pierre _____ à Sophie.
2. (répondre) Ma mère _____ au courrier.
3. (accomplir) Suzanne _____ les travaux ménagers.
4. (disputer) Mes amis _____ un match de football.
5. (finir) Je _____ mes devoirs.
6. (descendre) Tu _____ en ville.
7. (obéir) François et moi, nous _____ en classe.
8. (regarder) Régine et Anne _____ les feuilletons à la télé.

9. (choisir)   Mon père _____ une nouvelle voiture.
10. (vendre)   Les enfants _____ de la citronnade.

Exercice B

Utilisez les suggestions pour exprimer quand vous comptez réaliser les choses suivantes:

SUGGESTIONS: finir l'école   dans deux ans
                voyager à l'étranger   l'année prochaine
                travailler   dans dix ans
                gagner beaucoup d'argent   dans huit ans
                louer mon propre appartement   l'été prochain
                prendre des vacances   dans un mois
                choisir une profession   dans cinq ans

EXEMPLE: Je travaillerai dans cinq ans.

2. Spelling Changes in Certain *-er* Verbs

a. Some verbs with infinitive ending in **-yer** change **y** to **i** in the future:

**employer: j'emplo*i*erai, tu emplo*i*eras, il/elle emplo*i*era,
nous emplo*i*erons, vous emplo*i*erez, ils/elles emplo*i*eront**

NOTE: Verbs ending in **-ayer** may or may not change the **y** to **i** in all future-tense forms:

essayer *(to try):* **j'essa*y*erai** or **j'essa*i*erai,** etc.

b. Verbs with mute **e** in the syllable before the infinitive ending change mute **e** to **è** in the future:

**mener: je mènerai, tu mèneras, il/elle mènera, nous mènerons,
vous mènerez, ils/elles mèneront**

Verbs with mute **e** like **appeler** and **jeter** double the consonant in the future:

**appeler: j'appe*ll*erai, tu appe*ll*eras, il/elle appe*ll*era,
nous appe*ll*erons, vous appe*ll*erez, ils/elles appe*ll*eront**

**jeter: je je*tt*erai, tu je*tt*eras, il/elle je*tt*era, nous je*tt*erons,
vous je*tt*erez, ils/elles je*tt*eront**

Exercice C

Vous travaillez au pair chez les Vincent. Exprimez ce que vous accomplirez demain:

EXEMPLE: préparer les repas
Je préparerai les repas.

1. commencer à travailler à 7 h
2. nettoyer la maison
3. payer le boucher
4. appeler quelques amis
5. jeter les vieux magazines
6. acheter de la nourriture
7. ranger la chambre de Jacques
8. avancer vite dans mon travail
9. changer les draps
10. emmener les enfants à l'école
11. essuyer la vaisselle
12. essayer de me reposer

Exercice D

Exprimez ce qui se passera à votre fête:

EXEMPLE: (emmener) J'___**emmènerai**___ les chiens dehors.

1. (célébrer)   Je _____ mon anniversaire.
2. (commencer) La fête _____ à six heures.
3. (manger)   Nous _____ beaucoup de bonnes choses.
4. (amener)   Jacques _____ des amis sympathiques.
5. (essayer)   Pierre _____ de danser avec Gisèle.
6. (lever)   Mon frère _____ son verre.
7. (rappeler)   Il nous _____ quelques bons souvenirs.
8. (achever)   Ma sœur _____ ce toast.
9. (jeter)   Tu _____ les papiers d'emballage.
10. (répéter)   Chacun me _____ ses souhaits d'anniversaire.

3. Verbs Irregular in the Future

The following verbs have irregular stems in the future:

INFINITIVE	FUTURE	INFINITIVE	FUTURE
aller:	j'*irai*	**mourir:**	je *mourr*ai
asseoir:	{ j'*assiér*ai { j'*assoir*ai	**pleuvoir:** **pouvoir:**	il *pleuv*ra je *pourr*ai
avoir:	j'*aur*ai	**recevoir:**	je *recevr*ai
courir:	je *courr*ai	**savoir:**	je *saur*ai
devoir:	je *devr*ai	**tenir:**	je *tiendr*ai
envoyer:	j'*enverr*ai	**valoir:**	je *vaudr*ai
être:	je *serai*	**venir:**	je *viendr*ai
faire:	je *ferai*	**voir:**	je *verr*ai
falloir:	il *faudr*a	**vouloir:**	je *voudr*ai

NOTE: The irregularities in the future of listed verbs also occur in related verbs: **renvoyer, refaire, retenir, revenir, revoir,** and the like.

Exercice E

Votre sœur vient d'avoir un bébé dont elle est très fière. Exprimez ce qu'elle prédit pour son enfant:

EXEMPLE: Il __sera__ grand et beau.
                (être)

Il _____ les yeux bleus et les cheveux noirs. Comme
        1 (avoir)

il _____ très intelligent, il _____ à l'une des
        2 (être)   **3** (aller)

meilleures universités où il _____ de nombreux diplômes.
                            4 (recevoir)

Il _____ beaucoup de sport et _____
        5 (faire)   **6** (courir)

très vite. Il _____ gagner des compétitions. Bien sûr,
            7 (pouvoir)

il _____ s'entraîner avant. _____-il devenir
        8 (devoir)   **9** (vouloir)

médecin, avocat ou ingénieur? On _____. J'espère
                                10 (voir)

qu'il _____ très riche et qu'il nous _____ de l'argent!
        11 (devenir)   **12** (envoyer)

Exercice F

Laure va chez une voyante pour connaître son avenir. Exprimez ce que cette voyante lui prédit:

EXEMPLE: vous / être heureuse
                Vous serez heureuse.

1. un garçon/ vous envoyer des lettres d'amour
2. il/ être beau
3. il/ aller à l'université
4. il/ falloir qu'il étudie loin de chez vous
5. vous/ devoir attendre son retour
6. cela/ valoir la peine de l'attendre
7. vous/ mourir d'ennui pendant son absence
8. il/ revenir quatre ans plus tard

   9. il/ venir vous voir tout de suite
   10. vous/ courir dans ses bras
   11. il/ vouloir vous épouser
   12. vous/ être heureuse d'accepter
   13. il/ pleuvoir le jour de votre mariage
   14. vous/ recevoir beaucoup de cadeaux
   15. vous/ pouvoir trouver un bon travail
   16. vous/ avoir deux enfants

Exercice G

Répondez aux questions de votre ami(e) à propos de votre rendez-vous samedi prochain:

   1. Quels vêtements porteras-tu?
   2. Comment viendra-t-il (elle) chez toi?
   3. À quelle heure sera-t-il (elle) là?
   4. Où irez-vous?
   5. Que ferez-vous ensuite?
   6. Pourras-tu l'amener à ma fête?
   7. Me téléphoneras-tu dimanche matin?
   8. Me diras-tu ce qui est arrivé?

4. Uses of the Future

a. The future tense is used in French, as in English, to express what will happen:

Il travaillera demain.	*He will work tomorrow.*
Quand **partirez-vous?**	*When will you leave?*

b. The future is used after **quand** (*when*), **lorsque** (*when*), **aussitôt que** (*as soon as*), and **dès que** (*as soon as*) if the action refers to the future, even though the present tense may be used in English:

Faites-lui mes amitiés **lorsque** *vous la verrez.*	*Give her my regards when you see her.*
Nous partirons **aussitôt qu'***ils* *arriveront.*	*We shall leave as soon as they arrive.*
Quand *j'irai* en France, je visiterai ma famille.	*When I go to France, I will visit my family.*

NOTE: **Aller** + infinitive may be used to express the near future:

Je vais bientôt **partir.**	*I am going to leave soon.*
Ils vont faire leurs devoirs après le dîner.	*They are going to do their homework after dinner.*

Exercice H

Expliquez ce que Nicole fera quand elle ira en France rendre visite à sa correspondante:

1. Je _____ quand je _____ mon passeport.
   (partir)   (recevoir)

2. Aussitôt que j'_____ assez d'argent, j' _____ mon
   (avoir)   (acheter)
   billet d'avion.

3. Dès que je _____ la date de mon départ, je
   (savoir)
   vous _____ .
   (téléphoner)

4. Je t'_____ quand j'_____ à l'aéroport.
   (appeler)   (arriver)

5. Je _____ français lorsque je _____ en France.
   (parler)   (être)

6. Dès que tu _____ , tu m'_____ visiter Paris.
   (pouvoir)   (emmener)

7. Nous _____ à Versailles dès que nous _____ de
   (aller)   (revenir)
   Paris.

8. Nous _____ quand nous _____ ensemble.
   (jouer)   (être)

9. Lorsque je _____ , je _____ tes parents.
   (partir)   (remercier)

10. Je t'_____ une lettre aussitôt que je _____ chez
    (écrire)   (rentrer)
    moi.

Exercice I

Exprimez ce que vous ferez dans les circonstances suivantes:

EXEMPLE: Que ferez-vous quand vous rentrerez?
(regarder la télévision, écouter la radio, manger une glace)
Quand je rentrerai, je regarderai la télévision, j'écouterai la radio et je mangerai une glace.

1. Que ferez-vous dès que vous finirez vos cours?
   (rentrer à la maison, faire mes devoirs, étudier)
2. Que ferez-vous quand vous serez à la campagne?
   (faire du camping, dormir dans un sac de couchage, cuisiner en plein air)

3. Que ferez-vous aussitôt que vous arriverez à la plage?
   (prendre un bain de soleil, nager, mettre de la crème solaire)
4. Que ferez-vous lorsque vous irez à la discothèque?
   (acheter un billet d'entrée, rencontrer mes amis, danser)
5. Que ferez-vous dès que vous arriverez à l'aéroport?
   (enregistrer mes bagages, réserver mon siège, aller à la porte d'embarquement)

Exercice J

Combinez les éléments avec **quand, dès que, lorsque** *et* **aussitôt que** *pour exprimer ce que chaque personne fera:*

je	parler au téléphone	finir ses devoirs
nous	aider ses parents	avoir le temps
mes amis	faire le ménage	arriver à la maison
tu	dormir	être libre(s)
ma sœur	regarder la télé	être couché(e)(s)
mon frère	manger	rentrer
vous	partir	recevoir le télégramme
elles	envoyer ce paquet	descendre en ville
	aller au magasin	acheter des timbres

EXEMPLE: **J'aiderai mes parents dès que je rentrerai.**

◆ MASTERY EXERCISES ◆

Exercice K

Comment sera le monde quand vous aurez trente ans? Répondez aux questions:

1. En quelle année aurez-vous trente ans?
2. Que recevrez-vous en cadeau lors de cet anniversaire?
3. Où habiterez-vous?
4. Comment gagnerez-vous votre vie?
5. Quelle sorte de vêtements porterez-vous?
6. Quelle sorte de musique sera à la mode?
7. Pour quelles maladies y aura-t-il une cure?
8. Vers quelles planètes voyagera-t-on?
9. Quel travail feront les robots?
10. Quel genre de nourriture mangera-t-on?

Exercice L

Votre amie va faire un voyage à Québec. Aidez-la à écrire une lettre en français à sa famille d'accueil:

1. I will leave Baton Rouge Monday morning at 8 A.M.
2. I hope that it will not rain.
3. My parents will bring me to the airport.
4. Will you be at the airport to meet me?
5. I will have three suitcases.
6. How will we go from the airport to your house?
7. Will it be necessary to take a taxi?
8. I will be able to stay in Quebec for one month.
9. I will want to visit all the interesting places.
10. I will use my French dictionary.
11. I will try to speak French when I go out.
12. I know that you and I will spend a lot of time together.

8

Conditional

The conditional expresses or implies what would happen given a certain condition or supposition.

1. Conditional of Regular Verbs

The conditional of regular verbs is formed with the same stem used for the future tense. The conditional endings are the same as those of the imperfect indicative: **-ais, -ais, -ait, -ions, -iez, -aient.**

travailler	finir	répondre
I would work	*I would finish*	*I would answer*
I should work	*I should finish*	*I should answer*
je travaille*rais*	je fini*rais*	je répond*rais*
tu travaille*rais*	tu fini*rais*	tu répond*rais*
il / elle travaille*rait*	il / elle fini*rait*	il / elle répond*rait*
nous travaille*rions*	nous fini*rions*	nous répond*rions*
vous travaille*riez*	vous fini*riez*	vous répond*riez*
ils / elles travaille*raient*	ils / elles fini*raient*	ils / elles répond*raient*

Exercice A

Qu'est-ce que vos amis et vous feriez si vous ne deviez plus aller à l'école?

EXEMPLE: (visiter) Je ___visiterais___ le Japon.

1. (nourrir)   Tu _____ ceux qui ont faim.
2. (travailler)   Janine et Laure _____ en ville.
3. (participer)   Jean-Paul _____ à toutes les compétitions.
4. (aider)   Nous _____ les personnes âgées.
5. (suivre)   Je _____ des cours de musique.
6. (ouvrir)   Vous _____ une boutique élégante.
7. (choisir)   Claude et Lisette _____ d'apprendre à danser.

8. (défendre) Marie _____ les droits des enfants pauvres.
9. (dormir) Joseph et Paul _____ tard tous les jours.
10. (vivre) Mélanie _____ à la campagne.

Exercice B

Vous n'avez pas entendu le bulletin de la météo. Exprimez ce que vous feriez ou non s'il faisait beau ou s'il faisait mauvais demain. Utilisez les suggestions données:

SUGGESTIONS: regarder la télévision   marcher dans le parc
rouler à bicyclette   jouer au tennis
travailler au jardin   ranger votre chambre
nager dans la piscine   lire un roman
étudier pour un examen   dormir jusqu'à midi
descendre en ville   finir les devoirs

EXEMPLES: **S'il faisait beau, je ne rangerais pas ma chambre, je nagerais dans la piscine.**

S'il faisait mauvais, je ne descendrais pas en ville, je finirais mes devoirs.

1. S'il faisait beau, _____ .
2. S'il faisait beau, _____ .
3. S'il faisait beau, _____ .
4. S'il faisait mauvais, _____ .
5. S'il faisait mauvais, _____ .
6. S'il faisait mauvais, _____ .

2. Spelling Changes in Certain *-er* Verbs

-er verbs with spelling changes in the future have similar spelling changes in the conditional.

a. Verbs with infinitives ending in **-yer** change **y** to **i** in the conditional:

employer: j'emplo*i*erais, tu emplo*i*erais, il/elle emplo*i*erait, nous emplo*i*erions, vous emplo*i*eriez, ils/elles emplo*i*eraient

NOTE: Verbs ending in **-ayer** may or may not change the **y** to **i** in all conditional forms:

essayer (*to try*): **j'essa*y*erais** or **j'essa*i*erais,** etc.

b. Verbs with mute **e** in the syllable before the infinitive ending change mute **e** to **è** in the conditional:

> **mener: je mènerais, tu mènerais, il/elle mènerait,**
> **nous mènerions, vous mèneriez, ils/elles mèneraient**

Verbs with mute **e** like **appeler** and **jeter** double the consonant instead of adding the grave accent:

> **appeler: j'appellerais, tu appellerais, il/elle appellerait,**
> **nous appellerions, vous appelleriez, ils/elles appelleraient**

> **jeter: je jetterais, tu jetterais, il/elle jetterait, nous jetterions,**
> **vous jetteriez, ils/elles jetteraient**

Exercice C

Si vous aviez une dispute avec votre meilleur ami, que feriez-vous pour vous réconcilier?

> EXEMPLE: (partager) Je __partagerais__ la responsabilité.

1. (commencer)   Je _____ par penser aux conséquences.
2. (rappeler)   Je me _____ nos bons moments ensemble.
3. (peser)   Je _____ le pour et le contre.
4. (rejeter)   Je _____ l'idée de ne plus être amis.
5. (essayer)   J'_____ d'aller lui parler.
6. (espérer)   J'_____ me réconcilier avec lui.
7. (emmener)   J'_____ mon ami au café pour discuter.
8. (acheter)   Je lui _____ un cadeau.

Exercice D

Complétez les phrases avec les verbes donnés pour exprimer ce que M. Michel exigerait des membres de sa famille s'il voulait garder sa maison dans un parfait état de propreté:

achever	employer	jeter
commencer	enlever	nettoyer
essayer	essuyer	ranger

> EXEMPLE: Chacun __nettoierait__ la maison tous les jours.

1. Ma femme _____ par la cuisine.
2. Mes enfants _____ leurs chambres.
3. Je _____ les restes du repas.
4. Marianne _____ la poussière des meubles.

5. Paul _____ la vaisselle.
6. Tu _____ ton temps à nettoyer.
7. Vous _____ de garder la maison propre.
8. Nous _____ vite les travaux ménagers.

3. Verbs Irregular in the Conditional

The following verbs have irregular stems in the conditional. Note that these verb stems are the same as those of the future tense:

INFINITIVE	CONDITIONAL	INFINITIVE	CONDITIONAL
aller:	j'*irais*	mourir:	je *mourrais*
asseoir:	{ j'*assiérais*	pleuvoir:	il *pleuvrait*
	{ j'*assoirais*	pouvoir:	je *pourrais*
avoir:	j'*aurais*	recevoir:	je *recevrais*
courir:	je *courrais*	savoir:	je *saurais*
devoir:	je *devrais*	tenir:	je *tiendrais*
envoyer:	j'*enverrais*	valoir:	je *vaudrais*
être:	je *serais*	venir:	je *viendrais*
faire:	je *ferais*	voir:	je *verrais*
falloir:	il *faudrait*	vouloir:	je *voudrais*

NOTE: The irregularities in the conditional of the listed verbs also occur in related verbs: **renvoyer, refaire, retenir, revenir, revoir,** and the like.

▊ Exercice E ▊

Que feriez-vous si vous aviez le choix? Exprimez votre choix en utilisant le conditionnel:

EXEMPLE: faire un voyage en Afrique ou en Europe?
Je ferais un voyage en Afrique.

1. avoir une voiture de sport ou une villa sur la Côte d'Azur?
2. savoir danser ou chanter?
3. être beau (belle) ou intelligent(e)?
4. voir un film d'amour ou un film de science-fiction?
5. faire du ski ou du bateau à voiles?
6. envoyer des fleurs ou des chocolats à votre ami(e)?
7. aller à un concert ou au théâtre?
8. devenir médecin ou joueur de base-ball?

9. recevoir un Prix Nobel ou un Oscar?
10. pouvoir conduire une voiture ou piloter un avion?
11. vouloir étudier l'histoire ou la musique?
12. courir le marathon ou le cent mètres?

Exercice F

Expliquez ce que vous feriez si vous aviez un million de dollars. Employez les suggestions données ou vos propres idées:

SUGGESTIONS: les mettre à la banque   partager l'argent avec votre
faire don de l'argent   famille
voyager à l'étranger   aider les pauvres
acheter une grande   vivre sur une île tropicale
maison

EXEMPLE: **J'aiderais les pauvres.**

Exercice G

Qu'est-ce que votre meilleur(e) ami(e) et vous feriez si vous pouviez faire tout ce que vous vouliez? Utilisez les suggestions données ou vos propres idées:

SUGGESTIONS: aller à travers le monde   rentrer très tard le soir
acheter un château   devenir riche
sortir tout le temps   avoir votre propre
conduire une voiture   appartement
de sport

EXEMPLE: **Nous aurions notre propre appartement.**

Exercice H

Expliquez ce que vous feriez dans les cas suivants:

EXEMPLE: Si votre mère attendait des invités et avait besoin d'aide.
(mettre la table)
Je mettrais la table.

1. Si c'était l'anniversaire d'un de vos amis et vous vouliez le lui souhaiter. (lui envoyer un cadeau)
2. Si vous comptiez aller à la plage avec vos amis, mais il commençait à pleuvoir. (ne pas aller à la plage)

3. Si votre grand-mère ne pouvait pas aller en ville aujourd'hui parce qu'elle était malade. (faire les courses pour elle)
4. Si vos parents vous demandaient de rentrer chez vous avant dix heures. (revenir de bonne heure)
5. Si vos parents sortaient et ne voulaient pas laisser votre petite sœur toute seule. (devoir la surveiller)

4. Uses of the Conditional

a. The conditional expresses what would happen under certain conditions:

> **J'irais** peut-être en France.   *I would perhaps go to France.*

NOTE:

1. When *would* has the sense of *used to*, the imperfect is used in French:

> ***Elle* nous *rendait* souvent visite.**   *She would (used to) visit us often.*

2. When *would* has the sense of *to be willing (to want)*, the imperfect or **passé composé** of the verb **vouloir** is used in French:

> ***Il* ne *voulait* pas payer la facture.**
> ***Il* n'*a* pas *voulu* payer la facture.** ⎫ *He wouldn't (wasn't willing to, didn't want to) pay the bill.*

3. When *could* has the sense of *should be able to*, the conditional of the verb **pouvoir** is used. When *could* means *was able to*, the imperfect or **passé composé** of **pouvoir** is used:

> ***Nous pourrions* faire le travail.**   *We could (should be able to) do the work.*

> ***Nous* ne *pouvions* pas faire le travail.**
> ***Nous* n'*avons* pas *pu* faire le travail.** ⎫ *We couldn't (weren't able to) do the work.*

b. The conditional is used to make a request or a demand more polite:

> ***Je voudrais* vous voir.**   *I would like to see you.*
> ***Elle aimerait* partir.**   *She would like to leave.*
> ***Pourriez-vous* m'aider?**   *Could you help me?*

Exercice I

Vos camarades voudraient aller en Europe. Exprimez les questions que vous aimeriez leur poser:

> EXEMPLE: combien d'argent / emporter
> **Combien d'argent emporteriez-vous?**

1. quels pays / vouloir visiter
2. combien de temps / pouvoir rester en Europe
3. avec qui / aller
4. quel moyen de transport / prendre
5. en quelle saison / faire ce voyage
6. où / aimer rester
7. quels souvenirs / acheter
8. quand / revenir aux États-Unis

Exercice J

C'est la fin de l'année scolaire. Exprimez cinq choses que vous feriez différemment si vous pouviez recommencer:

> EXEMPLE: **J'apprendrais toutes mes leçons par cœur.**

5. Conditional Sentences

A conditional sentence consists of a condition clause (**si** clause) and a result clause.

a. Real conditions

A condition that describes what is possible or likely is called a real condition:

Si vous envoyez **la lettre ce matin,** *elle arrivera* **à l'heure.**	*If you send the letter this morning, it will arrive on time.*

To express a real condition, French uses the present indicative in the **si** clause and the present, future, or imperative in the result clause:

Si tu veux, tu peux **m'accompagner au cinéma.**	*If you want, you can accompany me to the movies.*
Nous **ne** *sortirons* **pas** *s'il* **pleut.**	*We will not go out if it rains.*

> *Si elle veut réussir, dites-lui*
> **d'étudier davantage.**

If she wants to succeed, tell
her to study more.

NOTE: **Si** becomes **s'** only before **il** and **ils**:

si + il(s) = s'il(s) But: **si + elle(s) = si elle(s)**

Exercice K

Exprimez les projets d'avenir de ces personnes en utilisant la forme correcte du verbe entre parenthèses:

EXEMPLE: Elle __**sera**__ heureuse si elle __**trouve**__ le garçon de
            (être)   (trouver)
ses rêves.

1. Il _____ docteur s'il _____ à ses examens.
    (devenir)   (réussir)

2. Si nous _____ beaucoup d'argent, nous _____ une
      (gagner)   (acheter)
voiture de sport.

3. Si elles _____ une bourse, elles _____ à la
        (recevoir)   (aller)
Sorbonne.

4. Tu _____ le tour du monde si tu _____ à piloter
    (faire)   (apprendre)
un avion.

5. Elle _____ un bon poste si elle _____ de son
      (obtenir)   (faire)
mieux.

6. Vous _____ riche si vous _____ dur.
     (être)   (travailler)

7. Si je _____ passer ma vie avec Paul, je _____
     (pouvoir)   (être)
heureuse.

8. S'ils _____ bien, ils _____ en bonne santé.
    (manger)   (rester)

Exercice L

Alice ne va pas bien aujourd'hui. Donnez-lui des conseils:

EXEMPLE: la grippe / rester au lit
Si tu as la grippe, reste au lit.

1. mal à la tête / prendre des aspirines
2. un rhume / manger de la soupe
3. une allergie / prendre des médicaments
4. mal à la gorge / boire du thé
5. mal au ventre / ne pas manger
6. de la fièvre / appeler le docteur

Exercice M

Exprimez en quelle occasion vous réagissez de la façon suivante:

> EXEMPLE: Tu dis pardon. (avoir tort)
> **Je dis pardon si j'ai tort.**

1. Tu trembles. (avoir peur)
2. Tu dors longtemps. (avoir très sommeil)
3. Tu bois un grand verre d'orangeade. (avoir soif)
4. Tu manges un énorme sandwich. (avoir faim)
5. Tu enlèves ton pull. (avoir chaud)
6. Tu mets un manteau. (avoir froid)
7. Tu es fier. (avoir une bonne note)
8. Tu rougis. (avoir honte)

Exercice N

Combinez les éléments de chaque colonne pour exprimer comment ces personnes agiront:

je	content	avoir besoin de se calmer
tu	de bonne humeur	dire toute la vérité
il	de mauvaise humeur	dormir mal
elle	dynamique	élever la voix
elles	en colère	faire rire tout le monde
nous	fatigué	ne pas parler
Marc	franc	pleurer à chaudes larmes
Liliane	inquiet	poser beaucoup de questions
mes amis	intéressé	remettre le travail à demain
mes amies	intimidé	rougir
Paul et Luc	nerveux	sourire
Anne et Marie	triste	travailler beaucoup

> EXEMPLE: **Si elle est franche, elle dira toute la vérité.**

b. Contrary-to-Fact Conditions

A conditional sentence that describes a situation that is unlikely is called "unreal" or "contrary to fact":

Si vous partiez à cinq heures du matin, vous arriveriez avant eux.	*If you left (were to leave) at five in the morning, you would arrive before them.*

To express a contrary-to-fact condition, French uses the imperfect in the **si** clause and the conditional in the result clause:

S'il pleuvait, nous ne sortirions pas.	*If it rained (were to rain), we would not go out.*
Si je gagnais le gros lot, je m'achèterais une voiture de sport.	*If I won the lottery, I would buy myself a sports car.*

Exercice O

Exprimez ce que ces personnes feraient si elles avaient le choix:

EXEMPLE: Si elles _____**étaient**_____ bonnes en maths, elles
(être)

_____**suivraient**_____ le cours de physique.
(suivre)

1. Si nous _____ taper à la machine, nous _____
   (savoir)   (être)
   secrétaires.

2. Si tu _____ t'occuper des malades, tu _____
   (vouloir)   (devenir)
   médecin.

3. Il _____ le piano s'il _____ le temps.
   (apprendre)   (avoir)

4. Elles _____ des ponts si elles _____ ingénieurs.
   (construire)   (être)

5. Si j' _____ envie de couper les cheveux, j' _____
   (avoir)   (étudier)
   la coiffure.

6. Si elle _____ de devenir avocate, elle _____
   (décider)   (devoir)
   apprendre le droit.

7. Si vous _____ enseigner les enfants, vous _____
   (préférer)   (choisir)
   le métier d'instituteur.

8. Ils _____ un stage de mécanicien s'ils _____
   (faire)   (désirer)
   réparer les voitures.

Exercice P

Expliquez ce que vous feriez dans les circonstances suivantes:

> EXEMPLE: Si je gagnais un voyage,
> (être très content[e], faire tout de suite mes valises, inviter
> mes amis à m'accompagner)
> Si je gagnais un voyage, **je serais très content(e), je ferais**
> **tout de suite mes valises et j'inviterais mes amis à**
> **m'accompagner.**

1. Si mon ami[e] oubliait notre rendez-vous,
   (être fâché[e], lui téléphoner, pleurer)
2. Si mon réveil ne sonnait pas,
   (être en retard, courir après le bus, manquer l'école)
3. Si je gagnais à la loterie,
   (aller en Chine, m'acheter un château, vivre heureux/heureuse)
4. Si j'oubliais l'anniversaire de mon ami(e),
   (être désolé[e], lui faire mes excuses, lui envoyer un cadeau)
5. Si on volait mon portefeuille,
   (appeler la police, porter plainte, téléphoner à ma mère)

Exercice Q

Exprimez ce que feraient ces personnes dans les circonstances
suivantes:

> EXEMPLE: M. Restaud est un professeur sérieux. Les élèves lui font
> une farce. Il est en colère.
> **Si les élèves lui faisaient une farce, il serait en colère.**

1. Marie est une fille très travailleuse. Elle rate son examen. Elle pleure.
2. Mme Sagan est toujours très élégante. Un garçon de café renverse du
   thé sur sa robe. Elle part furieuse.
3. André est fort comme un bœuf. Un camarade de classe l'insulte. Il lui
   donne un coup de poing.
4. M. Bertrand est toujours en retard au bureau. Un jour il arrive en
   avance. Son patron applaudit.
5. M. François est très vaniteux. Il devient chauve. Il achète une
   perruque.
6. Mme Panier est une personne distraite. Elle oublie ses clefs dans la
   voiture. Elle doit ouvrir la portière avec un fil de fer.
7. Les Dubois mangent souvent dans un restaurant chic. Ils trouvent une
   mouche dans leur soupe. Ils refusent de payer et partent.
8. Josette est amoureuse. Elle reçoit un cadeau de son petit ami. Elle lui
   écrit une lettre d'amour.

Exercice R

Exprimez ce que vous feriez dans les situations suivantes:

EXEMPLE: S'il y avait un accident de voiture, **j'aiderais les victimes.**

1. S'il y avait un incendie à l'école, _____.
2. S'il y avait un tremblement de terre, _____.
3. S'il y avait une panne d'électricité chez moi, _____.
4. S'il y avait un chien perdu dans la rue, _____.
5. S'il y avait une tempête de neige, _____.
6. S'il y avait une souris dans la salle de classe, _____.

Exercice S

Exprimez ce que ces personnes feraient dans les circonstances suivantes:

EXEMPLE: je (riche / cesser de travailler)
Si j'étais riche, je cesserais de travailler.

1. il (professeur de français / ne pas donner de devoirs)
2. nous (célèbres / signer des autographes)
3. elles (voyantes / prédire l'avenir)
4. tu (président / travailler pour la paix)
5. ils (magiciens / faire apparaître des lapins)
6. vous (astronaute / voyager dans l'espace)
7. elle (en vacances / lire toute la journée)
8. je (invisible / faire beaucoup de farces)

Exercice T

Donnez cinq réponses à chacune des questions:

1. Si un Martien arrivait sur Terre, que ferait-il?
2. Si vous étiez président(e), comment amélioreriez-vous le monde?

6. Summary of Tenses

SI CLAUSE	MAIN or RESULT CLAUSE
Present	Present Future Imperative
Imperfect	Conditional

Je peux t'aider si *tu veux.*	*I can help you if you want.*
S'*il fait* chaud, *nous irons* à la plage.	*If the weather is hot, we will go to the beach.*
Si *tu es* fatigué, *repose-toi.*	*If you are tired, rest.*
S'*il avait* le temps, *il pourrait* m'aider.	*If he had the time, he could help me.*

NOTE: In conditional sentences, **si** always means *if.* When **si** means *whether,* it may be followed by any tense, just as in English:

Savez-vous *si* elle le *fera?*	*Do you know whether she will do it?*
Nous ne savons pas *si* elle le *ferait.*	*We didn't know whether she would do it.*
Je ne sais pas *si* elle l'*a fait.*	*I don't know whether she did it.*

Exercice U

Marianne téléphone à Janine, la sœur de son petit ami Jean-Luc, pour apprendre ce qu'il a fait hier. Donnez les réponses de Janine:

EXEMPLE: aller chez Marc avec André
Je ne sais pas s'il est allé chez Marc avec André.

1. amener sa camionnette au garage
2. aller chez Marc le matin ou l'après-midi
3. faire réparer sa camionnette
4. finir son travail
5. essayer de téléphoner à la maison
6. partir de bonne heure

◆ MASTERY EXERCISES ◆

Exercice V

Répondez aux questions par des phrases complètes:

EXEMPLE: Qui serait en colère si tu ne réussissais pas à l'école?
Si je ne réussissais pas à l'école, mes parents seraient en colère.

1. Dans quel restaurant dîneras-tu si tu veux fêter le Nouvel An en ville?
2. Quelle voiture achèterais-tu si ton grand-père te donnait tout l'argent nécessaire?

3. Quel genre de film vas-tu voir si c'est toi qui décides?
4. Quelle ville habiterais-tu si tu avais le choix?
5. Dans quel pays irais-tu si tu pouvais partir demain?
6. Si tu finis tôt tes devoirs, quel programme regarderas-tu?
7. Quels vêtements porterais-tu si tu allais à un mariage?
8. De quel instrument jouerais-tu si tu faisais partie d'un orchestre?
9. Si tu veux voir le plus haut gratte-ciel du monde, où dois-tu aller?
10. Quelles villes iras-tu visiter si tu vas passer tes vacances en France?

Exercice W

Complétez les phrases suivantes selon votre choix:

1. Si je pouvais faire la connaissance d'une personne célèbre, je _____ .
2. Si j'ai le temps demain, je _____ .
3. Si je pouvais voyager, je _____ .
4. Si je suis libre l'été prochain, je _____ .
5. Si je pouvais choisir où vivre, je _____ .
6. Si mes parents le permettent, je _____ .
7. Si je pouvais faire tout ce que je voulais, je _____ .
8. Si je deviens riche, je _____ .

Exercice X

Un(e) ami(e) et vous voudriez passer l'été au Canada où vous suivriez des cours. Exprimez en français ce que vous écririez au directeur du programme:

1. A friend and I would like to take a trip to Montreal.
2. We would want to travel in a group.
3. We would study in a summer program.
4. We would be able to spend two months in Montreal.
5. We would prefer to live with a Canadian family.
6. How many courses should we take?
7. How much would the trip cost?
8. How many credits would we receive for the summer program?

Exercice Y

Votre ami vous fait rêver de choses impossibles. D'abord exprimez en français les questions qu'il vous pose puis répondez-y:

EXEMPLE: If you were an animal, what animal would you be?
Ami: **Si tu étais un animal, quel animal serais-tu?**
Vous: **Je serais un aigle.**

1. If you were another person for one day, who would you be?
   Ami:
   Vous:
2. Where would you live if you lived in another country?
   Ami:
   Vous:
3. If you could travel in time, what year would you choose?
   Ami:
   Vous:
4. What would you invent if you were a scientist?
   Ami:
   Vous:
5. If you were an astronaut, which planet would you visit?
   Ami:
   Vous:
6. What would you do if you didn't have to go to school anymore?
   Ami:
   Vous:

9

Pluperfect, Future Perfect, and Past Conditional Tenses

1. Simple and Compound Tenses Compared

For each of the following simple tenses, there is a corresponding compound tense:

SIMPLE TENSES		
Imperfect:	**je parlais**	*I spoke* *I was speaking*
Future:	**je parlerai**	*I will speak* *I shall speak*
Conditional:	**je parlerais**	*I would speak*
COMPOUND TENSES		
Pluperfect:	**j'avais parlé**	*I had spoken* *I had been speaking*
Future perfect:	**j'aurai parlé**	*I will have spoken* *I shall have spoken*
Past conditional:	**j'aurais parlé**	*I would have spoken*

NOTE: Compound tenses are formed by combining the appropriate tense of the helping verb **avoir** or **être** and the past participle. For choice of helping verb, formation of negative/interrogative sentences, and for agreement of past participle, compound tenses follow the rules of the **passé composé** (see Chapter 3).

1. In forming the negative and interrogative of compound tenses, only the helping verb is affected:

Nous n'avions pas travaillé. We hadn't worked.
Serait-elle partie? Would she have left?
N'auront-ils pas fini avant Won't they have finished
   deux heures? before two o'clock?

97

2. Past participles conjugated with **avoir** agree in gender and number with a preceding direct object:

Voici *la lettre* que tu avais écrite.	*Here is the letter that you had written.*
***Quels livres* aurais-tu lus?**	*Which books would you have read?*

3. Past participles conjugated with **être** agree in gender and number with the subject:

***Elles* seraient tombées.**	*They would have fallen.*

2. Pluperfect

The pluperfect **(le plus-que-parfait)** is formed as follows:

imperfect of **avoir** or **être** + past participle

I had eaten (finished, sold)

j'avais		nous avions	
tu avais	mangé	vous aviez	mangé
il / elle avait	(fini, vendu)	ils / elles avaient	(fini, vendu)

I had entered

j'étais entré(e)	nous étions entré(e)s
tu étais entré(e)	vous étiez entré(e)(s)
il était entré	ils étaient entrés
elle était entré(e)	elles étaient entrées

NOTE: The pluperfect is used to describe an action that had been completed in the past before another past action took place:

Je vous ai apporté les livres que *vous aviez demandés*.	*I brought you the books that you had asked for.*
J'avais faim parce que *je n'avais rien mangé de la journée*.	*I was hungry because I hadn't eaten anything all day.*

Exercice A

Exprimez ce que ces personnes avaient fait avant l'arrivée des invités à la fête:

EXEMPLE: (décorer) Anne __avait décoré__ la salle.

1. (apporter)   Richard _____ à manger.
2. (découper)   Gabrielle et Alphonse _____ la viande.
3. (acheter)   Marie _____ les couverts en plastique.
4. (arranger)   J'_____ les tables.
5. (cuisiner)   Tu _____ des spécialités françaises.
6. (ranger)   Charles _____ le salon.
7. (faire)   Ma mère _____ le gâteau.
8. (choisir)   Daniel et moi, nous _____ les disques.
9. (descendre)   Mon père _____ son tourne-disque.
10. (mettre)   Georgette _____ les plats sur la table.

Exercice B

Donnez la cause des situations suivantes en utilisant le plus-que-parfait:

EXEMPLES: Hervé était heureux. (aller à une fête)
Il était allé à une fête.

Charlotte avait mal au ventre. (trop manger)
Elle avait trop mangé.

1. Un enfant pleurait. (perdre son chien)
2. Denise a reçu une contravention. (conduire trop vite)
3. Les Ricard étaient fâchés contre leurs fils. (rentrer trop tard)
4. Marcel et Guy ont eu mal aux dents. (manger trop de bonbons)
5. Le professeur a puni Claire. (parler en classe)
6. Mme Picard marchait avec peine. (tomber)
7. Simone et Isabelle étaient épuisées. (travailler dur)
8. Luc et Didier étaient tristes. (recevoir de mauvaises notes)
9. Yvette était décoiffée. (sortir sans chapeau)
10. Maurice a eu mal aux yeux. (utiliser l'ordinateur trop longtemps)

Exercice C

C'est le bicentenaire du fondateur de la ville. Exprimez ses accomplisse-ments en complétant les phrases avec le plus-que-parfait:

EXEMPLE: (fonder) Voici l'université qu'il __avait fondée__ .

1. (construire)   Voici la maison qu'il _____ pour ses parents.
2. (bâtir)   Voici la première usine qu'il _____ .

3. (écrire)   Voilà quelques poèmes qu'il _____ quand il était
                     jeune.
4. (recevoir)   Voici les médailles qu'il _____ après la guerre.
5. (habiter)   Voilà la maison qu'il _____ pendant son enfance.
6. (créer)   Voilà le centre de recherche qu'il _____ .
7. (donner)   Voici la collection d'art qu'il _____ au musée de la
                     ville.
8. (commander)   Voilà le monument qu'il _____ au grand sculpteur
                     de l'époque.

3. Future Perfect

The future perfect (**le futur antérieur**) is formed as follows:

> future of **avoir** or **être** + past participle

	I will have eaten (finished, sold)		
j'aurai		nous aurons	
tu auras	mangé	vous aurez	mangé
il / elle aura	(fini, vendu)	ils / elles auront	(fini, vendu)

I will have left

je serai parti(e)	nous serons parti(e)s
tu seras parti(e)	vous serez parti(e)(s)
il sera parti	ils seront partis
elle sera partie	elles seront parties

Quand *j'aurai fini* mon travail, je ferai la sieste.	*When I (will) have finished my work, I will take a nap.*

The future perfect is used to describe an action or event that will have
been completed in the future:

***Vous aurez fini* d'ici deux heures.**	*You will have finished two hours from now.*
N'appelez pas avant midi parce que *je n'aurai pas encore reçu de nouvelles*.	*Don't call before noon because I will not have received any news yet.*

NOTE:

1. Often the future perfect is used after the conjunctions **quand,
   lorsque, dès que, aussitôt que, après que:**

***Dès qu'ils auront mangé*, nous sortirons.**	*As soon as they (will) have eaten, we will go out.*
Le ferez-vous *après que nous serons rentrés*?	*Will you do it after we (will) have returned?*

2. The future perfect is used to express probability or supposition in the past:

Il est en retard. *Il aura perdu* l'adresse.	⎰ *He's late. He must have lost the address.* ⎱ *He's late. He probably lost the address.*
***Il sera arrivé* quelque chose.**	*Something must have happened.*

Exercice D

Qu'est-ce qu'on aura accompli d'ici l'an 2100? Posez des questions pour essayer de le savoir:

EXEMPLE: les hommes / éliminer la violence
Les hommes **auront-ils éliminé** la violence?

1. le monde / trouver une solution aux problèmes écologiques
2. les hommes de science / guérir toutes les maladies
3. les astronomes / découvrir la vie extra-terrestre
4. nous / établir la paix dans le monde
5. la pauvreté / disparaître
6. la pollution / diminuer
7. les hommes / installer une colonie sur la lune
8. les savants / mettre au point une machine à voyager dans le temps

Exercice E

Exprimez ce que ces personnes auront fait d'ici l'heure indiquée:

EXEMPLES: je / finir mes devoirs / avant minuit
J'aurai fini mes devoirs avant minuit.

elle / revenir avant la semaine prochaine
Elle sera revenue avant la semaine prochaine.

1. d'ici neuf heures Mme Rameau / faire les courses
2. tu / rentrer avant demain
3. d'ici là vous / lui parler
4. avant un mois M. Renaud / terminer son projet
5. Georgette et Paul / revenir avant la fin de l'année

6. je / aller à l'étranger avant mes vingt ans
7. dans six ans nous / achever nos études universitaires
8. dans dix ans elle / ouvrir son propre magasin
9. ils / rester célibataires jusqu'à trente ans
10. dès l'âge de quarante ans elles / gagner beaucoup d'argent
11. d'ici mes cinquante ans je / écrire vingt livres
12. d'ici six mois notre professeur / prendre sa retraite

Exercice F

Exprimez ce que les sujets indiqués auront fait lors d'un week-end passé chez des amis:

> EXEMPLE: tu / porter ton nouveau pull
> **Tu auras porté ton nouveau pull.**

1. elle / prendre son sac de sport
2. je / bien manger
3. il / faire assez de provisions
4. ils / nager dans le lac
5. nous / jouer au tennis
6. vous / rencontrer des jeunes gens
7. elles / passer la journée au bord du lac
8. tu / dépenser tout ton argent
9. Marie / oublier de nous téléphoner
10. Lucien / préparer des gâteaux

4. Past Conditional

The past conditional **(le conditionnel passé)** is formed as follows:

> conditional of **avoir** or **être** + past participle

I would have eaten (finished, sold)

j'aurais		nous aurions	
tu aurais	mangé	vous auriez	mangé
il / elle aurait	(fini, vendu)	ils / elles auraient	(fini, vendu)

I would have left

je serais parti(e)	nous serions parti(e)s
tu serais parti(e)	vous seriez parti(e)(s)
il serait parti	ils seraient partis
elle serait partie	elles seraient parties

The past conditional is used to describe an action or event that would have taken place in the past had something else happened:

Avec plus de temps, *j'aurais achevé l'examen.*	Given more time, I would have finished the exam.
***Je t'aurais dit bonjour,* mais je ne t'ai pas vu.**	I would have said hello, but I didn't see you.

Exercice G

Exprimez ce que vous auriez fait dans ces circonstances:

> EXEMPLE: S'il y avait eu un accident de voiture. (téléphoner à la police)
> **J'aurais téléphoné à la police.**

1. Si un vieillard était tombé dans la rue. (l'aider)
2. Si votre père avait oublié d'acheter du lait. (aller au magasin en acheter)
3. Si un ami avait été à l'hôpital. (le visiter)
4. Si votre mère n'avait pas voulu répondre au téléphone. (dire qu'elle n'était pas à la maison)
5. Si votre frère cadet avait eu très faim. (lui préparer un sandwich)
6. Si un de vos amis avait célébré son anniversaire. (lui acheter un cadeau)
7. Si un de vos amis n'avait pas eu assez d'argent pour aller au cinéma avec vous. (lui prêter dix dollars)
8. Si un petit enfant avait perdu sa mère au grand magasin. (la chercher avec lui)

Exercice H

Exprimez ce que ces personnes auraient fait si elles avaient pu. Choisissez l'expression correcte:

rire	aller dormir	arriver à l'heure	conduire en ville
nager	tomber	partir en vacances	finir ce travail

> EXEMPLE: J' __aurais dansé__, mais j'avais mal aux pieds.

1. Mme Bollert _____, mais sa voiture était en panne.
2. Elles _____ si elles n'avaient pas raté leur train.
3. Je _____, mais je n'étais pas fatigué.
4. Vous _____ si la mer avait été calme.
5. Ils _____ s'ils avaient eu les outils nécessaires.
6. L'enfant _____ si sa mère ne l'avait pas saisi à temps.
7. Nous _____ si le film avait été drôle.
8. Tu _____, mais tu n'avais pas assez d'argent.

Exercice I

Complétez les phrases suivantes avec le conditionnel passé:

> EXEMPLES: (suivre)   «Dallas» est un feuilleton que
> __j'aurais suivi__ tous les soirs.
> (choisir)   L'espagnol et l'algèbre sont des cours que
> __je n'aurais pas choisis__ .

1. (enregistrer)   «La Guerre des étoiles» et «Bambi» sont des films
   que _____ .
2. (souhaiter)   Susan B. Anthony est une femme que _____
   connaître.
3. (acheter)   «Chansons de Noël» de Johnny Mathis est un disque
   que _____ .
4. (aimer)   Les Beatles sont un groupe que _____ aller voir en
   concert.
5. (adorer)   Laurence Olivier est un acteur que _____ voir jouer
   au théâtre.
6. (choisir)   L'italien est la langue que _____ au lieu du
   français.
7. (vouloir)   Ginger Rogers et Fred Astaire sont des danseurs
   que _____ voir.
8. (désirer)   Kennedy est un président que _____ rencontrer.

5. Compound Tenses in Conditional Sentences

To express a contrary-to-fact condition in the past, French uses the
pluperfect in the **si** clause and the past conditional in the result clause:

> **Si + Pluperfect → Past conditional**

Si j'avais eu le temps, **je**   *If I had had time, I would*
   t'aurais appelé.   *have called you.*
Ils auraient reçu une bonne   *They would have received a*
   note *s'ils avaient étudié.*   *good grade if they had*
                                        studied.

Exercice J

Exprimez ce que ces personnes auraient fait hier s'il avait fait un temps différent:

> EXEMPLE: faire beau / je / nager dans la piscine
> **S'il avait fait** beau, **j'aurais nagé** dans la piscine.

1. faire du vent / Luc / faire voler son cerf-volant
2. faire frais / nous / jouer au football
3. faire chaud / Alice et Marie / aller à la plage
4. pleuvoir / je / rentrer chez moi
5. faire froid / Sylvie et Jean / rester à la maison
6. faire du soleil / Mme Dubois / promener son chien
7. neiger / tu / lancer des boules de neige
8. faire mauvais / vous / lire un livre

Exercice K

Exprimez ce que les membres de la famille Rodier auraient fait si chacun avait fait un effort:

1. Si Liliane et Louise _____ plus tôt, elles _____
   (partir)   (arriver)
   à l'école à l'heure.

2. Janine _____ sa composition si ses parents l'_____.
   (réussir)   (encourager)

3. Si Éric _____ la vaisselle, papa _____ sa
   (faire)   (réparer)
   bicyclette.

4. Si Janine et Paul _____ faire le ménage, ils _____
   (vouloir)   (pouvoir)
   aller au cinéma hier soir.

5. Si j'_____ maman, elle m'_____ un cadeau.
   (aider)   (acheter)

6. Si tu _____ le dîner, j'_____ le couvert.
   (préparer)   (mettre)

7. J'_____ les vêtements si vous _____ la lessive.
   (repasser)   (faire)

Exercice L

Après deux ans de fiançailles, Émile vient de rompre avec Sylvie. Régine, sa meilleure amie, essaie de la consoler en lui faisant les remarques suivantes:

> EXEMPLES: franc / expliquer sa conduite
> **S'il avait été** franc, **il aurait expliqué** sa conduite.
>
> gentil / devenir moins exigeant
> **S'il avait été** gentil, **il serait devenu** moins exigeant.

1. vraiment amoureux / rester avec toi
2. plus sensible / comprendre tes soucis
3. honnête / te dire la vérité
4. juste / reconnaître ses erreurs
5. fidèle / sortir seulement avec toi
6. sincère / te parler franchement
7. moins égoïste / essayer de résoudre vos problèmes
8. sérieux / t'épouser

Exercice M

Exprimez vos regrets en combinant les éléments des deux colonnes:

accompagner Peter Pan	trouver le trésor d'un géant
acheter la poule aux œufs d'or	devenir riche
avoir un tapis volant	être la plus belle de toutes les filles
arriver à l'autre bout de l'arc-en-ciel	faire la connaissance d'un prince
avoir une fée pour marraine	rester enfant
embrasser un crapaud	trouver une marmite remplie d'or
frotter la lampe d'Aladin	voir tous mes désirs se réaliser
planter des haricots magiques	faire apparaître un bon génie
faire un vœu en voyant une étoile filante	voyager autour du monde

> EXEMPLE: **Si j'avais fait** un vœu en voyant une étoile filante, **j'aurais vu** tous mes désirs se réaliser.

◆ MASTERY EXERCISES ◆

Exercice N

Employez le temps utilisé dans chaque phrase pour exprimer les activités possibles des personnes suivantes:

EXEMPLE: **Elle aurait écouté** ses disques.
(jouer de la guitare, partir)
Elle aurait joué de la guitare.
Elle serait partie.

1. **Elle aurait travaillé** chez elle.
(rester au lit, écrire à sa correspondante)
2. **Vous aviez regardé** la télévision.
(faire le ménage, voir un film)
3. **Tu aurais joué** au tennis.
(lire un roman, aller au théâtre)
4. **Ils auront fini** avant minuit.
(réviser leurs leçons, rentrer)
5. **Seront-elles parties** de bonne heure?
(prendre un taxi, faire les courses)
6. **Je n'aurais pas étudié** chez moi le dimanche.
(rester, cuisiner)
7. **Aurons-nous** assez **dansé?**
(préparer assez de tartines, sortir)
8. **N'était-il pas rentré** de bonne heure?
(finir la partie de cartes, écrire sa composition)

Exercice O

Complétez les phrases suivantes avec vos opinions personnelles:

1. Si nous avions vécu au dix-neuvième siècle, _____ .
2. Si mes parents étaient nés en France, _____ .
3. Si _____ , j'aurais reçu un A en français.
4. Si j'étais milliardaire, _____ .
5. Si _____ , j'aurais été la personne la plus heureuse au monde.
6. J'aurais donné ma vie pour mon meilleur ami si _____ .
7. Si j'avais connu mon arrière-grand-père, _____ .
8. Je serais totalement indépendant(e) si _____ .

Exercice P

Donnez trois réponses à chacune des questions:

1. En quoi votre vie et votre personnalité auraient-elles été différentes si vous aviez été un garçon (une fille)?
2. Si vous aviez vécu à l'époque du Moyen Âge, quelles aventures auriez vous vécues?
3. En quoi votre vie aurait-elle été différente si vous étiez né(e) dans une famille royale?

Exercice Q

Vous devez remettre vos plans d'entrer à l'université à l'année prochaine. Exprimez en français tout ce que vous aviez fait avant de changer de plans:

1. I had been thinking about a university in California.
2. I had written and they had sent me their catalogues.
3. My parents had asked precisely how much it would have cost.
4. The four years would have cost more than thirty thousand dollars.
5. My parents thought that was a lot of money.
6. They were sure that it would have cost less.
7. My sister's friend had recommended another university.
8. But that university would have been very expensive as well.
9. This year I will work and by next September I will have earned at least $10,000.
10. If I had received a scholarship, I could have started college this September.

10

Present and Perfect Participles

The present participle for all French verbs ends in **-ant** (equivalent to English *-ing*).

1. Forms of the Present Participle

a. The present participle of almost all French verbs is formed by replacing the **-ons** of the **nous** form of the present tense with **-ant:**

INFINITIVE	**nous** FORM	PRESENT PARTICIPLE	
parler:	*parlons*	**parl***ant*	speaking
finir:	*finissons*	**finiss***ant*	finishing
vendre:	*vendons*	**vend***ant*	selling
ouvrir:	*ouvrons*	**ouvr***ant*	opening
commencer:	*commençons*	**commenç***ant*	starting
nager:	*nageons*	**nage***ant*	swimming
acheter:	*achetons*	**achet***ant*	buying
appeler:	*appelons*	**appel***ant*	calling
jeter:	*jetons*	**jet***ant*	throwing
payer:	*payons*	**pay***ant*	paying

NOTE: The present participle is used much less in French than in English. Many English words ending in *-ing* are not equivalent to French present participles:

Voir c'est **croire.**	*Seeing is believing.*
J'adore **la natation.**	*I love swimming.*

b. Irregular present participles:

avoir:	*ayant*	having
être:	*étant*	being
savoir:	*sachant*	knowing

2. Uses of the Present Participle

a. Some present participles may be used as adjectives. They generally follow the noun or pronoun they modify and agree with them in gender and number:

Henri a raconté **une histoire** *amusante.*

Henry told an amusing anecdote.

Vous faites **des progrès** *étonnants.*

You are making amazing progress.

Elles sont tout à fait *charmantes.*

They are quite charming.

b. The present participle, when preceded by the preposition **en,** is often equivalent to *while, by, in, upon* + an English present participle:

En **nettoyant** sa chambre, il a retrouvé sa bague.

While cleaning his room, he found his ring.

Il siffle *en* **travaillant.**

He whistles while working.

C'est *en* **parlant** que vous apprendrez le français.

It's by speaking that you will learn French.

J'ai écouté les informations *en* **rentrant** à la maison.

I listened to the news upon returning home.

NOTE: The word **tout** is sometimes used before the preposition **en** to add emphasis:

Elle étudie *tout* **en regardant** la télé.

She studies even while watching television.

Il a terminé ses études *tout* **en travaillant** à plein temps.

He finished his studies all the while working full time.

c. The present participle may also be used without the preposition **en:**

Étant très occupé, je n'ai pas répondu au téléphone.

Being very busy, I didn't answer the telephone.

Voulant finir le travail, nous nous sommes dépêchés.

Wanting to finish the work, we hurried.

Elle a fermé la porte, **laissant** les clefs à l'intérieur.

She closed the door, leaving the keys inside.

Il partit, **oubliant** son chapeau.

He left, forgetting his hat.

NOTE:

1. When the present participle has a verbal function, it is invariable. There is no agreement of the present participle with the subject. Compare:

| Il a écrit **une composition amusante.** | He wrote an amusing composition. |
| Elle **est entrée** *criant très fort.* | She came in screaming very loudly. |

2. The present participle may be used to replace a relative clause (**qui** + verb), although this usage is infrequent:

| Une femme **qui porte** un manteau rouge ouvre la porte. | Une femme **portant** un manteau rouge ouvre la porte. |

Exercice A

Exprimez les opinions de cette personne en utilisant le participe présent:

EXEMPLE: Ces remarques m'irritent.
Je trouve ces remarques irritantes.

1. Ces articles m'intéressent.
2. Ces enfants me charment.
3. Ces critiques m'énervent.
4. Cette pièce m'amuse.
5. Ces nouvelles m'étonnent.
6. Ce travail me stimule.
7. Cette émission me captive.
8. Ces conseils me rassurent.
9. Ce film me passionne.
10. Cet homme me menace.
11. Ces élèves m'obéissent.
12. Cette fille m'intimide.

Exercice B

Vous faites la queue devant le cinéma pendant que les gens en sortent. Décrivez leur réaction au film qu'ils viennent de voir:

EXEMPLE: Marie / rire
Marie sort en riant.

1. les enfants / courir
2. Édouard / sourire
3. Mme Renard / critiquer le metteur en scène
4. tu / analyser l'histoire
5. Daniel et Lucien / discuter du film
6. Jean / pleurnicher

Exercice C

Exprimez ce que chacune de ces personnes fait à la fois:

EXEMPLE: Elle mange son petit déjeuner et elle écoute la radio.
Elle mange son petit déjeuner **en écoutant la radio.**

1. Je fais mes devoirs et je bavarde avec mes amies.
2. Il écoute les informations et il parle au téléphone.
3. Nous faisons la cuisine et nous regardons la télévision.
4. Elles dansent et elles chantent.
5. Vous buvez du soda et vous conduisez la voiture.
6. Elle lit le journal et elle mange un sandwich.
7. Tu manges et tu travailles.
8. Ils discutent de politique et ils jouent aux échecs.

Exercice D

Exprimez en français ce qui est arrivé à ces personnes:

> EXEMPLE: Elle quittait la classe et elle a oublié son sac.
> **En quittant** la classe elle a oublié son sac.

1. Ils jouaient au football et ils sont tombés dans la boue.
2. Tu marchais dans la rue et tu as rencontré Marcel.
3. Elle écoutait des cassettes. Elle a appris l'italien.
4. Nous allions à la campagne et nous sommes tombés en panne.
5. Il versait du lait et il a fait tomber la bouteille.
6. Vous couriez à l'école et vous avez perdu votre livre.
7. Je patinais et j'ai perdu l'équilibre.
8. Elles nageaient dans l'océan et elles ont trouvé un énorme coquillage.

Exercice E

Exprimez ce que ces personnes ont réussi à faire en même temps:

> EXEMPLE: il est sorti / parler
> Il est sorti **tout en parlant.**

1. elle parlait / manger
2. ils ont couru vers leur mère / pleurer
3. vous avez rougi / éclater de rire
4. je marchais / lire le journal
5. nous préparions le repas / regarder la télévision
6. tu as étudié tes leçons / écouter la radio

3. Perfect Participle

The perfect participle is formed with the present participle of the appropriate helping verb and the past participle:

finir:	*ayant fini*	*having finished*
partir:	*étant parti*	*having left*

Ayant fini son travail,	*Having finished her work,*
Marianne a allumé la télé.	*Marianne turned on the TV.*
Étant partis à six heures, ils	*Having left at 6 o'clock, they*
ont évité les embouteillages.	*avoided the traffic jams.*

NOTE:

1. The perfect participle is used instead of the present participle to show that one action occurred before another:

***Ayant fini ses devoirs,* elle est**	*Having finished her*
sortie.	*homework, she went out.*

2. Past participles in this construction follow the regular rules of agreement:

Étant parties à six heures, *elles* ont évité les embouteillages.

Exercice F

Exprimez ce qui est arrivé au bureau:

EXEMPLE: ___**Étant enrhumée**___ , elle a décidé de ne pas aller au bureau aujourd'hui.

1. _____ très tard, elles ont pris un taxi.
   (partir)

2. _____ de bonne heure, le secrétaire a pris un café.
   (arriver)

3. _____ son travail, elle est partie.
   (finir)

4. _____ des coups de feu, tout le monde est sorti de
   (entendre)

   l'immeuble en courant.

5. _____ l'adresse du fournisseur, il lui a téléphoné.
   (oublier)

6. _____ leur travail, elles ont quitté le bureau de bonne heure.
   (terminer)

7. _____ le même problème, elle a pu donner de bons conseils
   (avoir)

   à son collègue.

8. _____ les documents nécessaires, ils ont commencé à
   (trouver)

   préparer leur rapport.

♦ MASTERY EXERCISES ♦

Exercice G

Exprimez ce que ces personnes font à la fois:

EXEMPLE: Elle pense à son ami. Elle travaille.
Elle pense à son ami **en travaillant.**

1. Ils regardent les vitrines. Ils attendent leurs amis.
2. Tu souris. Tu racontes cette histoire.
3. Elle pleure. Elle écrit la lettre.
4. Vous chantez. Vous prenez votre bain.
5. Elles apprennent. Elles jouent.
6. Je ris. Je pense à toi.
7. Nous élevons la voix. Nous parlons de cette affaire.
8. Il fait tomber sa montre. Il la pose sur la commode.

Exercice H

Exprimez en français ce que le professeur dit à ses élèves à la fin de l'année scolaire:

1. Having done well, you deserve a good vacation.
2. Upon leaving, don't forget my advice.
3. By reading as much as you can this summer, you will be better prepared for your studies in the fall.
4. While traveling in France, take many photographs.
5. By working in the summer, you can earn a lot of money.
6. While reading a lot, you can increase your vocabulary.
7. By helping others, you can learn a lot.
8. By doing volunteer work this summer, you can gain some experience.

11

Reflexive Verbs

1. Reflexive Constructions in Simple Tenses

In a reflexive construction, the action is performed by the subject on itself. The reflexive verb has a reflexive pronoun as its object. Thus, the subject and the pronoun object refer to the same person(s) or thing(s): *he hurt himself; we will enjoy ourselves.*

PRESENT TENSE	
I wash (am washing) myself	
je *me* lave	**nous *nous* lavons**
tu *te* laves	**vous *vous* lavez**
il (elle) *se* lave	**ils (elles) *se* lavent**

IMPERFECT
I washed (was washing, used to wash) myself
je *me* lavais, tu *te* lavais, etc.

FUTURE
I shall (will) wash myself
je *me* laverai, tu *te* laveras, etc.

CONDITIONAL
I would wash myself
je *me* laverais, tu *te* laverais, etc.

PASSÉ SIMPLE
I washed myself
je *me* lavai, tu *te* lavas, etc.

NOTE:

1. The reflexive pronouns **me, te, se, nous,** and **vous,** like other personal object pronouns, normally precede the conjugated verb.

2. In inverted questions and negative sentences, reflexive pronouns remain before the conjugated verb:

S'amusent-ils?	*Are they enjoying themselves?*
Ils **ne** *s'amusent* **pas.**	*They are not enjoying themselves.*
Ne *s'amusent-ils* **pas?**	*Aren't they enjoying themselves?*
Vous levez-vous tôt?	*Do you get up early?*
Je ne *me lève* **pas** tôt.	*I don't get up early.*
Ne *vous levez-vous* **pas** tôt?	*Don't you get up early?*

3. A list of common reflexive verbs appears in the Appendix, pages 534–537.

Exercice A

Exprimez qui fait quoi le matin chez vous:

je	se réveiller de bonne heure
ma mère	se raser
mon père	se brosser les dents
mes parents	s'habiller rapidement
ma sœur	se peigner avec soin
mon frère	se brosser les cheveux pendant une heure
nous	se lever avec difficulté
tu	se dépêcher de prendre son petit déjeuner
	se préparer à partir à huit heures

EXEMPLE: **Nous nous réveillons de bonne heure.**

Exercice B

Le week-end tout le monde abandonne ses habitudes de la semaine. Exprimez ce que chacun ne fait pas:

EXEMPLE: Mon père n'utilise pas son rasoir.
Mon père ne se rase pas.

1. Je ne mets pas mes vêtements rapidement.
2. Nous n'allons pas au lit à 10 h.
3. Ma sœur ne met pas de mascara.
4. Mes parents ne sont pas fâchés.

5. Je n'utilise pas la brosse à cheveux.
6. Vous n'utilisez pas la brosse à dents.
7. Mon frère ne sort pas du lit avant midi.
8. Les enfants ne courent pas pour arriver à l'école à l'heure.

Exercice C

Posez des questions personnelles à un/une camarade de classe. Demandez-lui:

> EXEMPLE: comment il/elle s'appelle
> **Comment t'appelles-tu?**

1. à quoi il/elle s'amuse
2. à quelle heure il/elle se couche
3. dans quelle classe il/elle s'ennuie
4. quand il/elle se fâche
5. à quelle heure il/elle se lève
6. avec qui il/elle se promène
7. où il/elle se repose
8. pourquoi il/elle se plaint souvent

Exercice D

Vous interviewez votre professeur de français. Demandez-lui:

> EXEMPLE: à quelle heure il/elle se réveille
> À quelle heure **vous réveillez-vous?**

1. à quelle heure il/elle se lève
2. en quelle occasion il/elle s'ennuie
3. pourquoi il/elle se fâche contre les étudiants
4. comment il/elle s'entend avec ses élèves
5. à quelle heure il/elle s'arrête de travailler
6. quand il/elle s'amuse
7. où il/elle se promène après l'école
8. comment il/elle se repose

Exercice E

Utilisez les verbes donnés pour exprimer ce qui se passe dans les cas suivants:

s'en aller	se blesser	se dépêcher	s'endormir
s'ennuyer	se fâcher	se souvenir de	se tromper
se trouver			

EXEMPLE: Roger doit partir. Maintenant il ___**s'en va**___ .

1. J'oublie la date de l'examen, mais heureusement Paulette _____ cette date importante.
2. Quand les petits enfants tombent, ils _____ souvent au genou.
3. Comme nous sommes en retard pour la fête, nous _____.
4. Quand un film n'est pas intéressant, vous _____ en le regardant.
5. Les touristes demandent où _____ la tour Eiffel et la cathédrale Notre-Dame.
6. Tu es tellement fatigué que tu _____ tout de suite.
7. Pierre utilise la nouvelle voiture. Papa _____ et devient furieux.
8. Je ne donne pas la réponse correcte quand je _____.

2. Reflexive Constructions in Compound Tenses

Compound tenses of reflexive verbs are formed with **être:**

PASSÉ COMPOSÉ
I washed (have washed) myself
je *me* suis lavé*(e)*   nous *nous* sommes lavé*(e)s* tu *t'*es lavé*(e)*   vous *vous* êtes lavé*(e)(s)* il (elle) *s'*est lavé*(e)*   ils (elles) *se* sont lavé*(e)s*

PLUS-QUE-PARFAIT
I had washed myself
je *m'*étais lavé*(e)*, tu *t'*étais lavé*(e)*, etc.

FUTUR ANTÉRIEUR
I shall (will) have washed myself
je *me* serai lavé*(e)*, tu *te* seras lavé*(e)*, etc.

CONDITIONNEL PASSÉ
I would have washed myself
je *me* serais lavé*(e)*, tu *te* serais lavé*(e)*, etc.

NOTE:

1. In compound tenses, the reflexive pronoun precedes the helping verb. In the negative, **ne** precedes the reflexive pronoun and **pas** follows the helping verb:

Je ne *me suis* **pas amusé(e).**   *I didn't have fun.*
Nous ne *nous étions* **pas**   *We didn't have fun.*
   amusé(e)s.

2. In the interrogative, the subject pronoun and the helping verb are inverted and the reflexive pronoun remains before the helping verb:

T'es-tu **amusé(e)?**   *Did you have fun?*
Ne *s'étaient-ils* **pas amusés?**   *Didn't they have fun?*

3. When the reflexive pronoun represents a direct object, the past participle agrees with the reflexive pronoun:

Elle *s'***est coupée.**   *She cut herself.*
Ils *se* **sont rencontrés hier.**   *They met (each other) yesterday.*

Les enfants *se* **sont couverts** de   *The children covered*
   feuilles pour se cacher.   *themselves with leaves in order to hide.*

When the reflexive pronoun represents an indirect object, the past participle remains unchanged:

Elle s'est coupé le doigt.   *She cut her finger.*
Elle s'est coupé du pain.   *She cut some bread for herself.*
Ils se sont téléphoné.   *They telephoned each other.*
Nous nous sommes écrit *une*   *We wrote a long letter to each*
   longue lettre. *   *other.*

When the reflexive pronoun represents neither a direct nor an indirect object, the past participle generally agrees with the subject:

Nous **nous sommes aperçus** de   *We noticed the hour.*
   l'heure.
Les professeurs **se sont**   *The professors remembered the*
   souvenus des règles.   *rules.*
Elle s'est **moquée** de vous.   *She made fun of you.*

*Note, however, that a preceding direct object requires the agreement of the past participle in a clause with an indirect reflexive object pronoun:

J'ai relu *les lettres que* **nous**   *I reread the letters that we*
   nous sommes écrites.   *wrote to each other.*

Exercice F

Racontez l'histoire de ce jeune couple amoureux:

> EXEMPLE: se retrouver dans la même classe
> **Ils se sont retrouvés** dans la même classe.

1. se rencontrer au café
2. se mettre à discuter
3. s'amuser
4. se promener dans le parc
5. se voir chaque jour
6. se parler au téléphone tous les soirs
7. s'écrire des lettres d'amour
8. s'embrasser tendrement
9. se dire: «Je t'aime»
10. se fiancer
11. se préparer pour l'avenir
12. se marier

Exercice G

Expliquez ce qui est arrivé dans les circonstances suivantes. Utilisez les verbes donnés ou d'autres de votre choix:

s'attendre *(to expect)*
s'échapper *(to escape)*
s'intéresser *(to take an interest in)*
se dépêcher *(to hurry)*
se disputer *(to quarrel)*

se fâcher *(to get angry)*
se rappeler *(to remember)*
se reposer *(to rest)*
se sentir *(to feel)*

> EXEMPLE: Il avait beacoup de talent, alors nous
> _____**nous sommes intéressés**_____ à lui.

1. La grenouille _____ de sa boîte quand j'ai enlevé le couvercle.
2. Charles _____ parce qu'il a attendu Marie pendant une heure.
3. Tu _____ parce que tu n'as pas entendu ton réveil sonner.
4. Je _____ son numéro de téléphone parce que je l'ai noté sur mon carnet.
5. Robert et André _____, mais ils ne se sont pas battus.
6. Elle a passé l'après-midi à faire du sport et le soir elle _____.
7. Tu as reçu une bonne note alors tu _____ à être récompensé.
8. Hier j'ai eu de la fièvre et je _____ mal.

Exercice H

Exprimez comment les filles s'étaient préparées pour le grand bal:

EXEMPLES: se réveiller très tôt
Elles s'étaient réveillées très tôt.

se laver les cheveux
Elles s'étaient lavé les cheveux.

1. s'acheter de jolies robes
2. s'exercer à danser
3. se téléphoner
4. se reposer l'après-midi
5. se préparer avec soin
6. se maquiller
7. se regarder dans la glace
8. se brosser les dents
9. s'habiller lentement
10. se mettre en route à huit heures

Exercice I

Ce matin le réveil n'a pas sonné et tout le monde est en retard. Exprimez ce que chacun de vous n'a pas fait:

EXEMPLE: nous / se réveiller à l'heure
Nous ne nous sommes pas réveillés à l'heure.

1. je / me lever de bonne heure
2. les filles / se maquiller
3. Marcel / s'amuser en route
4. tu / se servir à déjeuner
5. vous / s'habiller avec soin
6. nous / s'occuper du ménage
7. les garçons / se raser
8. tu / se peigner

Exercice J

Utilisez les situations données pour poser des questions au conditionnel passé:

EXEMPLE: Si Luc était resté chez lui pendant les vacances.
(s'ennuyer)
Se serait-il ennuyé?

1. Si Guy et Didier s'étaient disputés. (se battre)
2. Si tu étais tombée en faisant du ski. (se casser la jambe)
3. Si nous n'avions pas su l'adresse exacte. (se tromper)

4.   Si vous n'aviez pas entendu votre réveil. (se réveiller à l'heure)
5.   Si Nicolas avait perdu son argent. (s'inquiéter)
6.   Si vous n'aviez pas fait attention. (se couper le doigt)
7.   Si Renée avait dû attendre son amie pendant une heure. (s'impatienter)
8.   Si les filles étaient allées danser. (s'amuser)

Exercice K

En utilisant le futur antérieur exprimez ce que chacune de ces personnes aura fait pour préparer les fêtes de fin d'année:

> EXEMPLE: Mme Renard / se préparer à l'avance
> **Mme Renard se sera préparée** à l'avance.

1.   je / se mettre à économiser
2.   nous / se souvenir d'acheter des cadeaux à tout le monde
3.   Grégoire / s'amuser à décorer la maison
4.   ils / s'occuper de trouver un arbre de Noël
5.   tu / se dépêcher de faire ses achats
6.   vous / s'inquiéter d'avoir oublié quelque chose
7.   je / se plaindre de ne pas avoir assez de temps
8.   nous / se rappeler d'écrire les cartes de nouvel an

3. Reflexive Commands

In negative commands, reflexive pronouns precede the verb. In affirmative commands, they follow the verb. After the verb, **toi** is used instead of **te:**

NEGATIVE IMPERATIVE	
ne *te lave* **pas**	*don't wash yourself*
ne *vous lavez* **pas**	*don't wash yourself (yourselves)*
ne *nous lavons* **pas**	*let's not wash ourselves (get washed)*

AFFIRMATIVE IMPERATIVE	
lave-toi	*wash yourself*
lavez-vous	*wash yourself (yourselves)*
lavons-nous	*let's wash ourselves (get washed)*

Exercice L

Votre ami(e) est toujours en retard pour l'école. Suggérez-lui comment mieux répartir son temps:

EXEMPLE: (se réveiller) **Réveille-toi** à 7 h.
            Ne te réveille pas à 7 h 30.

1. (se lever) _____ à 7 h 15.
    _____ à 7 h 45.
2. (se laver) _____ à 7 h 20.
    _____ à 7 h 50.
3. (se brosser les dents) _____ à 7 h 25.
    _____ à 7 h 55.
4. (se brosser les cheveux) _____ à 7 h 30.
    _____ à 8 h.
5. (s'habiller) _____ à 7 h 35.
    _____ à 8 h 05.
6. (se promener) _____ en rentrant.
    _____ en partant.
7. (se coucher) _____ à 10 h.
    _____ à 11 h.
8. (s'amuser) _____ l'après-midi.
    _____ le soir.

Exercice M

Sylvie et sa sœur n'écoutent jamais leur mère. Exprimez ce que leur mère leur demande:

EXEMPLE: (s'endormir sur le sofa)
            Ne vous endormez pas sur le sofa.
            (s'endormir dans son lit)
            Endormez-vous dans votre lit.

1. (s'habiller dans la cuisine)
    (s'habiller dans sa chambre)
2. (s'amuser dans le salon)
    (s'amuser dans le jardin)
3. (se laver dans la cuisine)
    (se laver dans la salle de bains)
4. (se maquiller dans sa chambre)
    (se maquiller dans la salle de bains)
5. (se brosser les cheveux dans la cuisine)
    (se brosser les cheveux dans la salle de bains)

6. (se promener dans la rue)
    (se promener dans le parc)
7. (s'en aller à 9 h)
    (s'en aller à 8 h)
8. (se reposer sur le divan)
    (se reposer sur le lit)

Exercice N

Utilisez le verbe entre parenthèses pour exprimer les conseils ou les instructions que vous donneriez selon chaque cas. Utilisez l'impératif à l'affirmatif ou au négatif:

EXEMPLE: Votre frère veut quitter la maison, mais vous voulez qu'il reste. (s'en aller)
Ne t'en va pas.

1. Vous gardez des enfants et ils ont très sommeil. (se coucher)
2. Vous étudiez et votre frère ne s'arrête pas de bavarder. (se taire)
3. C'est la première fois que Martine part en colonie de vacance. (s'amuser)
4. Vous n'avez pas réussi à votre examen de mathématiques et vous le dites à vos parents. (se fâcher)
5. Une amie et sa mère arrivent chez vous. Vous les invitez à entrer. (s'asseoir)
6. Vous êtes dans un parc d'attractions et vous allez monter sur les montagnes russes avec un ami qui a peur. (s'inquiéter)
7. Votre ami et vous, vous venez de finir un match de tennis. Vous allez manger et vous avez les mains sales. (se laver les mains)
8. Vous allez à une fête avec des amis. Vous allez arriver trop tôt. (se dépêcher)

4. Reflexive Constructions With Infinitives and Participles

a. When used with an infinitive, the reflexive pronoun precedes the infinitive:

J'allais *m'*amuser.	*I was going to enjoy myself.*
Il ne va pas *s'amuser.*	*He is not going to enjoy himself.*
Allons-nous *nous* amuser?	*Are we going to enjoy ourselves?*

b. When used with a present or perfect participle, the reflexive pronoun precedes the participle:

Il s'est coupé **en *se* rasant.**	*He cut himself while shaving.*
S'étant couchées tôt hier soir, elles avaient l'air reposées.	*Having gone to bed early last night, they looked rested.*

Exercice O

Exprimez ce que chacun fait au lieu indiqué:

> EXEMPLE: Je vais dans la salle de bains. (se raser)
> **Je vais me raser** dans la salle de bains.

1. Ils vont à la discothèque. (s'amuser)
2. Je vais dans ma chambre. (se coucher)
3. Tu vas dans la salle de bains. (se laver)
4. Maman va dans le salon. (se reposer)
5. Nous allons dans la cuisine. (se servir un verre d'eau)
6. Vous allez au parc. (se promener)

Exercice P

Pourquoi ces personnes sont-elles irritées? Exprimez ce qu'elles ne peuvent pas faire:

> EXEMPLE: Jean n'a pas d'argent.
> **Il ne peut pas s'amuser.**

1. Papa n'a pas son rasoir.
2. Les filles n'ont pas leur maquillage.
3. Je n'ai pas ma brosse à dents.
4. Nous n'avons pas nos vêtements.
5. Tu n'as pas ta brosse à cheveux.
6. Vous n'avez pas votre savon.

Exercice Q

Vos amis se plaignent. Utilisez les suggestions données pour leur demander ce qu'ils veulent faire:

> SUGGESTIONS: se réconcilier se reposer se coucher
> s'asseoir se dépêcher s'amuser
> se laver

> EXEMPLE: Je suis épuisé.
> **Veux-tu te coucher?**

1. J'ai mal aux pieds.
2. Je vais être en retard.
3. Je m'ennuie.

4. Je me suis disputé avec lui.
5. J'ai fini tout mon travail.
6. Je suis sale.

Vos parents travaillent dur. Qu'est-ce qu'ils veulent faire maintenant? Posez-leur des questions:

> EXEMPLE: (se reposer)
> **Voulez-vous vous reposer?**

1. (s'asseoir)
2. (s'en aller)
3. (se mettre à table)

4. (se promener)
5. (s'amuser)
6. (s'arrêter de travailler)

5. Summary of the Position of Reflexive Pronouns

SIMPLE TENSES	**Tu *te* laves.** **Vous *vous* laviez.**	You *wash yourself.* You *washed yourself (yourselves).*
COMPOUND TENSES	**Tu *t'*es lavé*(e)*.** **Vous *vous* étiez lavé*(e)(s)*.**	You *washed yourself.* You *had washed yourself (yourselves).*
INFINITIVE	**Tu veux *te* laver.** **Vous vouliez *vous* laver.**	You *want to wash yourself (get washed).* You *wanted to wash yourself (yourselves).*
PRESENT PARTICIPLE	**En *se* lavant . . .**	While *washing (getting washed) . . .*
PERFECT PARTICIPLE	**S'étant lavé*(e)* . . .**	Having *washed . . .*
COMMANDS	**Lave-*toi*.** **Lavez-*vous*.** **Ne *te* lave pas.** **Ne *vous* lavez pas.**	Wash *yourself.* Wash *yourself (yourselves).* Don't *wash yourself.* Don't *wash yourself (yourselves).*

6. Uses of Reflexive Verbs

a. Most French verbs that take an object, direct or indirect, may be made reflexive. Compare:

La mère *habille* sa petite fille.
The mother dresses her little
    girl.

La petite fille *s'habille*.
The little girl gets dressed
    (dresses herself).

| J'*achète* un chapeau à mon père. | Je *m'achète* un chapeau. |
| I buy a hat for my father. | I buy a hat for myself. |

Exercice S

Exprimez ce que fait chaque personne en utilisant le verbe approprié:

appeler/s'appeler	maquiller/se maquiller
coucher/se coucher	promener/se promener
laver/se laver	réveiller/se réveiller

1. La vieille dame ———— au parc quand elle ———— ses chiens.
2. Les parents ———— à six heures du matin puis ils ———— leurs enfants.
3. Le soir, vous ———— d'abord les enfants puis vous ————.
4. Nous ———— notre voiture puis nous ————.
5. Je ———— Jean et j'———— mon chien Fifi.
6. Tu ———— ta copine pour le carnaval puis tu ————.

b. Some verbs have special meanings when used reflexively:

BASIC MEANING	REFLEXIVE MEANING
agir to act	**(il) s'agir de** to be a question of
apercevoir to see, notice	**s'apercevoir de** to realize
attendre to wait for	**s'attendre à** to expect
battre to beat	**se battre** to fight
changer to replace; to alter	**se changer** to change clothes
demander to ask	**se demander** to wonder
douter de to doubt, question	**se douter de** to suspect
occuper to occupy	**s'occuper de** to take care of
passer to pass, spend time	**se passer de** to do without
rappeler to call again	**se rappeler** to remember, recall
servir to serve	**se servir de** to use
tromper to deceive	**se tromper** to be mistaken

Exercice T

Il y a un dîner important au restaurant «Chez Pierre». Complétez les phrases en utilisant le verbe correct:

EXEMPLE: (passer, se passer de) Les clients ____**passent**____ l'heure du déjeuner «Chez Pierre» parce qu'ils ne peuvent pas ____**se passer**____ de ses spécialités.

1. (agir, s'agir de) Les employés ———— sérieusement parce qu'il ———— clients importants.

2. (passer, se passer de) Les garçons _____ beaucoup de temps à servir les clients parce qu'ils ne veulent pas _____ leurs pourboires.

3. (servir, se servir de) Le garçon _____ un grand plateau parce qu'il _____ beaucoup de clients.

4. (changer, se changer) Une fois le travail terminé, le garçon _____ les couverts puis _____ avant de rentrer chez lui.

5. (attendre, s'attendre à) Le garçon _____ avec patience parce qu'il _____ recevoir un bon pourboire.

6. (demander, se demander) Une cliente _____ si elle peut _____ le prix des spécialités.

7. (apercevoir, s'apercevoir) Le garçon _____ qu'il y a un problème quand il _____ une jeune fille qui pleure.

8. (occuper, s'occuper de) Les Manon _____ une table près de la fenêtre pour que leur garçon préféré _____ eux.

9. (rappeler, se rappeler) M. Dutard _____ le garçon parce qu'il vient de _____ qu'il voulait commander autre chose.

10. (battre, se battre) M. Renard _____ du poing sur la table parce qu'il ne veut pas que ses enfants _____ .

c. Some verbs are always used reflexively in French but not usually in English:

s'écrier to exclaim	**se fier à** to trust
s'écrouler to collapse	**se lamenter** to lament, grieve
s'efforcer de to strive to	**se méfier de** to distrust
s'empresser de to hasten to	**se moquer de** to make fun of
s'en aller to leave, go away	**se soucier de** to care about
s'enfuir to flee	**se souvenir de** to remember
s'évanouir to faint	

d. A verb that is reflexive in French need not be reflexive in English:

Vous vous trompez.	*You are mistaken.*
Qu'est-ce qui se passe?	*What is happening?*

e. In a reflexive construction, the definite article is used instead of the possessive adjective with parts of the body to indicate possession:

Il s'est cassé *la* jambe.	*He broke his leg.*
Je me brosse *les* cheveux.	*I brush my hair.*

Exercice U

Richard vient de construire une étagère qu'il est très fier de montrer à ses amis. Complétez les phrases avec les verbes donnés:

s'écrier	s'empresser de	se méfier
s'écrouler	s'en aller	se moquer de
s'efforcer de	s'enfuir	

1. Richard _____ montrer son étagère à ses amis.
2. Ses amis _____ car elle n'a pas l'air très solide.
3. Richard pose un gros livre sur une planche et toute l'étagère se met à trembler. Richard _____ : «Attention!»
4. Ses amis rient et _____ lui.
5. Et, tout à coup, l'étagère _____ !
6. Ses amis _____ de la pièce pour ne pas recevoir les planches sur la tête.
7. Richard _____ rester calme.
8. Ses amis _____ et le laissent seul pour tout remettre en ordre.

f. Reflexive verbs in the plural may express reciprocal action corresponding to English *each other, one another:*

Nous nous aidons.	*We help one another.*
Ils ne s'écrivent pas.	*They do not write to each other.*

NOTE: The phrase **l'un(e) l'autre** *(each other)* or **les un(e)s les autres** *(one another)* may be added to clarify or reinforce the meaning of the reflexive pronoun:

Les filles se regardent.	{ *The girls look at each other.* { *The girls look at themselves.*
Les filles se regardent *les unes les autres.*	*The girls look at each other.*

Exercice V

En vous servant des suggestions données, exprimez comment les sujets de votre choix montrent leurs sentiments les uns pour les autres:

SUGGESTIONS:		
	Georges et Liliane	se parler tout le temps
	Mon petit ami et moi, nous	au téléphone
	Roger et Anne	s'écrire des lettres
	Paul et toi, vous	d'amour
	André et Christine	se voir tous les jours
	Jean-Paul et moi, nous	se parler à voix basse
	Annette et toi, vous	s'entendre à merveille
		s'embrasser souvent
		se rencontrer tous les jours après l'école

EXEMPLE: **Roger et Anne se parlent à voix basse.**

◆ MASTERY EXERCISES ◆

Exercice W

Répondez à ces questions personnelles par une phrase complète:

1. À quelle heure t'es-tu levé dimanche dernier?
2. Combien de fois par jour te brosses-tu les dents?
3. Comment s'appellait ton(ta) meilleur(e) ami(e) quand tu avais 10 ans?
4. Te dépêches-tu pour aller à l'école?
5. À qui te fierais-tu si tu avais des problèmes?
6. De qui te méfies-tu?
7. Avec qui te disputes-tu?
8. T'en iras-tu en vacances cet été?
9. Quand te couches-tu de bonne heure?
10. Pourquoi t'étais-tu fâché la dernière fois?

Exercice X

Remplacez dans chaque phrase l'expression en caractères gras par un verbe approprié de la liste ci-dessous:

s'apercevoir	se marier avec	se reposer
s'habiller	se mettre à	se servir de
se dépêcher	se promener	se tromper

EXEMPLE: Marthe **a commencé** à faire ses devoirs.
Marthe **s'est mise** à faire ses devoirs.

1. Tu **avais remarqué** que la fenêtre était ouverte.
2. Didier et Laure **ne font jamais d'erreurs.**
3. Si nous avions eu le temps, nous **aurions fait une promenade.**
4. Le professeur **a utilisé** mon livre parce qu'il avait oublié le sien.
5. Je **mettais mes vêtements** quand le téléphone a sonné.
6. Lucie **aura épousé** Marcel d'ici l'année prochaine.
7. Vous **courez** pour ne pas être en retard.
8. Si nous le pouvions, nous **ferions la sieste** tous les après-midi.

Exercice Y

Claude explique ce qu'il fait en colonie de vacances pendant l'été. Aidez-le à s'exprimer:

1. At 6:00 a.m. the counselor screams: ''Wake Up!''
2. I never get up immediately. Sometimes I fall asleep again.
3. My friends and I wash ourselves and go to the dining room to eat breakfast.

4. Everyone has a good time and no one complains.
5. If you don't pay attention when you play, you can break your arm or your leg.
6. I never get bored and I never get angry.
7. In the afternoon we put on our bathing suits and we swim in the lake.
8. Sometimes we take walks in the woods.
9. The counselor always says: "Don't make fun of the rules."
10. The food is awful and I often wonder if I can ask for a steak.
11. When they serve us dinner, they use paper plates.
12. At night we wash our clothes and then we fall asleep quickly.
13. My friends and I write to each other twice a week.
14. At the end of the summer, I usually don't want to leave.

12

Passive Constructions

In the active voice, the subject generally performs some action. In the passive voice, the subject is acted upon:

ACTIVE: **L'élève *achète* un livre.**   *The student buys a book.*

PASSIVE: **Le livre *est acheté par* l'élève.**   *The book is bought by the student.*

1. Forms and Use of the Passive

The passive construction in French is similar to English: subject + form of **être** + past participle + **par** + agent (doer) if the agent is mentioned:

Elle *a été renversée par* une voiture.   *She was knocked down by a car.*

La maison *avait été vendue par* ma mère.   *The house had been sold by my mother.*

Les chaises *seront recouvertes*.   *The chairs will be covered.*

Cette église *fut construite* au XVe siècle.   *That church was built in the 15th century.*

NOTE:

1. In the passive, since the past participle is conjugated with **être**, it agrees in gender and number with the subject.

2. The agent is preceded by **par**. With certain verbs, **par** may be replaced by **de**:

Il était respecté *de* tous ses collègues.   *He was respected by all of his colleagues.*

Elle sera accompagnée *de* son frère.   *She will be accompanied by her brother.*

Il est aimé *de* tous.   *He is loved by all.*

Exercice A

Hélène est très fière du rôle de sa famille dans le développement de la ville où elle habite. Exprimez ce qu'elle dit à une nouvelle amie pendant une promenade en ville. Utilisez les verbes **construire, créer, dédier, donner, offrir, payer, planter, réaliser:**

EXEMPLE:

Ce gratte-ciel a été construit par mon grand-père.

1.

2.

3.

4.

5.

6.

7.   8.

Exercice B

Exprimez par qui ces choses ont été faites:

> EXEMPLE: Champlain a fondé la ville de Québec.
> **La ville de Québec a été fondée par Champlain.**

1. Georges Bizet a composé l'opéra «Carmen».
2. Auguste Rodin a sculpté «Le Penseur».
3. Georges Braque a fondé l'école cubiste.
4. Honoré de Balzac a écrit «La Comédie humaine».
5. Louis XIV a dit: «L'État, c'est moi».
6. La Salle a exploré le Mississippi.
7. Henri Becquerel a découvert la radioactivité.
8. Jean-François Millet a peint «Les Glaneuses».

Exercice C

La famille Arnaud se fait bâtir une nouvelle maison. Exprimez quand tout sera fini:

> EXEMPLE: La salle de bains ____**sera finie**____demain.
> (finir)

1. L'électricité _____ lundi.
    (brancher)

2. La climatisation _____ la semaine prochaine.
    (installer)

3. Les murs _____ vendredi.
    (tapisser)

4. Le garage _____ le mois prochain.
    (faire)

5. Le grenier _____ dans deux semaines.
    (aménager)

6. La cuisine _____ bientôt.
    (terminer)

7. Les fleurs _____ mercredi.
              (planter)

8. Tous les travaux _____ avant la fin de l'été.
                  (achever)

2. Substitute Constructions for the Passive

The passive is used less frequently in French than in English. The following active constructions are generally substituted for the passive.

a. An active construction with the pronoun **on** followed by the third-person singular of the verb:

Ici *on parle* anglais.	*English is spoken here.*
Est-ce qu'*on a* tout *fait*?	*Has everything been done?*
On avait vendu la maison.	*The house had been sold.*
On entendra la cloche.	*The bell will be heard.*
Peut-on le guérir?	*Can he be cured?*

Exercice D

La maison des Legrand a été cambriolée. Exprimez dans quel état les inspecteurs ont trouvé la maison:

    EXEMPLE: vider les tiroirs
                  On a vidé les tiroirs.

1. renverser les meubles
2. fouiller dans tous les papiers
3. prendre le poste de télévision et la stéréo
4. jeter les vêtements par terre
5. laisser des empreintes digitales sur les murs
6. voler tous les bijoux
7. ouvrir le coffre-fort
8. laisser l'argent sous le matelas

Exercice E

Exprimez les sentiments de ces personnes:

    EXEMPLE: Pierre est furieux. (voler le portefeuille)
                  On lui a volé son portefeuille.

1. Annette est fière. (donner une bourse)
2. Rémy est intrigué. (envoyer un télégramme)

3. Nancy est contente. (offrir une augmentation de salaire)
4. Thierry est malheureux. (faire des reproches)
5. Liliane est reconnaissante. (promettre un bon poste)
6. Roger est mécontent. (mentir)
7. Pauline est heureuse. (faire des compliments)
8. Jacques est triste. (apporter une mauvaise nouvelle)

Exercice F

Les membres d'un club secret ont fait des farces. Exprimez ce qu'ils ont fait:

> EXEMPLE: Des chocolats au poivre ont été servis à la cantine de l'école.
> **On a servi des chocolats au poivre** à la cantine de l'école.

1. La mascotte de l'équipe de football a été volée.
2. La statue devant la mairie a été peinte en rouge.
3. De la musique de danse a été jouée partout dans la ville à minuit.
4. La façade du centre commercial a été escaladée.
5. Les résultats ont été annoncés avant le match.
6. La photo d'une soucoupe volante a été publiée dans le journal.
7. Le pont a été recouvert de tissu.
8. Un terrain de base-ball a été utilisé pour atterrir en parachute pendant le match.

b. Some passive constructions may be replaced by a reflexive verb:

Est-ce que les billets *se vendent* ici?	*Are tickets sold here?*
Il *s'appelle* Alain.	*He is called (His name is) Alain.*
Le français *se parle* en Belgique.	*French is spoken in Belgium.*
Beaucoup d'arbres *se voyaient* le long de la route.	*Many trees were seen along the road.*
Tout à coup la porte *s'est ouverte.*	*Suddenly the door was opened.*

Exercice G

Expliquez avec quoi on prépare ces spécialités françaises:

> EXEMPLE: la mousse / du chocolat
> **La mousse se fait avec du chocolat.**

1. la salade niçoise / du thon
2. la bouillabaisse / du poisson
3. le ragoût / du bœuf
4. la quiche / du fromage
5. une bombe / de la glace
6. la choucroute garnie / du porc
7. le pâté / du foie
8. une bavaroise / de la crème

Exercice H

Exprimez ce que Gilbert remarque pendant son voyage en France en changeant les phrases selon le modèle:

> EXEMPLE: L'anglais est parlé partout.
> **L'anglais se parle** partout.

1. Les cartes oranges sont vendues dans le métro.
2. Le restaurant le plus célèbre de Paris est appelé «Maxim's».
3. Le dîner est pris entre sept et huit heures.
4. Les banques sont ouvertes à neuf heures.
5. Les boutiques sont fermées entre midi et deux heures.
6. Les timbres sont achetés au bureau de tabac.
7. L'école est terminée le 30 juin.
8. La fête nationale est célébrée le 14 juillet.

♦ MASTERY EXERCISES ♦

Exercice I

Votre amie française vous parle de ses grands-parents. Mettez les phrases suivantes à la forme active:

1. Mes grands-parents seront toujours admirés par tout le monde.
2. J'ai été fortement influencée par eux.
3. J'ai toujours été gâtée par mes grands-parents.
4. Toute ma famille a été inspirée par leur courage et leur générosité.
5. Leur maison avait été occupée pendant la guerre.
6. Leur ville avait été totalement détruite par les bombardements.
7. Les orphelins de guerre ont été énormément aidés par la bonté et l'altruisme de mes grands-parents.
8. Le journal de guerre de mon grand-père sera publié en anglais l'année prochaine.

Exercice J

Exprimez ce qui se fait en France:

> EXEMPLE: On termine les cours à 5 h.
> **Les cours se terminent à 5 h.**

1. On boit du vin blanc avec le poisson.
2. On ouvre les magasins à 9 heures du matin.
3. On vend les cartes postales au bureau de tabac.
4. On trouve des cafés partout.
5. On comprend l'anglais dans les grands magasins.
6. On mange la salade à la fin du repas.
7. On dispute le Tour de France en juillet.
8. On porte des vêtements très chics toute la journée.

Exercice K

Exprimez ce qui se passera aux noces de Marie et de David en changeant les phrases:

> EXEMPLE: Le maire lira l'acte de mariage.
> **L'acte de mariage sera lu par le maire.**

1. Un chauffeur conduira la famille de Marie.
2. Le garçon d'honneur apportera les alliances.
3. Les fiancés échangeront les vœux de mariage.
4. À la sortie les invités jetteront du riz.
5. À neuf heures le restaurateur servira le dîner.
6. Les jeunes mariés recevront beaucoup de cadeaux.

Exercice L

Léon raconte à son frère ce qu'il a lu dans un article à propos de l'orage d'hier soir. Exprimez ce qu'il dit en français:

1. The city was surprised by a storm last night.
2. Many trees were destroyed by the rain.
3. Fires were caused by lightning.
4. The streets were flooded by the river.
5. The schools were closed by the authorities.

13

Subjunctive

1. Subjunctive in French

Chapters 1 through 12 in this book deal with verb constructions in the indicative mood. The term mood describes the form of the verb showing the subject's attitude. In this and the next two chapters, you will see how the subjunctive mood enables speakers of French to express a variety of attitudes through different verb forms and constructions.

a. The indicative and the subjunctive

The indicative mood states facts and expresses certainty or reality. The subjunctive mood expresses uncertainty, doubt, wishes, desires, conjecture, suppositions, and conditions that are unreal or contrary to fact. The subjunctive occurs much more frequently in French than in English.

b. Use of the subjunctive

In French, the subjunctive normally occurs in dependent clauses introduced by a conjunction containing **que** or by a relative pronoun (usually **qui** or **que**):

Téléphonez-moi **avant que je parte.**	Call me before I leave.
Nous cherchons une secrétaire **qui _sache_** parler arabe.	We are looking for a secretary who knows how to speak Arabic.
Je doute **que _vous compreniez._**	I doubt (that) you understand.

NOTE:

1. Verbs in the present subjunctive may express actions that take place in the present or in the future:

Il faut que _tu partes._	It is necessary that you leave. (You must leave.)
Il est possible que _nous perdions_ le match.	It is possible that we will loose the match.

2. French subjunctive forms may have various English equivalents. Compare all examples in Chapters 13, 14, and 15 carefully.

139

2. Present Subjunctive of Regular Verbs

The present subjunctive of most verbs is formed by dropping the **-ent** ending of the third person plural (**ils** form) of the present indicative and adding **-e, -es, -e, -ions, -iez, -ent:**

parl*er*	fin*ir*	vend*re*
je parl*e* tu parl*es* il / elle parl*e*	je finiss*e* tu finiss*es* il / elle finiss*e*	je vend*e* tu vend*es* il / elle vend*e*
nous parl*ions* vous parl*iez* ils / elles parl*ent*	nous finiss*ions* vous finiss*iez* ils / elles finiss*ent*	nous vend*ions* vous vend*iez* ils / elles vend*ent*

NOTE:

1. This pattern also applies to most verbs that have irregular forms in the present indicative:

   Il faut que *tu mettes* les bottes.   *It is necessary that you put on the boots.*

   Je doute que *nous sortions*.   *I doubt that we will go out.*

   Il est possible que *je connaisse* Marc.   *It is possible that I know Marc.*

2. The **nous** and **vous** forms of the present subjunctive are identical to the **nous** and **vous** forms of the imperfect indicative.

Exercice A

Exprimez ce qu'il reste à faire aux employés du bureau avant la fin de la journée:

    EXEMPLE: je / parler à mon client
               Il faut que je parle à mon client.

1. nous / finir notre travail
2. Adrien / signer le contrat
3. Annie et Claire / fournir les renseignements demandés
4. vous / répondre au courrier
5. tu / réussir à contacter l'ingénieur
6. Jean et Paul / rendre leur rapport
7. je / attendre le messager
8. Lise / classer les documents importants

3. Present Subjunctive of Verbs With Two Stems

Some verbs use two different stems to form the present subjunctive:

the third person plural stem of the present indicative (**ils** form) for **je, tu, il/elle, ils/elles**

the first person plural stem of the present indicative (**nous** form) for **nous** and **vous**:

INFINITIVE	**ils** FORM	**nous** FORM	SUBJUNCTIVE	
boire	ils *boiv*ent	nous *buv*ons	je boive	nous buv*ions*
			tu boiv*es*	vous buv*iez*
			il / elle boive	ils / elles boiv*ent*
venir	ils *vienn*ent	nous *ven*ons	je vienne	nous ven*ions*
			tu vienn*es*	vous ven*iez*
			il / elle vienne	ils / elles vienn*ent*
recevoir	ils *reçoiv*ent	nous *recev*ons	je reçoive	nous recev*ions*
			tu reçoiv*es*	vous recev*iez*
			il / elle reçoive	ils / elles reçoiv*ent*

Other verbs with two stems:

apercevoir:	j'*aperçoive*	nous *apercev*ions
appeler:	j'*appelle*	nous *appel*ions
acheter:	j'*achète*	nous *achet*ions
croire:	je *croie*	nous *croy*ions
devoir:	je *doive*	nous *dev*ions
ennuyer:	j'*ennuie*	nous *ennuy*ions
envoyer:	j'*envoie*	nous *envoy*ions
employer:	j'*emploie*	nous *employ*ions
jeter:	je *jette*	nous *jet*ions
mener:	je *mène*	nous *men*ions
mourir:	je *meure*	nous *mour*ions
payer:	je *paie**	nous *pay*ions
préférer:	je *préfère*	nous *préfér*ions
prendre:	je *prenne*	nous *pren*ions
répéter:	je *répète*	nous *répét*ions
tenir:	je *tienne*	nous *ten*ions
voir:	je *voie*	nous *voy*ions

*Verbs ending in **-ayer** also have present-subjunctive forms that retain the **y**: je *paye*.

Exercice B

Exprimez ce que ces personnes doivent faire pour préparer leur fête:

> EXEMPLE: Il faut que je __voie__ le fleuriste.
>   (voir)

1. Il faut que Marc _____ les invitations.
                    (envoyer)

2. Il est nécessaire que vous _____ le pâtissier.
                             (appeler)

3. Il est important que je _____ tout à l'avance.
                          (acheter)

4. Il est essentiel que Janine _____ m'aider.
                              (venir)

5. Il est préférable que nous _____ des assiettes en papier.
                             (employer)

6. Il est bon que les garçons _____ leur voiture.
                             (prendre)

7. Il faut que tu _____ les invités toi-même.
                  (recevoir)

8. Il est gentil que mes parents _____ tout.
                                (payer)

Exercice C

Exprimez ce que cette personne au régime doit faire en complétant cette interview avec la forme correcte du verbe au subjonctif:

1. (s'apercevoir)
    De quoi faut-il que vous vous _____ avant de commencer ce programme?
    Il faut que je m'_____ que j'ai de très mauvaises habitudes alimentaires.
2. (prendre)
    À quoi faut-il que vous _____ part si vous suivez ce programme?
    Il faut que je _____ part à toutes les réunions.
3. (boire)
    Pourquoi est-il nécessaire que vous _____ du jus de légumes?
    Il est nécessaire que j'en _____ pour ne pas manquer de vitamines.
4. (payer)
    Combien faut-il que vous _____?
    Il faut que je _____ cinquante dollars à chaque visite.

5. (voir)

Est-il essentiel que vous _____ souvent le docteur?

Oui, il est essentiel que je le _____ une fois par semaine.

6. (jeter)

Qu'est-il important que vous _____ à la poubelle?

Il est important que je _____ tous mes bonbons à la poubelle.

7. (croire)

Est-il impératif que vous _____ en ce programme pour réussir?

Oui, il est impératif que je _____ en ce programme.

8. (répéter)

Que faut-il que vous vous _____ souvent?

Il faut que je me _____: «Je vais maigrir!»

4. Subjunctive After Impersonal Expressions

The subjunctive is used after impersonal expressions of doubt, emotion, and opinion:

il est amusant *it is amusing*	**il est nécessaire** *it is necessary*
il est bon *it is good*	**il est normal** *it is normal*
il est dommage *it is a pity, it is too bad*	**il est possible** *it is possible*
il est douteux *it is doubtful*	**il est préférable** *it is preferable*
il est essentiel *it is essential*	**il est surprenant** *it is surprising*
il est étonnant *it is amazing*	**il est temps** *it is time*
il est gentil *it is nice, it is kind*	**il est urgent** *it is urgent*
il est impératif *it is imperative*	**il est utile** *it is useful*
il est important *it is important*	
il est impossible *it is impossible*	**il convient** *it is fitting (proper)*
il est indispensable *it is indispensable*	**il faut** *it is necessary*
il est injuste *it is unfair*	**il se peut** *it is possible*
il est juste *it is fair*	**il semble** *it seems*
il est intéressant *it is interesting*	**il suffit** *it is enough*
il est ironique *it is ironic*	**il vaut mieux** *it is better*

Il est urgent *que tu voies* le   It is urgent that you see the the
  médecin.   doctor.

Il vaut mieux *que nous disions*   It is better that we tell the
  la vérité.   truth.

NOTE: Most of the impersonal expressions listed above may also be used with **c'est** in place of **il est**:

C'est dommage *qu'il pleuve*.   *It's too bad that it rains.*

Exercice D

Une amie et vous parlez d'une fête que vous allez donner chez vous. Exprimez vos opinions:

> EXEMPLE: il se peut / Roger / ne pas assister à la fête
> **Il se peut que Roger n'assiste pas à la fête.**

1. il faut / maman / acheter plein de desserts
2. il est douteux / Hélène / apporter quelque chose
3. il est important / tu / arriver chez moi à l'heure
4. il est possible / je / inviter la voisine
5. il vaut mieux / mes frères / sortir ce soir-là
6. il est nécessaire / nous / cuisiner pour vingt personnes
7. il convient / je / aider ma mère
8. il est essentiel / tout le monde / s'amuser

Exercice E

Imaginez que vous faites un voyage en avion. Exprimez les précautions qu'il convient de prendre. Employez les expressions suggérées:

il faut	les gens	prendre note des sorties de secours
il est important	les passagers	suivre les conseils de sécurité
il convient	les enfants	prêter attention aux annonces
il vaut mieux	tout le monde	prendre sa place tout de suite
il est nécessaire	nous	rester assis(e,es)
il est essentiel	tu	mettre son sac sous le siège
il est utile	je	boucler sa ceinture de sécurité

> EXEMPLE: **Il est essentiel que nous mettions notre sac sous le siège.**

Exercice F

Exprimez cinq choses que vous estimez nécessaires pour améliorer les conditions de vie dans la ville où vous habitez. Utilisez une expression impersonnelle dans chaque phrase:

> EXEMPLES: **Il est urgent que le maire loge les sans-abri.**
> **Il faut qu'on nourrisse les pauvres.**

Exercice G

Commentez ces situations sociales. Choisissez l'expression impersonnelle convenable:

> EXEMPLE: on / combattre la pollution
> **Il est important qu'on combatte la pollution.**

1. l'assurance médicale / coûter si cher
2. les adultes / abuser les enfants
3. certains préjugés / exister encore de nos jours
4. les nations / réduire leur stock d'armes nucléaires
5. les groupes intéressés / essayer de sauver les espèces en voie de disparition
6. le gouvernement / augmenter les impôts
7. on / punir les criminels
8. les jeunes / voter
9. les chercheurs scientifiques / trouver un remède contre la grippe
10. le gouvernement / nourrir les pauvres

Exercice H

Donnez votre opinion en utilisant le plus d'expressions possible de la liste:

il est bon	il est indispensable	il est utile
il est douteux	il est juste	il faut
il est essentiel	il est préférable	il se peut
il est étonnant	il est temps	il vaut mieux

EXEMPLE: étudier davantage
Il est temps que j'étudie davantage.

1. devenir riche
2. recevoir une bourse
3. réussir à tous mes examens
4. apprendre une langue étrangère

5. étudier à l'université
6. obéir au règlement de l'école
7. rendre service
8. dire la vérité

5. Present Subjunctive of Irregular Verbs

These verbs have irregular subjunctive forms:

a. Verbs with one stem:

faire: *je fasse, tu fasses, il/elle fasse, nous fassions, vous fassiez, ils/elles fassent*

pouvoir: *je puisse, tu puisses, il/elle puisse, nous puissions, vous puissiez, ils/elles puissent*

savoir: *je sache, tu saches, il/elle sache, nous sachions, vous sachiez, ils/elles sachent*

falloir: *il faille*

pleuvoir: *il pleuve*

b. Verbs with two stems:

aller	
j'aille	nous allions
tu ailles	vous alliez
il / elle aille	ils / elles aillent

avoir	
j'aie	nous ayons
tu aies	vous ayez
il / elle ait	ils / elles aient

être	
je sois	nous soyons
tu sois	vous soyez
il / elle soit	ils / elles soient

valoir	
je vaille	nous valions
tu vailles	vous valiez
il / elle vaille	ils / elles vaillent

vouloir	
je veuille	nous voulions
tu veuilles	vous vouliez
il / elle veuille	ils / elles veuillent

Exercice I

Complétez les phrases avec la forme correcte du verbe au subjonctif:

1. (aller)   Il est nécessaire que j'_____ en ville.
2. (avoir)   Il faut que nous _____ le temps de finir notre travail.
3. (savoir)   Il est important que Robert _____ exactement quand
                les Dupont vont arriver.
4. (être)   Il faut que Janine et Luc _____ à l'heure ce soir.
5. (pouvoir)   Il est essentiel que tu _____ m'accompagner à la
                conférence.

6. (faire)   Il vaut mieux que vous _____ le ménage maintenant.

7. (vouloir)   Il est gentil que Laurent et Michel _____ garder les enfants ce soir.

Exercice J

Complétez les opinions de ces personnes en utilisant la forme correcte du verbe au subjonctif:

aller	être	falloir	pouvoir
avoir	faire	pleuvoir	valoir

1. La terre est très aride. Il faut qu'il _____.

2. Il faut que nous _____ attention à l'environnement.

3. Il est nécessaire que je _____ inscrit pour voter.

4. Il est possible qu'un jour il _____ abandonner les voitures à essence au profit des voitures électriques.

5. Il est improbable que nous _____ habiter sur Mars avant la fin du siècle.

6. Il est dommage que l'on ne _____ pas avoir la paix dans le monde tout de suite.

7. Il est essentiel que tous les enfants _____ les mêmes chances de réussir.

8. Il est regrettable qu'une maison _____ si cher de nos jours.

Exercice K

Quand vous rentrez, vous vérifiez les messages qu'on a laissés sur votre répondeur téléphonique. Exprimez ce que vous entendez en combinant un élément de chaque colonne:

Il est douteux		aller à la réunion ensemble
Il est essentiel		avoir l'occasion de me rappeler
Il est important	elle	être à l'heure ce soir
Il est impossible	ils	faire le travail tout de suite
Il est indispensable	je	te voir ce week-end
Il est nécessaire	nous	obtenir les renseignements nécessaires
Il est possible	tu	pleuvoir le jour de notre rendez-vous
Il est urgent	vous	pouvoir te rencontrer plus tard
Il faut	il	savoir quand tu seras libre
Il se peut		valoir la peine d'aller en ville
Il vaut mieux		vouloir m'aider samedi

EXEMPLE: **Il vaut mieux que je te voie ce week-end.**

♦ MASTERY EXERCISES ♦

Exercice L

Exprimez vos opinions en complétant les phrases suivantes:

1. Il est urgent que je _____ .
2. Il faut que je _____ .
3. Il est important que je _____ .
4. Il convient que je _____ .
5. Il est étonnant que je _____ .
6. Il est surprenant que je _____ .
7. Il vaut mieux que je _____ .
8. Il est normal que je _____ .
9. Il suffit que je _____ .
10. Il est bon que je _____ .

Exercice M

En vous servant du subjonctif, exprimez trois solutions possibles à chacun des problèmes suivants:

Pour protéger notre environnement

Pour diminuer la délinquance des jeunes

Pour limiter le chômage

Exercice N

Cet après-midi vous avez une entrevue de travail pour un poste de caissier. Votre oncle vous donne des conseils. Exprimez en français ce qu'il vous dit:

1. It is not necessary for you to wear a suit, but it is better that you not wear jeans.
2. It is normal for you to be nervous.
3. It is better that you arrive early for the interview.
4. It is important that you do your best.
5. It is essential that you appear confident.
6. It is useful that you bring your references.
7. It is possible that you will not get the job.
8. It is time for you to leave for the interview.

14

Subjunctive (continued)

1. Past Subjunctive

The past subjunctive is formed with the present subjunctive of **avoir** or **être** and the past participle:

défendre	tomber	s'amuser
j'aie défendu	je sois tombé(e)	je me sois amusé(e)
tu aies défendu	tu sois tombé(e)	tu te sois amusé(e)
il / elle ait défendu	il / elle soit tombé(e)	il / elle se soit amusé(e)
nous ayons défendu	nous soyons tombé(e)s	nous nous soyons amusé(e)s
vous ayez défendu	vous soyez tombé(e)(s)	vous vous soyez amusé(e)(s)
ils / elles aient défendu	ils / elles soient tombé(e)s	ils / elles se soient amusé(e)s

NOTE: Like the **passé composé,** the past subjunctive is used to express an action that has already taken place:

> **Il est dommage qu'***il n'ait*** pas *étudié*.**   It is a pity that he didn't study.
> **Il semble qu'***ils soient sortis*.**   It seems they have gone out.

Exercice A

Exprimez les opinions des étudiants au sujet de la vie de Napoléon en vous servant du passé du subjonctif:

> EXEMPLE: il est remarquable / il / presque conquérir l'Europe entière
> **Il est remarquable qu'il ait presque conquis l'Europe entière.**

1. il est dommage / son empire / tomber à cause de son orgueil
2. il est étonnant / Napoléon / se couronner empereur
3. il est important / il / devenir empereur
4. il est juste / on / le reconnaître comme un homme de génie et d'imagination
5. il est amusant / il / recevoir le surnom de «Petit Caporal»
6. il est intéressant / il / être si petit et si puissant
7. il est injuste / 500.000 jeunes hommes / mourir à cause de son ambition
8. il est ironique / il / terminer sa vie seul et exilé

2. Subjunctive After Expressions of Command, Wishing, Doubt, Emotion

a. The subjunctive is used after verbs and expressions of command, demand, desire, permission, preference, prohibition, request, wanting, and wishing:

aimer mieux *to prefer*	**exiger** *to demand*
commander *to order*	**insister** *to insist*
consentir *to consent*	**interdire** *to prohibit*
défendre *to forbid*	**ordonner** *to order*
demander *to ask, demand*	**permettre** *to permit*
désirer *to desire*	**préférer** *to prefer*
empêcher *to prevent*	**souhaiter** *to wish*
vouloir *to wish, want*	

J'aime mieux *que tu fasses* tout.	I prefer that you do everything.
Son père défend *qu'elle devienne* actrice.	Her father forbids her to become an actress.
Nous exigeons *que vous alliez* à la conférence.	We demand that you go to the conference.
Préférez-vous *que nous restions* ici?	Do you prefer that we stay here?
Je veux *que tu fasses* de ton mieux.	I want you to do your best.

NOTE:

1. The subjunctive in French is often equivalent to an infinitive in English:

Sa mère veut *qu'il fasse* la vaisselle.	His mother wants him to wash the dishes.
Mes parents défendent *que je fume.*	My parents forbid me to smoke.

2. In all of the examples above, the verb in the main clause and the verb in the dependent clause have different subjects. If the subjects in both clauses are the same, **que** is omitted and the infinitive is used instead of the subjunctive. Compare:

***Elles* voudraient** que ***nous* allions** à la fête.	They would like us to go to the party.
***Elles* voudraient aller** à la fête.	They would like to go to the party.

Mon frère **préfère** que *je* **fasse** la vaisselle.	My brother prefers that I do the dishes.
Mon frère **préfère faire** la vaisselle.	My brother prefers to do the dishes.

Exprimez les commentaires de Robert sur ces personnes:

ma mère	aimer mieux	vous	laver la voiture
mon père	demander	je	finir les devoirs
mes parents	désirer	ma sœur	se coucher tôt
le professeur	exiger	mes frères	sortir ce soir
vous	interdire	les élèves	répondre avec respect
tu	ordonner	nous	aller au supermarché
je	permettre	il	faire le ménage
nous	préférer	elles	être poli
le directeur	souhaiter	tu	avoir une bonne attitude
mes grands-parents	défendre		voir ce film
	vouloir		quitter l'école sans permission

EXEMPLE: **Mon père interdit que je sorte ce soir.**

b. The subjunctive is used after verbs and expressions of feeling or emotion, such as fear, joy, sorrow, regret, and surprise:

	agacé *to be annoyed*		**malheureux** *to be unhappy*	
	content *to be happy, glad*		**mécontent** *to be displeased*	
	désolé *to be sorry, distressed*	**être**	**ravi** *to be delighted*	
	embarrassé *to be embarrassed*		**surpris** *to be surprised*	
	enchanté *to be delighted*		**triste** *to be sad*	
	énervé *to be irritated*			
	ennuyé *to be annoyed*		**crainte** *to be afraid*	
être	**étonné** *to be astonished*	**avoir**	**honte** *to be ashamed*	
	fâché *to be angry*		**peur** *to be frightened*	
	fier *to be proud*			
	flatté *to be flattered*		**craindre** *to fear*	
	furieux *to be furious*		**regretter** *to be sorry*	
	gêné *to be bothered*		**s'étonner** *to be astonished*	
	heureux *to be happy*		**se fâcher** *to be angry*	
	irrité *to be irritated*		**se réjouir** *to rejoice, be happy*	

Vous êtes content *que nous venions.*	You are happy (that) we are coming.
Nous regrettons *que vous ayez attendu.*	We are sorry (that) you waited.

Il s'étonne *que j'aie gagné* la compétition.	He is astonished (that) I won the competition.
Elles sont tristes *qu'ils ne puissent pas* y aller.	They are sad (that) they can't go there.
Je crains *qu'elle ne tombe.*	I fear (that) she may fall.

NOTE: Expressions of fear in affirmative sentences generally take **ne** with the subjunctive:

Nous avons peur **qu'ils** *ne* se fâchent.	We are afraid (that) they may get angry.

If the verb of fearing is negative or interrogative, **ne** is not used:

Je *ne* **crains** *pas* qu'elle tombe.	I'm not afraid (that) she may (will) fall.
Avez-vous peur qu'il découvre la vérité?	Are you afraid (that) he may (will) find out the truth?

Exercice C

Éric et Anne ne sont jamais d'accord. Exprimez ce que chacun dit de leur prochain voyage:

EXEMPLE: Les Dupont vont en France avec nous.
Éric: **Je suis ravi qu'ils aillent** en France avec nous.
Anne: **Je suis désolée qu'ils aillent** en France avec nous.

1. Papa et maman veulent aller à Paris.
Éric:
Anne:
2. Nous pouvons les accompagner.
Éric:
Anne:
3. Marie vient aussi.
Éric:
Anne:
4. Nous faisons le voyage cet été.
Éric:
Anne:
5. Nous prenons le Concorde.
Éric:
Anne:
6. Il faut rentrer en août.
Éric:
Anne:

7. Nous avons deux mois de vacances.
   Éric:
   Anne:
8. Nous allons visiter de la famille.
   Éric:
   Anne:

Exercice D

Utilisez les éléments de chaque colonne pour former des phrases au passé du subjonctif:

maman	être triste	je	finir tard
mon petit ami	être désolé	ma sœur	maigrir
nos parents	être ennuyé	Mme Lévêque	sortir avec ses amis
tu	être enchanté	nous	être malade
Véronique	être fâché	tu	rentrer si tard
je	être ravi	un ami	réussir
vous	être content	le professeur	refuser de l'aider
nous	regretter	Henri	croire votre histoire
elles	s'étonner		manquer le match

EXEMPLE: **Véronique est ennuyée qu'un ami ait refusé de l'aider.**

Exercice E

Exprimez ce que les membres de la famille Rougon craignent:

EXEMPLE: la grand-mère / son mari / tomber malade
La grand-mère craint que son mari ne tombe malade.

1. M. Rougon / sa société / faire faillite
2. Mme Rougon / son mari / oublier son rendez-vous chez le dentiste
3. Jean / un monstre / se cacher sous son lit
4. Grégoire / son amie / rater le cours d'histoire
5. les filles / leurs parents / être fâchés
6. Micheline / sa meilleure amie / arriver en retard au concert
7. les garçons / leurs grands-parents / être trop fatigués pour venir
8. le grand-père / il / pleuvoir à verse

C. (1) The indicative is used after expressions of certainty:

je suis sûr(e) *I am sure*	**il est exact** *it is exact*
je suis certain(e) *I am certain*	**il paraît** *it appears*
il est certain *it is certain*	**il est probable** *it is probable*
il est clair *it is clear*	**il est sûr** *it is sure*
il est évident *it is evident*	**il est vrai** *it is true*

Je suis sûr qu'*elle viendra*.   *I'm sure she will come.*
Il est vrai qu'*ils ont gagné* à la   *It's true that they won the*
  loterie.   *lottery.*

When these expressions are used negatively or interrogatively, thereby implying uncertainty or doubt, the subjunctive is used in the dependent clause that follows:

Je ne suis pas sûr qu'*elle*   *I'm not sure she will come.*
  ***vienne*.**
Est-il vrai qu'*ils aient gagné* à   *Is it true that they won the*
  la loterie?   *lottery?*

(2) The verbs **croire, espérer,** and **penser** are followed by the indicative when used affirmatively (expressing certainty) and by the subjunctive when used negatively or interrogatively (implying uncertainty or doubt):

J'espère qu'*il paiera* la facture   *I hope he will pay the bill on*
  à temps. — Je ne pense pas   *time. — I don't think he can*
  qu'*il puisse* la payer avant   *pay it before the end of the*
  la fin du mois.   *month.*

Pensez-vous *que Jacques soit*   *Do you think Jacques has*
  ***arrivé*? — Oui, je pense**   *arrived? — Yes, I think he*
  qu'*il est arrivé* ce matin.   *arrived this morning.*

NOTE: In the interrogative and negative, the verbs **croire** and **penser** may be followed by the indicative when there is little or no doubt in the speaker's mind:

Je ne crois pas *qu'elle*   *I do not believe she will*
  ***viendra*.**   *come.*
                                    [She probably won't come.]

Je ne crois pas *qu'elle*   *I do not believe she will*
  ***vienne*.**   *come.*
                                    [She might not come.]

Croyez-vous *que Marie dit*   *Do you believe Marie is*
  la vérité?   *telling the truth?*
                                    [Speaker has no doubt Marie
                                    is telling the truth.]

Croyez-vous *que Marie dise*   *Do you believe Marie is*
  la vérité?   *telling the truth?*
                                    [Speaker doubts Marie is
                                    telling the truth.]

Exercice F

Votre frère cadet ne dit pas toujours la vérité. Exprimez vos réponses:

EXEMPLE: Marie connaît Michael Jackson.
Je doute qu'elle connaisse Michael Jackson.

1. Nous allons en France.
2. Édouard joue au tennis tous les jours.
3. Le professeur de français fera un voyage sur la lune.
4. Cette bague vaut plus de mille dollars.
5. Il y a une émission épatante à la télévision.
6. Un martien atterrira sur la Terre aujourd'hui.
7. Toi et moi, nous préparons le dîner ce soir.
8. Élise reçoit un cadeau de Marc.
9. Lise sort avec Georges ce soir.
10. Maman punira Suzanne.

Exercice G

Exprimez ce que Charles pense en écoutant le bulletin météo:

EXEMPLE: L'orage peut causer beaucoup de dégâts. (il semble)
Il semble que l'orage puisse causer beaucoup de dégâts.

1. L'orage commencera vers 7 h. (il est possible)
2. Les vents seront très forts. (je doute)
3. Vous ne devrez pas sortir. (est-il vrai)
4. Il y aura du tonnerre et des éclairs. (il se peut)
5. L'orage touchera toute la région. (je ne crois pas)
6. La pluie inondera les rues. (il est impossible)
7. Il y aura beaucoup de dommages. (je ne suis pas certain)
8. L'orage durera longtemps. (il n'est pas sûr)
9. Les lignes téléphoniques seront endommagées. (il n'est pas probable)
10. L'électricité sera coupée. (je ne pense pas)
11. Nous devons prendre des précautions. (il n'est pas clair)
12. C'est un bulletin correct. (il est douteux)

Exercice H

Exprimez qui doute ou croit les choses suivantes. Employez le subjonctif ou l'indicatif, selon le cas:

je sais	Roger finit ses cours à quatre heures.
elle doute	Je reçois de bonnes notes.
vous êtes certain	Sophie cherche un autre poste.

nous ne sommes pas sûrs	Vous savez parler allemand.
il est douteux	Nous allons à la plage demain.
il est possible	Tu me prêtes ta nouvelle voiture.
il est probable	Charles vend sa bicyclette.
ils croient	Nous nous rappelons la date.
elle ne pense pas	Elles peuvent le faire.
espères-tu	Elle achète cette robe.
est-il vrai	Vous êtes intelligent.

EXEMPLES: Ils croient que Charles vend sa bicyclette.
Il est douteux que Charles vende sa bicyclette.

Exercice I

Bernard est très en retard ce soir et sa petite amie s'inquiète. Exprimez ce qu'elle pense:

EXEMPLE: rater son train
Il est possible qu'il ait raté son train.

1. travailler tard ce soir
2. oublier notre rendez-vous
3. avoir un accident
4. aller faire des courses
5. se faire mal
6. rencontrer un ami
7. sortir avec ses copains
8. se mettre en route très tard

◆ MASTERY EXERCISES ◆

Exercice J

Complétez ces paragraphes avec la forme correcte des verbes entre parenthèses:

1. La mère de Jean attend des invités ce soir. Elle veut que Jean

   l'_____. Il faut d'abord qu'il _____ le couvert.
      1 (aider)   **2** (mettre)

   Ensuite, il est nécessaire que Jean _____ au supermarché.
                                              3 (aller)

   Jean veut _____ sa bicyclette, mais sa mère défend qu'il
                   4 (prendre)

   y _____ à bicyclette. Il est dommage que Jean ne
        5 (aller)

   _____ pas y aller à bicyclette parce que sa mère veut
      6 (pouvoir)

   _____.
      7 (se dépêcher)

2. C'est aujourd'hui un jour horrible pour Robert. Il faut

    qu'il _____ chez le dentiste. Il est essentiel
           8 (aller)

    qu'il _____ examiner ses dents, sinon il va avoir des
           9 (faire)

    caries. Robert craint que le dentiste ne lui _____ une dent.
                            10 (arracher)

    Sa mère lui ordonne de _____ chez le dentiste. Il souhaite
                11 (partir)

    que le cabinet _____ fermé ce jour-là. Malheureusement,
            12 (être)

    ce n'est pas le cas. La secrétaire le reçoit. Elle regarde le registre et

    dit: «Il semble qu'il y _____ un problème. Il est possible
                13 (avoir)

    que nous _____ oublié de noter votre rendez-vous. Je ne
            14 (avoir)

    vois pas votre nom et le dentiste est trop occupé pour

    qu'il _____ vous voir aujourd'hui. Il faut que
           15 (pouvoir)

    vous _____ un autre rendez-vous.» Robert regrette qu'il lui
         16 (prendre)

    _____ fixer une autre date. Puis il repart chez lui, heureux.
        17 (falloir)

    Il semblerait qu'aujourd'hui _____ son jour de chance!
                        18 (être)

3. C'est une journée intéressante au tribunal. Le juge a ordonné que

    l'accusé _____ contre les charges portées contre lui. Il est
          19 (se défendre)

    surprenant que l'accusé _____ innocent. Son avocat jure
                20 (se dire)

    qu'il _____ la vérité. Il est évident que les jurés ne
          21 (dire)

    le _____ pas quand il donne sa version des faits. Le verdict
        22 (croire)

    est rendu. Le jury a estimé qu'il était juste que l'accusé _____
                                  23 (rester)

    en prison cinq ans. Il est douteux que l'avocat _____
                            24 (faire)

    appel parce qu'il est impossible qu'il _____
                              25 (trouver)

    de nouveaux témoins.

4. Il est possible que le jour de la rentrée des classes ne _____
26 (être)

pas facile pour Louis. Cette année, il faut qu'il _____ un
27 (suivre)

programme très difficile. Le professeur exige que ses étudiants

_____ dur et il est rare qu'un élève _____
28 (travailler)   _29 (recevoir)_

de bonnes notes. Ses amis insistent sur le fait qu'il ne _____
30 (devoir)

jamais manquer de classe parce que le professeur n'aime pas que

les étudiants _____ absents. Il est certain que Louis
31 (être)

_____ beaucoup étudier cette année.
32 (devoir)

5. Les jeunes espèrent que la neige _____ bientôt les mon-
33 (recouvrir)

tagnes d'un manteau blanc. Ils veulent _____ faire du ski
34 (aller)

et, pour ce faire, il faut qu'il y _____ beaucoup de neige.
35 (avoir)

Joseph demande que ses parents lui _____ cent dollars
36 (prêter)

pour l'excursion. Son père sait qu'il est douteux que Joseph lui

_____ l'argent un jour, mais il veut que son fils
37 (rendre)

_____ de ses vacances. Il exige seulement qu'il _____
38 (profiter)   _39 (faire)_

attention parce qu'il est possible que les montagnes _____
40 (être)

couvertes de glace. Mais il est naturel que ces jeunes gens

_____ s'amuser.
41 (vouloir)

Exercice K

*En employant les expressions données, composez huit phrases d'une
lettre où vous acceptez l'invitation d'un(e) ami(e) à la mer pendant une
semaine:*

1. Je suis content(e) que _____.
2. Crois-tu que _____?

3. Ma sœur est ravie que _____.
4. Je doute que _____.
5. Je suis désolé(e) que _____.
6. Je suis surpris(e) que _____.
7. Je préfère que _____.
8. Mes parents veulent que _____.

Exercice L

Exprimez en français les critiques que les élèves vont publier dans une édition spéciale du journal de l'école:

1. The president of the student association wishes students to be more active.
2. We want teachers to inform students of important administrative decisions.
3. We don't think that parents have participated enough in school decisions. We insist that parents be more active.
4. It is certain that Mr. Durer, our Latin teacher, will be fired. We demand that the administration tell us why.
5. We are furious that library hours have been reduced. We demand that the library stay open until 8 p.m.
6. Students fear that the administration will raise the price of school lunches.
7. It seems that the administration has refused to buy computers for the math department. We think that this is a terrible decision.
8. The school will no longer allow students to play sports after 6 o'clock in the evening.

15

Subjunctive (continued)

1. Subjunctive After Certain Conjunctions

a. Conjunctions that express time:

en attendant que **jusqu'à ce que** } *until*	**avant que** *before*

Je lui dirai au revoir **avant qu'*elle ne parte.***	*I will tell her good-bye before she leaves.*

b. Conjunctions that express purpose:

afin que **pour que** } *in order that, so that*	**de façon que** *so that*

Le professeur parle lentement **afin que *les élèves puissent*** le comprendre.	*The teacher speaks slowly so that the students can understand him.*

c. Conjunctions that express condition:

à condition que **pourvu que** } *provided that*	**à moins que** *unless*

Elle réussira **pourvu qu'*elle fasse*** attention.	*She will succeed provided that she pays attention.*

d. Conjunctions that express concession:

bien que **encore que** } *although*	**quoique** *although*

Bien qu'*il fasse* mauvais temps, nous viendrons.	*Although the weather is bad, we will come.*

e. Conjunctions that express negation:

sans que *without*

Je peux le faire **sans que *vous***   *I can do it without your*
    m'aidiez.   *helping me.*

f. Conjunctions that express fear:

de crainte que ⎫
de peur que   ⎬ *for fear that*

Tu te dépêches **de crainte**   *You hurry for fear that she is*
    qu'*elle ne t'attende.*   *waiting for you.*

NOTE:

1. **À moins que, avant que, de peur que,** and **de crainte que** are generally followed by **ne** before the verb.

2. The following conjunctions are followed by the indicative:

après que *after*	**pendant que** *while*
aussitôt que *as soon as*	**peut-être que** *perhaps*
dès que *as soon as*	**puisque** *since*
parce que *because*	**tandis que** *while, whereas*

3. If the subjects of the main and the dependent clauses are the same, an infinitive construction is used instead of the subjunctive:

Je lui parlerai *avant de venir.*   *I will speak to him before I come (before coming).*

Nous avons attendu *afin de le voir.*   *We waited in order to see him.*

Je me lave toujours les mains *avant de manger.*   *I always wash my hands before I eat (before eating).*

Il est parti *sans dire au revoir.*   *He left without saying goodbye.*

Exercice A

Mme Laurent et son fils Bernard sont chez le docteur et attendent leur tour dans la salle d'attente. Exprimez ce que Mme Laurent dit à l'infirmière:

EXEMPLE: Il rira. Le docteur l'examine. (jusqu'à ce que)
           Il rira jusqu'à ce que le docteur l'examine.

1. Il lira un livre. Le docteur le reçoit. (en attendant que)
2. Il jouera. Vous l'appelez. (avant que)
3. Il sourira. Je lui dis d'entrer dans le cabinet du docteur. (avant que)
4. Il attendra le docteur. Elle est prête. (jusqu'à ce que)
5. Il pleurera. Elle lui fait une piqûre. (de peur que)
6. Il vous regardera. Vous lui donnez une sucette. (en attendant que)

Exercice B

Exprimez en français pourquoi les membres de votre famille font les choses suivantes:

> EXEMPLE: maman nous réveille / afin que / nous / arriver à l'école à l'heure
> **Maman nous réveille afin que nous arrivions à l'école à l'heure.**

1. nous sortons de la chambre / pour que / notre petit frère / pouvoir dormir
2. papa donne de l'argent à Luc / afin que / il / aller au supermarché
3. j'amène mon frère au zoo / pour que / il / voir les animaux
4. ma sœur parle à voix basse / afin que / je / ne pas pouvoir l'entendre
5. mes grands-parents se dépêchent / pour que / je / les emmener en ville en voiture
6. mon cousin téléphone / afin que / nous / aller le chercher à la gare
7. papa me dit de bien travailler / pour que / je / réussir dans mes examens

Exercice C

Guillaume a du mal à suivre son cours de français. Vous voulez l'aider. Exprimez ce que vous dites à Guillaume:

> EXEMPLE: Je te téléphonerai chaque jour pour que
> tu ____**puisses**____ me poser des questions.
>   (pouvoir)

1. Je t'aiderai à condition que tu _____ beaucoup.
                                    (étudier)

2. Je ne viendrai pas chez toi à moins que tu ne _____ d'être
   sérieux.   (promettre)

3. Je te prêterai mes livres jusqu'à ce que tu n'en _____ plus
   besoin.   (avoir)

4. Je t'aiderai pourvu que tu _____ de ton mieux.

   (faire)

5. Je corrigerai tout ton travail pour que tu _____ des devoirs

   (rendre)

   bien faits.

6. Tu ne me paieras pas à moins que tu ne _____.

   (réussir)

7. Je parlerai avec toi lentement de façon que tu _____.

   (comprendre)

Exercice D

Exprimez ce que font les personnes suivantes malgré leurs difficultés:

   EXEMPLE: Ils jouent au tennis. Ils ont 80 ans. (encore que)
   Ils jouent au tennis encore qu'ils aient 80 ans.

1. J'apprends à nager. J'ai peur de l'eau. (quoique)
2. Nous allons participer au championnat. Nous savons que nous allons perdre. (bien que)
3. Tu cours le 100 mètres. Tu souffres de la cheville. (encore que)
4. Marc et Jacques vont à la piscine. Ils sont enrhumés. (quoique)
5. Vous faites beaucoup de sport. Vous êtes handicapé. (bien que)
6. Viviane va au cours de karaté. Elle se sent fatiguée. (encore que)

Exercice E

Répondez aux questions qu'un(e) ami(e) vous pose en employant l'expression **sans que:**

   EXEMPLE: As-tu demandé la permission à ton père?
   Non, il est parti sans que je lui aie demandé la
   permission.

1. As-tu parlé à Charles?
2. As-tu donné l'argent à Jean?
3. As-tu montré la photo à Pierre?
4. As-tu lu la lettre à Alexandre?
5. As-tu expliqué le problème à Nancy?
6. As-tu prêté ton livre à Michelle?

Exercice F

Exprimez ce que font ces personnes pour éviter les problèmes. Employez l'expression **de crainte que:**

> EXEMPLE: Les Martin ne font pas de ski. Leurs enfants se font mal.
> **Les Martin ne font pas de ski de crainte que leurs enfants ne se fassent mal.**

1. Les Caron ne sortent pas. M. Caron attrape un rhume.
2. Mme Poiraud ne donne pas de chocolat à son fils. Il grossit.
3. M. Lenoir ne donne pas d'argent à sa fille. Elle dépense tout.
4. Mme Maupin ne permet pas à son fils de conduire sans elle. Il va trop vite.
5. M. Junot ne laisse pas de détergents en évidence. Son enfant en boit.
6. Mme Dutour aide toujours sa mère. Elle se fatigue trop.

Exercice G

Utilisez les expressions données et complétez les phrases selon votre choix:

à condition que	afin que	jusqu'à ce que	pourvu que
à moins que	bien que	pour que	quoique

1. J'achèterai un baladeur _____ .
2. J'offrirai une montre à mon père _____ .
3. Je te rendrai ce service _____ .
4. Je ne t'aiderai pas _____ .
5. Je te conduirai à l'école _____ .
6. Je te prêterai de l'argent _____ .
7. Je t'attendrai _____ .
8. Je te parlerai de cette affaire _____ .

Exercice H

Combinez les phrases avec les expressions indiquées:

> EXEMPLE: Elles appellent le médecin. (de peur) Anne est très malade.
> **Elles appellent le médecin de peur qu'Anne ne soit très malade.**
>
> Elles appellent le médecin. (de peur) Elles sont très malades.
> **Elles appellent le médecin de peur d'être très malades.**

1. Nous irons au cinéma. (à condition) Tu finis tes devoirs.
   Nous irons au cinéma. (à condition) Nous finissons nos devoirs.
2. Vous êtes allés au restaurant. (afin) Jean peut manger du ragoût.
   Vous êtes allés au restaurant. (afin) Vous pouvez manger du ragoût.
3. M. Rameau a apporté un manteau. (de crainte) Sa femme attrape froid.
   M. Rameau a apporté un manteau. (de crainte) Il attrape froid.
4. Elle quitte le magasin. (sans) Sa fille essaie les chaussures.
   Elle quitte le magasin. (sans) Elle essaie les chaussures.
5. Nous allons aller au Louvre. (avant) Il quitte Paris.
   Nous allons aller au Louvre. (avant) Nous quittons Paris.

Exercice I

Choisissez la forme convenable du verbe pour compléter chaque phrase:

Pendant qu'ils _____ au cinéma, des voleurs sont entrés
      1 (étaient, aient été)

dans la maison des Dupont. Bien que leur domicile _____ bien
      2 (est, soit)

gardé, les criminels sont entrés aussitôt que la maison _____
      3 (a été, ait été)

vide. Ils ont choisi cette maison parce que tout le monde _____
      4 (sait, sache)

que Mme Dupont a des bijoux formidables. Elle les garde enfermés de

façon qu'un voleur ne _____ pas les trouver.
      5 (peut, puisse)

Malheureusement, quoiqu'elle _____ de son mieux pour les
      6 (a fait, ait fait)

cacher, les voleurs ont trouvé tous ses bijoux. En plus, comme M.

Dupont _____ riche, les voleurs espéraient également trouver
      7 (est, soit)

beaucoup d'argent chez lui. Peut-être que M. Dupont _____
      8 (devrait, doive)

s'acheter un coffre-fort. Après qu'ils _____ du
      9 (sont revenus, soient revenus)

cinéma, les Dupont ont découvert le vol. Mme Dupont a pleuré pendant

que M. Dupont _____ à la police. Quel malheur!
      10 (téléphonait, ait téléphoné)

2. Subjunctive in Relative Clauses

The subjunctive is used in relative clauses if the antecedent person or thing in the main clause is indefinite, nonexistent, or desired but not yet found:

SUBJUNCTIVE	INDICATIVE
Elle cherche un appartement qui *soit* confortable.	**Elle a un appartement qui *est* confortable.**
She is looking for an apartment that is comfortable. [She may never find one.]	*She has an apartment that is comfortable.* [She has one.]
Connaissez-vous quelqu'un qui *veuille* travailler?	**Il connaît quelqu'un qui *veut* travailler.**
Do you know anyone who wants to work? [indefinite]	*He knows someone who wants to work.* [definite person]
Je ne peux trouver personne qui *puisse* m'aider.	**J'ai trouvé quelqu'un qui *peut* m'aider.**
I can't find anyone who can help me. [Such a person may not exist.]	*I found someone who can help me.* [There is such a person.]

Exercice J

Les Poussin viennent d'acheter une résidence secondaire. Exprimez ce que M. Poussin demande à son nouveau voisin et les réponses de celui-ci:

> EXEMPLE: un plombier / pouvoir réparer mon lavabo
> **Connaissez-vous un plombier qui puisse réparer mon lavabo?**
> **Je connais un plombier qui peut réparer votre lavabo.**

1. un maçon / vouloir construire un garage
2. un mécanicien / être honnête
3. un électricien / tenir ses promesses
4. un tapissier / poser le papier peint correctement
5. un ingénieur / vérifier les fondations des maisons
6. quelqu'un / faire le ménage
7. un jardinier / prendre soin des fleurs
8. un bricoleur / avoir les outils nécessaires

Exercice K

Vous faites du tourisme en France. Demandez à votre guide:

> EXEMPLE: un magasin / prendre l'argent américain
> **Y a-t-il un magasin qui prenne l'argent américain?**

1. un théâtre / mettre en scène des pièces américaines
2. un kiosque / recevoir le «New York Times»
3. un restaurant / servir des plats diététiques
4. un pharmacien / faire des produits à base de plantes
5. un bus / aller à Versailles
6. un hôtel / être climatisé
7. un étudiant / vouloir apprendre l'anglais
8. un interprète / pouvoir m'aider

Exercice L

Vous êtes président(e) d'une société en plein développement et vous cherchez de nouveaux employés. Vous dites à vos associés:

> EXEMPLE: un employé / apprendre vite
> **Nous cherchons un employé qui apprenne vite.**

1. une secrétaire / connaître le traitement de texte
2. un comptable / être minutieux
3. une directrice / s'entendre bien avec les employés
4. un chef de personnel / comprendre les besoins de notre société
5. une dactylo / taper vite à la machine
6. un homme d'affaires / établir de bons contrats
7. une gérante / avoir au moins dix ans d'expérience
8. une vendeuse / savoir parler anglais

3. Subjunctive After Superlative Expressions

The subjunctive is used after superlative expressions generally showing an opinion or an emotion: **le premier** (the first), **le dernier** (the last), **le seul** (the only), **l'unique** (the only), and **ne . . . que** (only) when it is used as a superlative:

C'est le meilleur café qu'*on puisse acheter.	That's the best coffee you can buy.
C'est la seule personne qui sache le faire.	That's the only person who knows how to do it.

> **Ce sont les plus beaux vases**
> **que *j'aie jamais vus*.**
>
> **Il n'y a qu'une personne ici**
> **qui *sache parler chinois*.**

They are the most beautiful
vases I have ever seen.

There is only one person here
who knows how to speak
Chinese.

Exercice M

Complétez les opinions de ces personnes:

1. La Citroën est la seule voiture que je _____ .
   (vouloir)
2. «Love Me Tender» est le disque le plus récent que ma mère _____ .
   (avoir)
3. Paris est la plus belle ville que je _____ .
   (connaître)
4. La mousse est le meilleur dessert que mon père _____ .
   (faire)
5. Le président est le seul qui _____ la vérité.
   (savoir)
6. Il n'y a que les films de Hitchcock qui _____ intéressants.
   (être)

Exercice N

Exprimez votre opinion en répondant aux questions:

1. Qui est le meilleur comédien que vous ayez jamais vu jouer?
2. Qui est le meilleur chanteur que vous soyez jamais allé(e) voir en concert?
3. Qui est la plus belle actrice que vous ayez jamais vue?
4. Qui est le personnage historique le plus important que vous ayez jamais étudié?
5. Quelle est la plus jolie ville que vous ayez jamais visitée?
6. Quel est le sport le plus épuisant que vous ayez jamais pratiqué?
7. Quel est le plat le plus délicieux que vous ayez jamais goûté?
8. Quel est le livre le plus intéressant que vous ayez jamais lu?

4. Subjunctive in Third-Person Commands

The subjunctive is used in indirect imperatives or independent clauses expressing commands or wishes:

> **Qu'elle le fasse tout de suite!**
> **Qu'il entre!**
> **Qu'ils réussissent!**
> **Vive la France!**

Let her do it at once!
Let him come in!
May they succeed!
Long live France!

Exercice O

M. et Mme Sommier viennent d'avoir un enfant. Exprimez ce que leurs amis leur disent:

>EXEMPLE: vivre longtemps
>**Qu'il vive longtemps!**

1. rendre votre vie heureuse
2. grandir en bonne santé
3. pouvoir réaliser ses rêves
4. être intelligent
5. réussir dans la vie
6. avoir de la chance
7. accomplir de grandes choses
8. devenir célèbre

Exercice P

Jeanne vient de passer une demi-heure dans le bureau du directeur de l'école à cause de sa mauvaise conduite. Exprimez ce que le directeur dit au professeur de Jeanne:

>EXEMPLE: se conduire bien
>**Qu'elle se conduise bien!**

1. aller en classe à l'heure
2. apprendre ses leçons
3. faire ses devoirs
4. se mettre à travailler sérieusement
5. obéir
6. être attentive
7. obtenir de bons résultats
8. se souvenir de mes recommandations

◆ MASTERY EXERCISES ◆

Exercice Q

Complétez cette histoire avec les formes correctes des verbes entre parenthèses:

M. Vautrin, chef du personnel de la Société Jules, cherche un employé

qui _____ vite, qui _____ rédiger des lettres et
    1 (apprendre)   **2** (pouvoir)

qui _____ utiliser un ordinateur. Aujourd'hui, Monique
    3 (savoir)

Latour a rendez-vous avec M. Vautrin à deux heures. Bien

qu'elle _____ à l'heure, il lui faut _____ M. Vautrin
       4 (être)   **5** (attendre)

vingt minutes. Elle s'impatiente et _____ très nerveuse. Elle
                                     6 (devenir)

sait qu'elle _____ rester calme en attendant que le chef du
               7 (devoir)

personnel l'_____. Pendant qu'elle _____, elle fait
            8 (appeler)   **9** (attendre)

quelques exercices de respiration afin de _____ un peu.
                                  10 (se détendre)

Finalement, M. Vautrin dit: «Que Mlle Latour _____ dans la
                                    11 (aller)

salle de conférence». Monique y va et l'entrevue commence. Monique

parle lentement de peur de _____ des fautes. Bien
                         12 (faire)

qu'elle _____ toujours nerveuse, elle s'exprime correctement.
       13 (être)

M. Vautrin est très impressionné par cette jeune fille capable mais

modeste. Après l'entrevue il s'exclame: «C'est la meilleure secrétaire que

je _____ trouver. Voici une jeune fille qui _____
   14 (pouvoir)   **15** (réussir)

dans la vie». M. Vautrin offre le poste à Monique qui décide de

l'accepter pourvu qu'elle _____ un bon salaire. M. Vautrin lui
                        16 (recevoir)

fait une offre difficile à refuser et dit: «Que Mlle Latour _____
                                           17 (se mettre)

au travail immédiatement!»

▌ Exercice R ▐

Exprimez en français ce que le guide dit à un touriste qui fait une excursion avec lui:

1. I would like you to be happy.
2. As soon as we arrive at the hotel, we will be able to rest.
3. You can have a cup of coffee provided that you return in ten minutes.
4. It is evident that you are hungry and thirsty.
5. Since everyone is here, we will leave now.

6. Are you looking for a store that sells souvenirs?
7. I don't know if that store accepts traveler's checks.
8. In that bookstore you can buy a map of the city.
9. Yesterday one man left without taking his change.
10. That is the best bakery that I know.
11. We will wait here until the last person comes out of the store.
12. Let them have a good time.

16

Special Uses of Verbs

1. *Devoir*

a. The verb **devoir** (*to have to, be [supposed] to*) expresses primarily obligation:

$$\left.\begin{array}{l}\text{I have to leave.}\\\text{I must leave.}\\\text{I am (supposed) to leave.}\end{array}\right.$$

Je *dois* partir.

I have to leave.
I must leave.
I am (supposed) to leave.

Je *devais* partir à une heure,   *I was supposed to leave at*
mais le vol est en retard.   *one, but the flight is late.*

b. **Devoir** also expresses probability or supposition:

Il *doit* être malade.   *He must be sick (He is*
probably sick).

Il *a dû* manquer le train.   *He must have missed the*
train.

c. The conditional form of **devoir** means *ought to* or *should*, expressing obligation:

Je *devrais* lui écrire.   *I should (ought to) write to*
J'*aurais dû* l'appeler.   *him.*
I should (ought to) have called
him.

d. When followed by a noun, **devoir** means *to owe*:

Ils lui doivent *cent dollars*.   *They owe him one hundred*
dollars.

Exercice A

Vos amis et vous devriez faire autre chose que regarder la télévision. En vous servant des suggestions données, exprimez ce que chaque personne devrait faire:

SUGGESTIONS:

je	travailler
Pierre	laver la voiture
nous	aller au supermarché
tu	faire le ménage
Alice	étudier
vous	terminer ses devoirs
les garçons	préparer le dîner

EXEMPLE: **Pierre devrait étudier.**

Exercice B

Jean-François vient d'avoir un accident de voiture. Exprimez les différentes réactions des observateurs:

EXEMPLE: il / bouleversé
Il doit être bouleversé.

1. tu / anxieux
2. les passagers / fâchés
3. sa mère / inquiète

4. vous / ennuyés
5. je / émue
6. nous / calmes

Exercice C

Henriette prête toujours de l'argent à ses amis. Maintenant il faut lui rendre cet argent. Exprimez combien chacun lui doit:

EXEMPLE:

Pierre **lui doit cent cinquante francs.**

1.

Alain _____ .

2.

Nous _____ .

3.

Cécile et Mireille _____ .

4.

Tu _____ .

5.

Vous _____ .

6.

Je _____ .

2. Falloir

The impersonal verb **falloir** *(to be necessary, must)* expresses primarily necessity.

a. With the infinitive:

> **_Il faut_ le faire.** $\begin{cases} \textit{It is necessary to do it.} \\ \textit{It has to be done.} \\ \textit{One must do it.} \end{cases}$

> **_Il ne faudrait_ pas dire cela.**   *We shouldn't say that.*

b. With an indirect object pronoun and the infinitive:

Il *lui* faudra le *faire.*	He (She) will have to do it.
Il *me* fallait *partir.*	I had to leave.

c. With the subjunctive (see Chapter 14):

Il a fallu *que je travaille.*	I had to work.
Il aurait fallu *que nous partions.*	We should have left.

d. **Falloir** and **devoir** often express the same idea, although **falloir** is stronger than **devoir**:

Vous devez étudier.
Il faut que vous étudiiez.   You must study.
Il vous faut étudier.

e. When followed by a noun, **falloir** means *to need:*

Il me faut *l'argent* que vous me devez.	I need the money you owe me.
Il lui faudra *de l'énergie.*	He will need energy.

Exercice D

Roger part à l'étranger. Exprimez ce qu'il faudra faire avant le départ:

EXEMPLE: aller à la pharmacie
           Il faudra aller à la pharmacie.

1. acheter les billets
2. aller à la banque
3. changer de l'argent
4. chercher son passeport
5. faire les valises
6. prendre un taxi pour aller à l'aéroport

Exercice E

Exprimez ce qu'il vous faut avant de faire un voyage:

EXEMPLE: de nouvelles valises
           Il me faut de nouvelles valises.

1. un billet d'avion
2. de l'argent
3. un visa

4. de nouveaux vêtements
5. un permis de conduire international
6. un dictionnaire bilingue

3. *Pouvoir*

a. The verb **pouvoir** *(to be able to, can)* expresses ability:

Il ne *peut* pas nager aujoud'hui, il s'est cassé le bras.	*He cannot swim today, he has broken his arm.*
Elle a cherché partout, mais *elle n'a pas pu* trouver ses clés.	*She looked everywhere but she wasn't able to (couldn't) find her keys.*
***Pourras-tu* lire sans lunettes?**	*Will you be able to read without glasses?*

b. **Pouvoir** may express permissibility or possibility:

Est-ce que *je peux* le voir?	*May I see it?*
Il *peut* venir demain.	*He may be able to come tomorrow.*

c. The conditional form of **pouvoir** means *might, could:*

***Je pourrais* le faire cet après-midi.**	*I could (might) do it this afternoon.*

d. **Pouvoir** in idiomatic expressions:

Je n'y peux rien.	*I can't help it (It's beyond my control).*
Je n'en peux plus.	*I'm exhausted (worn out).*

▐ Exercice F ▐

Denis a une grande dispute avec ses parents. Exprimez les conséquences de cette dispute:

> EXEMPLE: vous / lui parler
> **Vous ne pouvez pas lui parler.**

1. je / lui téléphoner
2. il / quitter sa maison
3. nous / jouer au base-ball avec Denis
4. il / aller à la surprise-partie ce soir

5. tu / sortir avec lui
6. vous / aller chez lui

Exercice G

Beaucoup d'élèves ne se sentent pas bien. Exprimez ce qu'ils pourraient avoir:

EXEMPLE: les garçons / un rhume
   Les garçons pourraient avoir un rhume.

1. tu / de la fièvre
2. Yves et Sylvain / une indigestion
3. vous / la grippe
4. je / une inflammation de la gorge
5. Élise / la varicelle
6. nous / une allergie

4. *Savoir*

a. The verb **savoir** *(to be able, know how)* expresses mental ability or know-how:

Il ne *sait* pas nager.   *He doesn't know how to swim.*
Elle est trop jeune pour *savoir*   *She is too young to know how*
   lire.   *to read.*

b. In the **passé composé, savoir** means *to find out, learn about* something:

Je l'*ai su* trop tard.   *I found out too late.*

c. Idiomatic use of **savoir** in the conditional:

Sauriez-vous me dire où il   *Could you (would you be able*
   habite?   *to) tell me where he lives?*
Je ne *saurais* vous le dire.   *I couldn't (wouldn't know how*
                                    to) tell you.

Exercice H

Votre classe organise une fête française où chaque élève prépare un plat spécial. Exprimez ce que chaque élève sait préparer:

EXEMPLE: je / la mousse au chocolat
   Je sais préparer la mousse au chocolat.

1. vous / la bouillabaisse
2. ils / les escargots
3. je / les crêpes
4. elles / la ratatouille
5. tu / le canard à l'orange
6. nous / les omelettes

Exercice I

Complétez les phrases suivantes en utilisant le verbe savoir *au temps qui convient:*

1. Il _____ où se trouve le restaurant, mais il ne _____ pas vous indiquer la route.
2. Mon frère _____ toute la journée que j'avais réussi l'examen. Moi, je ne le (l') _____ que le soir.
3. Tu _____ trop tard qu'il y avait une fête, autrement tu serais venu.
4. Je ne _____ pas te dire où il habite car il vient de déménager.

5. *Vouloir*

The verb **vouloir** *(to wish, want; will)* expresses volition:

a. The present tense of **vouloir** generally expresses strong will, similar to a command:

«Je veux le faire», dit le président.	*"I want to (will) do it," the president said.*
Elle ne veut pas vous écouter.	*She will not (does not want to) listen to you.*

b. The conditional of **vouloir,** a more courteous form, often replaces the present:

Je voudrais lui parler.	*I wish (would like) to speak to him.*

c. The imperative form **veuillez** is used with the infinitive to express a polite command:

Veuillez fermer la porte.	*Kindly (Would you) close the door.*
Veuillez nous excuser.	*Please (Would you) excuse us.*

d. The expression **vouloir bien** means *to be willing, be good enough to:*

Je veux bien partir maintenant.	*I am willing to leave now.*
Voulez-vous bien m'attendre?	*Will you be good enough to wait for me?*

Exercice J

Les enfants à l'école maternelle veulent toujours n'en faire qu'à leur tête. Exprimez ce qu'ils disent à leur maîtresse:

EXEMPLE: je / courir
Je veux courir maintenant.

1. tu / jouer
2. Micheline et Serge / manger
3. nous / dormir
4. je / danser
5. vous / jouer au basket
6. Thomas / écouter de la musique

Exercice K

Mme Pascal, maîtresse à l'école maternelle, voudrait enseigner la politesse à ses élèves. Elle leur fait répéter ce qu'ils veulent faire d'une manière plus polie. Exprimez ce que les enfants disent:

EXEMPLE: Je veux courir maintenant.
Je voudrais courir maintenant.

1. Nous voulons manger maintenant.
2. Jacques et Michelle veulent jouer maintenant.
3. Je veux dormir maintenant.
4. Richard veut écouter des disques maintenant.
5. Hélène et moi, nous voulons chanter maintenant.
6. Je veux danser maintenant.

Exercice L

Mme Laplanche est très fatiguée et veut se reposer un peu. Exprimez ce qu'elle demande à ses enfants:

EXEMPLE: parler doucement
Veuillez parler doucement.

1. fermer la porte
2. m'excuser
3. éteindre la télévision
4. répondre au téléphone
5. mettre le couvert
6. me réveiller à six heures

6. *Faire* + Infinitive

a. **Faire** followed by an infinitive is causative: the subject causes an action to be done by someone else. The English equivalent is "to have (make) someone do something" or "to have something done":

Cet acteur *fait rire* les spectateurs.	This actor makes the audience laugh.
Je fais faire un manteau.	I am having a coat made.
Les Dupont *font construire* une maison.	The Duponts are having a house built.

NOTE:

1. **Faire** + infinitive forms a unit that usually cannot be broken. Nouns follow the infinitive and object pronouns generally precede **faire:**

Ma mère **fait laver** *la vaisselle* à mon frère.	My mother makes my brother do the dishes.
Ma mère *lui* **fait laver** *la vaisselle.*	My mother makes him do the dishes.
Il vaut mieux que **tu fasses venir** *tes amis* ici.	It's better that you have your friends come here.
Il vaut mieux que **tu** *les* **fasses venir** ici.	It's better that you have them come here.

2. When two objects are expressed with **faire** + infinitive, the object of the infinitive is direct and the object of **faire** is indirect. Two object pronouns precede **faire:**

Le professeur **fait réciter** *le poème à Paul.*	The teacher has Paul read the poem.
Le professeur *le lui* **fait réciter.**	The teacher has him read it.
Nous ferons lire *ces documents* à nos avocats.	We will have our lawyers read these documents.
Nous *les leur* **ferons lire.**	We will have them read them.

3. In compound tenses, the past participle of **faire** followed by an infinitive does not agree with the preceding direct object:

J'ai *fait* laver *ma voiture.*	I had my car washed.
Je *l'*ai *fait* laver.	I had it washed.
L'avocat avait *fait* venir *ses clients* au bureau.	The lawyer had his clients come to the office.
L'avocat *les* avait *fait* venir au bureau.	The lawyer had them come to his office.

Exercice M

Décrivez l'effet qu'ont les choses suivantes:

grossir	rêver	rougir
maigrir	rire	travailler
pleurer		

EXEMPLE: Les bonbons __**font grossir**__ .

1. La cuisine minceur _____ .
2. Le professeur de français _____ .
3. Les compliments _____ .
4. Les critiques _____ .
5. Les clowns _____ .
6. Les stars de cinéma _____ .

Exercice N

Les Renaud viennent d'acheter une maison. Exprimez ce qu'il faut qu'ils fassent faire avant d'y habiter:

EXEMPLE: remplacer le lavabo
Il faut qu'ils le fassent remplacer.

1. réparer le lave-vaisselle
2. vérifier les fils électriques
3. redécorer le salon
4. peindre toute le maison
5. nettoyer la cheminée
6. agrandir la cuisine

Exercice O

Combinez les éléments suivants et expliquez ce que chacune de ces personnes **fait, a fait** *ou* **fera:**

EXEMPLES: lundi prochain, ils / nettoyer leur voiture
Lundi prochain, **ils feront nettoyer** leur voiture.

hier, elle / planter les rosiers
Hier, **elle a fait planter** les rosiers.

1. aujourd'hui, je / venir le plombier
2. l'année passée, nous / construire cette maison
3. demain, il / sortir la poubelle
4. la semaine passée, vous / réparer votre moto
5. en ce moment, tu / faire cette veste
6. dans un moment, elles / rire le professeur
7. dans une heure, je / étudier les enfants
8. jeudi dernier, ils / écrire une lettre au directeur

b. In affirmative commands, nouns follow the infinitive and pronouns come immediately after an imperative of **faire** and are joined to it by a hyphen:

| Faites *partir les enfants.* | Make (Have) the boys leave. |
| Faites-*les* partir. | Make (Have) them leave. |

But:

| *Ne les* faites *pas* partir. | Don't make them leave. |

| Fais *cuire ce dessert* vingt minutes. | Cook this dessert twenty minutes. |
| Fais-*le* cuire vingt minutes. | Cook it twenty minutes. |

But:

| *Ne le* fais *pas* cuire vingt minutes. | Don't cook it twenty minutes. |

C. **Se faire** + infinitive is used to show that the subject is having something made or done for himself/herself. Compare:

| Elle *s'est coupé* les cheveux. | She cut her hair (herself). |
| Elle *s'est fait couper* les cheveux. | She had her hair cut (by someone). |

Exercice P

Exprimez ce que M. Breton dit à ses enfants en remplaçant le nom en caractères gras par un pronom:

    EXEMPLE: Faites réparer **la voiture** ce matin.
                  Faites-la réparer ce matin.

1. Faites cuire **le poulet** dans le micro-ondes.
2. Faites nettoyer **ces vêtements.**
3. Ne faites pas venir **l'électricien** aujourd'hui.
4. Faites peindre **ces murs** avant la fin de la semaine.
5. Ne faites pas laver **ces vestes.**
6. Ne faites pas entrer **les chiens.**

Exercice Q

Exprimez ce que ces personnes ont fait aux lieux indiqués:

arracher une dent	expliquer comment maigrir
chercher un livre	faire un pantalon
couper les cheveux	prédire l'avenir
examiner les yeux	photographier

EXEMPLE: Vous êtes allé chez le dentiste.
Vous vous êtes fait arracher une dent.

1. Je suis allée chez le couturier.
2. Nous sommes allés chez l'opticien.
3. Elles sont allées chez le coiffeur.
4. Tu es allé chez le photographe.
5. Il est allé chez le diététicien.
6. Ils sont allés chez une voyante.

♦ MASTERY EXERCISES ♦

Exercice R

Répondez à ces questions que le professeur vous pose:

1. Savez-vous danser?
2. Pouvez-vous rentrer après une heure du matin?
3. Que faut-il faire pour réussir dans un sport?
4. Voudriez-vous voyager à l'étranger?
5. Qu'est-ce qu'il vous faut pour jouer au tennis?
6. Qu'est-ce que vous ne savez pas faire?
7. Que devez-vous faire d'habitude après l'école?
8. Que pourriez-vous faire si vous n'aviez pas de devoirs?
9. Devez-vous de l'argent? À qui?
10. Que voudriez-vous faire samedi soir?

Exercice S

Exprimez en français ce que vous faites pendant votre temps libre:

1. Friday nights, I don't have to do any homework.
2. On weekends, I sleep until noon because I need energy.
3. I could spend the whole day reading science-fiction novels.
4. I like to watch Laurel and Hardy. They make me laugh.
5. I like to drive in my free time, but I'm not able to because my parents won't let me drive their car.
6. If I owe money, I try to do some work for my neighbors on weekends.
7. I know how to cook, and on Sunday my mother makes me cook lunch for the family.
8. I am willing to help my mother on Saturday, but I never have to because she never wants my help.
9. I am happy when I can do as I wish.
10. I would like to have a lot of free time.

Negation

1. Negative Forms

a. The most common negatives are:

ne . . . pas not	**ne . . . rien** nothing
ne . . . pas du tout not at all	**ne . . . personne** no one, nobody
ne . . . point not, not at all	**ne . . . ni . . . ni** neither . . . nor
ne . . . jamais never	**ne . . . que** only
ne . . . plus no more, no longer	**ne . . . aucun (aucune)** no, none
ne . . . guère hardly, scarcely	**ne . . . nulle part** nowhere

b. In simple and compound tenses, **ne** precedes the conjugated verb and pronoun objects; the second part of the negative generally follows the conjugated verb (or the subject pronoun in inverted questions):

Sa sœur *n'***habite** *plus* ici.	His sister doesn't live here anymore.
Ces enfants *ne* **sont** *jamais* **sortis** seuls.	These children have never gone out alone.
Nous *ne* **les verrons** *pas du tout.*	We will not see them at all.
Ne **vous faudrait-il** *pas* étudier?	Shouldn't you study?
Il *n'***a** *rien* **entendu** à cause du bruit.	He didn't hear anything because of the noise.
Pourquoi Charles *n'***a-t-il** *guère* **étudié?**	Why has Charles hardly studied?
Je *n'***aurais** *point* **passé** mon temps à dormir.	I wouldn't have spent my time sleeping.
Il *ne* **va** *jamais* la revoir.	He is never going to see her again.

NOTE:

1. **Personne** and **nulle part** follow the past participle:

Je *n'***ai rencontré** *personne* à la bibliothèque.	I didn't meet anyone at the library.

Ils *n'auraient parlé à
personne.*   They wouldn't have spoken to
                              anyone.
Il *ne l'a trouvé nulle part.*   He didn't find it anywhere.

2. *Que* precedes the word or words stressed:

Il n'a acheté *que des petits
pains.*   He bought only rolls.

Je ne vais le répéter *qu'*une
fois.   I am going to repeat it only
                              once.

3. Each part of the **ni . . . ni** construction precedes the word or words
   stressed:

L'eau n'était *ni* chaude *ni*
froide.   The water was neither hot nor
                              cold.
Je n'ai *ni* vu le film *ni* lu le
roman.   I've neither seen the film nor
                              read the novel.
Il n'a mangé **ni le sandwich** *ni*
les fruits.   He ate neither the sandwich
                              nor the fruits.

4. **Aucun(e)** is always used in the singular and precedes the noun it
   modifies:

Il n'a voulu poser *aucune*
question.   He didn't want to ask any
                              questions.

5. When an infinitive is negated, both **ne** and the second element of
   the negative precede the infinitive:

Il s'était arrêté pour *ne pas*
tomber.   He had stopped in order not to
                              fall.
Il vaut mieux *ne rien* dire.   It is better to say nothing.

But **personne** and **nulle part** follow the infinitive:

Il a préféré *ne* voir *personne.*   He preferred not to see anyone.
Il vaut mieux *n'aller nulle*
part.   It's better not to go anywhere.

Exercice A

*C'est bientôt Noël et les membres de la famille Ricard veulent faire un
effort pour améliorer leur conduite pendant le mois de décembre.
Exprimez les résolutions de chacun:*

EXEMPLE: Janine / fumer
           Janine ne fumera pas.

1. papa / conduire vite
2. maman et Berthe / manger beaucoup de bonbons

3. je / téléphoner pendant des heures
4. André et vous / écouter la radio jour et nuit
5. tu / laisser la télévision allumée toute la nuit
6. nous / sortir tous les soirs

Exercice B

Tout le monde a de bonnes intentions. Exprimez de quelles mauvaises habitudes ces personnes ont l'intention de se débarrasser:

> EXEMPLE: je / critiquer mes amis
> **Je ne critiquerai plus mes amis.**

1. les enfants / laisser la lumière allumée toute la nuit
2. vous / vous ronger les ongles
3. ils / manger avec les doigts
4. elle / sucer son pouce
5. je / étudier devant la télé
6. tu / tirer les cheveux de ton frère

Exercice C

Expliquez ce que ces personnes ne faisaient pas quand elles avaient douze ans:

> EXEMPLE: Il était fauché. (acheter / rien)
> **Il n'achetait rien.**

1. Elles étaient timides. (parler / guère)
2. Vous étiez égoïste. (partager / rien)
3. Nous étions malades. (manger / plus)
4. Tu étais sage. (ennuyer / personne)
5. J'étais paresseux. (finir / rien)
6. Il était impoli. (s'excuser / jamais)

Exercice D

Vous trouvez surprenants les commentaires suivants. Formulez des questions avec ne . . . aucun(e) selon le modèle:

> EXEMPLE: Ce magasin n'a pas voulu accepter de cartes de crédit!
> Ce magasin **n'a voulu accepter aucune carte de crédit?**

1. Ce café ne sert pas de sandwiches!
2. Ce restaurant ne servait pas de plats de viande!
3. Ce magasin ne vend pas de produits laitiers!
4. Cette boutique n'a pas offert de rabais!

5. Cette librairie n'avait pas de plans de la ville!
6. Cette banque ne prend pas les chèques étrangers!

Exercice E

Hervé aime raconter combien il est sportif, mais son frère est là pour rétablir la vérité. Exprimez ce qu'il dit:

> EXEMPLE: Je fais de la musculation tous les matins.
> **Tu ne fais jamais de musculation.**

1. Je cours dix kilomètres tous les jours.
2. Je nage à la piscine tous les jours.
3. Je fais toujours beaucoup de gym.
4. Je joue au tennis tous les jours.
5. Je fais du footing tous les soirs.
6. Je participe tous les ans au marathon.

Exercice F

Exprimez pourquoi ces personnes ne sont pas contentes. Remplacez seulement *par* ne . . . que:

> EXEMPLE: Marie-Hélène gagne seulement cent dollars par semaine.
> **Marie-Hélène ne gagne que cent dollars par semaine.**

1. Je reçois seulement une lettre par mois de ma correspondante.
2. Nous avons mérité seulement un D en biologie.
3. Les vacances de Louis auront duré seulement une semaine.
4. Elles faisaient seulement une heure de gym par semaine.
5. Vous allez m'aider seulement cet après-midi.
6. Nous sortons ensemble seulement une fois par semaine.
7. Tu as eu seulement dix minutes pour tout finir.

Exercice G

Les personnes suivantes sont déprimées. Décrivez leur comportement et remplacez l'expression à peine *par* ne . . . guère:

> EXEMPLE: Pierre travaille à peine.
> **Pierre ne travaille guère.**

1. Tu dormais à peine.
2. Marie aura à peine parlé.
3. Nous rions à peine.
4. J'avais à peine écouté mes amis.
5. Vous vous êtes à peine reposés.
6. Les garçons avaient à peine mangé.

Exercice H

M. Roland a été misanthrope toute sa vie. Décrivez quelle a été son attitude envers le monde:

EXEMPLES: aimer   écrire à
           Il n'a aimé personne.   **Il n'a écrit à personne.**

1. écouter   3. aider   5. parler à
2. embrasser   4. se fier à   6. s'intéresser à

Exercice I

Exprimez ce que ces personnes ont promis:

EXEMPLE: Josette / pas fumer
          Josette a promis de ne pas fumer.

1. tu / plus gaspiller de temps
2. les filles / rien acheter
3. vous / jamais mentir
4. je / aller nulle part sans permission
5. il / plus emprunter d'argent
6. nous / jamais être en retard
7. Anne / critiquer personne
8. ils / manger aucune sucrerie

C. **Rien** and **personne** may be used as subjects, preceding the verb; **ne** retains its position before the conjugated verb:

*Rien n'***est arrivé.**	*Nothing happened.*
Personne ne **savait** prononcer le mot.	*No one knew how to pronounce the word.*

d. The construction **ne . . . jamais** as well as **jamais** used independently of a clause mean *never*. But **jamais** without **ne** in a clause means *ever*:

Avez-vous *jamais* **traversé la Manche? — Non, je** *ne* **l'ai** *jamais* **traversée.**	*Have you ever crossed the English Channel? — No, I have never crossed it.*
— *Jamais*?	*— Never?*

e. **Pas** may be omitted with the verbs **cesser, oser,** and **pouvoir** when they are followed by an infinitive. **Pas** may also be omitted after **savoir** + infinitive when **savoir** means *to know* but not when it means *to know how:*

Elles *ne* **cessent** de bavarder.	*They don't stop chattering.*
Nous *n'***osons** le lui dire.	*We don't dare tell him.*
Je *ne* **peux** vous comprendre.	*I can't understand you.*
Il *ne* **sait** où aller.	*He doesn't know where to go.*

But:

Il *ne* **sait** *pas* nager.	*He doesn't know how to swim.*

f. The second part of a negative may be used alone:

Voulez-vous nous y accompagner? — **Certainement** *pas!*	*Do you want to accompany us there? — Certainly not!*
Qu'a-t-elle répondu? — *Rien* **du tout**.	*What did she answer? — Nothing at all.*
Plus d'argent.	*No more money.*
Qui mérite le prix? — *Ni* **lui** *ni* **elle**.	*Who deserves the prize? — Neither he nor she.*

g. In the negative, the partitives **du, de la, de l'**, and **des** become **de**:

Elle a *du* pain, mais elle *n'*a *pas de* beurre.	*She has (some) bread but she doesn't have any butter.*
Il *n'*a *guère d'*amis.	*He has hardly any friends.*

NOTE:

1. After **ne . . . que, de** is used with the article, provided there is no plural adjective preceding a plural noun:

Je **ne** mange **que** *de la tarte*.	*I eat only pie.*
Je **ne** mange **que** *des tartes*.	*I eat only pies.*
Je **ne** mange **que** *de la bonne tarte*.	*I eat only good pie.*

But:

Je **ne** mange **que** *de* **bonnes tartes**.	*I eat only good pies.*

2. After **ni . . . ni**, the partitive is omitted:

Est-ce que tu veux **du lait ou du jus de fruit?**	*Do you want milk or fruit juice?*
Je ne veux *ni* **lait** *ni* **jus de fruit**.	*I want neither milk nor fruit juice.*

h. **Si** (yes) is used to contradict a negative statement or question:

Vous *n*'avez *pas* fini le travail? — *Si*, je l'ai fini.	*You haven't finished the work? — Yes, I have.*
***Ne* joue-t-elle *pas* d'instrument? — Mais *si*!**	*Doesn't she play an instrument? — Why, yes!*

Exercice J

Julien est un garçon fort curieux. Formulez les questions qu'il pose à ses amis:

EXEMPLE: voyager en Europe
As-tu jamais voyagé en Europe?

1. conduire une voiture
2. aller à un concert de musique rock
3. voir une soucoupe volante
4. goûter la cuisine japonaise
5. embrasser ton professeur de français
6. rester éveillé(e) toute la nuit

Exercice K

Votre mère se plaint parce que votre sœur et vous ne voulez pas l'aider à faire le ménage. Exprimez ce qu'elle dit à votre père:

EXEMPLE: vouloir sortir les poubelles
Personne ne veut sortir les poubelles.

1. avoir le temps de passer l'aspirateur
2. vouloir ranger sa chambre
3. pouvoir laver la voiture
4. avoir envie de faire la lessive
5. désirer promener le chien
6. m'aider à faire la vaisselle

Exercice L

Julien aime tout dans la vie tandis que son frère Jacques n'aime rien. Exprimez comment Jacques répond aux commentaires de son frère:

EXEMPLE: Tout est formidable.
Rien n'est formidable.

1. Tout est facile.	4. Tout est intéressant.
2. Tout est amusant.	5. Tout est beau.
3. Tout est drôle.	6. Tout est parfait.

Exercice M

Richard est un enfant qui n'aime rien faire. Exprimez ce qu'il répond aux questions de son ami:

> EXEMPLE: Aimes-tu courir ou marcher?
> **Je n'aime ni courir ni marcher.**

1. Aimes-tu danser ou chanter?
2. Aimes-tu dessiner ou sculpter?
3. Aimes-tu jouer ou te reposer?
4. Aimes-tu sortir ou rester à la maison?
5. Aimes-tu regarder la télévision ou écouter des disques?
6. Aimes-tu aller au cinéma ou aller au parc?

Exercice N

En vous servant d'un seul mot négatif, répondez aux questions qu'une amie vous pose:

> EXEMPLE: Qui va te rendre visite?
> **Personne.**

1. Qu'est-ce que tu veux faire cet après-midi?
2. Quand mens-tu?
3. Qui va te téléphoner?
4. Quand fumes-tu?
5. Qu'est-ce que tu manges?
6. Qui t'aide avec tes devoirs?

Exercice O

Didier vient de faire la connaissance d'Yvette. Il lui pose des questions afin de mieux la connaître. Formulez les réponses d'Yvette en utilisant la forme affirmative:

> EXEMPLE: N'aimes-tu pas les bals?
> **Mais si, j'aime les bals.**

1. N'habites-tu pas la grande maison bleue?
2. N'es-tu jamais allée écouter un concert de rock?
3. N'auras-tu acheté aucun livre français pendant l'année?

4. Ne parlais-tu pas français en classe?
5. Ne vas-tu jamais en vacances?
6. Ne conduis-tu pas cette voiture rouge?

Exercice P

Lisette pose des questions à son amie Blanche au sujet de ses voyages.
Exprimez les réponses de Blanche:

> EXEMPLE: As-tu vu la tour Eiffel? (jamais)
> **Je n'ai jamais vu la tour Eiffel.**

1. As-tu été en France auparavant? (jamais)
2. As-tu parlé à quelqu'un en anglais? (personne)
3. As-tu visité des châteaux ou des forteresses? (ni . . . ni)
4. Où as-tu voyagé seule? (nulle part)
5. As-tu fait des croisières? (aucune)
6. T'es-tu acheté quelque chose? (rien)
7. As-tu souvent contacté ta famille? (guère)
8. As-tu fait des photos ou des vidéocassettes? (ni . . . ni)
9. Regrettes-tu d'avoir tant voyagé? (pas du tout)
10. Est-ce que tu as un pays favori? (pas)

Exercice Q

Votre ami et vous êtes partis en vacances. Malheureusement vous êtes
tombé malade. À la rentrée, vous décrivez vos vacances à des amis:

> EXEMPLE: Ami: J'ai fait du bateau à voiles. (pas)
> Vous: **Je n'ai pas fait de** bateau à voiles.

1. Ami: J'ai tout visité. (rien)
    Vous:
2. Ami: J'ai beaucoup mangé. (guère)
    Vous:
3. Ami: J'ai fait de la pêche sous-marine et de la planche à voile.
            (ni . . . ni)
    Vous:
4. Ami: J'ai goûté des spécialités françaises. (aucune)
    Vous:
5. Ami: J'ai nagé dans la mer. (pas)
    Vous:
6. Ami: J'ai pris des bains de soleil sur la plage. (pas du tout)
    Vous:
7. Ami: Je suis allé à la piscine. (jamais)
    Vous:

8. Ami: J'ai discuté avec tout le monde. (personne)
   Vous:
9. Ami: Je suis allé partout. (nulle part)
   Vous:
10. Ami: J'ai trouvé un coquillage. (que)
    Vous:

2. Common Negative Expressions

ça ne fait rien it doesn't matter

Je doute qu'il nous attende. — **Ça ne fait rien.**	I doubt that he will wait for us. — It doesn't matter.

de rien / il n'y a pas de quoi you're welcome

Merci de tout ce que vous avez fait. — **De rien.**	Thank you for all that you did. — You're welcome.
Merci beaucoup. — **Il n'y a pas de quoi.**	Thanks a lot. — You're welcome.

jamais de la vie! never! out of the question! not on your life!

Voulez-vous vendre ce chef-d'œuvre? — **Jamais de la vie!**	Do you want to sell this masterpiece? — Never!

(ni . . .) non plus not . . . either; nor . . .

Je n'irai pas au match. — **(Ni) Moi non plus.**	I won't go to the match. — Nor will I.
Lui non plus, il n'ira pas au match.	He won't go to the match either.

n'en pouvoir plus to be exhausted

À la fin de la journée, **je n'en peux plus.**	At the end of the day, I'm exhausted.

n'importe qui (quand, où) no matter who (when, where)

Où veux-tu déjeuner? — **N'importe où.**	Where do you want to have lunch? — It doesn't matter where.

pas encore not yet

As-tu vu sa nouvelle voiture? — **Pas encore.**	Have you seen his new car? — Not yet.

Exercice R

Complétez ces situations en utilisant une des expressions négatives de la liste ci-dessus:

1. Votre frère cadet vous demande de l'aider à faire ses devoirs. Mais vous êtes si fatigué que vous dormez debout.
    Vous répondez:
2. Vous allez faire des courses en ville avec vos parents. Votre père vous demande si vous êtes prêt(e).
    Vous répondez:
3. Après un grand dîner, un ami et vous allez voir un film. Quand vous passez devant le marchand de bonbons au cinéma votre ami vous dit: «Je n'ai plus faim.»
    Vous répondez:
4. Vous venez d'acheter un nouveau pantalon bleu. Votre sœur vous demande si elle peut le porter ce soir.
    Vous répondez:
5. Vous demandez à votre ami s'il pourra vous aider à étudier pour l'examen d'histoire. Il répond «bien sûr» et il vous demande quel moment vous conviendrait:
    Vous répondez:
6. Vous avez gardé les enfants de M. et Mme Moreau. Ils vous remercient.
    Vous répondez:
7. Votre amie vous dit qu'elle a oublié son livre de français chez elle. Vous vous rappelez qu'il y a un examen aujourd'hui et que vous n'avez pas besoin du livre.
    Vous répondez:

♦ MASTERY EXERCISES ♦

Exercice S

Répondez négativement aux questions de votre camarade:

1. Est-ce que tes parents te donnent toujours beaucoup de travail à faire?
2. As-tu jamais fait du ski?
3. As-tu bavardé avec quelqu'un aujourd'hui?
4. Y a-t-il quelque chose qui te gêne?
5. Aimes-tu la musique classique ou le jazz?
6. Quelqu'un t'aide-t-il à faire tes devoirs?
7. Qu'est-ce que tu as promis de ne plus faire?
8. S'est-il passé quelque chose de spécial en classe hier?

9. N'as-tu pas envie d'aller au cinéma ce soir?
10. Qui va te téléphoner ce soir?

Exercice T

Pourquoi Mme Watteau est-elle heureuse? Complétez les phrases avec les expressions suivantes en employant chacune une seule fois:

aucun	jamais	nulle part	personne	que
guère	ni . . . ni	pas	plus	rien

1. _____ ma fille _____ mon fils n'ont raté leurs examens.
2. _____ ne me donne jamais de problèmes.
3. Mon mari m'adore tellement qu'il n'irait _____ sans moi.
4. _____ de mes enfants ne me donne de souci.
5. _____ ne me fait jamais perdre ma bonne humeur.
6. Je ne suis que rarement triste et donc je ne pleure _____ .
7. Mon mari et moi, nous n'avons _____ un seul désir: que nos enfants soient aussi heureux que nous.
8. Je ne romps _____ mes promesses.
9. Je ne refuse _____ mon aide à mes amis.
10. Je n'ai peut-être _____ vingt ans, mais je me sens jeune!

Exercice U

Émile raconte à son ami l'histoire de sa cousine qui s'est enfuie avec son petit ami. Exprimez les circonstances:

1. Their parents didn't want them to marry.
2. No one knew what they were going to do.
3. They never discussed their plans with anyone.
4. Nothing could stop them.
5. He wanted to tell his family, but he decided not to say anything to either his parents or his brother.
6. When their parents learned the news, they said nothing.
7. When I spoke to them, they said that it didn't bother them at all.
8. They received only two presents.
9. My aunt wanted to buy them something, but finally she bought nothing.
10. Did you ever hear such a sad story?

Noun Structures
Pronoun Structures
Prepositions

TWO

18

Articles and Nouns

There are two types of articles: the definite article indicates a specific person or thing (*the* cat); the indefinite article refers to persons and objects not specifically identified (*a* cat, *an* owl).

A noun is a word used to name a person, place, thing, or quality.

1. Forms of the Definite Article

a. In French, the definite article has four forms corresponding to English *the:*

	MASCULINE	FEMININE
SINGULAR	*le* train *l'*avion	*la* voiture *l'*automobile
PLURAL	*les* trains *les* avions	*les* voitures *les* automobiles

NOTE:

1. The article **l'** is used before a singular noun of either gender beginning with a vowel or silent **h**. The vowel of the article is retained before *le* **héros,** *la* **honte.**

2. The article is expressed in French before each noun, even though it may be omitted in English:

   les **fruits et** *les* **légumes**   *the fruits and vegetables*

b. Contractions with the definite article:

The prepositions **à** and **de** contract with **le** and **les:**

à + *le* magasin = *au* magasin   de + *le* magasin = *du* magasin
à + *les* endroits = *aux* endroits   de + *les* endroits = *des* endroits

   Allons *au* **cinéma.**   *Let's go to the movies.*
   Il parle *aux* **actrices.**   *He speaks to the actresses.*

Je cherche le propriétaire **du** vélo.	*I am looking for the owner of the bike.*
J'ai appris tous les mots **des** leçons.	*I've learned all the words of the lessons.*

NOTE: There are no contractions with **la** or **l'**.

Exercice A

Identifiez ce que vous voyez en vous promenant en ville:

EXEMPLE: pharmacie   **la pharmacie**

1. boucherie
2. pâtisserie
3. cinéma
4. épicerie
5. stade
6. supermarché
7. musée

8. arrêt d'autobus
9. jardin
10. place centrale
11. hôpital
12. école primaire
13. restaurant
14. église

15. parc
16. café
17. université
18. bureau de poste
19. lycée
20. grand magasin

2. Forms of the Indefinite Article

There are two forms of the indefinite article in French corresponding to English *a (an)*:

	MASCULINE	FEMININE
SINGULAR	**un**	**une**

The indefinite plural article **des** has no direct English equivalent but may mean *some* or *any*:

Le marchand a **des fraises**.	*The storekeeper has strawberries.*
Je lui ai donné **des photos**.	*I gave him some pictures.*
Il m'a prêté **des stylos**.	*He lent me some pens.*
Voyez-vous **des oiseaux**?	*Do you see any birds?*

Exercice B

Vous allez fêter le premier anniversaire de votre cousine. Faites une liste de tout ce qu'il faut acheter pour la fête que vous organisez:

EXEMPLES: assiettes   **des assiettes**
               robe   **une robe**

1. gâteau
2. serviettes
3. jouets
4. glaces
5. cuillères en plastique
6. fourchettes en plastique
7. couteaux en plastique
8. petits cadeaux

9. invitations
10. bougie
11. tasses en papier
12. décorations
13. nappe en papier
14. ballons
15. bouteilles de soda

Exercice C

Exprimez ce que Marc sort de sa valise quand il arrive chez ses grands-parents:

Marc sort de sa valise _____.

3. Uses of the Definite Article

a. With nouns used in a general or abstract sense:

L'acier est plus dur que *le fer.*	*Steel is harder than iron.*
Nous aimons *les petits pois.*	*We like peas.*
Vive *la liberté!*	*Long live freedom!*

b. With names of languages, except immediately after **parler**, after **en**, and in an adjective phrase with **de:**

Comprenez-vous *le grec?*	*Do you understand Greek?*
Le russe n'est pas facile.	*Russian is not easy.*
Je parle très bien *le chinois.*	*I speak Chinese very well.*

But:

Ici on *parle espagnol*.	*Spanish is spoken here.*
J'ai écrit la lettre *en italien*.	*I wrote the letter in Italian.*
Où est votre livre *de français*?	*Where is your French book?*

c. In place of the possessive adjective, with parts of the body when the possessor is clear:

Il ne peut pas tourner *la tête*.	*He cannot turn his head.*
Fermez *les yeux*.	*Close your eyes.*
Je me suis fait mal *au bras*.	*I hurt my arm.*

NOTE: When the part of the body is modified, the possessive adjective is used:

Elle a mis ***ses** petites **mains** sur mes épaules.*	*She put her little hands on my shoulders.*

d. With titles of rank or profession followed by a name, except when addressing the person:

le président Lincoln	*President Lincoln*
la reine Élisabeth	*Queen Elizabeth*
le professeur Brunot	*Professor Brunot*

But:

«*Bonsoir, docteur Marais*.»	*"Good evening, Doctor Marais."*

e. With proper nouns that are modified:

***le** Paris du XXᵉ siècle*	*twentieth-century Paris*
***la** belle Vénus*	*(the) beautiful Venus*

f. With days of the week in a plural sense:

***Le dimanche** je me lève tard.*	*On Sunday(s) I get up late.*
Nous allons à l'école *le samedi*.	*We go to school on Saturday(s).*

NOTE: If the day mentioned is a specific day, the article is omitted:

Le mariage a eu lieu *dimanche*.	*The marriage took place Sunday.*
Appelez-moi *mardi*.	*Call me (on) Tuesday.*

g. With names of seasons and colors, except after **en:**

> **Je préfère *le printemps.***   *I prefer spring.*
> **Aimez-vous *le vert?***   *Do you like green?*

> But:

> **Il fait chaud *en été.***   *It's hot in (the) summer.*
> **On peindra la maison *en***   *We will paint the house (in)*
> ***blanc.***   *white.*

h. With nouns of weight and measure where English uses *a, an,* or *per:*

> **Elle a payé deux dollars *la***   *She paid two dollars a dozen.*
> ***douzaine.***
> **Cette soie coûte dix francs *le***   *This silk costs ten francs per*
> ***mètre.***   *meter.*

> NOTE: With expressions indicating frequency of time, **par** is used without the article:

> > **On mange trois fois *par***   *We eat three times a day.*
> > ***jour.***

i. In certain common expressions of time or place:

> **à l'école** *to (in) school*   **le soir** *in the evening*
> **à l'église** *to (in) church*   **le mois prochain** *next month*
> **à la maison** *at home, home*   **la semaine dernière** *last week*
> **le matin** *in the morning*   **l'année passée** *last year*
> **l'après-midi** *in the afternoon*

j. With dates:

> **C'est aujourd'hui *le premier***   *Today is May first.*
> ***mai.***
> **On est *le onze février.***   *It is February 11.*

k. With names of most countries, states, mountains, and rivers:

> ***La France* est presque de la**   *France is almost the same size*
> **même superficie que *le***   *as Texas.*
> ***Texas.***
> **Je fais du ski dans *les Alpes.***   *I go skiing in the Alps.*
> ***La Seine* traverse Paris.**   *The Seine crosses Paris.*

> NOTE: The article is not used with masculine singular names of islands:

> > ***Haïti* est une île**   *Haiti is a French-speaking*
> > **francophone.**   *island.*

Exercice D

Complétez le dialogue avec la forme correcte de l'article défini, s'il est nécessaire:

Jim:	D'où es-tu?
Jean-Luc:	Je suis de _____ Montréal. _____ Canada est un beau
	1 2
	pays.
Jim:	Quelle langue parles-tu?
Jean-Luc:	Je parle _____ français.
	3
Jim:	Étudies-tu _____ anglais?
	4
Jean-Luc:	Bien sûr! _____ anglais est une langue importante.
	5
Jim:	Quelle saison préfères-tu?
Jean-Luc:	Je préfère _____ été.
	6
Jim:	Pourquoi?
Jean-Luc:	En _____ été il n'y a pas de classes et je peux aller
	7
	à _____ plage tous _____ jours.
	8 9
Jim:	Comment est-ce que tu t'amuses?
Jean-Luc:	_____ films me passionnent. Je vais toujours au cinéma
	10
	_____ samedi soir avec ma cousine.
	11
Jim:	Qui est cette femme là-bas?
Jean-Luc:	C'est _____ professeur Manon, ma conseillère. Lundi
	12
	prochain, _____ vingt et un septembre, tous les élèves
	13
	vont se réunir à _____ école pour raconter ce qu'ils ont
	14
	fait ici à _____ New York.
	15
Jim:	Oh là là! Il est déjà _____ huit heures. Je me sauve.
	16
	_____ cours d'histoire commence dans trois minutes et
	17
	_____ professeur Leclerc nous attend avec impatience.
	18
	À tout à l'heure.
Jean-Luc:	Au revoir, Jim.

Exercice E

Répondez aux questions d'un(e) élève qui fait une enquête:

EXEMPLES: Quel mois de l'année aimes-tu le plus?
J'aime juin le plus.

Quel est ton jeu préféré?
Le Scrabble est mon jeu préféré.

1. Quel jour sommes-nous aujourd'hui?
2. Quelle saison préfères-tu?
3. Quel jour de la semaine aimes-tu le moins?
4. À quel moment de la journée étudies-tu le mieux?
5. Qui est ton professeur d'histoire?
6. Quelle langue étudies-tu?
7. Quel est ton cours favori?
8. Quel est ton sport favori?
9. Quelle musique préfères-tu?
10. Quelle couleur aimes-tu?

4. Omission of the Article

a. The indefinite article is omitted after **être** and **devenir** with names of professions and occupations:

Sa sœur aînée *est actrice*.   *Her older sister is an actress.*
J'espère *devenir ingénieur*.   *I hope to become an engineer.*

NOTE: The article is used if the noun is modified or when **c'est** is used:

Claude est *un ingénieur*   *Claude is a well-known*
**   *bien connu*.**   *engineer.*
C'est *une actrice*.   *She is an actress.*

b. The indefinite article is omitted after the exclamatory adjectives **quel, quelle, quels, quelles:**

***Quelle pêche* délicieuse!**   *What a delicious peach!*

c. The French indefinite article is omitted before the numbers **cent** and **mille:**

cent navires   *a hundred ships*
mille étoiles   *a thousand stars*

d. The definite article is omitted in numerical titles of monarchs:

Henri quatre (Henri IV)	*Henry the Fourth*
Louis quinze (Louis XV)	*Louis the Fifteenth*

Exercice F

Complétez cette carte postale en utilisant un article défini, indéfini ou rien du tout:

Cher Lucien,

C'est aujourd'hui _____ jeudi, _____ premier juillet. Je passe mes
                    1   2

vacances à l'hôtel Louis XIV. _____ maire de mon village y est aussi
                                 3

et _____ autre jour, je lui ai dit: «Bonjour, monsieur Ludovic. Vous
     4

faites _____ travail extraordinaire!» J'ai également fait _____
         5   6

connaissance de sa femme qui est _____ professeur. Elle est
                                  7

_____ professeur très respecté à l'université de Tours où elle
  8

enseigne _____ français. Quelle _____ femme intéressante!
         9   10

                                              À bientôt,
                                              Georges

Exercice G

Répondez aux questions que le douanier à l'aéroport Charles de Gaulle vous pose:

1. Quelle est votre nationalité? (américaine)
2. Quelle est votre profession? (étudiante)
3. Quelle est la profession de votre père? (ingénieur)
4. Quelle est la profession de votre mère? (docteur)
5. Dans quel hôtel descendez-vous? (Louis Quatorze)
6. Combien d'argent avez-vous? (1000 dollars)

5. Gender of Nouns

French nouns are either masculine or feminine. Although there are no rules by which the gender of all nouns can be determined, the gender of many nouns can be determined by their meaning or ending. The gender of other nouns must be learned individually.

a. Nouns that refer to male beings are masculine. Nouns that refer to female beings are feminine:

MASCULINE		FEMININE	
l'homme	man	la femme	woman
le fils	son	la fille	daughter
le prince	prince	la princesse	princess
le secrétaire	secretary	la secrétaire	secretary

b. The gender of some nouns can be determined by their ending:

MASCULINE		FEMININE	
-acle	le spectacle	-ade	l'orangeade
-age*	le village	-ale	la capitale
-al	le journal	-ance	la connaissance
-eau*	le bureau	-ence	la compétence
-et	le cabinet	-ette	la raquette
-ier	le cahier	-ie	la biologie
-isme	le cyclisme	-ique	la république
-ment	l'établissement	-oire	la victoire
		-sion	la télévision
		-tion	la nation
		-ure	la coiffure

c. Some feminine nouns are formed by adding **e** to the masculine:

MASCULINE	FEMININE	
l'ami	l'amie	friend
l'avocat	l'avocate	lawyer
le client	la cliente	customer
le cousin	la cousine	cousin
l'employé	l'employée	employee
l'Espagnol	l'Espagnole	Spaniard
l'étudiant	l'étudiante	student
le voisin	la voisine	neighbor

*Note these exceptions: **la page, la plage; l'eau** (f.), **la peau.**

NOTE: Nouns of nationality are capitalized:

L'Américain est arrivé.   *The American has arrived.*

d. Certain feminine nouns are formed by changing the masculine endings:

MASCULINE		FEMININE		
-an	le pays*an*	-anne	la pays*anne*	*peasant*
-ien	le pharmac*ien*	-ienne	la pharmac*ienne*	*pharmacist*
-on	le patr*on*	-onne	la patr*onne*	*boss*
-er	le bouch*er*	-ère	la bouch*ère*	*butcher*
-ier	l'épic*ier*	-ière	l'épic*ière*	*grocer*
-eur	le vend*eur*	-euse	la vend*euse*	*salesclerk*
-teur	l'ac*teur*	-trice	l'ac*trice*	*actor/actress*

e. Other masculine nouns and their feminine counterparts are:

MASCULINE		FEMININE	
le bouc	*goat*	la chèvre	*goat*
le bœuf	*ox*	la vache	*cow*
le chat	*cat*	la chatte	*cat*
le comte	*count*	la comtesse	*countess*
le coq	*rooster*	la poule	*hen*
l'hôte	*host*	l'hôtesse	*hostess*
le maître	*master*	la maîtresse	*mistress*
le neveu	*nephew*	la nièce	*niece*
l'oncle	*uncle*	la tante	*aunt*
le roi	*king*	la reine	*queen*
le vieux	*old man*	la vieille	*old woman*

NOTE: For animal nouns whose form is the same for both masculine and feminine, gender is indicated by adding the words **mâle** and **femelle**:

une souris *mâle* *a male mouse*
une souris *femelle* *a female mouse*

f. Some nouns have the same form in the masculine and the feminine:

un (une) artiste	*artist*	un (une) enfant	*child*
le (la) camarade	*friend*	le (la) malade	*patient*
le (la) collègue	*colleague*	le (la) secrétaire	*secretary*
le (la) concierge	*superintendant*	le (la) touriste	*tourist*
un (une) élève	*pupil*		

g. Some nouns are masculine or feminine depending on their meaning:

	MASCULINE		FEMININE
le critique	*critic*	**la critique**	*criticism*
le livre	*book*	**la livre**	*pound*
le mémoire	*report, thesis*	**la mémoire**	*memory*
le mode	*method, mood*	**la mode**	*style, fashion*
le poste	*job*	**la poste**	*post office*
le tour	*tour*	**la tour**	*tower*
le vase	*vase*	**la vase**	*mud*

h. Some nouns are always masculine or feminine regardless of the gender of the person referred to:

ALWAYS MASCULINE

un agent de police	*police officer*	**un ingénieur**	*engineer*
		un mannequin	*fashion model*
un bébé	*baby*	**un médecin**	*doctor*
un chef	*chef, cook; chief, head*	**un peintre**	*painter*
		un pompier	*fire fighter*
un écrivain	*writer*	**un professeur**	*professor, teacher*

ALWAYS FEMININE

une connaissance	*acquaintance*	**une vedette**	*(movie) star*
une personne	*person*	**une victime**	*victim*

Exercice H

Chantal a fait son arbre généalogique. Identifiez chaque membre de sa famille:

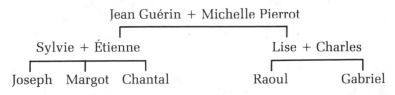

EXEMPLE: Michelle Pierrot est ___la mère___ d'Étienne.

1. Jean Guérin est _____ d'Étienne et de Lise.
2. Étienne est _____ de Sylvie.
3. Margot est _____ de Joseph et de Chantal.
4. Gabriel est _____ de Joseph.
5. Michelle Pierrot est _____ de Charles et de Sylvie.
6. Charles est _____ d'Étienne.
7. Sylvie est _____ de Jean Guérin.

8. Charles est _____ de Michelle Pierrot.
9. Lise est _____ de Margot, de Chantal et de Joseph.
10. Joseph est _____ de Sylvie et d'Étienne.
11. Raoul est _____ d'Étienne.
12. Michelle Pierrot est _____ de Margot, de Chantal et de Joseph.

Exercice I

Robert a perdu certains objets dans sa chambre. Indiquez ce qu'il cherche:

EXEMPLE: jouet **Il cherche le jouet.**

1. journal
2. mémoire
3. raquette
4. bougie
5. couteau
6. carnet
7. fourchette
8. vase

Exercice J

Exprimez les métiers de ces couples:

EXEMPLE:

M. Dupont _____ **est ouvrier** _____ .
Et Mme Dupont? _____ **Elle est ouvrière** _____ .

1. M. Legrand
   Et Mme Legrand?

2. M. Dutour
   Et Mme Dutour?

3. M. Restaud
   Et Mme Restaud?

4. M. Aude
   Et Mme Aude?

5. M. Simonet
   Et Mme Simonet?

6. M. Panier
   Et Mme Panier?

7. M. Mercier
   Et Mme Mercier?

8. M. Mathieu
   Et Mme Mathieu?

9. M. Arnaud
Et Mme Arnaud?

10. M. Louis
Et Mme Louis?

11. M. Juneau
Et Mme Juneau?

12. M. Lenoir
Et Mme Lenoir?

13. M. Masson
Et Mme Masson?

14. M. Évian
Et Mme Évian?

15. M. Léger
Et Mme Léger?

16. M. Carré
Et Mme Carré?

17. M. Louvier
Et Mme Louvier?

18. M. Hotier
Et Mme Hotier?

Exercice K

Delphine va participer à un concours de vocabulaire. Lisez la définition puis donnez le mot correct et son article défini:

    EXEMPLE: livre qui explique le sens des mots   **le dictionnaire**

1. objet avec lequel un enfant joue
2. synonyme de visage
3. objet utilisé pour renvoyer la balle au tennis
4. boisson à base d'eau sucrée et de citron
5. personne qui défend un accusé au tribunal
6. instrument pour couper la viande
7. star de cinéma ou de théâtre
8. douze mois
9. personne qui soigne les dents
10. contraire du mensonge
11. sept jours
12. transport aérien

13. instrument pour ouvrir la serrure d'une porte
14. personne qui joue d'un instrument
15. fille du roi
16. liquide pour faire marcher la voiture
17. pantalon et veste mis pour dormir
18. père du père
19. œuvre jouée au théâtre
20. animal très lent

6. Nouns of Quantity

Nouns that express quantity or measure are followed by **de** before another noun. Some frequent nouns of quantity are:

une paire *a pair*	**une livre** *a pound*
une douzaine *a dozen*	**un kilogramme (kilo)** *a*
un panier *a basket*	*kilogram*
une boîte *a box*	**un mètre** *a meter*
un paquet *a package*	**un litre** *a liter*
un sac *a bag*	**une tasse** *a cup*
un tas *a pile*	**un verre** *a glass*
un morceau *a piece*	**une bouteille** *a bottle*
une tranche *a slice*	

Je dois acheter **une livre *de* beurre** et **une bouteille *de* lait**.

I have to buy a pound of butter and a bottle of milk.

Elle m'a envoyé **une** belle **paire *de* gants**.

She sent me a beautiful pair of gloves.

Exprimez ce que M. Maupin a acheté au supermarché:

EXEMPLE:

Il a acheté un paquet de bonbons.

1.

2.

3.

4.

5.

6.

7.

8.

7. Plural of Nouns

a. The plural of most French nouns is formed by adding **s** to the singular:

SINGULAR	PLURAL
le musée *museum*	**les musées**
l'assiette (f.) *plate*	**les assiettes**
la pomme *apple*	**les pommes**

b. Nouns ending in **-s, -x,** or **-z** remain unchanged in the plural:

SINGULAR	PLURAL
le mois month	**les mois**
le prix pricc, prize	**les prix**
le nez nose	**les nez**

Other nouns ending in **-s:**

l'ananas (m.) pineapple	**le colis** package	**le jus** juice
l'autobus (m.) bus	**le corps** body	**le palais** palace
l'avis (m.) opinion	**le dos** back	**le pardessus** overcoat
le bas stocking	**le fils** son	**le pays** country
le bois wood	**la fois** time	**le repas** meal
le bras arm	**le héros** hero	**le tapis** rug

Other nouns ending in **-x:**

la croix cross   **la voix** voice

c. Nouns ending in **-eau** and **-eu** add **x** in the plural:

SINGULAR	PLURAL
le drapeau flag	**les drapeaux**
le neveu nephew	**les neveux**

NOTE: There is one exception:

le pneu tire   **les pneus**

Other nouns ending in **-eau:**

le bateau boat	**le manteau** coat
le bureau desk	**le morceau** piece
le cadeau gift, present	**l'oiseau** (m.) bird
le chapeau hat	**la peau** skin
le château castle	**le rideau** curtain
le couteau knife	**le tableau** picture, painting
l'eau (f.) water	**le veau** calf
le gâteau cake	

Other nouns ending in **-eu:**

le cheveu* hair	**le feu** fire
le jeu game	**le lieu** place

*Since **le cheveu** refers to a single hair, the plural **les cheveux** is more common.

d. Nouns ending in **-al** change **-al** to **-aux** in the plural:

SINGULAR	PLURAL
le journal *newspaper*	**les journaux**
l'hôpital *hospital*	**les hôpitaux**

Other nouns ending in **-al**:

l'animal (m.) *animal*	**le général** *general*
le cheval *horse*	**le mal** *ache, harm*

NOTE: Exceptions:

le bal *dance*	**les bals**
le festival *festival*	**les festivals**

e. Seven nouns ending in **-ou** add **x** in the plural:

SINGULAR	PLURAL
le bijou *jewel*	**les bijoux**
le caillou *pebble*	**les cailloux**
le chou *cabbage*	**les choux**
le genou *knee*	**les genoux**
le hibou *owl*	**les hiboux**
le joujou *toy*	**les joujoux**
le pou *louse*	**les poux**

NOTE: All other nouns in **ou** add **s** in the plural:

le clou *nail*	**les clous**
le trou *hole*	**les trous**

f. Some nouns have irregular plurals:

SINGULAR	PLURAL
le ciel *sky*	**les cieux**
l'œil (m.) *eye*	**les yeux**
le travail *work*	**les travaux**
madame *Madam, Mrs.*	**mesdames**
mademoiselle *Miss*	**mesdemoiselles**
monsieur *gentleman, Mr.*	**messieurs**

g. Plurals of common compound nouns:

SINGULAR	PLURAL
l'après-midi (m.) *afternoon*	**les après-midi**
le chef-d'œuvre *masterpiece*	**les chefs-d'œuvre**
la grand-mère *grandmother*	**les grands-mères**
le grand-père *grandfather*	**les grands-pères**

le gratte-ciel skyscraper	**les gratte-ciel**
le hors-d'œuvre appetizer	**les hors-d'œuvre**
le rendez-vous appointment	**les rendez-vous**
le réveille-matin alarm clock	**les réveille-matin**

h. A few nouns are used mainly in the plural:

les ciseaux (m.) scissors	**les mathématiques** (f.)
les gens (m. or f.) people	mathematics
les lunettes (f.) eyeglasses	**les vacances** (f.) vacation

i. Family names do not add **s** in the plural:

les Caron   **les Rolland**

Exercice M

Aline et Lisette sont jumelles. C'est aujourd'hui leur anniversaire. Exprimez le fait qu'elles reçoivent chaque cadeau en double:

EXEMPLE: Un seul cadeau?
Mais non, elles reçoivent deux cadeaux!

1. Un seul gâteau?
2. Un seul colis?
3. Un seul bijou?
4. Un seul jeu de cartes?
5. Un seul manteau?
6. Un seul pardessus?
7. Un seul joujou?
8. Un seul chapeau?
9. Un seul cheval?
10. Un seul tableau?

Exercice N

M. Hachette est un détective célèbre qui essaie de résoudre un crime. Exprimez quels indices il a trouvé dans un appartement en faisant son enquête:

EXEMPLE: **Il a trouvé des cailloux.**

♦ MASTERY EXERCISES ♦

Exercice O

Complétez ce monologue avec **un article** *(s'il est nécessaire),* **un nombre** *ou la forme correcte de* **quel:**

Bonjour. Je m'appelle Anne-Marie Junot. Je suis _____ actrice.
                                                    1

J'ai _____ yeux verts et _____ cheveux noirs. Les critiques disent
       2   **3**

que je suis _____ bonne actrice. Je suis populaire, _____ public
            4   **5**

m'envoie plus de _____ cartes par _____ jour. J'ai déjà
                  6   **7**

tourné _____ films et demain je commence à travailler dans _____
        8   **9**

autre film. Oh là là! _____ film! Je joue _____ rôle d'_____ femme
                       10   **11**   **12**

riche et élégante. Cette femme s'ennuie facilement et passe son temps à

voyager. C'est _____ femme capricieuse qui tombe dans plusieurs
                13

intrigues et _____ héros vient à chaque fois à son secours. Il y a
              14

_____ scène où _____ hommes s'habillent en _____ agents de
 15   **16**   **17**

police et accompagnent _____ femme à _____ grande fête. _____
                        18   **19**   **20**

scène formidable! _____ film va coûter plus de _____ dollars parce
                   21   **22**

que chaque acteur gagne _____ dollars par jour. J'ai _____ vie
                         23   **24**

intéressante. _____ chance de pouvoir être actrice!
               25

Exercice P

Complétez les phrases avec **un article défini, indéfini ou rien du tout:**

Je voudrais vous faire le portrait de ma meilleure amie, Carine Marec,

qui est _____ fille charmante et aimable. Elle mesure 5 pieds et
         1

4 pouces; elle a _____ cheveux blonds et _____ yeux bruns. Elle
2   3

porte _____ lunettes. _____ année dernière, je lui ai offert _____
4   5   6

bracelet avec _____ perles noires pour son anniversaire. _____ mère
7   8

de Carine est _____ avocate et son père est _____ docteur très
9   10

renommé. Carine veut devenir _____ architecte car elle aime
11

dessiner _____ maisons et _____ gratte-ciel. J'espère qu'elle
12   13

réussira. _____ grands-parents de Carine ont _____ ferme
14   15

en Normandie où ils élèvent _____ chevaux. Carine aime
16

beaucoup _____ campagne et nous y allons souvent ensemble pendant
17

_____ vacances. Carine adore _____ animaux. Elle a _____ chien,
18   19   20

Fifi, et _____ chat, Minou. Fifi adore _____ viande et _____
21   22   23

biscuits. Minou préfère _____ poisson et _____ lait. Dans sa
24   25

chambre, Carine garde _____ souris. Cette souris aime _____
26   27

fromage. Carine adore _____ sport. Elle se passionne pour _____
28   29

cyclisme. _____ samedi matin, elle fait de _____ natation à _____
30   31   32

piscine municipale. Carine est très populaire et est invitée à

toutes _____ fêtes. Je suis sûre que maintenant vous comprenez
33

pourquoi Carine est ma meilleure amie.

Exercice Q

Exprimez en français ce qu'Alain dit de son grand-père:

1. My grandfather was a Frenchman, but he also spoke English.
2. Italy and France were my grandparents' favorite countries.

3. My grandfather married a pretty Italian girl who had black hair and blue eyes.
4. He was a talented salesman and my grandmother was an artist. She loved to paint birds.
5. My grandfather sold hats, coats, stockings, and shoes, and my grandmother sold her paintings.
6. Their children sold pineapples at the market at twenty cents a pound.
7. What a memory he had! My grandfather remembered the names of all his customers.
8. He always closed his store at three o'clock on Fridays.
9. He used to go to the café in the spring and in the summer.
10. General de Gaulle was an acquaintance of my grandfather's.
11. They were heroes during the war.
12. When my grandfather came to visit us, he always brought a box of chocolate or a basket of fruit for the family.
13. One time he brought my mother a beautiful pair of shoes.
14. What a wonderful person my grandfather was!

19

Partitive

1. Forms and Uses

a. The partitive expresses an indefinite quantity or part of a whole (English *some* or *any*). Before a noun, the partitive is generally **de** + definite article:

PARTITIVE	USED BEFORE	EXAMPLE	MEANING
du	masculine singular nouns beginning with consonant	**du beurre**	some butter
de la	feminine singular nouns beginning with consonant	**de la soie**	some silk
de l'	any singular noun beginning with vowel	**de l'argent** **de l'eau**	some money some water
des	all plural nouns	**des camions** **des robes** **des hôtels** **des écoles**	some trucks some dresses some hotels some schools

Elle a *du travail* à faire.	*She has some work to do.*
Nous mangeons *de la glace.*	*We are eating some ice cream.*
Avez-vous *de l'argent?*	*Do you have any money?*
Donnez-moi *du pain*, s'il vous plaît.	*Give me some bread, please.*

NOTE: The partitive may not be omitted in French (as *some* or *any* may be omitted in English) and is repeated before each noun:

Voulez-vous ***des* spaghettis** ou ***de la* salade?**	*Do you want spaghetti or salad?*
Non, je préfère ***de la* viande** et ***des* frites.**	*No, I prefer meat and french fries.*

Lise, une enfant de quatre ans, donne à manger à son chien. Identifiez ce qu'elle lui donne:

EXEMPLE:

Elle lui donne du poisson.

9.   10.

b. In a negative sentence, the partitive is expressed by **de** without the article when it means *some* or *any*:

> **Je n'ai pas fait *de fautes.***   *I didn't make any mistakes.*
> **Il n'a guère *d'amis.***   *He has hardly any friends.*

c. When an adjective precedes a plural noun, the partitive is expressed by **de** alone:

> **Il porte *de vieux souliers.***   *He wears old shoes.*
> **Elle raconte *de longues***   *She tells long stories.*
>   ***histoires.***

NOTE: When a plural adjective is part of a noun compound, the definite article is retained:

> **des grands-parents**   **des petits-enfants**
>   grandparents   grandchildren
> **des jeunes filles** girls   **des petits pains** rolls
> **des jeunes gens** youths   **des petits pois** peas

d. When an adjective precedes a singular noun, the partitive is expressed with or without the article. The partitive with the article is the more common form:

> **Il boit *du bon cidre.***
> **Il boit *de bon cidre.***   *He drinks (some) good cider.*

e. After **ne . . . que** (only), **de** is used with the article, provided there is no adjective preceding a plural noun:

> **Je ne mange que *de la tarte.***   *I eat only pie.*
> **Je ne mange que *des tartes.***   *I eat only pies.*
> **Je ne mange que *de la bonne***   *I eat only good pie.*
>   ***tarte.***

> But:

> Je ne mange que ***de bonnes***   *I eat only good pies.*
>   **tartes.**

f. With nouns and adverbs of quantity and expressions with **de, de** alone
is used (see Chapter 18, Section 6, for nouns of quantity and Chapter
24, Section 2k, for adverbs of quantity):

Nous achèterons trois bouteilles *d'eau minérale.*	*We will buy three bottles of mineral water.*
Elle a trop *de devoirs.*	*She has too much homework.*
Donnez-moi une douzaine *d'œufs.*	*Give me a dozen eggs.*
J'ai besoin *d'argent.*	*I need money.*
Il manque *de courage.*	*He lacks courage.*
Tu ne peux pas te passer *de nourriture.*	*You cannot do without food.*

NOTE:

1. **La plupart** (most), **bien** (a good many, a good deal), and related
   expressions **(la plus grande partie, la majorité)** are followed by **de**
   + definite article:

La plupart des gens **aiment ce café.**	*Most people like this café.*
Bien des fois **il arrive en retard.**	*He often arrives late.*

2. **Plusieurs** (several) and **quelques** (some) are adjectives and modify
   the noun directly:

Vous avez *plusieurs amis* **ici.**	*You have several friends here.*
Attendez *quelques minutes.*	*Wait a few minutes.*

g. The partitive is omitted after **sans** (without) and **ne . . . ni . . . ni**
(neither . . . nor):

C'est un livre *sans images.*	*It is a book without (any) pictures.*
Nanette *ne* **boit** *ni thé ni café.*	*Nanette drinks neither tea nor coffee. (Nanette doesn't drink any tea or coffee.)*

Exercice B

Martine explique à sa sœur cadette ce qu'on vend dans ces magasins en France:

EXEMPLE: pharmacie / médicaments
Dans une pharmacie on vend des médicaments.

1. pâtisserie / gâteaux
2. bijouterie / bijoux
3. poissonnerie / poisson
4. boucherie / viande
5. fruiterie / fruits
6. boulangerie / pain
7. charcuterie / saucisses
8. librairie / livres

Exercice C

Exprimez ce que Mme Leduc achètera quand elle visitera ces villes françaises:

EXEMPLE: Paris / articles de luxe
À Paris elle achètera des articles de luxe.

1. Alençon / dentelle
2. Cambrai / bonbons
3. Baccarat / cristaux
4. Besançon / montres
5. Bordeaux / vin
6. Grasse / parfum
7. Grenoble / gants
8. Limoges / porcelaine

Exercice D

Vous racontez à un ami ce que vous avez fait et ce que vous n'avez pas fait pendant vos vacances aux îles Caraïbes:

EXEMPLE: écrire (cartes postales / lettres)
J'ai écrit des cartes postales. Je n'ai pas écrit de lettres.

1. manger (spécialités du pays / hamburgers)
2. boire (jus de papaye / lait)
3. faire (voile / ski)
4. prendre (photos des gens / photos du paysage)
5. goûter (poisson du pays / viande du pays)
6. avoir (temps libre / travail)

Exercice E

Vos amis et vous dînez au restaurant, mais certains d'entre vous suivent un régime. Exprimez ce que vous pouvez ou ne pouvez pas commander:

EXEMPLE: Georgette ne digère pas les plats épicés. / manger: légumes? ragoût? glace?
Elle mange des légumes.
Elle ne mange pas de ragoût.
Elle mange de la glace.

1. Anne veut grossir. / prendre: pain? salade? gâteau?
2. Liliane est allergique aux produits laitiers. / boire: citronnade? lait? eau minérale?

3. Jean est nerveux. / choisir: café? limonade? jus d'orange?
4. Robert est végétarien. / commander: porc? fromage? agneau?
5. Richard veut maigrir. / manger: spaghettis? fruits? pâtisseries?
6. Janine a des problèmes cardiaques. / se passer de: viandes grasses? céléri? jus d'orange?

Exercice F

Exprimez ce qu'on vend dans cette galerie marchande:

> EXEMPLE: curieux gadgets
> **On vend de curieux gadgets.**

1. nouveaux vêtements
2. excellent café
3. jolie argenterie
4. bons disques
5. grandes affiches
6. beau tissu
7. petites bagues
8. bonne limonade

Exercice G

Tout le monde se plaint de temps en temps. Exprimez ce que ces personnes disent:

> EXEMPLE: beaucoup / inquiétudes
> **J'ai beaucoup d'inquiétudes.**

1. assez / problèmes
2. trop / devoirs
3. peu / amis
4. tant / soucis
5. beaucoup / travail

Exercice H

Exprimez ce que Marie demande à l'épicier:

> EXEMPLE: une bouteille / eau minérale
> **Je voudrais une bouteille d'eau minérale, s'il vous plaît.**

1. une boîte / petits pois
2. une livre / cerises
3. un litre / jus d'orange
4. un sac / farine
5. une douzaine / bananes

Exercice I

Décrivez la fête internationale de votre école en utilisant le partitif s'il est nécessaire:

1. La plupart _____ élèves ont assisté à la fête.
2. Bien _____ professeurs y sont allés.

3. J'ai essayé plusieurs _____ hors-d'œuvre.
4. Marie avait cuisiné beaucoup _____ plats différents.
5. Patrick n'a mangé ni _____ fruits ni _____ légumes.
6. On avait le choix entre une dizaine _____ boissons différentes.
7. On n'avait pas préparé assez _____ desserts.
8. Ça a été une soirée sans _____ égale.

2. Partitive and the Definite Article

While the partitive is used to express some or part of something, the definite article is used with nouns in a general sense (expressing the entire class):

Les Français aiment *le vin*.	The French love wine [in general].
Beaucoup de Français boivent *du vin* pendant *les repas*.	Many French people drink (some) wine during meals [all meals].

Exercice J

Répondez aux questions que des amis vous posent sur vos habitudes alimentaires:

EXEMPLE: Bois-tu du café?
Oui, j'aime le café et je bois souvent du café.

1. Prends-tu de l'eau minérale?
2. Manges-tu de la viande?
3. Achètes-tu des légumes?
4. Choisis-tu du poulet?
5. Prépares-tu des salades?
6. Bois-tu du thé?

Exercice K

Exprimez quelle sorte de nourriture vous préférez. Utilisez l'article défini ou le partitif:

1. Mon plat de viande préféré est _____.
2. Je n'aime pas _____.
3. Au petit déjeuner je prends _____.
4. Au déjeuner je mange _____ et je bois _____.
5. Si je préparais le dîner, je cuisinerais _____.
6. Mon dessert préféré est _____.
7. Mes légumes favoris sont _____.
8. Mes fruits préférés sont _____.
9. Quand je suis un régime, je ne prends pas _____.

10. Quand je veux quelque chose de sucré, je prends _____ .
11. Ma boisson favorite est _____ .
12. Je ne mangerais jamais _____ .

◆ MASTERY EXERCISES ◆

Exercice L

Vous travaillez dans un restaurant. Combinez les éléments avec l'article défini ou le partitif pour exprimer ce que dit le chef:

1. j'ai besoin / marmites tout de suite
2. j'ai utilisé / crème fraîche
3. beaucoup / clients aiment / poulet
4. je pense que / cuisine française est / meilleure
5. je ne fais jamais / erreurs quand je cuisine
6. ici on prépare / bons repas
7. bien / clients adorent / escargots
8. j'adore manger / bon gâteau au chocolat
9. je préfère préparer cette recette avec / beurre
10. ma spécialité est / coq au vin
11. j'ai servi / petits pains au petit déjeuner
12. donnez-moi une douzaine / œufs pour cette tarte
13. il y a / travail à faire
14. je n'utilise que / produits naturels

Exercice M

La classe de français va faire un pique-nique. Complétez la description des préparatifs en utilisant l'article défini, le partitif ou rien du tout:

La classe de français va faire un pique-nique dans le parc. La

plupart _____ élèves ont préparé _____ spécialités de leurs pays.
            1   2

Quelques _____ autres apportent _____ fourchettes, _____
              3   4   5

cuillères et _____ assiettes en plastique. Le professeur apporte
                 6

plusieurs _____ boissons. Bien _____ jeunes filles et bien _____
                7   8   9

garçons ont _____ habitudes bizarres en ce qui concerne la nourriture.
                 10

Marie, par exemple, ne mange ni _____ fruits ni _____ légumes.
                                      11   12

Grégoire, lui, ne mange que _____ salade. André utilise
                                 13

beaucoup _____ poivre et Lisette peut manger une boîte
              14

entière _____ chocolats toute seule! Claire n'aime pas _____ tomates
            15   16

et Paul ne boit jamais _____ lait. Douglas se passe _____ dessert
                            17   18

parce qu'il est au régime. Le professeur fait attention à sa ligne elle aussi

et prend très peu _____ pain sans _____ beurre. Heureusement,
                       19   20

Lucie va apporter _____ bons desserts et _____ bonne orangeade.
                       21   22

On va bien manger et bien s'amuser au pique-nique.

Exercice N

Exprimez en français les conseils d'un diététicien sur les régimes:

1. Do you want to lose some weight?
2. Most people answer yes to this question.
3. Here are some good ideas and several rules to follow.
4. Eat a lot of salad with vegetables and fruits.
5. Drink at least eight glasses of water per day.
6. Eat good healthy food: chicken or veal, carrots and green vegetables. Avoid sauces.
7. Limit the number of calories you consume.
8. Don't eat either ice cream or cake.
9. Do without chocolate.
10. Do physical exercise.

20

Subject and Stress Pronouns

A pronoun is a word used in place of a noun. A subject pronoun is used in place of a subject noun.

1. Subject Pronouns

SINGULAR		PLURAL	
je (j')	I	**nous**	we
tu	you (familiar)	**vous**	you (plural/formal)
il	he	**ils**	they (masculine)
elle	she	**elles**	they (feminine)
on	one, you, we, they		

NOTE:

1. A subject pronoun and its verb may be inverted in interrogative sentences. Inversion with **je** is rarely used:

   Sortez-*vous* ce soir?   *Are you going out tonight?*

2. Subject pronouns are omitted in the imperative:

   Venez ici.   *Come here.*

3. The familiar subject pronoun **tu** is used to address friends, relatives, children, and pets. The formal **vous** is used in the singular to address older people, strangers, or people one does not know well.

4. The third person subject pronoun **on** means *one* or *someone*. It may also refer to an indefinite *you*, *we*, *they*, or *people* in general. **On** + active construction may also take the place of a passive construction:

   ***On* a besoin d'amis.**   *One needs (People need/We need) friends.*

On **dit que le russe est très difficile.**	*They say that Russian is very difficult.*
On **a volé mon livre.**	*Someone stole my book. (My book has been stolen.)*

In spoken French, **on** is often used in place of **nous**:

On **va voir un film ce soir.**	*We're going to see a movie tonight.*

Exercice A

Henri identifie ses amis à une fête et dit d'où ils viennent. Complétez chaque phrase avec le pronom qui convient:

EXEMPLE: Jeanne et Lucie sont amies. __**Elles**__ sont de Lyon.

1. Hélène et Rose sont sœurs. _____ sont de Grenoble.
2. Georges et Pierre sont cousins. _____ sont de Marseille.
3. Wilfrid et moi, _____ sommes américains. _____ sommes de la Louisiane.
4. Lisette est de Montréal. _____ est la sœur de Luc.
5. Charles est le cousin de Richard. _____ est de Bruxelles.
6. Raoul et Mireille, d'où êtes-_____? — Moi, _____ suis de Nice. Raoul, _____ est de Cannes.
7. Claire, d'où es-_____? — _____ suis de Dakar.
8. Gustave, d'où sont tes parents? — _____ sont de Paris.

Exercice B

Exprimez comment on se conduit en classe de français:

EXEMPLES: écouter attentivement
   On écoute attentivement.

   ne pas parler anglais
   On ne parle pas anglais.

1. parler toujours français
2. ne jamais mâcher de chewing-gum
3. faire les devoirs tous les soirs
4. ne pas lancer d'avions en papier
5. ne pas bavarder
6. prêter attention

2. *Ce + être*

The pronoun **ce (c')** *(it, he, she, this, that, they, these, those)* is most frequently used with the verb **être**. **Ce** replaces **il, elle, ils,** and **elles** in the following constructions:

a. Before a modified noun:

C'est **un mouton.**	It is a sheep.
C'est **une affaire grave.**	That's a serious matter.
Ce sont **de vrais amis.**	They are real friends.

But (unmodified):

Il est **pompier.**	He is a fire fighter.

b. Before a proper noun:

Qui est là? — *C'est* **Jeanne.**	Who is there? — It's Jeanne.
Quelle est la capitale de l'Angleterre? — *C'est* **Londres.**	What is the capital of England? — It is London.

c. Before a pronoun:

Je doute que *ce soit* **lui.**	I doubt that it is he.
Est-ce **vous** qui avez ri?	Are you the one who laughed?
Ce sont **les nôtres.**	They (These, Those) are ours.
C'était **celle** de ma mère.	It was my mother's.

d. Before a superlative:

C'est **la plus jeune** de la famille.	She is the youngest in the family.
C'est **le moindre** de mes soucis.	That's the least of my worries.

e. In dates:

C'est **aujourd'hui jeudi.**	Today is Thursday.
Demain *ce sera* **le deux mai.**	Tomorrow will be May 2.

NOTE: In expressing the hour of the day, **il** is used:

Il est **trois heures.**	It is three o'clock.

f. Before a masculine singular adjective to refer to an idea or action previously mentioned:

> Roger comprend bien le
> français. — *C'est* évident.
> Est-ce que je peux vous aider?
> — *C'est* inutile.

> Roger understands French
> well. — *That's obvious.*
> Can I help you? — *It's useless.*

NOTE: In referring to a preceding noun, **il** and **elle** are used:

> Luc est **mon cousin.** *Il est*
> très sympathique.
> Regardez **cette fleur.** *Elle est*
> parfaite.

> Luc is my cousin. He is very
> nice.
> Look at that flower. It is
> perfect.

g. Before an adjective + **à** + infinitive:

> *C'est* **bon à savoir.**
> *C'est* **impossible à faire.**

> *That's good to know.*
> *That's impossible to do.*

NOTE:

1. Impersonal **il** *(it)* is used with **être** and an adjective before **de** + infinitive:

> *Il est* **bon de dire** la vérité.
> *Il n'est* **pas facile de réussir.**

> It is good to tell the truth.
> It isn't easy to succeed.

French makes clear the meaning of *it* by two distinct constructions. The English versions of these sentences, although identical, have two different meanings:

> *Il est* **intéressant de lire.**
>
> *C'est* **intéressant à lire.**

> It is interesting to read.
> (Reading is interesting.)
> It is interesting to read. (The
> book, the letter, etc. is
> interesting to read.)

2. **Il** is used with **être** and an adjective before a clause beginning with **que:**

> *Il est* *important* **que vous**
> **appreniez le français.**
> *Il est* *normal* **qu'il se soit**
> **fâché.**

> It is important that you learn
> French.
> It is normal he got angry.

3. **Ceci** and **cela (ça)** replace **ce** for emphasis or contrast:

> *Ceci* **est urgent!**
> *Ceci* **est urgent et** *cela* **ne l'est**
> **pas.**

> This is urgent!
> This is urgent and that isn't.

Ceci **me rend heureuse.**	*This makes me happy.*
Cela (Ça) **ne se dit pas.**	*We (People) don't say that.*

Exercice C

Marthe bavarde avec sa nouvelle amie Christine. Elle décrit des personnes et des choses. Complétez ses descriptions avec **ce (c'), il(s)** *ou* **elle(s):**

1. Regarde ces garçons: _____ sont mes frères. _____ sont très sportifs.
2. Qui sonne à la porte? — _____ sont eux. _____ sont arrivés de bonne heure.
3. Je te présente ma sœur Régine. _____ est très intelligente. _____ est la plus intelligente de la famille.
4. As-tu fait la connaissance de M. Sorel? _____ est mon professeur de science. _____ est charmant.
5. Voici ma tante Gisèle. _____ est un mannequin célèbre. _____ est jolie, n'est-ce pas?
6. Regarde ma nouvelle voiture. _____ est impossible d'oublier les clefs à l'intérieur. _____ est pratique, non?
7. Veux-tu manger au restaurant Chez Pierre? _____ est un restaurant populaire. _____ est ouvert tous les jours.
8. Quelle est la date aujourd'hui? — _____ est dimanche, le trois mai. Quel dommage, le musée est fermé. _____ n'est pas possible d'y aller aujourd'hui.

Exercice D

Donnez votre opinion sur les activités suivantes:

EXEMPLES:　grimper aux arbres (dangereux)
Il est dangereux de grimper aux arbres.
Il n'est pas dangereux de grimper aux arbres.

1. savoir conduire une voiture (important)
2. réussir à l'école (nécessaire)
3. voyager en avion (effrayant)
4. faire du sport (amusant)
5. voyager (intéressant)
6. gagner beaucoup d'argent (facile)

Exercice E

Commentez les actions de vos amis:

EXEMPLE:　Henri apprend beaucoup. (essentiel)
Il est essentiel qu'Henri apprenne beaucoup.

1. Janine va à la bibliothèque. (important)
2. Richard mange des légumes. (prudent)
3. Roland est toujours calme. (bon)
4. Marie fume des cigarettes. (dangereux)
5. Henri conduit très vite. (stupide)
6. Alice dit des mensonges. (mauvais)
7. Lucie écrit un roman d'amour. (amusant)
8. André gagne beaucoup d'argent. (normal)

Exercice F

Lucien est un garçon très sûr de ses opinions. Exprimez ce qu'il dit:

      EXEMPLE: Le lait? bon / boire
                C'est bon à boire.

1. L'ordinateur? difficile / programmer
2. L'amour? dur / comprendre
3. Le travail? amusant / faire
4. L'avenir? impossible / prédire
5. Le ski? agréable / pratiquer
6. Le reportage sportif? facile / lire

Exercice G

Répondez aux questions qu'un ami vous pose en utilisant ce (c'), il(s) *ou* elle(s):

1. Quelle est la capitale du Sénégal? (Dakar)
2. Qui a inventé l'écriture en relief pour les aveugles? (Louis Braille)
3. Quelle est la date de la célébration de la Révolution française? (le quatorze juillet)
4. Est-ce Pasteur qui a découvert le vaccin contre la rage? (lui)
5. Quelle était la profession de Saint-Exupéry? (pilote)
6. Peut-on ignorer les problèmes de l'environnement? (impossible)
7. Comment était Jeanne d'Arc? (courageuse)
8. Qui était Napoléon? (l'empereur des Français)

Exercice H

Complétez ce que Mme Rousseau dit de ses élèves en choisissant le mot correct:

1. (ce, cela)   Anne copie souvent les devoirs de Lucien. _____ m'inquiète.
2. (ça, ce)   Virginie ne se sentait pas bien aujourd'hui. Je lui ai dit: «_____ ira mieux demain.»

3. (ce, ceci)   Quand je dis à mes élèves _____ est important et cela
    ne l'est pas, ils me demandent toujours d'expliquer
    pourquoi.
4. (ce, cela)   Jacqueline aura réussi à tous ses examens. _____ fera
    plaisir à ses parents.
5. (ce, ça)   Antoine sait toujours ses leçons par cœur. _____
    prouve qu'il est très studieux.
6. (ce, cela)   Jacques bavarde toujours en classe. _____ me dérange.
7. (ce, ceci)   Lucien est arrivé à l'heure pour la première fois de sa vie.
    _____ est exceptionnel!
8. (ça, c')   Jérôme a refusé de faire partie de l'équipe de football. ____
    est dommage.

3. Stress Pronouns

A stress pronoun may be used to replace a noun used as subject or
object or to emphasize pronouns or nouns used as subject or object:

SINGULAR			PLURAL		
(je)	**moi**	I, me	*(nous)*	**nous**	we
(tu)	**toi**	you (familiar)	*(vous)*	**vous**	you (plural, formal)
(il)	**lui**	he, him	*(ils)*	**eux**	they, them
(elle)	**elle**	she, her	*(elles)*	**elles**	they, them
(on)	**soi**	oneself, himself			

4. Uses of Stress Pronouns

a. Stress pronouns are used after a preposition:*

Il marche *vers moi*.   *He walks toward me.*
Elle viendra *chez toi*.   *She will come to your house.*
Nous parlions *d'eux*.   *We were speaking about them.*

NOTE:

1. After the preposition **à**, a stress pronoun is generally not used. An
    indirect object pronoun is used instead:

    J'ai donné un cadeau **à**   *I gave a present to Michèle.*
    Michèle.

*For a list of common prepositions, see the Appendix, pages 537–538.

Je **lui** ai donné un cadeau.   I gave her a present. (I gave a
                                                 present to her.)

2. A few verbs and verbal phrases followed by an object use **à** + stress
    pronoun to refer to people:

avoir affaire à to deal with   **prêter attention à** to pay
être à to belong to   attention to
faire attention à to take care of,   **renoncer à** to renounce, give
    be careful of   up
se fier à to trust   **songer à** to think about
s'intéresser à to be interested   **tenir à** to care about; to insist
    in   on
penser à to think about (of)

Pensais-tu *à Jacques?* — **Oui,**   Were you thinking of Jacques?
    je pensais *à lui.*   — Yes, I was thinking about
                                               him.

Je ne me fie pas *à Laurent et à*   I don't trust Laurent and
    Annik. — **Moi, je me fie** *à*   Annik. — I trust them.
    eux.

b. Stress pronouns are used after **ce** + **être:**

Qui est-ce? — **C'est** *elle.*   Who is it? — It is she.
Ce n'est pas *moi* qui l'ai fait.   I'm not the one who did it.
                                            [Literally: It's not I who did
                                               it.]

C'est *nous* qui partons.   We are leaving.
C'est *eux* qui parlent.*   They are the ones who are
                                               speaking.

Est-ce *vous?* **Est-ce** *eux?*   Are you the ones? Are they the
                                               ones?

Exercice I

*Répondez aux questions d'un(e) camarade de classe en employant le
pronom qui convient:*

EXEMPLES: Es-tu allé(e) avec Sylvie au cinéma?
            Oui, je suis allé(e) avec elle au cinéma.
            Non, je ne suis pas allé(e) avec elle au cinéma.

---

*Before the stress pronouns **eux** and **elles,** the verb **être** may be either in the
singular **(c'est eux)** or the plural **(ce sont elles),** although the singular is more
common.

1. Habites-tu près de chez nous?
2. Veux-tu venir danser avec moi?
3. Te souviens-tu de ton arrière-grand-père?
4. Paul est-il assis à côté de toi dans la classe de français?
5. Fais-tu des achats importants sans ta mère?
6. Travailles-tu pour ton père?
7. Arrives-tu à l'école avant les autres?
8. Ta sœur et toi, discutez-vous entre vous?

Exercice J

Les élèves de la classe de français sont très sérieux. Exprimez qui d'entre eux fait les choses suivantes:

> EXEMPLE: Qui reçoit les meilleures notes? (Robert)
> **C'est lui.**

1. Qui réussit bien à l'examen? (je)
2. Qui écrit une bonne composition? (vous)
3. Qui écoute toujours le professeur? (Alice)
4. Qui travaille dur? (ma sœur et moi)
5. Qui arrive toujours à l'heure? (Hervé)
6. Qui finit rapidement les exercices? (Janine et Chantal)
7. Qui étudie beaucoup? (tu)
8. Qui aide le professeur? (Marc et Antoine)

Exercice K

Exprimez les préoccupations sentimentales des personnes suivantes:

> EXEMPLE: (il) Je pense à ___ **lui** ___ tout le temps.

1. (je)   J'espère que mon petit ami pense à _____.
2. (il)   Je tiens à _____.
3. (elle)   Il doit renoncer à _____.
4. (nous)   Ces lettres d'amour sont à _____.
5. (ils)   Je me fie à _____.
6. (tu)   Mon amour, je ne pense qu'à _____.
7. (elles)   Ces garçons ne s'intéressent qu'à _____.
8. (vous)   Ils ne pensent qu'à _____.

C. Stress pronouns are used when the pronoun has no verb:

> **Qui parle français ici? — *Moi.***   *Who speaks French here? — I (do).*

Qui gagne? — *Pas nous.*	*Who is winning?* — *Not we.*
Je suis plus belle *que toi.*	*I am prettier than you.*
Je n'aime *que lui.*	*I love only him.*

d. Stress pronouns are used in a compound subject or object:

Leurs enfants et *eux* sont heureux.	*Their children and they are happy.*

NOTE: If one of the stress pronouns is **moi,** the subject pronoun **nous** is used to summarize the compound. If **toi** is one of the stress pronouns, **vous** summarizes the compound:

Lui et moi, **nous** sommes parfaits ensemble.	*He and I are great together.*
Elle et toi, **vous** ne comprenez rien.	*She and you don't understand anything.*
Je **vous** ai vus, *elle et toi.*	*I saw her and you.*

e. Stress pronouns are added for emphasis or clarification:

Eux, **ils** n'auraient jamais menti.	*THEY would never have lied.*
Je **les** ai vus, *lui et elle.*	*I saw him and her.*
Je **leur** ai téléphoné, *à lui et à elle.*	*I phoned him and her.*

f. Stress pronouns may be reinforced by adding **-même (-mêmes):**

Jean y est allé *lui-même.*	*Jean went there himself.*
Nous le ferons *nous-mêmes.*	*We will do it ourselves.*

NOTE: The stress pronoun **soi** (or **soi-même**) is used with indefinite subjects like **on, chacun, tout le monde,** to refer to general statements:

Il est essentiel d'avoir confiance en *soi.*	*It is essential to have self-confidence (confidence in oneself).*
Chacun(e) pour *soi.*	*Everyone for himself (herself).*
Tout le monde pense à *soi.*	*Everyone thinks of himself (herself).*

Exercice L

Il va y avoir une grande fête à l'école et vous demandez à votre camarade qui va être invité en plus de tous les professeurs:

> EXEMPLE: Mon frère et moi?
> **Oui, vous aussi.**

1. Robert et Luc?
2. Toi?
3. Vous deux?
4. Anne et Sylvie?

5. Lisette?
6. Moi?
7. Mon amie et moi?
8. André?

Exercice M

Exprimez ce que les personnes suivantes font aujourd'hui:

> EXEMPLE: toi et moi / aller au cinéma
> **Toi et moi, nous allons** au cinéma.

1. Brigitte et nous / jouer au tennis
2. elle et toi / faire un pique-nique
3. lui et moi / voir un film
4. vous et lui / regarder le match de football
5. toi et eux / dîner chez des amis
6. elles et moi / sortir

Exercice N

Exprimez en quoi chacun est fort:

> EXEMPLE: Pierre / biologie
> **Lui, il est fort en biologie.**

1. je / français
2. Thomas et Denis / maths
3. nous / chimie
4. Lucie / histoire

5. vous / italien
6. Georges / technologie
7. tu / algèbre
8. Régine et Brigitte / anglais

Exercice O

Exprimez comment chaque personne se vante de ses accomplissements:

> EXEMPLE: J'ai préparé le dîner.
> **J'ai préparé le dîner moi-même.**

1. Elles ont décoré leurs maisons.
2. Tu as résolu le problème.

3. Ils ont piloté un avion.
4. J'ai écrit ce livre.
5. Il a bâti sa maison.
6. Nous avons fait ce dessin.
7. Elle a réparé sa voiture.
8. Vous avez composé cette chanson.

♦ MASTERY EXERCISES ♦

Exercice P

Complétez cette histoire en utilisant ce (c') *ou* il(s):

_____ est aujourd'hui samedi. _____ est onze heures du matin. Le
   1   2

téléphone sonne. Qui est-_____? _____ est Georges Restaud.
                          3   4

_____ est mon meilleur ami. Il m'appelle pour discuter d'un
   5

scandale à l'école. _____ est une affaire sérieuse. Le directeur veut
                 6

renvoyer notre professeur favori, M. Charles. À mon avis, _____ est le
                                                  7

meilleur professeur de l'école. _____ est impossible qu'on veuille le
                              8

congédier. _____ est lui qui s'intéresse le plus aux étudiants. On dit
          9

qu'il a frappé Henri Boucher. _____ est faux. Tout le monde le sait.
                    10

Henri ment tout le temps. _____ est incapable de dire la vérité.
                  11

Exercice Q

Répondez aux questions d'un(e) ami(e) en vous servant d'un pronom accentué:

1. Qui est plus intelligent(e) que toi?
2. Que sais-tu faire toi-même?
3. Qui fait le ménage chez toi?
4. Est-ce toi qui danses si bien?
5. Te fies-tu à tes parents?
6. Fais-tu attention à tes professeurs?

Exercice R

Complétez cette histoire d'amour avec les pronoms qui conviennent:

Il y a un garçon à l'école qui s'appelle Gabriel. Je rêve de _____
                                                              1

chaque nuit et le jour je ne pense qu'à _____. Si seulement j'avais le
                                         2

courage de lui déclarer mon amour! . . . J'entends sonner à la porte. Je

vais ouvrir. Ce doit être le facteur. Mais non, c'est Gabriel. C'est

bien _____! _____, je ne peux pas en croire mes yeux. Je le fais
      3   4

entrer. Il s'approche de _____. Nous nous regardons les yeux dans les
                          5

yeux. _____, il me sourit et _____, je lui dis: «Je t'aime.» _____, il
       6   7   8

me répond tendrement: «_____, tu es la fille de mes rêves.»
                        9

Puis, _____ et _____, nous partons faire une promenade ensemble.
       10   11

Tout d'un coup, un bruit me ramène à la réalité. Ma mère s'approche

de _____. Elle me dit: «Ton réveil vient de sonner. Georgette t'attend.
    12

Est-ce que vous ne deviez pas aller en ville ensemble, elle et _____,
                                                               13

aujourd'hui?»

Exercice S

Exprimez en français cette composition intitulée «Mon meilleur ami»:

1. My best friend is Paul. He alone understands my problems.
2. He is smarter than I.
3. I am better-looking than he.
4. Everyone pays attention to us because of him.
5. He and I always have a good time together.
6. He can do everything himself.
7. Who is always there for me? — He is!
8. It is he who helps me all the time.
9. It is he that I respect the most.
10. I trust him completely.

21

Object Pronouns

1. Object Pronouns

a. Forms

DIRECT OBJECT PRONOUNS	INDIRECT OBJECT PRONOUNS
me (m') *me*	**me (m')** *(to) me*
te (t') *you* (familiar)	**te (t')** *(to) you* (familiar)
le (l') *him, it* (masculine)	**lui** *(to) him*
la (l') *her, it* (feminine)	**lui** *(to) her*
se (s') *himself, herself*	**se (s')** *(to) himself, (to) herself*
nous *us*	**nous** *(to) us*
vous *you*	**vous** *(to) you*
les *them*	**leur** *(to) them*
se (s') *themselves*	**se (s')** *(to) themselves*

NOTE: The forms **me, te, se, nous,** and **vous** are both direct and indirect object pronouns. They are also reflexive pronouns (see pages 115–116).

b. Uses of object pronouns

A direct object pronoun replaces a direct object noun and answers the questions *whom?, what?*

J'ai rencontré *Christophe.*	*I met Christophe.*
Je *l'*ai rencontré.	*I met him.*
Je regarde *la télévision.*	*I watch television.*
Je *la* regarde.	*I watch it.*
Nous achèterons *les fraises.*	*We will buy the strawberries.*
Nous *les* achèterons.	*We will buy them.*

An indirect object pronoun replaces an indirect object noun and answers the question *to whom?*

J'écris *à mes amis.*	*I am writing to my friends.*
Je *leur* écris.	*I am writing to them.*

Nous téléphonons souvent *à* **Lisette.**	We telephone Lisette often.
Nous *lui* **téléphonons** souvent.	We telephone her often.

NOTE:

1. Verbs that take an indirect object in English do not necessarily take an indirect object in French. Verbs like **écouter** *(to listen to)*, **chercher** *(to look for)*, **payer** *(to pay for)*, and **regarder** *(to look at)* take a direct object in French:

L'écoutez-vous?	Are you listening to him?
Nous *les* **attendons** ici.	We're waiting for them here.

2. Verbs like **obéir (à)** *(to obey)*, **désobéir (à)** *(to disobey)*, **répondre (à)** *(to answer)*, **ressembler (à)** *(to resemble)*, and **téléphoner (à)** *(to telephone)* take an indirect object in French:

Je *lui* **ai téléphoné.**	I telephoned him.
Nous ne *leur* **désobéissons jamais.**	We never disobey them.

3. Note the use of the indirect object with the verb **plaire** *(to please)*:

Ce cadeau *lui* **plaît.**	She likes this gift. [Literally: This gift pleases her.]
Ces cadeaux *leur* **plaisent.**	They like these gifts. [Literally: These gifts please them.]

4. Note the use of the indirect object with the verbs **falloir** *(to be necessary)* and **manquer** *(to miss)*:

Il *me* **faut un stylo.**	I need a pen.
Il *leur* **manque.**	They miss him.

C. Position of object pronouns

(1) Object pronouns, direct or indirect, including reflexive, normally precede the verb:

Il *vous* **comprend.**	He understands you.
Elle *l'***a fait.**	She did it.
Ne *lui* **avais-tu pas téléphoné** hier?	Hadn't you telephoned him yesterday?
Il ne *vous* **parlera pas.**	He will not talk to you.
*T'***aurait-il dit** la vérité?	Would he have told you the truth?
Les enfants *se* **lavaient-ils?**	Were the children washing themselves?
Je *me* **suis levé** tôt.	I got up early.

NOTE: In compound tenses, past participles agree in gender and number with a preceding direct object (see Chapter 5):

Tes livres? **Je** *les* **ai vus** dans ta chambre.	*Your books? I saw them in your room.*
Nous *nous* **sommes levés.**	*We got up.*
La chanson? Oui, **il l'a apprise** par cœur.	*The song? Yes, he learned it by heart.*

(2) In an affirmative command only, the object pronoun comes directly after the verb and is attached to it by a hyphen. The pronouns **me** and **te** change to **moi** and **toi** after the verb:

AFFIRMATIVE COMMAND	NEGATIVE COMMAND
Aidez-*moi.* *Help me.*	**Ne** *m'***aidez pas.** *Don't help me.*
Dépêche-*toi.* *Hurry up.*	**Ne** *te* **dépêche pas.** *Don't hurry.*
Buvez-*la.* *Drink it.*	**Ne** *la* **buvez pas.** *Don't drink it.*

(3) When an object or reflexive pronoun is used with an infinitive construction, the pronoun precedes the verb of which it is the object, normally the infinitive:

Il voulait *m'***embrasser.**	*He wanted to kiss me.*
Ne venez pas *nous* **voir.**	*Don't come to see us.*
Seriez-vous allé *le* **chercher?**	*Would you have gone to look for him?*
Ne voulez-vous pas *lui* **parler?**	*Don't you want to talk to him?*
Va-t-il *se* **reposer** après le dîner?	*Is he going to rest after dinner?*

NOTE: An object pronoun precedes a verb of perception (like **écouter, entendre, regarder, sentir, voir**) and the verbs **faire** and **laisser** because the pronoun is the object of that verb:

Les parents *regardent les enfants* **jouer.**	*The parents watch the children play.*
Les parents *les* **regardent jouer.**	*The parents watch them play.*
Je *fais* **laver** *la voiture.*	*I have the car washed.*
Je *la* **fais laver.**	*I have it washed.*
Maman ne *laissera* **pas** *Michelle* **conduire.**	*Mom will not let Michelle drive.*
Maman ne *la* **laissera pas conduire.**	*Mom will not let her drive.*

(4) Object pronouns precede **voici** and **voilà**:

Nous **voici.**   Here we are.
La **voilà.**   There she (it) is.

Exercice A

Gabrielle est très distraite aujourd'hui. Comme elle ne peut pas trouver les vêtements qu'elle veut porter, elle demande l'aide de sa mère. Exprimez ce que sa mère répond à ses questions:

EXEMPLE: Où est ma robe?
           La voilà.

1. Où est ma blouse?
2. Où est mon chapeau?
3. Où sont mes chaussettes?

4. Où est mon manteau?
5. Où sont mes gants?
6. Où est ma jupe?

Exercice B

Vous organisez une surprise-partie et votre mère vous demande si vous avez tout fait. Répondez-lui:

EXEMPLE: As-tu arrangé les chaises?
           Oui, je les ai arrangées.

1. As-tu écrit les invitations?
2. As-tu invité tous tes amis?
3. As-tu fait les provisions?
4. As-tu préparé les sandwiches?

5. As-tu goûté la mousse?
6. As-tu nettoyé le salon?
7. As-tu acheté les desserts?
8. As-tu mis le couvert?

Exercice C

Formez des phrases qui expriment ce que vous auriez fait hier s'il n'avait pas plu. Faites tous les changements nécessaires:

EXEMPLE: j'aurais emmené au parc / les chiens
           Je les aurais emmenés au parc.

1. j'aurais rencontré en ville / vous (f.)
2. Pierre aurait invité au cinéma / je (f.)
3. vous auriez accompagné / votre copine
4. tu aurais vu / tes tantes
5. elle aurait attendu / nous (f.)
6. nous aurions conduit chez Luc / tu

Exercice D

Votre père vous demande si vous avez préparé tout ce qu'il vous faut pour aller camper ce week-end. Répondez à ses questions à l'affirmatif ou au négatif:

> EXEMPLES: As-tu pris la couverture?
> **Oui, je l'ai prise.**
> **Non, je ne l'ai pas prise.**

1. As-tu préparé la nourriture? (oui)
2. As-tu acheté la lampe de poche? (oui)
3. As-tu bien emballé les allumettes? (non)
4. As-tu nettoyé le sac de couchage? (non)
5. As-tu emporté les assiettes en plastique? (oui)
6. As-tu rangé les clefs? (non)
7. As-tu emprunté l'imperméable? (non)
8. As-tu étudié la carte? (oui)
9. As-tu réparé les bottes? (oui)
10. As-tu pris la brosse à dents? (non)

Exercice E

Il vous faut faire réparer la voiture dès que possible avant de passer l'inspection. Demandez à votre mécanicien s'il peut faire les réparations tout de suite:

> EXEMPLE: régler les freins
> **Ne pourriez-vous pas les régler avant demain?**

1. réparer le moteur
2. remplacer le phare gauche
3. changer les pneus usés
4. recharger la batterie
5. inspecter l'échappement
6. vérifier les clignotants

Exercice F

Gilberte est très indécise. Un jour elle dit quelque chose à son petit ami et le jour suivant elle change d'avis. Exprimez ce qu'elle dit:

> EXEMPLE: écouter
> **Écoute-moi!**
> **Ne m'écoute pas!**

1. regarder
2. embrasser
3. téléphoner
4. répondre
5. parler
6. écrire

Exercice G

Êtes-vous une personne affectueuse? Répondez aux questions suivantes en remplaçant les mots en caractères gras par le pronom qui convient:

1. Téléphonez-vous souvent **à vos amis**?
2. Envoyez-vous des cartes de vœux **à vos professeurs préférés**?
3. Offrez-vous toujours un cadeau **à votre meilleur(e) ami(e)** pour son anniversaire?
4. Écrivez-vous de temps en temps **à vos oncles et à vos tantes**?
5. Achetez-vous parfois des fleurs **à votre mère**?
6. Dites-vous souvent «Je t'aime» **à votre père**?
7. Faites-vous souvent visite **à vos grands-parents**?
8. Rendez-vous toujours service **à vos amis** quand ils vous le demandent?

Exercice H

Vos parents sont partis pour le week-end. Un ami vous demande les instructions qu'ils ont laissées à vous et à vos frères. Exprimez ses questions et vos réponses:

> EXEMPLE: permettre de faire une boum chez vous
> **Vous ont-ils permis de faire une boum chez vous?**
> **Non, ils ne nous ont pas permis de faire une boum chez nous.**

1. laisser la voiture
2. donner la permission de dormir chez des amis
3. dire de rester toujours à la maison
4. conseiller d'étudier tout le temps
5. ordonner de faire le ménage
6. défendre d'inviter des amis

Exercice I

C'est bientôt la rentrée des classes. Exprimez ce dont les étudiants auront besoin:

> EXEMPLE: J'aurai besoin d'un sac à dos.
> **Il me faudra un sac à dos.**

1. Paul aura besoin d'un cartable.
2. Nous aurons besoin d'un dictionnaire bilingue.
3. Tu auras besoin de dix crayons.
4. J'aurai besoin d'un classeur.

5. Elles auront besoin d'une règle.
6. Les garçons auront besoin d'une trousse.
7. Vous aurez besoin de deux stylos.
8. Anne aura besoin d'une gomme.

Exercice J

De nouveaux élèves arrivent dans votre classe. Certains vous paraissent plus amicaux que d'autres. Avec un(e) camarade de classe, menez la conversation suivante:

EXEMPLE: dire bonjour à Étienne
Professeur: **Ne voulez-vous pas lui dire bonjour?**
Vous: **Oui, je veux lui dire bonjour.**
Vous: **Non, je ne veux pas lui dire bonjour.**

1. prêter votre livre à Anne (oui)
   Professeur:
   Vous:
2. demander aux garçons leurs adresses (non)
   Professeur:
   Vous:
3. montrer aux filles les salles de classe (oui)
   Professeur:
   Vous:
4. apprendre à Hubert notre chanson française (oui)
   Professeur:
   Vous:
5. offrir une glace à Marie et à Pierre (non)
   Professeur:
   Vous:
6. donner votre numéro de téléphone à Nancy (non)
   Professeur:
   Vous:

Exercice K

Vous gardez les enfants de Mme Aimée. Exprimez les directives qu'elle vous donne:

EXEMPLE: recommander aux enfants de jouer aux échecs, pas aux cartes
Recommandez-leur de jouer aux échecs. Ne leur recommandez pas de jouer aux cartes.

1. défendre à Jean de regarder les films de guerre, pas les westerns
2. conseiller aux enfants de boire le lait, pas le soda

3. permettre à Marie de manger un sandwich, pas ces bonbons
4. permettre aux enfants de lire ces contes de fées, pas ces histoires de fantômes
5. dire à Jean et à Marie de se coucher à 9 heures, pas à 10 heures
6. demandez à Jean de parler doucement, pas fort

Exercice L

Vous venez de faire la connaissance de quelqu'un de votre âge. Malheureusement, vous vous rendez compte en discutant que vous n'avez pas grand-chose en commun. Avec un(e) camarade de classe, menez la conversation suivante entre cette personne et vous:

> EXEMPLES: regarder la télévision
> Ami: **La regardes-tu?**
> Vous: **Oui, je la regarde.**
> Ami: **Moi, je ne la regarde pas.**
>
> obéir toujours à tes parents
> Ami: **Leur obéis-tu toujours?**
> Vous: **Oui, je leur obéis toujours.**
> Ami: **Moi, je ne leur obéis pas toujours.**

1. écouter la radio
    Ami   Vous   Ami

2. aimer la science-fiction
    Ami   Vous   Ami

3. permettre à ta mère d'entrer dans ta chambre
    Ami   Vous   Ami

4. prêter tes disques compacts
    Ami   Vous   Ami

5. pardonner facilement à tes amis
    Ami   Vous   Ami

6. rendre visite à tes grands-parents
    Ami   Vous   Ami

7. faire la vaisselle le week-end
    Ami   Vous   Ami

8. écrire à ton correspondant souvent
    Ami   Vous   Ami

2. Pronoun *y*

The adverbial pronoun **y** always refers to previously mentioned things or places. It generally replaces **à** + noun but may also replace other prepositions of position or location, such as **chez, dans, en, sous,** or **sur** + noun:

Il va *à la bibliothèque.*	He is going to the library.
Il y va.	He is going there.
Il répond *au téléphone.*	He answers the telephone.
Il y répond.	He answers it.
Je ne voulais pas aller *chez Luc.*	I didn't want to go to Luc's house.
Je ne voulais pas y aller.	I didn't want to go (there).
Ne restez pas *dans le bureau.*	Don't stay in the office.
N'y restez pas.	Don't stay there.
Ils seraient allés *en France.*	They would have gone to France.
Ils y seraient allés.	They would have gone (there).
Le chat est *sous la chaise.*	The cat is under the chair.
Le chat y est.	The cat is there.
J'ai dormi *sur le divan.*	I slept on the couch.
J'y ai dormi.	I slept on it.

NOTE:

1. The pronoun **y** most commonly means *to it/them, in it/them, on it/them,* and *there* (when the place has already been mentioned). Sometimes *to it/them, in it/them, on it/them,* and *there* are not expressed in English:

Allez-vous *à la boulangerie?*	Are you going to the bakery?
— Oui, j'y vais.	— Yes, I am (going there).
Est-ce que nous pouvons monter *dans le train?*	Can we get on the train?
— Oui, montez-y.	— Yes, get on it.
Les allumettes sont-elles *dans la boîte?* **— Oui, elles y sont.**	Are the matches in the box? — Yes, they are (in it).
Tu ne crois pas *au Père Noël?* **— Si, j'y crois.**	You don't believe in Santa Claus? — Yes, I do (believe in him).

2. The pronoun **y** may replace **à** + clause:

Je pense souvent *à ce que je* *ferai.*	*I think often about what I will* *do.*
J'y pense souvent.	*I think about it often.*

3. The pronoun **y** follows the same rules of position in the sentence as direct and indirect object pronouns:

Il *y* va.	*He is going (there).*
Je veux *y* arriver tôt.	*I want to arrive (there) early.*
Nous ne voulions pas *y* rester.	*We didn't want to stay there.*
Elle *y* a répondu.	*She answered it.*
Il n'*y* répondrait pas.	*He wouldn't answer it.*
Elle s'*y* est reposée un peu.	*She rested there a little.*
Nous n'*y* avions pas pensé.	*We hadn't thought of it.*
N'*y* sont-ils pas allés?	*Didn't they go (there)?*
Allez-*y*.	*Go (there).*
N'*y* allez pas.	*Don't go (there).*

4. Affirmative familiar commands (**tu** form) of **-er** verbs retain the final **s** before **y**:

Restes-y.	*Stay there.*

Exercice M

Vous venez de recevoir une lettre d'un nouvel ami qui, lui aussi, s'intéresse au camping. Répondez à ses questions selon le modèle:

EXEMPLES: Aimes-tu aller au parc?
            Oui, j'aime y aller.
            Non, je n'aime pas y aller.

1. Vas-tu souvent à un terrain de camping? (oui)
2. Es-tu jamais allé au Canada? (non)
3. Veux-tu voyager en Afrique? (oui)
4. Dors-tu souvent à la belle étoile? (non)
5. As-tu dîné sur la plage? (oui)
6. As-tu envie de passer tes vacances chez tes cousins? (non)
7. Sais-tu bien jouer au volley? (non)
8. As-tu assisté à un feu de joie? (oui)
9. Penses-tu à tes vacances? (oui)
10. Répondras-tu vite à ma lettre? (oui)

Exercice N

C'est le week-end. Vous expliquez vos projets à un(e) ami(e) qui n'a pas envie de vous écouter. Exprimez ses répliques:

EXEMPLES: J'ai envie d'aller à la plage.
Eh bien, vas-y!
Je n'ai pas envie de dormir chez ma grand-mère.
Eh bien, n'y dors pas!

1. J'ai envie d'aller chez Régine.
2. Je n'ai pas envie de rester à la maison.
3. J'ai envie de descendre en ville à pied.
4. Je n'ai pas envie de passer la journée dans mon lit.
5. J'ai envie de faire un pique-nique sous un arbre.
6. Je n'ai pas envie de manger au restaurant.

3. Pronoun *en*

The adverbial pronoun **en** refers to previously mentioned places or things. It generally replaces **de** + noun and usually means *some* or *any* (*of it, of them*), *of it/them, about it/them, from it/them,* or *from there:*

Il veut *du lait.*	*He wants some milk.*
Il *en* **veut.**	*He wants some.*
Elle n'a pas acheté *de stylos.*	*She didn't buy any pens.*
Elle n'*en* **a pas acheté.**	*She didn't buy any (of them).*
Parle-t-il *de son avenir?*	*Does he speak about his future?*
En **parle-t-il?**	*Does he speak about it?*
Est-il sorti *du magasin?*	*Has he come out of the store?*
En **est-il sorti?**	*Has he come out (of it)?*
Que penses-tu *de cette robe?*	*What do you think of this dress?*
Qu'*en* **penses-tu?**	*What do you think of it?*
Il joue *de la guitare.*	*He plays the guitar.*
Il *en* **joue.**	*He plays it.*

NOTE:

1. **En** is used with expressions requiring **de** or when the noun is omitted after a number, an adverb, or a noun of quantity:

Avez-vous **assez** *d'argent?*	*Do you have enough money?*
En avez-vous **assez?**	*Do you have enough (of it)?*
J'ai **vingt** *disques.*	*I have twenty records.*
J'*en* ai **vingt.**	*I have twenty (of them).*
J'ai mangé **la moitié** *de la tarte.*	*I ate half the pie.*
J'*en* ai mangé **la moitié.**	*I ate half (of it).*

2. **En** may be used to replace **de** + a person only when **de** means *some:*

As-tu *des amis français?*	*Do you have any French friends?*
Oui, j'*en* ai.	*Yes, I have some.*

If **de** + a noun referring to a person means *of* or *about,* then a stress pronoun is used:

Je me souviens *de Jean.*	*I remember Jean.*
Je me souviens *de lui.*	*I remember him.*

3. **En** is always expressed in French even though it may have no English equivalent:

Qui se sert *de ce couteau?*	*Who is using this knife?*
Moi, je m'*en* sers.	*I am (using it).*
Avez-vous *de la monnaie?*	*Do you have any change?*
Oui, j'*en* ai.	*Yes, I do (have some).*

4. **En** follows the same rules of position in the sentence as other personal pronouns:

Il *en* **veut.**	*He wants some.*
Il n'*en* veut pas.	*He doesn't want any.*
Tu veux *en* **acheter.**	*You want to buy some.*
Tu ne voulais pas *en* **prendre.**	*You didn't want to take any.*
Elles *en* **ont trouvé.**	*They found some.*
Ils n'*en* avaient pas essayé.	*They hadn't tried any.*
Je m'*en* suis souvenu trop tard.	*I remembered too late.*
Parlez-*en*.	*Speak about it.*
N'*en* mange pas.	*Don't eat any.*

5. Affirmative familiar commands (**tu** form) of **-er** verbs retain the **s** before **en:**

Manges-en.	*Eat some.*

6. There is no agreement of the past participle with **en:**

Nous avons acheté *des cerises.*	*We bought some cherries.*
Nous *en* avons acheté.	*We bought some (of them).*
Je t'aurais raconté des blagues.	*I would have told you some jokes.*
Je t'*en* aurais raconté.	*I would have told you some.*

7. When **en** replaces a noun modified by an adjective, the adjective may be repeated but the partitive must precede it:

Avez-vous acheté *de* **beaux** *souvenirs?* — Oui, j'*en* ai acheté **de beaux.**	*Did you buy some nice souvenirs? — Yes, I bought some very nice ones.*
J'ai cherché *des pêches,* mais je n'*en* ai pas trouvé **de bonnes.**	*I looked for peaches, but I didn't find any good ones.*

8. Note the position of **en** with **voici** and **voilà:**

Je cherche un stylo. — *En voici* un.	*I'm looking for a pen. — Here's one.*

Exercice O

*Votre arrière-grand-mère a 99 ans. Elle vous suggère comment bénéficier d'une longue vie. Exprimez ses conseils en utilisant **en:***

EXEMPLE: utiliser de l'huile d'olive, pas de beurre
De l'huile d'olive? Utilises-en! Du beurre? N'en utilise pas!

1. manger des légumes, pas de gâteaux
2. prendre des vitamines, pas de médicaments
3. faire de l'exercice, pas de sports violents
4. boire de l'eau, pas de café
5. acheter des fruits, pas de bonbons
6. préparer du poisson, pas de viande

Exercice P

*Exprimez ce qu'une voyante vous prédit en utilisant le pronom **en:***

EXEMPLE: Vous recevrez deux diplômes.
Vous en recevrez deux.

1. Vous aurez trois enfants.
2. Vous vous achèterez une belle voiture de sport.

3. Vous gagnerez assez d'argent.
4. Vous écrirez une douzaine de romans.
5. Vous connaîtrez beaucoup de gens intéressants.
6. Vous aurez très peu de problèmes.

Exercice Q

Mme Lamartine prépare un grand dîner pour ses voisins, les Dupont.
Exprimez ses réponses aux questions de son mari:

EXEMPLES: Mme Dupont vient-elle de Paris?
Oui, elle en vient.
Non, elle n'en vient pas.

1. M. Dupont aime-t-il manger des légumes? (non)
2. Les enfants boivent-ils du lait? (non)
3. As-tu assez d'argent? (oui)
4. M. Dupont veut-il manger de la soupe? (oui)
5. As-tu eu beaucoup de problèmes? (non)
6. As-tu acheté du beurre? (oui)
7. As-tu besoin de mon aide? (non)
8. Mme Dupont va-t-elle faire deux gâteaux? (non)
9. Prépares-tu de la soupe? (oui)
10. As-tu acheté trop de pain? (non)

4. Double Object Pronouns

a. Order of pronouns before the verb:

me					
te	le (l')	lui			
se	la (l')		y	en	+ verb
nous	les	leur			
vous					
se					

Ils *me la* vendent.	They sell it to me.
Je vais *le lui* montrer.	I'm going to show it to him.
Leur en avez-vous prêté?	Have you lent them any?
Nous *les y* avons rencontrés.	We met them there.
Il *y en* a plusieurs.	There are several.
Ils ne *te l'*ont pas prêté.	They didn't lend it to you.

The following are the most frequent combinations:

> me le, me la, me les
> te le, te la, te les
> nous le, nous la, nous les
> vous le, vous la, vous les

But:

> le lui, la lui, les lui
> le leur, la leur, les leur

Exercice R

Exprimez si les personnes suivantes vous rendent ou non les services indiqués. Utilisez les pronoms qui conviennent:

EXEMPLES: Est-ce que l'agent de police donne des renseignements aux touristes? (oui)
Oui, il leur en donne.

Est-ce que le cordonnier te répare la montre? (non)
Non, il ne me la répare pas.

1. Est-ce que le professeur explique la lecon aux élèves? (oui)
2. Est-ce que le boulanger vend de la viande aux clients? (non)
3. Est-ce que le docteur examine les malades chez eux? (non)
4. Est-ce que le pilote d'avion vous conduit à la gare? (non)
5. Est-ce que le facteur apporte les lettres aux familles? (oui)
6. Est-ce qu'un bon avocat envoie ses clients en prison? (non)
7. Est-ce que le pharmacien te vend des timbres? (non)
8. Est-ce que le mécanicien répare les voitures au garage? (oui)
9. Est-ce que le dentiste vous donne des bonbons? (non)
10. Est-ce que le garçon donne des pourboires aux clients? (non)

Exercice S

Henri est-il très attaché à ses affaires ou non? Henri part à l'université et ses frères cadets, Roland et Pierre, lui demandent d'utiliser certaines de ses choses. Jouez le rôle d'Henri et répondez à leurs questions en employant les pronoms qui conviennent:

EXEMPLES: Pierre: Tu me prêtes tes disques compacts de Michael Jackson?
Henri: **Oui, je te les prête.**
Non, je ne te les prête pas.

1. Roland et Pierre: Tu nous laisseras ton vélo?
   Henri:
2. Roland et Pierre: Tu nous prêtes tes cartes de baseball?
   Henri:
3. Roland: Tu me prêtes des jeux électroniques?
   Henri:
4. Roland et Pierre: Tu nous laisses utiliser ton ordinateur?
   Henri:
5. Pierre: Peux-tu me donner ta raquette de tennis?
   Henri:
6. Roland et Pierre: Vas-tu nous laisser des vidéo-cassettes?
   Henri:
7. Roland et Pierre: Veux-tu nous offrir ta collection de dinosaures?
   Henri:
8. Roland: Tu me passes ton jeu d'échecs?
   Henri:

Exercice T

Vous partez en France pour l'été et votre père vous demande si vous avez tout réglé avant de partir. Répondez à ses questions en employant les pronoms qui conviennent et en faisant les accords nécessaires:

1. As-tu rendu les livres à la bibliothécaire?
2. As-tu demandé l'adresse de tes cousins en France à tes grands-parents?
3. T'es-tu acheté des chèques de voyage?
4. Est-ce que ta mère t'a donné des francs français pour ton arrivée?
5. M'as-tu réparé la roue du vélo?
6. As-tu emprunté l'appareil-photo à tes cousins?
7. T'es-tu souvenu des cadeaux?
8. Nous as-tu laissé les renseignements sur ton retour?
9. Nous as-tu laissé l'itinéraire de ton voyage en France?
10. As-tu mis ton passeport et ton billet dans ton sac de voyage?
11. Te souviendras-tu d'appeler ta mère et moi de temps en temps?
12. Vas-tu écrire des cartes postales à tes cousins?

b. Order of pronouns after the verb:

verb +	-le -la -les	-moi -toi -lui -nous -vous -leur	-y	-en

Envoyez-*le-moi*.	*Send it to me.*
Montrons-*les-lui*.	*Let's show them to him.*
Va-*la-lui* montrer.	*Go show it to her.*

NOTE: **Moi + en** and **toi + en** become **m'en** and **t'en**:

Donne-*m'en* plusieurs.	*Give me several (of them).*
Va-*t'en*.	*Go away.*

Exercice U

Vous préparez une soirée et vous posez des questions à vos sœurs qui ne sont jamais d'accord. Exprimez en français comment chacune d'elles vous répond:

EXEMPLE: Je donne du soda aux enfants?
Donne-leur-en!
Ne leur en donne pas!

1. Je sers des escargots aux enfants?
2. J'envoie l'invitation à Henri?
3. Je montre le vin à M. Leclerc?
4. J'offre des hors-d'œuvres aux Rocheteau?
5. Je présente Marie à Mathilde?
6. Je m'occupe du menu?
7. Je m'achète cette nouvelle robe?
8. Je donne des cadeaux aux Caron?

Exercice V

Vous êtes fâché(e) contre votre petit(e) ami(e) parce qu'il (elle) flirte avec un(e) autre. Complétez les réponses désagréables que vous faites à ses questions, en employant les pronoms qui conviennent:

EXEMPLE: Si tu as une question à poser, **ne me la pose pas, pose-la-lui.**

1. Si tu as un service à demander, _____.
2. Si tu as des excuses à donner, _____.
3. Si tu as des compliments à faire, _____.
4. Si tu as un cadeau à offrir, _____.
5. Si tu as des photos à montrer, _____.
6. Si tu as des mots d'amour à dire, _____.
7. Si tu as une invitation à faire, _____.
8. Si tu as des histoires à raconter, _____.

◆ MASTERY EXERCISES ◆

Exercice W

Un(e) ami(e) vous pose des questions personnelles. Répondez-y en employant deux pronoms:

> EXEMPLES: Montres-tu des photos à tes camarades?
> **Je leur en montre.**
> **Je ne leur en montre pas.**

1. Te sers-tu toujours d'une montre?
2. Mets-tu cet argent à la banque?
3. Envoies-tu des lettres à tes grands-parents?
4. Achètes-tu toujours un cadeau à ta mère pour la fête des mères?
5. Montres-tu ton journal intime à ta sœur?
6. T'inquiètes-tu de tes résultats scolaires?
7. Fais-tu quelquefois du camping à la montagne?
8. Fais-tu tes devoirs en classe?
9. Empruntes-tu beaucoup d'argent à ton père?
10. Te promènes-tu souvent au parc?
11. Parles-tu de tes problèmes à ton (ta) meilleur(e) ami(e)?
12. Te reposes-tu dans le salon?
13. Donnes-tu des conseils à tes ami(e)s?
14. Dis-tu toujours la vérité à tes parents?
15. T'amuses-tu à l'école?

Exercice X

Exprimez les questions et répondez-y selon votre opinion en utilisant deux pronoms qui conviennent:

> EXEMPLES: fournir des soins médicaux gratuitement aux pauvres
> **Doit-on leur en fournir gratuitement?**
>
> **Oui, on doit leur en fournir gratuitement.**
> **Non, on ne doit pas leur en fournir gratuitement.**

1. jeter les déchets radioactifs dans l'océan
2. vendre des armes aux révolutionnaires
3. laisser les assassins en prison toute leur vie
4. offrir de l'aide humanitaire aux pays pauvres
5. envoyer des astronautes sur Mars
6. permettre la chasse dans les parcs nationaux
7. dire la vérité à une personne très malade
8. donner de l'argent aux personnes au chômage

Exercice Y

Un(e) ami(e) de la Martinique vient vous rendre visite. Répondez aux questions qu'il/elle vous pose. Employez tous les pronoms qui conviennent:

1. Est-ce que les parents américains s'intéressent beaucoup aux études de leurs enfants?
2. Est-ce qu'on donne beaucoup de liberté aux jeunes Américains?
3. Est-ce vrai que les jeunes veulent manger des hamburgers et des frites à tous les repas?
4. Pourrais-tu me préparer un repas américain typique?
5. Peut-on acheter des cartes postales à la poste?
6. M'emmèneras-tu à Washington D.C.?
7. Doit-on donner de l'argent aux clochards?
8. Est-ce que ton gouvernement donne beaucoup de bourses aux étudiants?
9. Saurais-tu m'expliquer le système politique de ton pays?
10. Est-ce que les gens se plaignent des transports en commun?

Exercice Z

Exprimez en français ce que cet homme dit de son chien:

1. My dog Champ always listens to me and he always tries to please me.
2. Watch. "The bone, Champ, bring it to me! Good dog!"
3. When I tell him "Sit down!," he obeys me.
4. When you throw the ball to him, he brings it back to you.
5. Your hat? If he destroys it, I will buy you another one.
6. He adores chocolate. I give him some from time to time.
7. The mail carrier hates him because he bit him once.
8. The newspaper? Don't show it to him. Give it to me or he'll eat it.
9. Problems? He never gives me any.
10. I can't bring my dog into your house? Please, explain why to me.

22

Relative Pronouns

A relative pronoun introduces a clause that describes someone or something mentioned in the main clause. The person or thing the pronoun refers to is called the ANTECEDENT because it precedes the relative pronoun. A relative pronoun may serve as subject, direct object, or object of a preposition.

The most frequent relative pronouns in French are **qui** and **que.**

1. *qui* and *que*

RELATIVE PRONOUN	MEANING	USE
qui	*who, which, that*	subject, for persons and things
que (qu')	*whom, which, that*	object, for persons and things

a. **Qui** *(who, which, that)* serves as the subject of a relative clause:

> ANTECEDENT
> Où est *l'élève qui a gagné* le prix?
> [subject]   [verb]
> *Where is the pupil who won the prize?*

> ANTECEDENT
> Voici *un dictionnaire qui n'est pas cher.*
> [subject] [verb]
> *Here is a dictionary that is not expensive.*

NOTE: The verb of a relative clause introduced by **qui** agrees with its antecedent:

> ANTECEDENT
> C'est *moi qui suis* la première.
> [subject] [verb]
> *I am the one who is first.*

ANTECEDENT

C'est *nous qui* **sommes arrivés** en retard.
　　[subject]　　　[verb]

We are the ones who arrived late.

b. **Que** *(whom, which, that)* serves as the direct object of the relative clause:

ANTECEDENT

C'est *l'actrice que* **nous avons vue** hier soir.
　　　[object]　　　　　　[verb]

She is the actress (whom) we saw last night.

ANTECEDENT

Voici *les phrases qu'***il a traduites.**
　　　　　[object]　　　[verb]

Here are the sentences (that) he translated.

Since **que** functions as a direct object pronoun and precedes the verb, the past participle of a compound verb agrees with the antecedent of **que:**

Voilà *les poèmes qu'*il a **écrits.**
La chanson que nous avons **chantée** est très belle.

NOTE:

1. The relative pronoun is always expressed in French, although it is frequently omitted in English:

Ce sont les pays *que* **j'ai visités.**	*Those are the countries (that) I visited.*

2. **Que** becomes **qu'** before a vowel.

Exercice A

Vous montrez une photo à un(e) ami(e) et vous identifiez les personnes qui ont voyagé en France avec vous:

EXEMPLE:　les garçons / perdre leur argent
　　　　　　Ce sont les garçons qui ont perdu leur argent.

1. la fille / dépenser 500 dollars
2. les enfants / faire des farces
3. le garçon / visiter sa famille
4. les filles / s'éloigner du groupe
5. l'enfant / manger beaucoup

6. la dame / servir de guide
7. l'homme / envoyer cent cartes postales
8. les femmes / visiter le Louvre trois fois

Exercice B

Exprimez ce que le guide vous explique pendant votre visite du Louvre:

> EXEMPLE: les couleurs / l'artiste / employer
> **Regardez les couleurs que l'artiste a employées.**

1. les formes / les sculpteurs / modeler
2. les statues / l'artiste / sculpter
3. le style / l'artiste / employer
4. les ombres / les artistes / ajouter
5. les détails / les sculpteurs / représenter
6. le sourire / l'artiste / capter
7. l'univers / le peintre / inventer
8. la technique / les artistes / employer

Exercice C

Tous les amis de Sylvie sont venus à sa fête. Complétez leurs phrases avec **qui** *ou* **que:**

1. Regarde ce garçon _____ joue si bien de la guitare.
2. Les sandwiches _____ tu as préparés sont délicieux.
3. Je cherche une fille _____ sache bien danser.
4. Où est le garçon _____ me cherchait?
5. Ouvre ce cadeau _____ nous t'offrons.
6. Montre-moi le disque _____ tu veux mettre.
7. On va jouer la chanson _____ je préfère.
8. Voici la carte _____ tu as laissée tomber.
9. Réponds au téléphone _____ vient de sonner.
10. Je voudrais parler à sa copine _____ a décoré la pièce.

Exercice D

Exprimez vos opinions en combinant les phrases avec **qui** *ou* **que:**

> EXEMPLES: Le français est une langue. J'aime parler cette langue.
> **Le français est une langue que j'aime parler.**
>
> Les éléphants sont des animaux. Ils vivent en Asie et en Afrique.
> **Les éléphants sont des animaux qui vivent en Asie et en Afrique.**

1. Le volley-ball est un sport. Il n'est pas trop dangereux.
2. Mon père est un homme. J'admire cet homme.
3. Les astronautes sont des personnes. Ils ont beaucoup de courage.
4. Le chômage est un problème. La société doit le résoudre.
5. La «Joconde» et la «Vénus de Milo» sont des œuvres d'art. On peut admirer ces œuvres au Louvre.
6. Paris est une ville. Elle a un excellent réseau de métro.
7. La pauvreté est un problème. On ne peut pas le négliger.
8. La France est un pays. Nous aimons visiter ce pays.
9. La Bourgogne et la Champagne sont des régions. Elles produisent les meilleurs vins.
10. Le président est un homme d'état. Il a beaucoup de responsabilités.

2. *qui* and *lequel* as Objects of a Preposition

RELATIVE PRONOUN	MEANING	USE
qui	*whom*	object of preposition, for persons
lequel **lesquels** **laquelle** **lesquelles**	*which, whom*	object of preposition, for persons or things

a. **Qui** *(whom)* may also serve as the object of a preposition in a relative clause referring to persons:

Philippe est **l'ami** *avec qui* j'étudie. — *Philippe is the friend with whom I study.*

L'homme *à qui* vous parliez est un millionnaire. — *The man to whom you were speaking is a millionaire.*

b. **Lequel** *(which, whom)* and its forms may serve as objects of a preposition in a relative clause referring primarily to things. **Lequel** agrees in gender and number with its antecedent:

	SINGULAR	PLURAL
MASCULINE	**lequel**	**lesquels**
FEMININE	**laquelle**	**lesquelles**

Voici **le tiroir** *dans lequel* j'ai laissé mes lunettes. — *Here is the drawer in which I left my glasses.*

C'est **la fenêtre** *par laquelle* il s'est enfui. — *That's the window through which he escaped.*

NOTE:

1. Although **qui** is generally preferred for people, **lequel** and its forms may also be used. With the prepositions **entre** (*between*) and **parmi** (*among*), a form of **lequel** is always used when referring to people:

C'est **la fille** *à qui* je parlais.
C'est **la fille** *à laquelle* je parlais.

That is the girl to whom I was speaking.

Ce sont **les garçons** *entre lesquels* il y a eu une dispute.

Those are the boys between whom there was an argument.

Ce sont **les personnes** *parmi lesquelles* j'étais assis.

Those are the people among whom I was sitting.

2. **Lequel** and its forms are used to clarify the gender and number of the antecedent:

Le copain de **ma cousine** *avec qui* nous sortons ce soir est très spirituel. [**qui** may refer to either **le copain** or **ma cousine**]

My cousin's friend with whom we are going out tonight is very witty.

Le copain de ma cousine *avec lequel* nous sortons ce soir est très spirituel. [**lequel** clearly refers to **le copain**]

My cousin's friend with whom we are going out tonight is very witty.

3. After the prepositions **à** and **de, lequel** and its forms contract as follows:

SINGULAR		PLURAL	
MASCULINE	FEMININE	MASCULINE	FEMININE
duquel **auquel**	**de laquelle** **à laquelle**	**desquels** **auxquels**	**desquelles** **auxquelles**

Exercice E

Votre mère trouve un album de photos dans le grenier. Exprimez ce qu'elle vous explique en regardant les photos:

EXEMPLE: J'ai travaillé pour cet homme.
               Voici l'homme pour qui j'ai travaillé.

1. Je suis allée en France avec cette fille.
2. J'étais assise à côté de ce beau garçon en première année.

3. J'ai passé des étés merveilleux chez ce couple.
4. J'ai habité près de ces artistes.
5. J'ai été très copine avec cette jeune fille.
6. J'avais beaucoup de respect pour ce garçon.

Exercice F

Votre mère a aussi trouvé une grande malle. Qu'est-ce qu'elle dit en l'ouvrant?

> EXEMPLE: la robe / dans / se marier
> **Regarde la robe dans laquelle je me suis mariée.**

1. les souliers / dans / faire mes premiers pas
2. le stylo / avec / écrire des lettres d'amour à ton père
3. le journal / dans / noter mes pensées les plus intimes
4. la photo de l'étudiant / à / envoyer des billets doux
5. les résultats de l'examen / à cause / rater ma première année de médecine
6. la revue / pour / rédiger des articles

Exercice G

Robert décrit son travail de chercheur à des amis qui sont venus le voir dans son laboratoire:

> EXEMPLES: Je vous présente un collègue. Je travaille avec ce collègue.
> **Je vous présente un collègue avec qui je travaille.**
>
> Voici le bureau. Je garde tous mes papiers importants dans ce bureau.
> **Voici le bureau dans lequel je garde tous mes papiers importants.**

1. Voilà mon laboratoire. Je fais mes recherches dans ce laboratoire.
2. Je vous présenterai le professeur Machin. Je demande souvent des conseils au professeur Machin.
3. Regardez mon bel ordinateur. Je peux faire des calculs très complexes avec cet ordinateur.
4. Je respecte beaucoup cet homme. Je travaille pour cet homme.
5. Voilà mon cahier. Je note les résultats de mes recherches dans ce cahier.
6. Nous allons visiter la bibliothèque. Je passe des nuits entières dans cette bibliothèque.
7. Voilà mon divan. Je dors souvent sur ce divan.
8. Voilà mon microscope électronique. Grâce à ce microscope j'observe la structure des cellules.

3. *dont*

a. The relative pronoun **dont** is used with verbs and expressions requiring **de** and has the same meaning as **de qui, duquel, de laquelle, desquel(le)s. Dont** immediately follows its antecedent and may refer to people or things:

Connaissez-vous *ce sculpteur dont* (de qui) **tout le monde parle?**	Do you know this sculptor everyone is talking about? (Do you know this sculptor about whom everyone is talking?)
Elle épouse *l'homme dont* (de qui) **elle est amoureuse.**	She is marrying the man she is in love with. (She is marrying the man with whom she is in love.)
Ces bananes dont (desquelles) **j'ai acheté une douzaine** ne sont pas bonnes.	These bananas, of which I bought a dozen, are not good.
Voici *la photo dont* (de laquelle) **j'ai besoin.**	Here is the photograph (that) I need.

NOTE:

1. Although **de qui** or **de** + a form of **lequel** may be used to refer to people or things, **dont** is generally preferred.

2. **Dont** may not follow compound prepositions ending with **de (à côté de, près de, en face de** etc). Instead, **de qui** (for persons) or **de** + a form of **lequel** (for persons or things) is used:

C'est **le garçon** *près de qui* (duquel) Janine s'est assise.	He is the boy next to whom Janine sat.
C'est **le musée** *à côté duquel* se trouve le restaurant.	That's the museum next to which the restaurant is located.

b. **Dont** *(whose)* is used to express possession or relationship. Note the word order in the clause after **dont:**

C'est *le garçon dont* je connais **la mère.**	He is the boy whose mother I know.
C'est *un écrivain dont* **les romans** sont fort bizarres.	He's an author whose novels are very strange.

NOTE: When **dont** is used to show possession, the definite article (not the possessive adjective) is required:

Je connais *une fille dont* la mère est dentiste.	I know a girl whose mother is a dentist.

Exercice H

Exprimez les résultats d'un sondage d'opinion:

> EXEMPLE: L'amour est un sentiment. On a besoin de ce sentiment.
> **L'amour est un sentiment dont on a besoin.**

1. La richesse est un avantage. Tout le monde rêve de la richesse.
2. Le président est un homme. Tout le monde voudrait faire la connaissance de cet homme.
3. Le 4 juillet 1776 est une date. Tout le monde se souvient de cette date.
4. La jalousie est un défaut. On devrait avoir honte de ce défaut.
5. Elvis Presley est un chanteur. Tout le monde se souvient de ce chanteur.
6. Une bonne santé est un avantage. Chacun devrait bénéficier de cet avantage.
7. La pauvreté est un problème. Tout le monde se préoccupe de ce problème.
8. Les criminels sont des personnes. Tout le monde a peur des criminels.

Exercice I

Combinez les deux phrases avec **dont**:

> EXEMPLE: Voilà la comédienne. J'ai vu son dernier film.
> **Voilà la comédienne dont j'ai vu le dernier film.**

1. Voilà un musicien. J'aime beaucoup sa musique.
2. Voilà une vieille dame. J'écoute ses conseils.
3. Voilà une actrice. J'ai vu tous ses films.
4. Voilà un écrivain. J'ai étudié ses livres.
5. Voilà une voiture. J'aime son style.
6. Voilà un beau garçon. Je voudrais faire sa connaissance.

Exercice J

Répondez aux questions selon votre opinion:

1. Quel est le sportif dont vous admirez la carrière?
2. Quelle est la personne dont vous respectez l'opinion?
3. Quel est l'acteur dont vous adorez les films?
4. Quel est l'écrivain dont vous préférez les livres?
5. Quel est le plat dont vous préférez le goût?
6. Quel est le sujet dont vous parlez le plus souvent?

Exercice K

La secrétaire de M. Legrange a beaucoup de problèmes aujourd'hui.
Exprimez-les en utilisant **dont:**

> EXEMPLE: la sociéte / connaître le patron / fermer
> La société dont elle connaît le patron a fermé.

1. le livre / avoir besoin / disparaître
2. les notes / se servir / tomber par terre
3. la collègue / apprécier les conseils / changer de bureau
4. le contrat / s'occuper / être annulé
5. le client / connaître bien la femme / se retirer des affaires
6. l'homme d'affaires / parler toujours / démissionner

Exercice L

M. Pierrot parle de son passé à son neveu. Complétez chacune de ses
phrases avec le mot qui convient:

1. (de qui, de laquelle, dont) Tu travailles dans la boutique au-dessus _____ je suis né.
2. (dont, de laquelle, desquelles) Le marchand _____ j'adorais les glaces quand j'étais petit n'est plus ici.
3. (dont, de laquelle, desquels) Mon grand-père _____ je ne me souviens pas très bien est arrivé aux États-Unis en 1910.
4. (de qui, duquel, dont) Ton professeur de maths, Mme Bellefleur, était la jeune fille à côté _____ j'ai habité pendant ma jeunesse.
5. (desquels, dont, de qui) Mme Bellefleur a été la première fille _____ je suis tombé amoureux.
6. (dont, duquel, de laquelle) Ta tante, _____ j'ai fait la connaissance à Paris pendant la guerre, m'a enseigné le français.
7. (de laquelle, de qui, dont) Regarde la fontaine près _____ je jouais de la guitare avec mes amis.
8. (dont, duquel, de qui) As-tu jamais mangé dans le restaurant en face _____ tu travailles? J'y allais tout le temps avec mes parents.

4. où

The relative pronoun **où** (*where, in which, on which, when, that*) is used to indicate "the place where" (replacing **dans, à, sur** + a form of **lequel)** or "a specific time when":

C'est *la ville où* (dans laquelle) **je suis née.**	*It is the city where (in which) I was born.*

| Je me souviens *du jour où* je **t'ai rencontré.** | I remember the day (when) I met you. |

▌ Exercice M ▐

Vous visitez la ville où votre père est né. Exprimez ce qu'il vous dit en vous montrant sa ville natale:

> EXEMPLE: le café / s'amuser
> **C'est le café où je m'amusais.**

1. l'école / aller
2. le bureau / travailler
3. le quartier / habiter
4. le restaurant / manger
5. le magasin / acheter tous mes vêtements
6. le parc / jouer

▌ Exercice N ▐

Votre grand-père répond aux questions que vous lui posez au sujet de votre grand-mère:

> EXEMPLES: Est-elle née dans la ville de Paris?
> **Oui, c'est la ville où elle est née.**
>
> Est-elle née le jour du Nouvel An?
> **Oui, c'est le jour où elle est née.**

1. A-t-elle vécu au quartier Latin toute sa vie?
2. A-t-elle étudié au lycée technique?
3. A-t-elle travaillé à l'hôpital Saint-Ailleurs?
4. Vous êtes-vous mariés à l'église des Capucines?
5. Vous êtes-vous mariés au mois de mai?
6. A-t-elle pris sa retraite l'année de ses soixante ans?

5. *ce qui, ce que, ce dont*

RELATIVE PRONOUN	MEANING	USE
ce qui	*what* (= that which)	subject of verb
ce que (ce qu')	*what* (= that which)	object of verb
ce dont	*what* (= that of which)	with expressions taking **de**

Ce qui, ce que, and **ce dont** are used as relative pronouns when there is no antecedent noun:

Savez-vous **ce qui** s'est passé?	*Do you know what happened?*
Ce qu'il dit est vrai.	*What he says is true.*
Voici **ce dont** j'ai besoin.	*Here is what I need.*

NOTE:

1. **Ce** + preposition + relative pronoun **quoi** *(what, which)*, used only as object of a preposition, refers to things that are indefinite or imprecise. In this construction, **ce** is usually omitted:

Il a expliqué (ce) **avec quoi** il allait construire le bateau.	*He explained with what he was going to build the boat.*
Je sais (ce) **à quoi** tu penses.	*I know what you are thinking of.*

2. **Ce qui, ce que,** and **ce dont** are used after the pronoun **tout** to express "everything that, all that":

Tout ce qui est tombé s'est cassé.	*Everything that fell broke.*
Tout ce que vous avez dit est vrai.	*All you have said is true.*
Tout ce dont je me sers appartient à Jacques.	*Everything that I'm using belongs to Jacques.*

3. **Ce** + relative pronoun may refer to an antecedent clause:

Il a réussi à l'examen, *ce qui* m'a surpris.	*He passed the exam, (something) which surprised me.*
Il a réussi à l'examen, *ce que* j'ai trouvé surprenant.	*He passed the exam, (a fact) which I found surprising.*
Il a réussi à l'examen, *ce dont* je suis fier.	*He passed the exam, (something) of which I am proud.*

Exercice O

Marguerite aime les difficultés. Exprimez ce qu'elle préfère:

EXEMPLE: dangereux
Elle aime ce qui est dangereux.

1. difficile
2. compliqué
3. différent
4. intellectuel
5. logique
6. subtil

Exercice P

Vous partez en vacances et vous ne savez pas à quoi vous attendre. Exprimez vos pensées à votre amie:

EXEMPLE: faire
Je ne sais pas ce que je ferai.

1. porter
2. manger
3. acheter
4. voir
5. apprendre
6. essayer

Exercice Q

Exprimez ce que pensent les passagers qui roulent en autobus depuis dix heures sans arrêt. Combinez les éléments des deux colonnes selon l'exemple:

avoir envie de	prendre l'avion la prochaine fois
avoir besoin de	manger une glace
avoir l'intention de	prendre un bon repas une fois arrivé
avoir peur de	rentrer et s'endormir tout de suite
ne pas avoir l'habitude de	rouler depuis toujours
être certain de	ne trouver personne à la maison
avoir l'impression de	rester assis si longtemps

EXEMPLE: **Ce dont je n'ai pas l'habitude, c'est de rester assis si longtemps.**

Exercice R

Votre meilleur(e) ami(e) sait tout de vous. Exprimez ce qu'il (elle) sait en employant quoi:

EXEMPLE: de / je me préoccupe
Il sait de quoi je me préoccupe.

1. à / je pense
2. en / je peux l'aider
3. de / j'ai besoin
4. à / je songe
5. avec / je travaille
6. de / je m'inquiète

6. Summary of Relative Pronouns

	ANTECEDENT			
	PERSONS	THINGS	PLACE OR EXPRESSION OF TIME	CLAUSE OR INDEFINITE ANTECEDENT
Subject	qui Où est l'élève *qui* a gagné?	qui Voici une bague *qui* n'est pas chère.	qui La pièce *qui* donne sur le lac est très belle.	ce qui Savez-vous *ce qui* s'est passé?
Direct object	que (qu') C'est l'actrice *que* j'ai vue.	que (qu') Voici la phrase *qu'*il a traduite.	que C'est le pays *que* j'ai visité.	ce que (ce qu') *Ce qu'*il dit est vrai.
Object of **de**	dont C'est la fille *dont* elle parle.	dont Voilà les photos *dont* j'ai besoin.	dont C'est le pays *dont* je reviens.	ce dont Voici *ce dont* j'ai besoin.
Object of all other prepositions*	qui (lequel) C'est l'ami *avec qui (avec lequel)* j'étudie.	lequel lesquels laquelle lesquelles C'est la fenêtre *par laquelle* il est entré.	où (lequel) C'est le magasin *où (dans lequel)* je l'ai vu. Il pleuvait le jour *où* il est parti.	

♦ MASTERY EXERCISES ♦

Exercice S

Josette et ses copines viennent de déménager. Exprimez ce qu'elles disent en reliant les phrases avec le pronom relatif qui convient:

EXEMPLES: Donnez-moi cette peinture. Je vais me servir de cette peinture tout de suite.
Donnez-moi cette peinture dont je vais me servir tout de suite.

Voici le grand placard. J'ai rangé tout le linge dans ce placard.
Voici le grand placard dans lequel (où) j'ai rangé tout le linge.

*For objects of compound prepositions ending with **de,** see page 268, Note 2.

1. Connais-tu cette jeune fille? Cette jeune fille habite au dernier étage.
2. Nous habitons maintenant l'immeuble. Charles de Gaulle est né dans cet immeuble.
3. Il faut que je retrouve le marteau. Je ne peux rien faire sans ce marteau.
4. J'ai téléphoné à l'électricien. L'électricien avait promis de venir réparer le four ce matin.
5. Regarde les beaux rideaux. J'ai acheté ces rideaux à la Samaritaine.
6. Nous avons reçu des cadeaux. Nous sommes contentes de ces cadeaux.

Exercice T

Exprimez ce que vous dites à votre ami. Combinez les phrases avec le pronom relatif qui convient:

EXEMPLES: Cet acteur a des yeux magnifiques. Je ne les oublierai jamais.
Cet acteur a des yeux magnifiques que je n'oublierai jamais.

J'aimerais revoir mon ancienne école. J'y pense souvent.
J'aimerais revoir mon ancienne école à laquelle je pense souvent.

1. J'aimerais voir ce film. On en a beaucoup parlé.
2. J'habite près d'une piscine. Je n'y vais jamais.
3. Je voudrais relire ce livre. Je l'ai lu il y a cinq ans.
4. Fais attention à ces photos. J'y tiens beaucoup.
5. J'ai reçu une lettre de ma correspondante. Je lui avais envoyé une carte.
6. J'ai reçu un cadeau superbe. Je ne m'y attendais pas.

Exercice U

Exprimez ce que chaque personne explique en employant ce qui, ce que *ou* ce dont:

1. Le professeur explique aux élèves _____ il veut.
   _____ ils doivent faire.
   _____ ils ont besoin.
   _____ est important.
2. Philippe explique à son ami _____ il a rêvé.
   _____ il veut faire.
   _____ il se préoccupe.
   _____ il a envie.
3. Le chef explique _____ il prépare.
   _____ est dans la marmite.
   _____ il a besoin.
   _____ il est satisfait.

4. Le criminel explique à son avocat _____ il a honte.

_____ il a fait.

_____ il a peur.

_____ lui est important.

Qu'est-ce que vous conseillez à votre ami dans cette lettre? Choisissez dans la liste suivante le pronom relatif qui convient. Chaque pronom peut s'employer plus d'une fois:

qui	dont	à qui	ce que	ce qui
que	où	lequel	lesquels	ce dont

Cher Rémi,

_____ tu devrais faire, c'est regarder la télévision une fois en France.
  1

Il y a une émission d'information _____ s'appelle «Vingt-quatre
      2

heures». C'est une émission _____ on donne tous les jours. On y
     3

montre tout _____ s'est passé dans le monde pendant la journée. Le
   4

présentateur principal, _____ j'ai oublié le nom, est l'oncle de
    5

l'homme _____ je t'ai présenté à la fête de Marthe. Ma tante Alice,
   6

_____ habite Paris, est son professeur d'anglais. Ce présentateur
  7

possède un château _____ il reçoit beaucoup d'invités, parmi _____
     8   **9**

on compte de nombreuses célébrités. Si tu vas rendre visite à ma tante,

elle te le présentera peut-être. Moi, _____ je me souviens surtout
       10

quand je l'ai rencontré, c'est la gentillesse avec _____ il m'a accueilli.
      11

Tout _____ tu as à faire en France, c'est regarder la télé et aller voir
  12

ma tante. Peut-être deviendras-tu l'ami d'une vedette!

                            Ton ami,
                            Robert

Exercice W

Exprimez en français les commentaires que Lucie a préparés pour le journal de l'école:

1. Last Friday, the French students who came to our school returned home.
2. These fifteen students, who came from seven different cities in France, spent three weeks in our city.
3. The students I spoke with said that they had enjoyed themselves.
4. Their guide, whom I met last year, brought other students to our school this year.
5. The students and their guide, who was very interesting, explained many French customs to us.
6. Our friends were able to make several trips, which they enjoyed.
7. What they liked most was the trip to the amusement park, where they spent an entire day.
8. What I will remember most is their curiosity and their enthusiasm toward our country.
9. The families the students lived with suggested many activities to them.
10. The principal, to whom the students gave a gift, accompanied them to the airport.

23

Prepositions

Prepositions relate two elements of a sentence (noun to noun, verb to verb, noun, or pronoun):

Il entre *dans* **la salle.**	*He enters the room.*
Pensez-vous *à* **lui?**	*Are you thinking of him?*
Voilà le jardin *de* **mon voisin.**	*Here is my neighbor's garden.*
Il commence *à* **pleuvoir.**	*It is starting to rain.*

NOTE: For a list of common prepositions, see the Appendix, pages 537–538.

1. Prepositional Modifiers

a. A preposition + noun modifying another noun is equivalent to an adjective:

huile *d'olive* olive oil	**une tasse** *de thé* a cup of tea
une voiture *de sport* a sports car	**une tasse** *à thé* a tea cup
une chemise *de soie* a silk shirt	**une brosse** *à dents* a toothbrush
une montre *en or* a gold watch	**une boîte** *aux lettres* a mailbox

NOTE:

1. Nouns describing the source, goal, or content of an object are introduced by the preposition **de; en** may also be used, although less frequently:

un fromage *de chèvre* a goat cheese	**un maillot** *de bain* a bathing suit
un manteau *de fourrure* a fur coat	**une statue** *en bois* a wooden statue

2. Generally, **à** + noun is used to express use, function, or characteristic of an object:

une cuillère *à café* a teaspoon
une armoire *à pharmacie* a medicine cabinet
un bateau *à voiles* a sailboat

3. The preposition **à** + verb may be used to describe the purpose of a noun:

une machine *à écrire* a typewriter

une crème *à raser* a shaving cream

b. A preposition + noun modifying a verb is equivalent to an adverb:

Elle parle *avec hâte.* She speaks hurriedly.

Exercice A

Identifiez les objets que Monique a vus dans un catalogue de cadeaux de Noël:

EXEMPLE:

une tasse à café

1.

2.

3.

4.

5.

6.

7.

8.

9.   10.

Exercice B

Utilisez les suggestions données pour exprimer ce que Charlotte et Delphine disent d'une autre amie:

SUGGESTIONS: se peigner   avec (sans) soin
               se maquiller   avec (sans) hâte
               s'habiller   avec (sans) appétit
               se coiffer   avec (sans) raison
               parler   avec (sans) goût
               manger   avec (sans) patience

EXEMPLE: **Elle se peigne sans hâte.**

2. Prepositions Used Before Infinitives

In French, the infinitive is the verb form that normally follows a preposition:

Il commence *à pleuvoir*.   *It is beginning to rain.*
L'enfant s'est arrêté *de jouer*.   *The child stopped playing.*

a. Verbs requiring **à** before an infinitive:

aider à *to help to*	**se mettre à** *to begin to*
s'amuser à *to have a good time*	**obliger à** *to obligate to*
apprendre à *to learn to*	**passer (du temps) à** *to spend (time)*
s'attendre à *to expect to*	**penser à** *to think of*
avoir à *to have to*	**persister à** *to persist in*
chercher à *to try to*	**se plaire à** *to take pleasure in, enjoy*
commencer à *to begin to*	**se préparer à** *to prepare to*
consentir à *to consent to*	**renoncer à** *to give up*
continuer à *to continue to*	**se résigner à** *to resign oneself to*
se décider à *to decide to*	**rester à** *to remain to*
encourager à *to encourage to*	**réussir à** *to succeed in*
forcer à *to force to*	**servir à** *to be useful for*
s'habituer à *to get used to*	**songer à** *to think about*
hésiter à *to hesitate to*	**suffire à** *to be enough to*
inciter à *to incite to*	**tenir à** *to insist on*
inviter à *to invite to*	**travailler à** *to work to*

Joséphine s'amuse à lire.	Josephine has a good time reading.
Il a appris à nager l'été dernier.	He learned how to swim last summer.
Les enfants se sont mis à crier.	The children began to scream.

b. Verbs requiring **de** before an infinitive:

accepter de *to accept to*	**mériter de** *to deserve to*
accuser de *to accuse of*	**s'occuper de** *to take care of*
achever de *to finish*	**oublier de** *to forget to*
s'arrêter de *to stop*	**parler de** *to speak about*
choisir de *to choose to*	**se passer de** *to do without*
se contenter de *to be satisfied with*	**se plaindre de** *to complain about*
continuer de *to continue to*	**prier de** *to beg, ask to*
décider de *to decide to*	**refuser de** *to refuse to*
se dépêcher de *to hurry to*	**regretter de** *to regret*
s'efforcer de *to strive to*	**remercier de** *to thank for*
empêcher de *to prevent from*	**rêver de** *to dream about*
essayer de *to try to*	**rire de** *to laugh at*
s'étonner de *to be surprised at*	**risquer de** *to risk*
éviter de *to avoid*	**se souvenir de** *to remember to*
féliciter de *to congratulate on*	**tâcher de** *to try to*
finir de *to finish*	**se vanter de** *to boast of*
se garder de *to take care not to*	**venir de** *to have just*

Ils ont décidé de se marier.	They decided to get married.
Tu mérites d'être puni.	You deserve to be punished.
Nous venons d'arriver.	We have just arrived.
Il empêche le garçon *de partir.*	He prevents the boy from leaving.

c. Verbs requiring **à quelqu'un** + **de** before an infinitive:

commander (à quelqu'un) de	to order (someone) to
conseiller (à quelqu'un) de	to advise (someone) to
défendre (à quelqu'un) de	to forbid (someone) to
demander (à quelqu'un) de	to ask (someone) to
dire (à quelqu'un) de	to tell (someone) to
écrire (à quelqu'un) de	to write (to someone) to
interdire (à quelqu'un) de	to forbid (someone) to
offrir (à quelqu'un) de	to offer (someone) to
ordonner (à quelqu'un) de	to order (someone) to
permettre (à quelqu'un) de	to allow (someone) to
promettre (à quelqu'un) de	to promise (someone) to
proposer (à quelqu'un) de	to propose (to someone) to
recommander (à quelqu'un) de	to recommend (to someone) to
reprocher (à quelqu'un) de	to reproach (someone) for
suggérer (à quelqu'un) de	to suggest (to someone) to
téléphoner (à quelqu'un) de	to telephone (someone) to

Elle a demandé à ses amis de   She asked her friends not to
   ne pas fumer.   smoke.
Le professeur dit à ses élèves   The teacher tells his students
   d'ouvrir leurs livres.   to open their books.

d. Verbs requiring **à quelqu'un** + **à** before an infinitive:

enseigner (à quelqu'un) à	*to teach (someone) to*
apprendre (à quelqu'un) à	*to teach (someone) to*

J'ai enseigné à mon ami à ⎫
   patiner.   ⎬   I taught my friend to skate.
J'ai appris à mon ami à   ⎭
   patiner.

Exercice C

Complétez avec les prépositions correctes ce que Georges raconte à son ami:

Je viens _____ assister à une scène très amusante dans la rue. Un
              1

couple venait _____ arriver à la mairie pour se marier. Mais quand les
               2

fiancés ont voulu descendre de la voiture, un groupe de spectateurs a

décidé _____ les féliciter. La mariée a essayé _____ descendre de la
         3   **4**

voiture, mais les spectateurs ont persisté _____ offrir leurs
                                              5

félicitations. Son fiancé s'est mis _____ pousser ces gens parce que la
                                       6

cérémonie risquait _____ commencer en retard. La mariée hésitait
                    7

_____ sortir de la voiture. Finalement, un policier qui passait par là l'a
  8

aidée _____ descendre et a commandé aux spectateurs _____ s'en
        9   **10**

aller. Mais le marié les a priés _____ entrer à la mairie avec eux. Tous
                                  11

ont accepté _____ assister à la cérémonie. Le maire, qui s'est étonné
              12

_____ voir tout ce monde, a tenu _____ faire un long discours. Les
   13   14

gens se sont efforcés _____ paraître intéressés, mais beaucoup ont
                         15

regretté _____ être restés. Après la cérémonie le jeune couple a
          16

remercié le maire _____ avoir procédé au mariage. Malheureusement
                     17

quand ils sont sortis, ils ont remarqué qu'il venait _____ commencer
                                                        18

_____ pleuvoir. C'était dommage parce qu'ils avaient songé _____
   19   20

faire le repas de mariage en plein air.

Exercice D

*Vous venez d'interviewer une chanteuse française célèbre afin d'écrire
l'article suivant. Combinez les éléments donnés et ajoutez-y les
prépositions nécessaires:*

EXEMPLE: elle / rêver / plaire à son public
           Elle rêve de plaire à son public.

1. elle / se féliciter / être aux États-Unis
2. elle / tenir / rester modeste
3. elle / enseigner / jouer de la guitare aux enfants
4. elle / chercher / divertir les gens
5. en concert elle / ne jamais hésiter / répéter une chanson
6. elle / s'efforcer / chanter en anglais
7. elle / réussir / plaire à un grand public
8. elle / tâcher / satisfaire son public avec des chansons populaires
9. elle / venir / donner quinze concerts
10. elle / promettre / revenir bientôt aux États-Unis

Exercice E

*Exprimez ce que font les personnes suivantes en combinant les éléments
avec une préposition si nécessaire:*

1. je demande / mes parents / me laisser voyager seul
2. elle recommande / sa sœur / épargner son argent
3. tu permets / ton copain / emprunter ta voiture
4. ils suggèrent / leurs amis / aller au concert
5. nous aidons / nos parents / faire le ménage

6. je promets / ma mère / améliorer mes notes
7. elles invitent / leurs cousins / patiner sur le lac
8. vous encouragez / votre frère / aider ses amis
9. tu conseilles / ton amie / se faire couper les cheveux
10. nous apprenons / nos copains / jouer au tennis

Exercice F

Complétez les phrases avec une préposition et un infinitif:

EXEMPLE: J'hésite **à jouer du piano.**

1. Je m'amuse _____ .
2. Je m'attends _____ .
3. Je m'efforce _____ .
4. Je réussis _____ .

5. Je tiens _____ .
6. Je rêve _____ .
7. Je refuse _____ .
8. J'essaie _____ .

Exercice G

Vous donnez des conseils à votre meilleur(e) ami(e) qui voudrait maigrir. Utilisez l'impératif des verbes entre parenthèses avec la préposition qui convient:

EXEMPLE: Ne mange pas chez tes amis. (arrêter)
Arrête de manger chez tes amis.

1. Bois beaucoup d'eau. (essayer)
2. Mange des légumes cuits à la vapeur. (apprendre)
3. Ne mange pas tant de pâtes. (éviter)
4. Fais de l'exercice. (s'efforcer)
5. Perds dix kilos. (chercher)
6. Persévère dans ton régime. (tâcher)

3. Other Prepositions Used Before Infinitives

The following prepositions are commonly used before an infinitive. The equivalent English construction often uses a present participle:

pour to, in order to, for the purpose of	**sans** without
afin de in order to	**au lieu de** instead of
avant de before	

Il a emprunté de l'argent **pour**   *He borrowed money to (in*
  (afin de) payer ses dettes.   *order to) pay his debts.*

Je me lave les mains **avant de manger.**

I wash my hands before eating.

Ils sont sortis **sans me parler.**

They left without speaking to me.

Elle rit **au lieu de pleurer.**

She laughs instead of crying.

NOTE:

1. The preposition **après** *(after)* is followed by the past infinitive*:

Après avoir dîné, ils ont fait une promenade.

After dining, they took a walk.

Après être restées deux heures, elles décidèrent de partir.

After staying two hours, they decided to leave.

2. After verbs of motion, **pour** is generally omitted:

Je descends chercher le journal.

I'm going down to get the paper.

3. **Par** may follow **commencer** and **finir** in certain idiomatic expressions:

Il a commencé par lire à haute voix.

He began (by) reading aloud.

J'ai fini par le faire.

I ended up (by) doing it.

Exercice H

Exprimez ce que font ces personnes. Combinez les phrases avec la préposition entre parenthèses:

EXEMPLE: Le professeur blâme l'élève. Il n'écoute pas son explication. (sans)
Le professeur blâme l'élève **sans écouter son explication.**

1. Jean parle. Jean ne réfléchit pas. (sans)
2. Les gens travaillent. Ils gagnent leur vie. (pour)
3. Régine écoute la radio. Elle n'étudie pas. (au lieu de)
4. Vous allez au magasin. Vous achetez un nouveau costume. (afin de)
5. Elles jouent. Elles font leurs devoirs. (avant de)
6. Papa se met à préparer le dîner. Il n'a pas tous les ingrédients. (sans)
7. Nous allons au restaurant. Nous fêtons la bonne nouvelle. (pour)
8. André regarde la télévision. Il ne nettoie pas sa chambre. (au lieu de)
9. Je ne mange plus de chocolat. Je maigris. (afin de)
10. Il se lave les dents. Il va se coucher. (avant de)

*The past infinitive consists of **avoir** or **être** plus a past participle.

Exercice I

Complétez les phrases en français:

1. Je vais à l'école pour _____ .
2. Je consulte mes parents avant de _____ .
3. Je regarde la télévision au lieu de _____ .
4. Je travaille afin de _____ .
5. Je sors sans _____ .

Exercice J

Complétez les phrases suivantes avec les formes correctes des verbes entre parenthèses:

EXEMPLES: (prendre) Après _____**avoir pris**_____ une douche, il s'est rasé.

(se lever) Après _____**s'être levées**_____, elles ont préparé le petit déjeuner.

1. (se réveiller)   Après _____ , elles se sont habillées.
2. (finir)   Après _____ son petit déjeuner, il est parti à l'école.
3. (arriver)   Après _____ au lycée, nous sommes allés au cours de français.
4. (sortir)   Après _____ du lycée, je suis allé au grand magasin.
5. (rentrer)   Après _____ , tu t'es reposé.
6. (terminer)   Après _____ leurs devoirs, ils ont regardé la télévision.
7. (manger)   Après _____ , elle est montée dans sa chambre.
8. (se déshabiller)   Après _____ , vous vous êtes couchés.

Exercice K

Répondez aux questions avec une phrase complète:

1. Qu'est-ce que vous avez fait ce matin après vous être réveillé(e)?
2. Qu'est que vous avez fait après être arrivé(e) à l'école?
3. Qu'est-ce que vous avez fait après avoir quitté l'école?
4. Qu'est-ce que vous avez fait après être rentré(e) chez vous?
5. Qu'est-ce que vous avez fait après avoir fini vos devoirs?

Exercice L

Exprimez l'ordre dans lequel vous faites les choses suivantes:

> EXEMPLE: s'habiller / se brosser les dents
> **Avant de m'habiller, je me brosse les dents.**
> **Après m'être brossé les dents, je m'habille.**

1. aller au cinéma / aller au restaurant
2. jouer au tennis / prendre des leçons
3. s'habiller / préparer le petit déjeuner
4. faire ses devoirs / rentrer à la maison
5. travailler / se reposer
6. terminer le repas / manger une salade
7. faire des achats / gagner de l'argent
8. apprendre mes leçons / regarder la télévision

Exercice M

Jean raconte ce qui s'est passé quand il a été rendre visite à son professeur de chimie dans son bureau. Complétez les phrases avec les prépositions correctes choisies sur la liste:

afin de	au lieu de	par	sans
après	avant de	pour	

_____ avoir frappé à la porte, je suis entré dans le bureau du
  1

professeur. Au même moment, sa secrétaire lui a apporté un télégramme

qu'il a ouvert aussitôt _____ le lire. Il l'a lu _____ me dire bonjour.
             2   **3**

Comme il ne faisait pas attention à moi, je me suis assis _____ lui
                                            4

demander la permission. _____ avoir lu le télégramme, il a commencé
                 5

_____ ranger ses affaires puis, _____ m'expliquer ce qui se passait,
  6   **7**

il a mis son manteau et est sorti en courant. Fâché, je suis allé voir la

secrétaire _____savoir pourquoi il m'avait oublié, mais elle avait
         8

disparu aussi. J'ai fini _____ m'en aller _____ rien comprendre.
          9   **10**

4. Verbs Used Without Preposition before Infinitives

aimer to like, love	**laisser** to let, allow
aimer mieux to prefer	**oser** to dare
aller to go	**penser** to think
compter to intend	**pouvoir** to be able
désirer to wish, want	**préférer** to prefer
détester to hate	**prétendre** to claim
devoir to have to, be supposed to	**savoir** to know (how)
entendre to hear	**souhaiter** to wish
envoyer to send	**valoir mieux** to be better
espérer to hope	**venir** to come
faire to make	**voir** to see
faillir to almost do, just miss doing	**vouloir** to wish, want
falloir to be necessary	

Il m'a envoyé chercher mon frère.	*He sent me to look for my brother.*
Je compte partir le mois prochain.	*I intend to leave next month.*
L'enfant a failli tomber.	*The child almost fell.*

Exercice N

Vous êtes moniteur de colonie de vacances. Qu'est-ce que vous dites aux garçons de votre groupe le premier jour? Utilisez une expression de chaque colonne:

je	aimer	faire attention
tu	compter	s'entraider
nous	désirer	beaucoup apprendre
vous	devoir	faire du camping
	espérer	obéir aux règles
	pouvoir	être aimable
	préférer	se coucher à l'heure indiquée
	prétendre	se lever tout de suite
	savoir	bien se conduire
	vouloir	faire beaucoup de sport
		se respecter
		toujours coopérer
		s'amuser beaucoup
		ne pas jouer de tours
		donner des prix chaque semaine

EXEMPLE:　**Vous devez obéir aux règles.**

Exercice O

Répondez aux questions qu'un nouvel ami vous pose en employant les verbes entre parenthèses:

EXEMPLE: Qu'est-ce que tu fais quand il neige? (adorer)
J'adore faire du ski.

1. Qu'est-ce que tu fais après l'école? (aimer)
2. Qu'est-ce que tu fais le samedi soir? (préférer)
3. Quelle sorte de personne veux-tu épouser? (espérer)
4. Qu'est-ce que tu fais les jours de congé? (aimer mieux)
5. Qu'est-ce que tu fais avant de te coucher le soir? (devoir)
6. Qu'est-ce que tu fais pour aider tes parents? (devoir)
7. Où passes-tu le week-end? (vouloir)
8. À qui téléphones-tu? (compter)

5. Nouns and Adjectives Followed by Preposition

Most nouns and adjectives are followed by **de** before an infinitive:

Je suis **contente de rentrer** chez moi.	*I am happy to return home.*
Il est **difficile d'apprendre** le chinois.	*It is difficult to learn Chinese.*
C'est une mauvaise **idée d'y aller** maintenant.	*It is a bad idea to go there now.*
J'ai un grand **désir de partir**.	*I have a great desire to leave.*

NOTE:

1. Certain adjectives and nouns may be followed by **à** before an infinitive that implies a passive meaning:

La maison sera **facile à vendre**.	*The house will be easy to sell.* [Literally: *to be sold*]
Les jeunes sont **difficiles à comprendre**.	*Young people are difficult to understand.* [Literally: *to be understood*]
J'ai **un roman à lire**.	*I have a novel to read.* [Literally: *to be read*]

2. The adjective **prêt** (*ready*) is followed by the preposition **à**:

Elle n'est pas **prête à passer** l'examen.	*She isn't ready to take the test.*

Exercice P

Exprimez les problèmes qu'Anne vous raconte en complétant les phrases avec la préposition correcte:

EXEMPLE: J'ai des problèmes ___à___ résoudre.

1. Je suis fatiguée _____ travailler comme une folle.
2. Il est difficile _____ être vendeuse.
3. Il n'est pas normal _____ travailler quatorze heures par jour.
4. J'ai toujours trop de clientes _____ voir.
5. Elles sont souvent impatientes _____ me voir partir.
6. Mes produits ne sont pas faciles _____ vendre parce qu'ils sont chers.
7. Par contre, je suis toujours prête _____ faire des réductions.
8. C'est peut-être une bonne idée _____ changer de métier.

6. Prepositions With Geographical Expressions

a. The preposition **à** *(to, in)* is used with names of cities; **au** and **aux** are used with masculine countries:

J'ai passé huit jours *à* **Bruxelles.**	*I spent a week in Brussels.*
Je rentrerai *à* **New York** demain.	*I'll go back to New York tomorrow.*
J'aimerais rester quelques jours *au* **Mexique.**	*I'd love to stay a few days in Mexico.*
Je vais *aux* **États-Unis** la semaine prochaine.	*I am going to the United States next week.*

b. The preposition **en** *(to, in)* is used with feminine countries, continents, islands, and provinces and before a few masculine countries beginning with a vowel:

Avez-vous jamais été *en* **Suisse?**	*Have you ever been to (in) Switzerland?*
Je vais travailler *en* **Amérique Latine.**	*I'm going to work in Latin America.*
J'ai été élevée *en* **Sicile.**	*I was raised in Sicily.*
Son frère demeure *en* **Bourgogne.**	*Her brother lives in Burgundy.*
Avez-vous jamais été *en* **Iran?**	*Have you ever been to Iran?*

NOTE: **Dans** *(to, in)* plus definite article is used with modified geographical names:

dans la *belle* **France**	*in (to) beautiful France*
dans le Dakota *du Sud*	*in (to) South Dakota*
dans *l'État de* **New York**	*in (to) New York State*

C. The preposition **de** *(from)* is used with the definite article before masculine and modified geographical names:

du **Mexique**	*from Mexico*
du **Pacifique**	*from the Pacific Ocean*
de la **belle France**	*from beautiful France*
*de l'***Europe du Nord**	*from Northern Europe*

De without article is used with cities and feminine countries, continents, islands, and provinces:

de **Suisse**	*from Switzerland*
de **Sicile**	*from Sicily*
*d'***Amérique**	*from America*
de **Bourgogne**	*from Burgundy*

NOTE:

1. Generally, geographical names are feminine if they end in **-e,** with the exception of **le Cambodge, le Mexique, le Zaïre.**

2. With the exception of **Haïti** and **Israël,** the definite article is always used with masculine countries:

le **Japon**	*au* **Japon**	*du* **Japon**
le **Koweït**	*au* **Koweït**	*du* **Koweït**
Haïti	*en* **Haïti**	*d'***Haïti**

3. Before modified geographical names in which the modifier is an integral part of the name, *in* or *to* is expressed by **en** without the article, and *from* is expressed by **de** without the article:

en **Afrique du Nord**	*in North Africa*
*d'***Amérique du Sud**	*from South America*

4. A few cities always have a definite article in French, since the article is part of the name:

Le Havre *the Havre*	**La Nouvelle-Orléans** *New Orleans*
au Havre *to (in) the Havre*	**à La Nouvelle-Orléans** *to (in) New Orleans*
du Havre *from the Havre*	**de La Nouvelle-Orléans** *from New Orleans*

d. Feminine countries, continents, provinces:

l'**Algérie** *Algeria*	la **Grèce** *Greece*
l'**Allemagne** *Germany*	**Haïti** *Haiti*
l'**Angleterre** *England*	la **Hongrie** *Hungary*
l'**Argentine** *Argentina*	l'**Inde** *India*
l'**Autriche** *Austria*	l'**Irlande** *Ireland*
la **Belgique** *Belgium*	l'**Italie** *Italy*
la **Chine** *China*	la **Norvège** *Norway*
l'**Écosse** *Scotland*	la **Pologne** *Poland*
l'**Égypte** *Egypt*	la **Roumanie** *Rumania*
l'**Espagne** *Spain*	la **Russie** *Russia*
la **France** *France*	la **Suède** *Sweden*
la **Grande-Bretagne** *Great Britain*	la **Suisse** *Switzerland*
	la **Turquie** *Turkey*

l'**Afrique** *Africa*	l'**Asie** *Asia*
l'**Amérique du Nord** *North America*	l'**Australie** *Australia*
l'**Amérique du Sud** *South America*	l'**Europe** *Europe*

l'**Alsace** *Alsace*	la **Flandre** *Flanders*
la **Bourgogne** *Burgundy*	la **Lorraine** *Lorraine*
la **Bretagne** *Brittany*	la **Normandie** *Normandy*
la **Champagne** *Champagne*	la **Provence** *Provence*
la **Corse** *Corsica*	

e. Masculine countries:

l'**Afghanistan** *Afghanistan*	le **Japon** *Japan*
le **Brésil** *Brazil*	le **Koweït** *Kuwait*
le **Canada** *Canada*	le **Liban** *Lebanon*
le **Chili** *Chile*	le **Maroc** *Morocco*
le **Cambodge** *Cambodia*	le **Mexique** *Mexico*
le **Danemark** *Denmark*	le **Niger** *Niger*
l'**Équateur** *Ecuador*	le **Pakistan** *Pakistan*
les **États-Unis** *United States*	les **Pays-Bas** *Netherlands*
l'**Iran** *Iran*	le **Pérou** *Peru*
l'**Irak** *Iraq*	le **Portugal** *Portugal*
Israël *Israel*	le **Zaïre** *Zaire*

f. Mountains and waterways:

les **Alpes** (feminine) *Alps*	les **Pyrénées** (feminine) *Pyrenees*
le **Jura** *Jura Mountains*	

les **Vosges** (feminine) *Vosges Mountains*
la mer **Méditerranée** *Mediterranean Sea*
la **Manche** *English Channel*

la **Loire** *Loire*
le **Rhin** *Rhine*
la **Seine** *Seine*
le **Rhône** *Rhine*
la **Garonne** *Garonne*

Exercice Q

Vous voulez visiter les endroits suivants. Dans quels pays se trouvent-ils?

EXEMPLE: Buckingham Palace
Buckingham Palace se trouve en Angleterre.

1. le Vatican
2. la tour Eiffel
3. les pyramides
4. le Taj Mahal
5. la tour de Londres
6. le Grand Canyon
7. le mont Fuji-yama
8. le Kremlin
9. le musée du Prado
10. le Parthénon

Exercice R

Les élèves de la classe de M. Moreau sont d'origines diverses. Exprimez de quelles nations ils viennent:

EXEMPLE: Ramon / Brésil
Ramon vient du Brésil.

1. Helmut / Allemagne
2. John / États-Unis
3. Luella / Haïti
4. Béata / Pologne
5. Olga / Russie
6. Constantine / Grèce
7. Nissim / Israël
8. Lesley / Angleterre
9. Mario / Italie
10. Orlanda / Portugal

7. Expressions Introduced by *à*

The preposition **à** is used in the following expressions:

a. with characteristics (*with*):

La dame **aux cheveux blonds** est ma tante.

The lady with the blond hair is my aunt.

b. with means of transportation (*on, by*):

> **à bicyclette** *on a bicycle, by bicycle*
> **à cheval** *on horseback*
> **à pied** *on foot*

> Le mousquetaire quitta Paris **à**   *The musketeer left Paris on*
>   **cheval.**   *horseback.*

c. with time expressions meaning *good-bye until*:

> **à bientôt** *see you soon, so long*   **à ce soir** *see you tonight*
> **à demain** *see you tomorrow*   **au revoir** *good-bye, see you*
>   *again*
>
> **à samedi** *good-bye until*   **à tout à l'heure** *see you in a*
>   *Saturday*   *little while*

> Nous rentrons chez nous   *We're going back home now.*
>   maintenant. **À lundi.**   *See you Monday.*

d. with other time expressions:

> **à l'instant** *at the moment, right away*

> Il est arrivé **à l'instant** où   *He arrived at the moment I*
>   j'allais partir.   *was leaving.*

> **à l'heure** *on time*

> Pour la première fois il est   *For the first time he*
>   arrivé **à l'heure.**   *arrived on time.*

> **à partir de** *from . . . on, beginning (with)*

> **À partir de** ce moment,   *From that moment on, we*
>   nous sommes devenus   *became friends.*
>   amis.

> **à temps** *in time*

> Il arrive **à temps** pour   *He arrives in time for*
>   dîner.   *dinner.*

e. with expressions of position and direction:

> **à côté de** *next to, beside*

> Il y avait une lampe **à côté**   *There was a lamp next to*
>   **de** moi.   *me.*

au bas de *at the bottom of*

Nous l'avons rencontré **au bas de** l'escalier.	*We met him at the bottom of the staircase.*

au bout de *at the end of, after*

Il y a une cabine téléphonique **au bout de** la rue.	*There is a telephone booth at the end of the street.*

au-dessous de *below, beneath*

Vous verrez mon nom **au-dessous du** vôtre.	*You'll see my name below yours.*

au-dessus de *above, over*

Un de mes amis demeure **au-dessus de** nous.	*One of my friends lives above us.*

à droite *on (to) the right*

À droite, on voit la Seine.	*On the right you see the Seine.*

à gauche *on (to) the left*

Tournez **à gauche** après l'église.	*Turn to the left after the church.*

au fond de *in the bottom of*

Il y a de l'eau **au fond du** puits.	*There is water in the bottom of the well.*

au loin *in the distance*

On pouvait voir le navire **au loin.**	*They could see the ship in the distance.*

au milieu de *in the middle of*

Il s'est réveillé **au milieu de** la nuit.	*He woke up in the middle of the night.*

à part *aside*

Il m'a pris **à part** pour me dire son secret.	*He took me aside to tell me his secret.*

à travers through, across

<table>
<tr><td>Le soleil passe à travers les rideaux.</td><td>The sun goes through the curtains.</td></tr>
</table>

f. with other expressions:

à la campagne in (to) the country

<table>
<tr><td>Nous avons passé quinze jours à la campagne.</td><td>We spent two weeks in the country.</td></tr>
</table>

à l'école in (to) school

<table>
<tr><td>Ceux qui étudient aiment aller à l'école.</td><td>Those who study like to go to school.</td></tr>
</table>

à l'étranger abroad

<table>
<tr><td>Ma sœur et son mari demeurent à l'étranger.</td><td>My sister and her husband are living abroad.</td></tr>
</table>

à la maison at home, home

<table>
<tr><td>Serez-vous à la maison ce soir?</td><td>Will you be home tonight?</td></tr>
</table>

à la mode in style

<table>
<tr><td>Ses robes sont toujours à la mode.</td><td>Her dresses are always in style.</td></tr>
</table>

à mon avis in my opinion

<table>
<tr><td>À mon avis il a tort.</td><td>In my opinion, he's wrong.</td></tr>
</table>

à cause de because of, on account of

<table>
<tr><td>J'ai fermé la fenêtre à cause du bruit.</td><td>I closed the window because of the noise.</td></tr>
</table>

au contraire on the contrary

<table>
<tr><td>Ne sait-elle pas nager? — Au contraire, elle nage très bien.</td><td>Can't she swim? — On the contrary, she swims very well.</td></tr>
</table>

au courant de informed about, familiar with

<table>
<tr><td>Le président est au courant des affaires étrangères.</td><td>The president is familiar with foreign affairs.</td></tr>
</table>

à demi/à moitié half, halfway

Elle a rempli le verre **à moitié.**

She filled the glass halfway.

La pomme est **à demi** pourrie.

The apple is half rotten.

à force de by, by means of, by repeated efforts

À force d'essayer, il a réussi.

By trying, he succeeded.

à quoi bon? What's the use?

À quoi bon se plaindre?

What's the use of complaining?

au lieu de instead of

Réfléchissez un peu **au lieu de** parler.

Think a little instead of speaking.

au moins at least

Cela coûte **au moins** mille dollars.

That costs at least a thousand dollars.

à peu près nearly, about, approximately

L'avocat avait **à peu près** quarante ans.

The lawyer was about forty years old.

à propos de/au sujet de about, concerning

J'ai beaucoup lu **à propos (au sujet) de** l'art gothique.

I have read much about gothic art.

à haute voix aloud, out loud

L'étudiant a récité le poème **à haute voix.**

The student recited the poem aloud.

à voix basse in a low voice

À la bibliothèque on parle **à voix basse.**

In the library we speak in a low voice.

à vrai dire to tell the truth

À vrai dire, je n'en sais rien.

To tell the truth, I don't know.

Exercice S

Complétez cette lettre que Claude écrit à son ami agent de police:

Je vous écris cette lettre pour vous mettre _____ un incident

1 (informed about)

fort bizarre auquel j'ai assisté. Hier, j'ai décidé d'aller _____

2 (on foot)

jusqu'_____ parc _____ chez moi. Je m'approchais

3 (at the end of)   **4** (next to)

du lac quand un homme d'_____ quarante ans m'a accosté. Il

5 (about)

m'a parlé _____ puis m'a suivi jusqu'au bord du lac. Tout à

6 (in a low voice)

coup, j'ai aperçu un garçon au regard méchant et à l'air menaçant

_____ chemin. Ce garçon s'est précipité sur l'homme qui me

7 (in the middle of)

suivait et l'a poussé si fort qu'il est tombé dans l'eau. Le pauvre homme,

ne sachant pas nager, a paniqué. Moi, j'ai plongé _____ dans

8 (right away)

le lac et je l'ai sauvé. _____, j'étais très fier de moi.

9 (to tell the truth)

_____, vous devriez rechercher ce méchant garçon et éclaircir

10 (in my opinion)

cette affaire.

Exercice T

Lucienne s'est fâchée contre son ami et explique ce qu'elle lui a dit.
Remplacez les mots entre parenthèses par une expression équivalente
choisie sur la liste suivante:

à force de	à mon avis	à vrai dire
à la maison	à partir de ce moment	au courant
à moitié	à propos	au-dessus des

EXEMPLE: (À l'avenir) _____**À partir de ce moment**_____, ne me
demande pas de t'aider.

1. (Selon moi) _____, tu es têtu.
2. Tu te crois (supérieur aux) _____ autres.
3. Tu fais toujours les choses (à demi) _____.

4. Tu n'es pas (informé) _____ de mes problèmes.
5. (Si tu continues à) _____ tout critiquer, tu perdras tes amis.
6. Ne me raconte rien (au sujet) _____ de ta nouvelle copine.
7. (En réalité) _____, tu m'embêtes.
8. Ne viens plus (chez moi) _____!

Exercice U

Quelles résolutions Berthe prend-elle pour la nouvelle année? Complétez les phrases en employant une fois chacun des mots donnés dans la colonne de droite:

1. À _____ du premier janvier, je vais mettre de l'argent de côté chaque mois.
2. Je parlerai à voix _____ quand les enfants dormiront.
3. Quand je mettrai la table, je placerai les fourchettes à _____ des assiettes et les couteaux à _____.
4. Je ne marcherai plus à _____ le champ de M. Périgord.
5. Je m'efforcerai de parler à la nouvelle élève _____ yeux bleus et _____ la figure ronde.
6. Je me tiendrai au _____ des actualités.
7. J'arriverai toujours à _____ à l'école.
8. Je me brosserai les dents au _____ deux fois par jour.
9. Je serai à la _____ aimable et sérieuse.
10. Je ne m'occuperai plus du passé. Au _____, je ne m'occuperai que de l'avenir.
11. Je mangerai moins à _____ de mon régime.
12. À _____ d'étudier, je finirai par réussir à tous mes examens.

à
aux
basse
cause
contraire
courant
droite
fois
force
gauche
l'heure
moins
partir
travers

8. Expressions Introduced by *de*

d'abord *first, at first*

Essuyez **d'abord** vos larmes, puis nous parlerons.

Dry your tears first, then we will talk.

d'accord *agreed, O.K.*

Tu veux venir avec moi? **D'accord**.

Do you want to come with me? O.K.

d'ailleurs *besides, moreover*

D'ailleurs, je ne peux pas mentir.	*Besides, I can't lie.*

de l'autre côté (de) *on the other side (of)*

Le château se trouve **de l'autre côté du** parc.	*The castle is on the other side of the park.*

de bonne heure *early*

Si tu veux trouver une place, il faut arriver **de bonne heure.**	*If you want to find a seat, you must arrive early.*

du côté de *in the direction of, near, around*

Nous habitons **du côté de** Bordeaux.	*We live near Bordeaux.*

de mon côté *for my part, as for me*

De mon côté, je préfère dîner en ville.	*For my part, I prefer to dine out.*

de la part de *on behalf of, from*

Il est venu **de la part du** directeur.	*He came on behalf of the director.*

de quelle couleur . . . ? *what color . . . ?*

De quelle couleur est le sable?	*What color is the sand?*

de rien/il n'y a pas de quoi *you're welcome, don't mention it*

Merci de tout ce que vous avez fait. — **De rien.**	*Thanks for all you've done. — Don't mention it.*

de temps en temps *from time to time, occasionally*

Je vais au théâtre **de temps en temps.**	*I occasionally go to the theater.*

9. Expressions Introduced by *en*

en when one is inside the means of transportation, *by*

en automobile (auto) *by*   **en chemin de fer** *by train*
  automobile   **en voiture** *by car*
en avion *by plane*

    Préférez-vous y aller **en**   *Do you prefer to go by car*
      voiture ou **en avion?**   *or by plane?*

en arrière *backward(s), behind*

    Le soldat a fait un pas **en**   *The soldier took a step*
      arrière.   *backward.*

en bas *downstairs*

    J'ai laissé mes clefs **en bas.**   *I left my keys downstairs.*

en haut *upstairs*

    Connaissez-vous la famille   *Do you know the family*
      qui habite **en haut?**   *that lives upstairs?*

en fait *in fact, as a matter of fact*

    Attends-tu depuis   *Have you been waiting*
      longtemps? — Oui, **en**   *long? — Yes, as a matter*
      fait j'attends depuis une   *of fact, I've been waiting*
      heure.   *for an hour.*

en face de *opposite*

    Elle s'est assise **en face de**   *She sat down opposite us.*
      nous.

en famille *as a family, within (in the privacy of) the family*

    Nous avons dîné **en**   *We dined with the family.*
      famille.

en plein air *in the open air, outdoor(s)*

    Les enfants aiment jouer   *Children like to play*
      en plein air.   *outdoors.*

en tout cas *in any case, at any rate*

En tout cas, vous n'avez rien à craindre.	*In any case, you have nothing to fear.*

en ville *downtown, in (to, into) town*

Le samedi nous allons **en ville** avec nos camarades.	*On Saturdays we go downtown with our friends.*

10. Expressions Introduced by *par*

par exemple *for example*

Les fromages français, comme le camembert **par exemple,** sont excellents.	*French cheeses, such as Camembert, for example, are excellent.*

par hasard *by chance*

Si **par hasard** vous le retrouvez, faites-le moi savoir.	*If by chance you find it (if you happen to find it), let me know.*

par ici *this way, in this direction*

Passez **par ici,** s'il vous plaît.	*Step this way, please.*

par là *that way, in that direction*

Par là on peut voir la mairie.	*In that direction you can see the city hall.*

par jour (semaine, mois, etc.) *a (per) day (week, month, etc.)*

Ces ouvriers gagnent quatre cents francs **par jour.**	*Those workers earn four hundred francs a day.*

11. Other Prepositions

autour de *around*

On va mettre une fusée en orbite **autour de** la lune.	*They are going to put a rocket into orbit around the moon.*

chez *to (at) the house (place) of*

> Il ne va pas **chez lui**, il va **chez le coiffeur**.

> He is not going home, he is going to the barber's.

dans *in, within*

> Je courrai le marathon **dans** six heures.

> I will run the marathon six hours from now.

en *in (time)*

> Je cours le marathon **en six heures**.

> I run the marathon in six hours. [time duration]

sans *without*

> Ce tapis-ci est **sans doute** le plus joli.

> This rug is without a doubt the prettiest.

Exercice V

Isabelle et Marianne ne sont jamais du même avis. Complétez les phrases d'Isabelle qui expriment le contraire de ce que sa sœur dit en employant une de ces expressions:

d'abord	en famille	en ville
de bonne heure	en haut	par
de temps en temps	en plein air	par hasard
du coté de	en tout cas	par là

EXEMPLE: Marianne: Asseyons-nous à l'intérieur du café.
Isabelle: Non, asseyons-nous __**en plein air**__.

1. Marianne: Mettons la nouvelle chaîne-stéréo en bas dans le salon.
   Isabelle: Non, mettons-la _____ dans notre chambre.

2. Marianne: Proposons à maman d'aller à la campagne faire un pique-nique.
   Isabelle: Non, proposons-lui d'aller _____ faire du shopping.

3. Marianne: Jean-Michel habite par ici, près de ce bistro.
   Isabelle: Mais non, il habite _____ au bout de la rue.

4. Marianne: Je veux passer les vacances de Noël avec mes amis.
   Isabelle: Moi, je veux les passer _____ .

5. Marianne: Dimanche, je vais me réveiller tard et ne rien faire de toute la journée.

Isabelle: Pas moi. Moi, je vais me réveiller _____ et ranger ma chambre.

6. Marianne: Je ne vais jamais étudier à la bibliothèque. C'est trop calme.

Isabelle: Moi, j'y vais _____ parce que j'aime le silence et j'y travaille bien.

7. Marianne: Antoine gagne un bon salaire.

Isabelle: Pas du tout, il ne gagne que $250.00 _____ semaine.

8. Marianne: Quand je rentre, je vais tout de suite allumer la télé et me reposer.

Isabelle: Moi, je vais _____ faire mes devoirs et ensuite si j'ai le temps, je regarderai un peu de télé.

Exercice W

Exprimez ce que ces personnes vont faire en complétant les phrases avec la préposition qui convient:

1. Les Ricard vont célébrer leur anniversaire _____ famille.
2. Janine va _____ doute rester chez elle ce soir.
3. Les cyclistes du Tour de France vont passer _____ ici demain.
4. Non, Roger ne va pas rester en haut. Il va descendre _____ bas.
5. Rémi va _____ le coiffeur dans une heure.
6. Lise va s'entraîner deux fois _____ semaine.
7. Annick va planter des fleurs autour _____ la maison.
8. Les enfants préféreront sûrement s'amuser _____ plein air.
9. Roland a écrit une rédaction de cinquante pages _____ une seule journée.
10. Mes parents seront libres de partir en vacances _____ quelques jours.
11. Les enfants ont assez regardé la télévision, _____ ailleurs ils est l'heure de se coucher.
12. Je cherche un appartement à Paris _____ côté de Montmartre.

◆ MASTERY EXERCISES ◆

Exercice X

Exprimez vos opinions en complétant les phrases:

1. Je compte _____.
2. J'espère _____.
3. Je n'ose pas _____.
4. Je rêve _____.
5. Je m'efforce _____.
6. Je pense _____.
7. J'essaie _____.
8. J'ai envie _____.
9. À mon avis, _____.
10. Je me prépare _____.

Exercice Y

Complétez l'histoire suivante avec les prépositions appropriées de la liste:

à		en	sur
après	de	par	sans
avec	dans	près de	sous

Paul et Catherine ont choisi _____ se marier _____ deux mois
                                      1   2

_____ la mairie _____ la ville _____ Bretagne où Catherine est
    3   4   5

née. Ils ont commencé _____ chercher un appartement le jour où ils
                              6

ont décidé _____ se marier. _____ fait, ils aimeraient vivre _____
              7   8   9

`la campagne _____ une grande maison _____ un jardin plein
                 10   11

_____ fleurs et une piscine. Un samedi matin, ils sont partis _____
    12   13

bonne heure, _____ auto pour aller tout d'abord visiter une maison
                 14

_____ la ville, _____ dix kilomètres de leurs bureaux. _____ vrai
    15   16   17

dire, la maison était tout à fait horrible, vieille et très petite. À midi, au

lieu _____ déjeuner dans un restaurant, Paul et Catherine avaient
        18

apporté quelque chose _____ manger. Ils avaient demandé à la maman
                              19

de Catherine _____ préparer un repas qu'ils allaient manger _____
                  20   21

plein air _____ un arbre, à côté de la route. Il y avait du fromage
              22

_____ chèvre, un morceau _____ pain et des fruits dans un sac
    23   24

_____ toile. Ils étaient contents _____ se reposer et ils ont mangé
    25   26

_____ plaisir _____ l'herbe. _____ avoir fini _____ manger, ils
    27   28   29   30

ont vu un appartement qui donnait _____ une jolie rue. Il comprenait
                                          31

une grande salle _____ séjour et une petite chambre _____ coucher
         32   33

qui mesurait quatre mètres _____ long sur quatre mètres _____
                              34   35

large. «_____ mon avis, c'est très bien» dit Paul. Mais Catherine n'était
        36

pas d'accord. Elle voulait continuer _____ visiter d'autres maisons.
                                        37

Elle dit, «Nous finirons _____ trouver mieux. _____ tout cas, cela
                            38   39

vaut la peine d'essayer.»

Exercice Z

Exprimez ce que Pierre écrit à sa sœur:

1. I am happy to tell you the good news.
2. I just won the 5-million-dollar lottery.
3. I succeeded in choosing the six necessary numbers.
4. It is impossible to describe my joy.
5. Now I can easily pay my college expenses.
6. I am anxious to buy our mother a new fur coat.
7. I am sure that our father would like to have a new sports car.
8. I've decided to buy you a diamond necklace.
9. I'm dreaming about becoming a millionaire.
10. I expect to receive a check soon.

PART

Adjective /Adverb and Related Structures

THREE

24

Adjectives and Adverbs

An adjective is a word that describes a noun or pronoun:

> My father speaks *perfect* German.
> He is *tall* and *slim*.

An adverb is a word that modifies a verb, an adjective, or another adverb:

> My father speaks German *perfectly*.
> He is *very* active and swims *very* well.

1. Adjectives

French adjectives agree in gender and number with the nouns or pronouns they modify.

a. Gender of adjectives

(1) Most French adjectives form the feminine by adding **e**:

MASCULINE	FEMININE	
petit	petite	*small*
grand	grande	*tall*
espagnol	espagnole	*Spanish*
prochain	prochaine	*next*
noir	noire	*black*
bleu	bleue	*blue*
poli	polie	*polite*

NOTE: Adjectives ending in **-é** also form the feminine by adding **e**:

MASCULINE	FEMININE	
âgé	âgée	*old*
carré	carrée	*square*
fatigué	fatiguée	*tired*

(2) Adjectives ending in mute **e** do not change:

MASCULINE	FEMININE	
faible	faible	*weak*
aimable	aimable	*kind*
difficile	difficile	*difficult*
sincère	sincère	*sincere*

(3) Adjectives ending in **-x** form the feminine by changing **x** to **se:**

MASCULINE	FEMININE	
curieux	curieu*se*	*curious*
furieux	furieu*se*	*furious*
dangereux	dangereu*se*	*dangerous*
délicieux	délicieu*se*	*delicious*
heureux	heureu*se*	*happy*

(4) Adjectives ending in **-f** form the feminine by changing **f** to **ve:**

MASCULINE	FEMININE	
neuf	neu*ve*	*new*
vif	vi*ve*	*lively*
actif	acti*ve*	*active*
attentif	attenti*ve*	*attentive*
naïf	naï*ve*	*naive*

(5) Adjectives ending in **-er** form the feminine by changing **er** to **ère:**

MASCULINE	FEMININE	
premier	premi*ère*	*first*
dernier	derni*ère*	*last*
cher	ch*ère*	*expensive, dear*
entier	enti*ère*	*entire, whole*
fier	fi*ère*	*proud*
étranger	étrang*ère*	*foreign*
léger	lég*ère*	*light*

(6) Some adjectives form the feminine by doubling the final consonant before adding **e:**

MASCULINE	FEMININE	
ancien	ancie*nne*	*old, ancient, former*
bas	ba*sse*	*low*
bon	bo*nne*	*good*
cruel	crue*lle*	*cruel*
européen	europée*nne*	*European*
gentil	genti*lle*	*nice, kind*
sot	so*tte*	*foolish, silly*

(7) Some adjectives have irregular feminine forms:

MASCULINE	FEMININE	
blanc	blanche	white
complet	complète	complete
doux	douce	sweet, mild, gentle, soft
faux	fausse	false
favori	favorite	favorite
frais	fraîche	fresh, cool
franc	franche	frank
inquiet	inquiète	worried, uneasy
long	longue	long
public	publique	public
sec	sèche	dry
secret	secrète	secret
travailleur	travailleuse	hardworking, industrious
beau (bel)	belle	beautiful, fine, handsome
fou (fol)	folle	mad, crazy
mou (mol)	molle	soft
nouveau (nouvel)	nouvelle	new
vieux (vieil)	vieille	old

NOTE: The adjectives **beau, fou, mou, nouveau,** and **vieux** change to **bel, fol, mol, nouvel,** and **vieil** before a masculine singular noun beginning with a vowel or silent **h.** These are the only five French adjectives with two masculine forms:

un bel homme a good-looking man
un fol espoir a mad hope
un mol oreiller a soft pillow
un nouvel ami a new friend
un vieil hôpital an old hospital

b. Plural of adjectives

(1) The plural of adjectives is formed by adding **s** to the singular:

SINGULAR	PLURAL	
âgé	âgés	old
blond	blonds	blond
bonne	bonnes	good
blanche	blanches	white
active	actives	active

(2) Adjectives ending in **-s** or **-x** are invariable in the masculine plural:

gris, heureux, anglais, français, frais, mauvais

(3) Most adjectives ending in **-al** change **al** to **aux** in the plural:

SINGULAR	PLURAL	
é**gal**	é**gaux**	*equal*
social	**sociaux**	*social*
spécial	**spéciaux**	*special*
général	**généraux**	*general*
national	**nationaux**	*national*
loyal	**loyaux**	*loyal*

(4) The adjective **tout** is irregular in the masculine plural:

SINGULAR	PLURAL	
tout	**tous**	*all*

(5) Both masculine forms of **beau (bel), fou (fol), mou (mol), nouveau (nouvel),** and **vieux (vieil)** have the same plural form:

SINGULAR	PLURAL	
le *bel* **ouvrage**	**les** *beaux* **ouvrages**	*fine works*
le *beau* **cadeau**	**les** *beaux* **cadeaux**	*beautiful presents*

Exercice A

Charles et Colette sont jumeaux, mais leur personnalité et leurs caractéristiques sont différentes. Décrivez-les:

EXEMPLE: Charles est grand.
Colette est petite.

1. Colette est blonde.
2. Charles est poli.
3. Charles est faible.
4. Charles est drôle.
5. Colette est maigre.

6. Charles est heureux.
7. Colette est paresseuse.
8. Colette est cruelle.
9. Charles est gentil.
10. Colette est belle.

Exercice B

Décrivez certains élèves de votre classe de français. Choisissez des élèves et décrivez-les en employant les adjectifs suivants:

ponctuel	loyal	gentil	sage
honnête	franc	sérieux	travailleur
sportif	poli	fier	beau
heureux	appliqué	intéressant	curieux

EXEMPLE: **Marie-Claire et Christine sont sérieuses.**

Exercice C

Votre sœur et vous n'êtes jamais du même avis. Qu'est-ce qu'elle dit pour vous contredire:

EXEMPLE: Cette chambre est sale.
Au contraire, cette chambre est propre.

1. Ce criminel est coupable.
2. M. Degand est pauvre.
3. Ces livres sont intéressants.
4. Les vêtements sont mouillés.
5. Cette boîte est lourde.
6. Marthe et Nadine sont tristes.
7. Les devoirs sont faciles.
8. La chambre est large.
9. Le sac est plein.
10. Cette soupe est mauvaise.

Exercice D

La rentrée scolaire approche. Tout le monde va s'acheter de nouveaux vêtements. Décrivez les vêtements:

EXEMPLES: Cécile / une robe
Cécile a une vieille robe.
Elle s'achète une nouvelle robe.
Quelle belle robe!

Pierre / des pyjamas
Pierre a de vieux pyjamas.
Il s'achète de nouveaux pyjamas.
Quels beaux pyjamas!

1. André / un pantalon
2. Michelle / des gants
3. Roger / une cravate
4. Danielle et Lisette / des imperméables
5. Pierre / une écharpe
6. Chantal / des chaussettes
7. Olivier / un anorak
8. Bernadette / des sandales

C. Agreement of adjectives

(1) Adjectives agree in gender and number with the nouns or pronouns they describe:

C'était **une nuit** *fraîche.*   *It was a cool night.*
Ces cerises sont *amères.*   *These cherries are bitter.*
Ils seront *contents* de partir.   *They will be glad to leave.*

NOTE: Participles used as adjectives also agree with the nouns they describe:

Les livres sont-ils **recouverts?**   *Are the books covered?*

C'est **une enfant obéissante.**   *She is an obedient child.*

(2) An adjective describing two or more nouns of different genders is masculine plural:

Son fils et sa fille sont **intelligents.**   *Her son and daughter are intelligent.*

Exercice E

M. Rameau décrit ses deux enfants, Jacques et Suzanne. Utilisez les adjectifs donnés pour exprimer ce qu'il dit:

aimable	drôle	intéressant	reconnaissant
ambitieux	généreux	jaloux	responsable
amusant	gentil	mince	sérieux
studieux	indépendant	obéissant	timide

EXEMPLE: **Jacques est mince. Suzanne est amusante.**

Exercice F

En choisissant un adjectif de la liste, décrivez à votre correspondante sénégalaise les endroits intéressants à voir aux États-Unis:

beau	grand	magnifique
célèbre	important	renommé
élégant	impressionant	superbe
formidable	joli	vieux

EXEMPLE: Radio City (un théâtre)
   C'est un grand théâtre.

1. L'Alamo (un fort)
2. Disney World (un parc d'attractions)
3. L'Empire State Building (un gratte-ciel)
4. Le Lincoln Memorial et la Statue de la Liberté (des monuments)
5. Le Golden Gate (un pont)
6. Le Smithsonian et le Guggenheim (des musées)
7. Saint Patrick (une cathédrale)
8. Miami Beach et Virginia Beach (des plages)

9. Yosemite et Yellowstone (des parcs)
10. Hollywood et Vine (des rues)

d. Position of adjectives

(1) Descriptive adjectives normally follow the noun they modify:

une porte *secrète*	*a secret door*
les vins *blancs*	*the white wines*

(2) Some short descriptive adjectives usually precede the noun:

beau	**gentil/vilain**	**joli**
bon/mauvais	**gros**	**nouveau**
court/long	**jeune/vieux**	**petit/grand**

un *court* **roman**	*a short novel*
de *mauvais* **conseils**	*bad advice*

(3) Other common adjectives that precede the noun:

autre *other*	**plusieurs** *several*	**quelques** (pl.) *a few*
chaque *each*	**premier** *first*	**tel** *such*
dernier *last*	**quelque** *some*	**tout** *all, whole, every*

un *autre* **livre**	*another book*
plusieurs **amis**	*several friends*

(4) The adjective **tout** precedes both the noun and definite article:

toute **la maison**	*the whole house*
tous **les animaux**	*every animal*

(5) When more than one adjective describes a noun, each adjective is placed in its normal position. Two adjectives in the same position are joined by **et**:

une *petite* **histoire** *intéressante*	*a short, interesting story*
une étudiante *intelligente et sympathique*	*a nice, intelligent student*
un *jeune et gentil* **garçon**	*a kind, young boy*

NOTE: Some adjectives have different meanings, depending on their position. In normal position after the noun, the meaning tends to be literal. Before the noun, the meaning changes:

une coutume *ancienne*	*an old (ancient) custom*
une *ancienne* **coutume**	*a former custom*
un garçon *brave*	*a brave boy*
un *brave* **garçon**	*a fine (good, worthy) boy*

une étoffe *chère*	an expensive material
un *cher* ami	a dear (esteemed, cherished) friend
la semaine *dernière*	last week (just passed)
la *dernière* semaine	the last week (of a series)
un homme *honnête*	an honest man
un *honnête* homme	a virtuous man
un auteur *méchant*	a spiteful (wicked, vicious) author
un *méchant* garçon	a bad (naughty) boy
la chose *même*	the very thing
la *même* chose	the same thing
les gens *pauvres*	the poor people (without money)
les *pauvres* gens	the unfortunate people
mes gants *propres*	my clean gloves
mes *propres* gants	my own gloves
un chien *sale*	a dirty (soiled) dog
un *sale* chien	a dirty (nasty) dog
un homme *seul*	a man alone, a single man (by himself)
un *seul* homme	one man only
un type *triste*	a sad (unhappy) guy
un *triste* type	a sad (wretched, sorry) guy

Exercice G

En employant les adjectifs entre parenthèses, répondez aux questions qu'un ami vous pose au sujet du mariage de votre ami:

EXEMPLE: Comment était la cérémonie? (long, religieux)
   C'était une longue cérémonie religieuse.

1. Comment était la robe de la jeune mariée? (beau, blanc)
2. Comment était le costume du marié? (moderne, élégant)
3. Comment était l'alliance de la jeune mariée? (original, joli)
4. Comment était l'église? (vieux, formidable)
5. Comment était le prêtre? (jeune, sociable)
6. Comment était la salle de réception? (immense, magnifique)
7. Comment était l'orchestre? (grand, excellent)
8. Comment était le repas? (bon, petit)

Exercice H

Décrivez l'appartement des jeunes mariés avec les adjectifs entre parenthèses:

> EXEMPLE: un divan (grand, moderne)
> **Ils ont un grand divan moderne.**

1. un appartement (nouveau, formidable)
2. une chaîne stéréo (vieux, magnifique)
3. une table (joli, blanc)
4. des meubles (cher, moderne)
5. des chaises (mou, large)
6. une lampe (grand, européen)

Exercice I

Vous regardez un album de photos avec votre ami(e). Faites des descriptions en utilisant l'adjectif entre parenthèses:

> EXEMPLE: Cet homme n'a pas de famille. (seul)
> **C'est un homme seul.**

1. Ce costume coûte beaucoup. (cher)
2. Cette femme est courageuse. (brave)
3. Cette voiture est à moi! (propre)
4. Cette radio date de ma jeunesse. (ancien)
5. Ce garçon est mal élevé. (méchant)
6. Cet enfant n'a pas d'argent. (pauvre)
7. Cette fille dit toujours la vérité. (honnête)
8. Cet homme ne se lave jamais. (sale)

2. Adverbs

a. Adverbs are formed by adding **-ment** to the masculine singular form of an adjective ending in a vowel:

ADJECTIVE	ADVERB	
autre	**autre**ment	*otherwise*
poli	**poli**ment	*politely*
utile	**utile**ment	*usefully*
vrai	**vrai**ment	*truly*

b. If the masculine singular adjective ends in a consonant, **-ment** is added to the feminine singular:

ADJECTIVE	ADVERB	
affreux	**affreusement**	*frightfully*
amer	**amèrement**	*bitterly*
doux	**doucement**	*gently*
fou	**follement**	*madly*
franc	**franchement**	*frankly*
secret	**secrètement**	*secretly*
seul	**seulement**	*only*
tel	**tellement**	*in such a manner, so*

Exceptions:

gentil	**gentiment**	*gently*
bref	**brièvement**	*briefly*

c. A few adjectives change the feminine mute **e** ending to **é** before adding **-ment**:

ADJECTIVE	ADVERB	
aveugle	**aveuglément**	*blindly*
énorme	**énormément**	*enormously*
précis	**précisément**	*precisely*
profond	**profondément**	*profoundly*

d. Adjectives ending in **-ant** and **-ent** have adverbs ending in **-amment** and **-emment**:

ADJECTIVE	ADVERB	
constant	**constamment**	*constantly*
courant	**couramment**	*fluently*
différent	**différemment**	*differently*
évident	**évidemment**	*evidently*
récent	**récemment**	*recently*

Exception:

lent	**lentement**	*slowly*

e. A few adjectives are used adverbially in the masculine singular in certain fixed expressions:

bas	**parler bas**	*to speak low*
fort/haut	**parler fort/haut**	*to speak loudly*
cher	**payer cher**	*to pay (for) dearly*
court/net	**s'arrêter court/net**	*to stop short*
droit	**aller droit**	*to go straight ahead*
dur	**travailler dur**	*to work hard*

f. The expressions **d'une façon** or **d'une manière** are often used with a modifying adjective in place of an adverb or where no adverb exists:

Elle parle *d'une façon* charmante.	She speaks charmingly.
Il agit *d'une manière* intelligente.	He acts intelligently.

g. Some adverbs have forms distinct from the adjective forms:

ADJECTIVE	ADVERB
bon good	**bien** well
mauvais bad	**mal** badly
meilleur better	**mieux** better
moindre less	**moins** less
petit little	**peu** little

Robert est **bon** musicien et il joue **bien** du piano.	Robert is a good musician and plays the piano well.
Jacques est un **mauvais** garçon qui traite **mal** sa sœur.	Jacques is a bad boy who treats his sister badly.

h. Other common adverbs:

ailleurs elsewhere	**déjà** already	**peut-être** perhaps, maybe
ainsi thus, so	**demain** tomorrow	**plus** more
alors then	**encore** still, yet, again	**plutôt** rather
après afterwards	**enfin** at last	**près** near
assez enough, quite	**ensemble** together	**presque** almost
aujourd'hui today	**ensuite** then, afterwards	**puis** then
auparavant before	**environ** about	**quelquefois** sometimes
aussi also, too	**exprès** on purpose	**si** so
aussitôt immediately	**fort** very	**souvent** often
autant as much	**hier** yesterday	**surtout** especially
autrefois formerly	**ici** here	**tant** so much
beaucoup much	**là** there	**tard** late
bientôt soon	**loin** far	**tôt** soon, early
cependant meanwhile	**longtemps** a long time	**toujours** always, still
comme as	**maintenant** now	**tout** quite, entirely
davantage more	**même** even	**très** very
dedans inside	**parfois** sometimes	**trop** too, too much
dehors outside	**partout** everywhere	**vite** quickly

Exercice J

Guy apprend à conduire. Décrivez une de ses leçons:

EXEMPLE: D'abord il conduit. (lent)
              D'abord il conduit lentement.

1. Le professeur lui parle. (doux)
2. Guy commence à conduire. (rapide)
3. Le professeur le reprend. (sévère)
4. Guy le rassure. (sincère)
5. Le professeur lui parle. (sérieux)
6. Il lui répète les règles. (patient)
7. Guy l'écoute. (attentif)
8. Cependant il n'agit pas. (prudent)
9. Le professeur lui fait des reproches. (vif)
10. Guy arrête la voiture. (brusque)
11. Le professeur regarde Guy. (méchant)
12. Guy s'excuse. (timide)

Exercice K

Complétez l'histoire de Mireille en transposant les adjectifs donnés en adverbes:

Je vais _____ dans un petit restaurant qui a ouvert
    1 (fréquent)

_____près de chez moi. Le propriétaire est un homme que je
2 (récent)

connais _____ depuis très peu de temps, mais avec qui je me
    3 (seul)

suis liée d'amitié _____. Il parle français _____.
        4 (immédiat)   **5** (courant)

_____, tous les plats du menu sont des spécialités françaises
6 (Naturel)

_____ préparées. Je suis _____ fière de mon nouvel
7 (soigneux)   **8** (énorme)

ami parce qu'il mène _____ et _____ ses affaires.
                9 (prudent)   **10** (sérieux)

_____, il gagne beaucoup d'argent qu'il dépense
11 (Heureux)

_____. Mon ami me traite _____ bien et il m'invite
12 (raisonnable)   **13** (extrême)

souvent à manger _____. Je lui dis _____ combien je
        14 (gratuit)   **15** (constant)

l'admire et que sa cuisine est _____ délicieuse. Il est
           16 (vrai)

_____ ravi d'entendre ces compliments que je lui fais très
17 (absolu)

_____.
18 (sincère)

Exercice L

Complétez les phrases suivantes avec un adverbe de la liste:

ailleurs	bientôt	ensemble	partout	toujours
beaucoup	davantage	exprès	plutôt	vite

EXEMPLE: Luc aide Yann à faire ses devoirs. Ils travaillent
ensemble   .

1. Le ciel est fort couvert. Il va _____ pleuvoir.
2. Hélène n'a pas assez étudié. Elle doit étudier _____ .
3. Marie n'aime pas ce restaurant. Nous allons dîner _____ .
4. Hervé et André vont à la bibliothèque. Ils y font _____ leur travail scolaire.
5. M. Ronsard se dépêche d'aller au bureau. Il marche _____ .
6. Éric aime aider sa mère. Il aime _____ cuisiner.
7. Nicolas n'a pas rangé sa chambre. Il a laissé ses vêtements traîner _____ .
8. Michel est tout le temps heureux. Il rit _____ .
9. Roger a frappé son frère intentionnellement. Quoi qu'il dise, il l'a fait _____ .
10. Anne n'est jamais généreuse. Au contraire, elle est _____ égoïste.

Exercice M

Vous venez de faire la connaissance de Mme Nalet. Décrivez-la en employant l'expression **d'une manière** + *adjectif:*

EXEMPLE: Elle agit. (naturel)
Elle agit **d'une manière naturelle.**

1. Elle s'exprime. (énergique)
2. Elle réagit. (intéressant)
3. Elle parle. (charmant)
4. Elle pense. (réaliste)
5. Elle répond. (hypocrite)
6. Elle s'amuse. (enthousiaste)

i. Some adverbial expressions are formed by combining prepositions with other words:

(1) Preposition + noun or noun phrase:

à droite (gauche) *to the right (left)*

Si vous tournez **à droite,** vous verrez la Seine **à gauche.**	*If you turn right, you will see the Seine on your left.*

à l'heure on time

> L'autobus est parti **à l'heure.**
>
> The bus left on time.

à la fin finally

> **À la fin,** il a plu.
>
> Finally, it rained.

à la fois at the same time

> Peut-on jouer et travailler **à la fois?**
>
> Can we play and work at the same time?

à merveille wonderfully well, marvelously

> Lucie chante **à merveille.**
>
> Lucy sings wonderfully well.

à peine hardly, scarcely

> Il sait **à peine** lire.
>
> He hardly knows how to read.

à présent now, at present

> Que font-ils **à présent?**
>
> What are they doing now?

à temps in time

> Es-tu arrivé **à temps?**
>
> Did you arrive in time?

d'avance in advance, beforehand

> Nous paierons **d'avance.**
>
> We will pay in advance.

d'habitude generally, usually

> **D'habitude** il pleut beaucoup.
>
> It generally rains a lot.

de jour en jour from day to day

> Vous apprenez **de jour en jour.**
>
> You learn from day to day.

de rigueur (socially) obligatory, required

> Un costume est **de rigueur.**
>
> A suit is required.

de temps en temps (de temps à autre) *from time to time*

Je la vois **de temps en temps.**	*I see her from time to time.*

du matin au soir *from morning till night*

Elle chante **du matin au soir.**	*She sings from morning till night.*

en retard *late*

Je suis **en retard.**	*I am late.*

par hasard *by chance*

Aurais-tu vu mon stylo **par hasard?**	*Would you have seen my pen by chance?*

par jour (semaine, mois, etc.**)** *per/a day (week, month, etc.)*

Je gagne vingt dollars **par jour.**	*I earn twenty dollars a day (per day).*

sans doute *without a doubt, undoubtedly*

Ceci est **sans doute** correct.	*This is undoubtedly correct.*

(2) Preposition + adjective:

d'ordinaire *usually*

D'ordinaire elle est à l'heure.	*Usually she is on time.*

en général *in general, generally*

En général il finit tout.	*Generally he finishes everything.*

de nouveau *again*

Il l'examine **de nouveau.**	*He examines it again.*

par conséquent *therefore, consequently*

Tu es tombé. **Par conséquent** tu t'es fait mal.	*You fell. Consequently you hurt yourself.*

(3) Preposition + adverb

à jamais *forever*

Je t'aimerai **à jamais**.   *I will love you forever.*

au moins *at least*

Il y a **au moins** une heure   *There is at least an hour's*
d'attente.   *wait.*

d'ailleurs *besides*

D'ailleurs, je ne veux pas y   *Besides, I don't want to go.*
aller.

du moins *at least, in any case*

Elle en est **du moins** très   *She is in any case very*
fière.   *proud of it.*

(4) Preposition + adjective + noun

à tout prix *at any cost*

Il vous aidera **à tout prix**.   *He will help you at any*
                                                      cost.

de bon appétit *heartily, with a good appetite*

Nous mangeons **de bon**   *We eat heartily.*
appétit.

de bon cœur *willingly, gladly*

Je le ferai **de bon cœur**.   *I will do it gladly.*

de bonne heure *early*

Ils arriveront **de bonne**   *They will arrive early.*
heure.

en huit (quinze) jours *in (during) a week (two weeks)*

Il apprendra tout **en quinze**   *He will learn everything in*
jours.   *two weeks.*

en même temps *at the same time*

Les deux enfants pleurent   *The two children cry at the*
en même temps.   *same time.*

Exercice N

Complétez cette histoire d'un homme travailleur avec l'expression correcte:

_____ Pierre Renard travaille _____.
1 (At present)   2 (from morning till night)

_____ il se lève _____. _____ il mange son
3 (Usually)   4 (early)   5 (Generally)

petit déjeuner _____. Il arrive à son bureau _____. Il
                6 (heartily)   7 (on time)

travaille sans arrêt. Il est si organisé qu'il peut parler au téléphone et

écrire ses rapports _____. Il prend _____ dix
                    8 (at the same time)   9 (hardly)

minutes pour le déjeuner. _____, il accomplit beaucoup dans
                          10 (Consequently)

une journée. _____, son patron l'admire également parce qu'il
             11 (Besides)

fait tout _____. _____ de la journée, il est
          12 (willingly)   13 (At the end)

_____ épuisé. Il quitte le bureau assez tard et, _____,
14 (usually)   15 (again)

arrive _____ pour le dîner.
       16 (late)

---

j. The following are common adverbial expressions formed with two or
more words:

> **encore une fois** *again*
>
> Il le répète **encore une fois**.   *He repeats it again.*

> **et ainsi de suite** *and so on, and so forth*
>
> Donnez d'abord le sujet   *First give the subject, then*
>   puis le verbe **et ainsi de**   *the verb and so forth for*
>   **suite** pour chaque   *each sentence.*
>   phrase.

> **jamais de la vie!** *never! out of the question!*
>
> Vous voulez le vendre?   *Do you want to sell it?*
>   — **Jamais de la vie!**   *— Never!*

peu à peu *little by little, gradually*

Il fait des progrès **peu à peu.**	*He is making progress little by little.*

peut-être *perhaps, maybe*

Peut-être peux-tu le faire.	*Perhaps you can do it.*

tant bien que mal *rather badly, so-so*

Sais-tu danser? — **Tant bien que mal.**	*Can you dance? — So-so.*

tant mieux *so much the better*

J'ai ma propre voiture. — **Tant mieux!**	*I have my own car. — So much the better!*

tant pis *too bad, so much the worse*

Il a raté son examen. **Tant pis!**	*He failed his exam. Too bad!*

tout à (d'un) coup *all of a sudden, suddenly*

Tout à coup il s'est mis à crier.	*All of a sudden he started to scream.*

tout à fait *entirely, quite*

Elle est **tout à fait** guérie.	*She is completely cured.*

tout à l'heure *just now, a little while ago* (referring to immediate past); *in a little while, presently* (referring to immediate future)

Elle a nettoyé sa chambre **tout à l'heure.**	*She cleaned her room just now.*
Elle nettoiera sa chambre **tout à l'heure.**	*She will clean her room in a little while.*

tout de même *just the same, nevertheless*

Elle l'épousera **tout de même.**	*She will marry him just the same.*

tout de suite *immediately, at once*

Viens ici **tout de suite.**	*Come here at once!*

Exercice O

Exprimez ce que Jean-François pense en remplaçant les mots en caractères gras par une expression équivalente:

1. Je vais améliorer mon français **graduellement.**
2. Je vais faire mon travail **immédiatement.**
3. Je suis **complètement** étonné.
4. Jacques ne peut pas venir chez moi ce soir. **C'est dommage.**
5. Je sors **probablement** ce soir.
6. Moi? Préparer le dîner? **Pas question!**
7. Je cours dix minutes puis je marche cinq minutes **etc.** pendant une heure chaque jour.
8. Je vais écouter ce disque **de nouveau.**
9. Je vais m'exercer à la guitare **dans un moment.**
10. Mon chat dormait tranquillement quand **soudain** il s'est mis à courir.

k. Adverbs of quantity

Certain adverbs expressing quantity are followed by **de,** without article, before a noun:

assez de *enough*   **moins de** *less, fewer*
autant de *as much, as many*   **peu de** *little, few*
beaucoup de *much, many*   **plus de** *more*
combien de *how much, how*   **tant de** *so much, so many*
   many   **trop de** *too much, too many*

Avez-vous **assez de** temps et   *Have you enough time and*
   d'énergie?   *energy?*
J'ai **autant de** poupées que toi.   *I have as many dolls as you.*

Exercice P

Régine prépare une surprise-partie. Exprimez ce qu'elle a acheté:

EXEMPLE:

beaucoup
Elle a acheté beaucoup d'assiettes.

1.

trop

2.

peu

3.

assez

4.

beaucoup trop

5.

beaucoup

1. Position of adverbs

(1) An adverb modifying a verb in a simple tense is usually placed directly after the verb:

Il prononce *distinctement* ses   *He pronounces his words*
   mots.   *distinctly.*

(2) In compound tenses the position of the adverb varies. Most adverbs generally follow the past participle. A few common ones, such as **bien, mal, souvent, toujours, déjà,** and **encore,** as well as adverbs of quantity, usually precede the past participle:

Hier, le médecin est **venu** **immédiatement.**	Yesterday the doctor came immediately.
Nous avions **beaucoup** dormi ce jour-là.	We had slept a great deal that day.

■ Exercice Q ■

Exprimez le problème que Liliane raconte à son ami Paul. Placez l'adverbe à la place qui convient:

> EXEMPLE: Son ami lui a parlé. (brillamment)
> **Son ami lui a parlé brillamment.**

1. Paul est venu à l'aide de son amie. (immédiatement)
2. Il était au courant du problème. (déjà)
3. Liliane est allée lui parler. (souvent)
4. Elle lui a parlé. (doucement)
5. Paul s'est exprimé. (bien)
6. Liliane a écouté. (attentivement)
7. Elle a compris sa réaction. (tout de suite)
8. Elle a suivi ses conseils. (aveuglément)
9. Elle était heureuse. (parfaitement)
10. Liliane est son amie. (toujours)

◆ MASTERY EXERCISES ◆

■ Exercice R ■

Complétez ce questionnaire avec des phrases complètes:

1. Avez-vous beaucoup ou peu de bons amis?
2. Prenez-vous des bains froids ou chauds?
3. Comment saluez-vous vos amis?
4. Êtes-vous plus ou moins paresseux que vos frères et sœurs?
5. Aimez-vous être en compagnie de gens très cultivés?
6. Faites-vous de la gym tous les jours?
7. Préférez-vous un oreiller dur ou mou?
8. Comment écoutez-vous les autres?
9. Êtes-vous fier (fière) de tout ce que vous faites?
10. Quand travaillez-vous mieux, le matin ou le soir?
11. Vous fâchez-vous facilement?
12. Comment traitez-vous vos parents?

Exercice S

Complétez chaque situation avec un commentaire approprié. Employez l'expression entre parenthèses:

1. Luc et ses amis sont partis au parc. Ils en reviennent peu de temps après. Luc explique à sa mère: (malheureusement)
2. Le petit André a laissé tous ses jouets par terre. Quand quelqu'un sonne à la porte, sa mère lui dit: (tout de suite)
3. C'est aujourd'hui le premier juillet. Mon anniversaire est le onze juillet. Ma sœur se dit: (bientôt)
4. Raoul a été écouter un concert, mais il n'y avait pas beaucoup de monde dans la salle. Il dit à son ami: (très peu)
5. Les comédiens d'une pièce de théâtre ont bien joué leurs rôles, mais le décor n'était pas extraordinaire. Alice dit: (tout de même)
6. M. Bertrand a trouvé un portefeuille avec cent dollars et une carte d'identité dedans. Il dit à sa femme: (évidemment)
7. Vous n'allez pas bien et vous avez une forte température. Votre père vous dit: (immédiatement)
8. Marie répond au téléphone. On demande quelqu'un qui n'habite pas là. Marie dit: (de nouveau)
9. Joseph lit un article qui parle de séjours de longue durée dans des stations spatiales. Joseph pense: (peut-être)
10. Georges est très fatigué. Mais il a encore beaucoup de choses à faire. Il pense: (tout à l'heure)

Exercice T

Francine veut faire la connaissance d'un jeune homme. Étant très superstitieuse, elle consulte l'horoscope. Exprimez en français ce qu'elle lit:

1. Capricorne (22/12-20/1)
   This person is ambitious, practical, serious, and strongly respects tradition and authority.
2. Verseau (21/1-19/2)
   This individual is nice, honest, popular, and entirely accepts others without prejudice.
3. Poissons (20/2-20/3)
   This person is sensitive and melancholy and likes to remain alone, completely free to dream.
4. Bélier (21/3-20/4)
   This person is courageous, energetic, and acts naturally and impulsively.
5. Taureau (21/4-21/5)
   These people are charming and kind but stubborn. They act affectionately to those they love.

6. Gémeaux (22/5-21/6)
   These individuals are logical, demonstrative, and are often impatient when they get bored.
7. Cancer (22/6-22/7)
   This individual is sensitive, sympathetic, acts patiently but is easily influenced by others.
8. Lion (23/7-23/8)
   These individuals are creative, determined, proud but extremely authoritative and domineering.
9. Vierge (24/8-23/9)
   This person is meticulous, intelligent, hard-working, and follows the rules at any price.
10. Balance (24/9-23/10)
    These people are happy, well-mannered, and react affectionately and sympathetically.
11. Scorpion (24/10-22/11)
    This individual is passionate, energetic, independent, and easily attracts friends.
12. Sagittaire (23/11-21/12)
    These individuals are friendly, sincere, generous, and act impulsively.

25

Comparison

1. Comparison of Inequality

a. Adjectives are compared as follows:

POSITIVE	intelligent(-e, -s, -es)	
COMPARATIVE	*plus* / *moins* intelligent(-e, -s, -es) *que*	
SUPERLATIVE	*le (la, les) plus* / *le (la, les) moins*	intelligent(-e, -s, -es) *de*

Marie est **intelligente.**
Marie est *plus* **intelligente** *que* Claudine.
Claudine est *moins* **intelligente** *que* Marie.
Marie est *la plus* **intelligente** *de* la classe.
Claudine est *la moins* **intelligente** *de* la classe.

Marie is intelligent.
Marie is more intelligent than Claudine.
Claudine is less intelligent than Marie.
Marie is the most intelligent in the class.
Claudine is the least intelligent in the class.

NOTE:

1. **Que** (*than*) introduces the second element in the comparative construction.

2. The second element of a comparison may be a noun, a stress pronoun, an adjective, an adverb, or a clause:

Mon frère est **plus gentil que ma sœur.**
Je suis **plus grand que** *toi.*

My brother is nicer than my sister.
I'm taller than you.

Nous sommes **plus fatigués** **qu'***ennuyés.*	*We are more tired than bored.*
Il a réussi parce qu'il a étudié **plus qu'***avant.*	*He succeeded because he studied more than before.*
Elle est plus jolie que *je ne pensais.*	*She is prettier than I thought.*

In the last example, where the second element is a clause, **ne** precedes the verb without negative meaning.

3. Comparative and superlative forms of adjectives agree in number and gender with the nouns they describe:

Les vaches sont **plus** *grosses* que les moutons.	*Cows are bigger than sheep.*
L'éléphant est **le plus** *grand* de tous les animaux d'Afrique.	*The elephant is the biggest of all the animals in Africa.*

4. The preposition **de** + article **(du, de la, de l')** may follow the superlative to express *in* or *of*:

Paris est **la plus belle ville** *du* **monde.**	*Paris is the most beautiful city in the world.*
C'est **le plus beau tableau** *de l'***exposition.**	*It's the most beautiful painting of the exhibit.*

5. In the superlative, the adjective generally retains its normal position:

C'est **une** *belle* **histoire.**	*It's a beautiful story.*
C'est *la plus belle* **histoire.**	*It's the most beautiful story.*

6. When a superlative adjective follows the noun, the article is repeated:

C'est *l'***histoire** *la plus intéressante.*	*It's the most interesting story.*

Exercice A

M. Leroux fait des comparaisons entre ses élèves. Exprimez ce qu'il dit d'eux en utilisant les suggestions entre parenthèses:

EXEMPLES: Robert est consciencieux. (+ . . . Claude)
Robert est **plus consciencieux que Claude.**

Anne est paresseuse. (− . . . Lucie)
Anne est **moins paresseuse que Lucie.**

1. Nancy est active. (+ . . . Régine)
2. Charles est curieux. (− . . . Richard)
3. Élise est franche. (+ . . . Michelle)
4. Paul est intelligent. (+ . . . Georgette)
5. Berthe est indépendante. (− . . . Claire)
6. Jacqueline est nerveuse. (− . . . Béatrice)
7. Henri est sportif. (+ . . . Marc)
8. Georges est sérieux. (− . . . Lisette)
9. Marie est fière. (+ . . . André)

Exercice B

Comparez les articles suivants et exprimez votre opinion au sujet de leur valeur:

EXEMPLE: une voiture / un bateau
Une voiture est moins chère qu'un bateau.

1. un château / une villa
2. un avion / une voiture
3. un manteau de fourrure / une bague de diamants
4. une bicyclette / une moto
5. un voyage en Europe / un voyage en Floride
6. une robe de soie / un pantalon de cuir
7. un baladeur / une chaîne stéréo
8. une télévision / un magnétoscope

Exercice C

Comparez les éléments suivants. Donnez votre opinion en utilisant les adjectifs entre parenthèses:

EXEMPLE: les bandes dessinées / les livres scolaires (amusantes, éducatives)
Les bandes dessinées sont plus amusantes que les livres scolaires.
Les bandes dessinées sont moins éducatives que les livres scolaires.

1. les voitures de sport / les voitures de tourisme (rapides, confortables)
2. la cuisine américaine / la cuisine française (simple, variée)
3. la musique rock / la musique classique (bruyante, ennuyeuse)
4. le français / l'espagnol (facile, répandu)
5. la vie moderne / la vie d'autrefois (complexe, calme)

Exercice D

Faites la comparaison des membres de votre famille en utilisant les adjectifs donnés:

actif	discret	généreux	intéressant
amusant	drôle	gentil	paresseux
chanceux	dynamique	honnête	patient
consciencieux	énergique	inquiet	sage
courageux	franc	intelligent	sérieux
curieux			

EXEMPLE: **Je suis plus active que ma sœur.**

Exercice E

Exprimez votre opinion la plus positive et la plus négative pour chaque catégorie:

EXEMPLE: l'homme / généreux
L'homme le plus généreux est le père Noël.
L'homme le moins généreux est Scrooge.

1. le programme de télévision / amusant
2. la voiture / luxueuse
3. les musiciens / doués
4. l'acteur / beau
5. l'animal / féroce
6. le film / intéressant

Exercice F

Exprimez l'ordre d'importance des éléments de chaque groupe selon votre opinion:

EXEMPLE: un trait important (être honnête, être sérieux, être responsable)
Être sérieux est un trait important.
Être responsable est un trait plus important.
Être honnête est le trait le plus important.

1. un crime violent (le vol, le meurtre, le terrorisme)
2. un problème sérieux (la pollution, la pauvreté, la faim dans le monde)
3. une chose désirable (la richesse, le bonheur, une bonne santé)
4. un don précieux (l'intelligence, la générosité, un talent artistique)

5. un cadeau merveilleux (une voiture de sport, un collier de diamants, une villa en France)
6. un espoir réalisable (voyager sur la lune, devenir président, être docteur)

b. A few adjectives have irregular comparatives and superlatives:

POSITIVE
bon (-ne, -s, -nes) *good*
mauvais (-e, -es) *bad*
petit (-e, -s, -es) *small*

COMPARATIVE
meilleur (-e, -s, -es) *better*
plus mauvais (-e, -es) / **pire (-s)** *worse*
plus petit(-e, -s, -es) *smaller (in size)* / **moindre (-s)** *lesser (in importance)*

SUPERLATIVE
le (la) meilleur (e) / **les meilleur (e)s** *the best*
le (la) plus mauvais(e) / **les plus mauvais(e)s** / **le (la) pire** / **les pires** *(the) worst*
le (la) plus petit(e) / **les plus petit(e)s** *smallest (in size)* / **le (la) moindre** / **les moindres** *(the) least, slightest*

Le printemps est **la meilleure** saison pour voyager.	*Spring is the best season to travel.*
Vos notes sont **pires que** les miennes.	*Your grades are worse than mine.*
Il n'a pas fait **le moindre** effort.	*He didn't make the least effort.*

Exercice G

Exprimez ce qui est, à votre avis, le meilleur et le pire de chaque catégorie:

> EXEMPLE: joueur de tennis
> **Mon père est le meilleur joueur de tennis.**
> **Mon frère est le pire.**

1.	film	**5.**	pièce de théâtre
2.	disque	**6.**	groupe musical
3.	émission de télévision	**7.**	actrice
4.	roman	**8.**	chanteur

Exercice H

Exprimez votre avis:

1. Quel est le meilleur magasin de votre ville?
2. Qui est votre meilleur(e) ami(e)?
3. Dans votre famille, qui s'occupe des moindres détails?
4. Quel est le meilleur film que vous ayez vu récemment?
5. Quel est le pire des problèmes dans le monde?
6. Quelle est la meilleure voiture qu'on puisse acheter?
7. Qui est le (la) plus petit(e) de votre famille?
8. Quel est votre meilleur cours?

C. Adverbs are compared as follows:

POSITIVE	**rapidement**	*rapidly*
COMPARATIVE	*plus (moins)* **rapidement**	more (less) rapidly
SUPERLATIVE	*le plus (moins)* **rapidement**	the most (least) rapidly

Je parle *moins* **franchement** *qu*'elle.	*I speak less frankly than she.*
Il me téléphone *plus* **fréquemment** *qu*'avant.	*He calls me more often than before.*
Il joue *plus* **instinctivement** *que* **méthodiquement.**	*He plays more instinctively than methodically.*
C'est moi qui nettoie *le plus* **souvent.**	*I'm the one who cleans the most often.*

NOTE:

1. The preposition **de** (alone or combined with the definite article) may follow the superlative adverb to mean *in* or *of*:

Il parle *le plus* **clairement** *de* tous.	*He speaks the most clearly of all.*
Le camembert est **le fromage français** *le mieux* **connu** *du* **monde.**	*Camembert is the best-known French cheese in the world.*

2. The article with superlative adverbs is always **le:**

Ces enfants marchent *le* **plus lentement.**	*These children walk the slowest.*
Marie parle *le* **plus rapidement** de tous.	*Marie speaks the fastest of all.*

Exercice I

Les élèves de la classe de français préparent un journal scolaire. Quelles observations leur professeur fait-il en les regardant travailler?

EXEMPLE: André écrit les articles d'une façon objective.
(+ . . . Robert)
André écrit les articles plus objectivement que Robert.

1. Régine travaille d'une façon consciencieuse. (− . . . Anne)
2. Nancy parle français d'une façon naturelle. (+ . . . Janine)
3. Roland dessine d'une façon simple. (+ . . . Luc)
4. Liliane admet les critiques d'une façon facile. (− . . . Charlotte)
5. Raoul pense d'une façon logique. (− . . . Michel)
6. Alice s'explique d'une façon claire. (+ . . . Marie)
7. Joseph écoute d'une façon attentive. (− . . . Marc)
8. Hélène corrige les articles d'une façon sérieuse. (+ . . . Mireille)
9. Paul critique le journal d'une façon gentille. (+ . . . Roger)

Exercice J

Des parents font la comparaison de leurs enfants. Exprimez ce qu'ils disent en utilisant les verbes entre parenthèses:

EXEMPLE: Monique est plus franche que Lucie. (parler)
Monique parle plus franchement que Lucie.

1. Jean est moins prudent que son frère. (conduire)
2. Renée est plus élégante que sa sœur. (s'habiller)
3. Lucien est plus patient que les autres garçons. (écouter)
4. Élise est moins polie que Lisette. (s'exprimer)
5. Richard est plus lent que Jacques. (faire tout)
6. Danielle est plus consciencieuse que Julie. (travailler)

7. Maurice est moins brusque que son cousin. (jouer)
8. Serge est plus respectueux que Denis. (se comporter)

Exercice K

Exprimez en quoi les membres de la famille Renoir se distinguent:

> EXEMPLE: Nanette / écouter / d'une façon attentive (+)
> **Nanette écoute le plus attentivement de la famille.**

1. Henri / courir / d'une façon rapide (−)
2. Robert / travailler / d'une façon soigneuse (+)
3. Marianne / compter / d'une façon rapide (+)
4. Gisèle / danser / d'une façon gracieuse (−)
5. M. Renoir / agir / d'une façon généreuse (+)
6. Mme Renoir / conduire / d'une façon prudente (−)

d. A few adverbs have irregular comparatives and superlatives:

POSITIVE	COMPARATIVE	SUPERLATIVE
bien *well*	**mieux** *better*	**le mieux** *the best*
mal *badly*	**plus mal** / **pis** } *worse*	**le plus mal** / **le pis** } *(the) worst*
beaucoup *much*	**plus** *more*	**le plus** *(the) most*
peu *little*	**moins** *less*	**le moins** *(the) least*

> Je chante **mieux que** toi.   *I sing better than you.*
> Il a joué **le mieux de** sa   *He played the best of his*
>   carrière.   *career.*
> Ces étudiants étudient **le**   *These students study the least*
>   **moins de** la classe.   *in the class.*

NOTE: The form **(le) plus mal** is preferred to **(le) pis.**

Exercice L

Faites un commentaire sur les joueurs de l'équipe de football de votre école:

> EXEMPLE: Qui joue bien? (Jean / Paul / Roger)
> **Jean joue bien.**
> **Paul joue mieux.**
> **Roger joue le mieux.**

1. Qui joue mal? (Luc / André / Georges)
2. Qui s'intéresse beaucoup au football? (Richard / Marc / Lucien)
3. Qui s'entraîne peu? (Henri / Alain / François)
4. Qui participe bien aux matches? (Pierre / Vincent / Yves)

e. Comparison of nouns

COMPARATIVE		SUPERLATIVE	
plus de	more	**le plus de**	the most
moins de	less, few	**le moins de**	the least, fewest

Cet auteur écrit **plus de romans** *que de* **pièces**.	This author writes more novels than plays.
Je mange **moins de viande** *que* **de légumes**.	I eat less meat than vegetables.
Je fais **le moins de fautes** de la classe.	I make the fewest errors in the class.

Exercice M

Marie et Françoise sont deux sœurs qui comparent toujours ce qu'elles et leurs ami(e)s ont. Expliquez ce qu'elles disent:

EXEMPLES: elle / − robes / pantalons
Elle a moins de robes que de pantalons.

nous / + devoirs / nos amis
Nous avons plus de devoirs que nos amis.

1. je / − chaussures / toi
2. elle / − amis / ennemis
3. je / + blouses / Françoise
4. je / − disques / cassettes
5. tu / − livres / journaux
6. tu / + problèmes / moi

2. Comparison of Equality

a. **aussi** + adjective or adverb + **que** (*as . . . as*)

Ils sont *aussi* **charmants** *que* vous.	They are as charming as you.
Elles sont *aussi* **contentes** *que* les autres élèves.	They are as happy as the other students.
Je parle italien *aussi* **couramment** *que* ma sœur.	I speak Italian as fluently as my sister.

NOTE: **Si** usually replaces **aussi** in negative comparisons:

Je ne suis pas *si* **nerveux** *que*   *I am not as nervous as you.*
   toi.

Exercice N

Faites la comparaison de vos amis jumeaux qui ont des traits identiques:

EXEMPLE: calme
   Pierre est aussi calme que Robert.

1. patient   3. nerveux   5. triste

2. impulsif   4. amusant   6. généreux

b. (1) **autant de** + noun + **que** (*as much / as many . . . as*)

Mon père a *autant de* **patience**   *My father has as much*
   que ma mère.   *patience as my mother*
L'enfant a reçu *autant de*   *The child received as many*
   jouets qu'il voulait.   *toys as he wanted.*

   (2) **autant que** + noun or pronoun (*as much / as many . . . as*)

Cette robe coûte *autant que*   *This dress costs as much as*
   cette blouse.   *this blouse.*
Je lis *autant que* **lui.**   *I read as much as he.*

Exercice O

Répondez aux questions que vos amis vous posent:

EXEMPLE: As-tu lu autant de livres que ton frère?
   Oui, j'ai lu autant de livres que lui.

1. Tes parents ont-ils visité autant de pays que mes parents?
2. As-tu reçu autant de bonnes notes que moi?
3. Ta sœur a-t-elle joué autant de matches de tennis que ton frère?
4. Ton frère et toi, avez-vous regardé autant de films que nous?
5. Ta sœur a-t-elle perdu autant de poids que toi?
6. As-tu écrit autant de poèmes que tes amies?

3. Comparative and Superlative Expressions

faire de son mieux *to do one's best*

Il fait **de son mieux.**   *He does his best.*

le plus (moins) possible *as much (little) as possible*

> Je voyage **le plus possible.**
>
> *I travel as much as possible.*

le plus (moins) . . . possible *as . . . as possible*

> Elle écrit **le plus** vite **possible.**
>
> *She writes as fast as possible.*

plus . . . plus *the more . . . the more*

> **Plus** on travaille, **plus** on gagne.
>
> *The more you work, the more you earn.*

moins . . . moins *the less . . . the less*

> **Moins** tu étudies, **moins** tu apprends.
>
> *The less you study, the less you learn.*

plus . . . moins *the more . . . the less*

> **Plus** elle dort, **moins** elle est fatiguée.
>
> *The more she sleeps, the less tired she is.*

de plus en plus *more and more*

> Ils parlent **de plus en plus** couramment.
>
> *They speak more and more fluently.*

de moins en moins *less and less*

> Vous vous reposez **de moins en moins.**
>
> *You rest less and less.*

de mieux en mieux *better and better*

> Nous chantons **de mieux en mieux.**
>
> *We sing better and better.*

tant bien que mal *so-so, rather badly*

> Elle cuisine **tant bien que mal.**
>
> *She cooks rather badly.*

tant mieux (pis) *so much the better (worse)*

> Il part demain. **Tant mieux.**
>
> *He is leaving tomorrow. So much the better.*
>
> Tu as perdu cent francs. **Tant pis.**
>
> *You lost one hundred francs. Too bad.*

Exercice P

Répondez aux questions par une phrase complète:

1. Que faites-vous de plus en plus souvent?
2. Que faites-vous de mieux en mieux?
3. Que faites-vous de moins en moins souvent?
4. Que faites-vous tant bien que mal?
5. Dans quel cours faites-vous de votre mieux?
6. Que faites-vous le plus vite possible?

◆ MASTERY EXERCISES ◆

Exercice Q

Lucien, un nouvel élève originaire de Dakar, vient d'arriver. Répondez aux questions qu'il vous pose au sujet de votre ville:

1. Est-ce qu'il tombe autant de pluie en août qu'en avril?
2. Fait-il aussi chaud au printemps qu'en été?
3. Y a-t-il autant d'insectes en décembre qu'en juillet?
4. Le printemps est-il aussi beau que l'hiver?
5. Y a-t-il autant de vent en janvier qu'en juillet?
6. Hier était-ce une journée moins claire qu'aujourd'hui?
7. Septembre est-il un meilleur mois que janvier?
8. Les jardins sont-ils aussi verts en mars qu'en juin?
9. Les rues sont-elles aussi pleines de gens en hiver qu'au printemps?
10. Y a-t-il moins de neige en automne qu'en hiver?

Exercice R

Comparez les éléments suivants:

1. un éléphant / un lion
2. la bicyclette / le train
3. la glace / le yaourt
4. se promener / courir
5. devenir médecin / devenir professeur
6. l'été / l'hiver

Exercice S

Vous travaillez dans une agence de publicité pour la télévision. Composez une annonce où vous décrivez les similarités et les différences entre deux produits et expliquez pourquoi votre produit est le meilleur.

Exercice T

Hélène vient d'être engagée comme architecte dans le bureau de son amie. Exprimez en français ce que son amie lui explique:

1. You should work as hard as possible.
2. The more you work, the more you will earn.
3. This office is as quiet as a library.
4. You are the youngest architect in this office.
5. The owner is the most respected man in the group.
6. There are as many letters on your desk as on mine.
7. In this office there are fewer than twenty-five employees.
8. The owner is nicer than you can imagine.
9. The manager is as old as the owner.
10. You should answer the phone as quickly as possible.
11. In this company, the owner is less strict than the manager.
12. There are fewer problems here than in other companies.

26

Numbers

1. Cardinal Numbers

0 **zéro**	17 **dix-sept**	70 **soixante-dix**
1 **un(e)**	18 **dix-huit**	71 **soixante et onze**
2 **deux**	19 **dix-neuf**	72 **soixante-douze**
3 **trois**	20 **vingt**	77 **soixante-dix-sept**
4 **quatre**	21 **vingt et un(e)**	80 **quatre-vingts**
5 **cinq**	23 **vingt-trois**	81 **quatre-vingt-un(e)**
6 **six**	30 **trente**	82 **quatre-vingt-deux**
7 **sept**	31 **trente et un(e)**	90 **quatre-vingt-dix**
8 **huit**	34 **trente-quatre**	91 **quatre-vingt-onze**
9 **neuf**	40 **quarante**	99 **quatre-vingt-dix-neuf**
10 **dix**	41 **quarante et un(e)**	100 **cent**
11 **onze**	47 **quarante-sept**	101 **cent un(e)**
12 **douze**	50 **cinquante**	200 **deux cents**
13 **treize**	51 **cinquante et un(e)**	201 **deux cent un(e)**
14 **quatorze**	52 **cinquante-deux**	250 **deux cent cinquante**
15 **quinze**	60 **soixante**	251 **deux cent cinquante et un(e)**
16 **seize**	61 **soixante et un(e)**	500 **cinq cents**

1.000 **mille**	3.000 **trois mille**
1.001 **mille un(e)**	100.000 **cent mille**
1.100 **mille cent/onze cents**	1.000.000 **un million**
1.200 **mille deux cents/douze cents**	1.000.000.000 **un milliard**

NOTE:

1. The conjunction **et** is used in 21, 31, 41, 51, 61, and 71. In all other compound numbers through 99, the hyphen is used.

2. **Un** becomes **une** before a feminine noun:

   vingt et un garçons   *vingt et une* **filles**

3. **Quatre-vingts** and the plural of **cent** drop the **s** before another number:

   quatre-vingts bateaux   *eighty boats*
   quatre-*vingt*-deux bateaux   *eighty-two boats*

quatre cents mots	*four hundred words*
quatre *cent* **cinquante** mots	*four hundred fifty words*

4. **Cent** and **mille** are not preceded by the indefinite article:

cent mouchoirs	*a (one) hundred handkerchiefs*
mille fois	*a thousand times*

5. **Mille** does not change in the plural:

six *mille* **plantes**	*six thousand plants*

6. **Mille** becomes **mil** in dates:

Je suis né en ***mil* neuf cent cinquante.**	*I was born in 1950.*

7. In numerals and decimals, where English uses periods, French uses commas and vice versa:

FRENCH	ENGLISH
4.000 quatre mille	*4,000 four thousand*
0,05 zéro virgule zéro cinq	*.05 point zero five*
$4,75 quatre dollars soixante-quinze	*$4.75 four dollars and seventy-five cents*

Exercice A

Voilà une liste du nombre d'élèves dans vos classes. Combien d'élèves y a-t-il dans chaque classe? Combien de garçons? Combien de filles? Exprimez les nombres en français:

CLASSE	NOMBRE D'ÉLÈVES	NOMBRE DE GARÇONS	NOMBRE DE FILLES
Algèbre	28	16	12
Anglais	34	21	13
Français	25	11	14
Biologie	30	19	11
Histoire	27	6	21
Musique	76	31	45
Art	18	8	10
Gymnastique	82	41	41

Exercice B

Vous assistez à une conférence dans un grand hôtel de Paris. Vous avez la responsabilité de compter le nombre de personnes dans chaque salon. Exprimez vos totaux sur la liste:

> EXEMPLE:　Salon Lille, (18) ___**dix-huit**___ personnes

1. Salon Marseille, (63) _____ personnes
2. Salon Rouen, (71) _____ personnes
3. Salon Grenoble, (15) _____ personnes
4. Salon Deauville, (98) _____ personnes
5. Salon Nice, (54) _____ personnes
6. Salon Bordeaux, (29) _____ personnes
7. Salon Cannes, (37) _____ personnes
8. Salon Lyon, (86) _____ personnes
9. Salon Chamonix, (42) _____ personnes
10. Salon Nancy, (181) _____ personnes

Exercice C

Vous voulez téléphoner à des amis français qui habitent des villes différentes, mais vous avez des difficultés à obtenir les lignes. Demandez au standardiste de composer les numéros pour vous:

> EXEMPLE:　64.15.30.45 à Chambord
> **Le soixante-quatre, quinze, trente, quarante-cinq à Chambord, s'il vous plaît.**

1. 33.50.25.31 à Cherbourg
2. 21.16.82.11 à Calais
3. 77.15.92.44 à Vichy
4. 87.93.70.67 à Strasbourg
5. 48.12.89.13 à Paris

Exercice D

Votre sœur et vous voulez offrir un cadeau d'anniversaire à votre mère. Vous discutez les prix des cadeaux envisagés:

> EXEMPLE:

Une raquette de tennis coûte quarante-cinq dollars.

1.

2.

3.

4.

5.

Exercice E

Vous êtes caissier dans une banque martiniquaise. C'est la fin de la journée et vous notez le total des transactions:

1. 568 francs
2. 1.381 francs
3. 2.010 francs
4. 30.432 francs

5. 891 francs
6. 5.755.862 francs
7. 12.967 francs

8. 184 francs
9. 1.989 francs
10. 175.322 francs

Exercice F

Vous voulez passer vos vacances sur une île française peu habitée.
Exprimez les renseignements donnés dans les guides touristiques sur la
population de chaque île:

1. Guadeloupe 327.002 habitants
2. Martinique 326.717 habitants
3. St.-Pierre-et-Miquelon 6.051 habitants
4. Nouvelle-Calédonie 145.368 habitants
5. Réunion 518.370 habitants

Exercice G

Répondez aux questions. Exprimez les nombres en lettres:

1. Combien d'habitants y a-t-il dans votre ville?
2. Combien d'élèves y a-t-il dans votre classe de français? Combien de filles? Combien de garçons?
3. Combien coûte votre voiture préférée?
4. Combien avez-vous payé vos jeans favoris?
5. Combien d'argent voudriez-vous gagner par an?
6. Quel est votre numéro de téléphone?

2. Arithmetic Expressions

The following expressions are used in arithmetic problems in French:

et *plus*
   cinq et six font onze $5 + 6 = 11$

moins *minus*
   huit moins cinq font trois $8 - 5 = 3$

fois *(multiplied) by, "times"*
   trois fois quatre font douze $3 \times 4 = 12$

divisé par *divided by*
   dix divisé par deux font cinq $10 : 2 = 5$

font *equals* $(=)$

Exercice H

Vous vous présentez pour un emploi dans un grand magasin français.
Le patron voudrait vérifier votre connaissance des nombres en français.
Exprimez les opérations qu'il vous donne à lire:

1. $414 - 363 = 51$
2. $336 \times 12 = 4.032$
3. $254 + 587 = 841$
4. $31.217 : 31 = 1.007$

5. $1818 \div 18 = 101$

6. $345 \div 577 = 922$

7. $990 : 9 = 110$

8. $93 \times 71 = 6.603$

3. Nouns of Number

Certain numerals are used as collective nouns to express a round number. The most frequent are:

une dizaine *about ten*
une douzaine *a dozen*
une quinzaine *about fifteen*
une vingtaine *about twenty*
une cinquantaine *about fifty*

une centaine *about a hundred*
un millier *(about) a thousand*
un million *a million*
un milliard *a billion*

These numerals are followed by **de** before another noun. In the plural, these numerals add **s:**

deux douzaines d'œufs
une centaine de vaches
des milliers d'oiseaux
un million d'habitants
trois milliards de dollars

two dozen eggs
about a hundred cows
thousands of birds
a million inhabitants
three billion dollars

Exercice I

Vous préparez une grande surprise-partie. Vous faites des courses au supermarché et vous demandez à un employé les produits suivants:

EXEMPLE: 30 œufs
Je voudrais une trentaine d'œufs, s'il vous plaît.

1. 100 tasses en papier
2. 15 litres de soda
3. 12 plaques de chocolat
4. 20 gâteaux
5. 60 assiettes en papier
6. 50 fourchettes, cuillères et couteaux en plastique

Exercice J

Votre bureau est en désordre. Votre père vous demande ce que vous gardez dans vos tiroirs. Répondez à ses questions:

EXEMPLE: 50 feuilles de papier
J'ai une cinquantaine de feuilles de papier.

1. 30 stylos
2. 40 crayons

3. 15 cahiers
4. 10 gommes

5. 24 bonbons

4. Ordinal Numbers

1st **premier, première**	6th **sixième**	16th **seizième**
2nd **deuxième**	7th **septième**	17th **dix-septième**
second, seconde	8th **huitième**	20th **vingtième**
3rd **troisième**	9th **neuvième**	21st **vingt et unième**
4th **quatrième**	10th **dixième**	34th **trente-quatrième**
5th **cinquième**	11th **onzième**	100th **centième**

NOTE:

1. Ordinal numbers agree in gender and number with the noun they describe. **Premier** and **second** are the only ordinal numbers to have a feminine form different from the masculine form:

C'est **la** *première* et la dernière **fois** que je le dis.	*It's the first and last time that I say it.*
Les *vingt-cinquièmes* **anniversaires** de mariage sont de joyeux événements.	*Twenty-fifth wedding anniversaries are happy occasions.*

2. Except for **premier** and **second,** ordinal numbers are formed by adding **-ième** to the cardinal numbers. Silent **e** is dropped before **-ième.**

3. Observe the **u** in **cinquième** and the **v** in **neuvième.**

4. **Second(e)** generally replaces **deuxième** in a series which does not go beyond two:

le *second* **acte**	*the second act*

5. The final **a** or **e** of the preceding article is not dropped before **huit, huitième, onze,** and **onzième:**

la **huitième** maison	*the eighth house*
le **onze** février	*the eleventh of February*

6. Ordinal numbers are abbreviated as follows in French:

premier 1er (première 1re)	seizième 16^e
deuxième 2^e	cinquantième 50^e
dixième 10^e	centième 100^e

7. Cardinal numbers precede ordinals in French:

les **trois** *premières* semaines	*the first three weeks*

Exercice K

Vous êtes allé(e) à une course de chevaux avec un ami. Donnez les résultats de la course:

EXEMPLE: Beau (8e)
            Beau est arrivé huitième.

1. Noiraud (1er)
2. Champion (5e)
3. Roi (4e)
4. Chevalier (9e)
5. Tonnerre (3e)
6. Jupiter (2e)
7. Éclair (7e)
8. Prince (10e)
9. Anis (8e)
10. Tempête (6e)

Exercice L

Vos amis et vous discutez combien de fois vous avez fait les choses suivantes:

> EXEMPLE: visiter le musée des Beaux-Arts / 2^e
> **C'est la deuxième fois que je visite le musée des Beaux-Arts.**

1. monter à cheval / 2^e
2. faire un voyage en avion / 5^e
3. voir ce film / 3^e
4. faire du camping / 6^e
5. jouer au tennis / 4^e
6. faire du ski nautique / 9^e
7. aller en Europe / 1re
8. dîner dans un restaurant français / 8^e
9. faire du ski / 10^e
10. travailler pendant l'été / 7^e

Exercice M

Vous faites des courses dans un grand magasin et vous consultez le plan des étages. Exprimez à quel étage vous trouverez les articles qu'il vous faut:

1	**6**
Maquillage, Parfums, Bijouterie	Salon de Beauté
2	**7**
Articles Femmes: robes, jupes, blouses	Centre Musique: disques, radios Jouets, Livres
3	**8**
Articles Hommes: costumes, manteaux, chapeaux	Articles Maison: appareils électriques, cristaux, meubles
4	**9**
Chaussures, Gants, Bagages	Restaurant
5	
Imperméables, Manteaux	

Example: un chapeau pour homme **au troisième étage**

1. un disque
2. une cravate
3. une table
4. une robe

5. un imperméable
6. du maquillage
7. une boisson

8. des gants
9. un bracelet
10. une valise

Exercice N

Paris est divisé en vingt arrondissements. Exprimez où se trouvent les endroits que vous voulez visiter:

Example:

le palais de Chaillot
Le palais de Chaillot se trouve dans le seizième arron-dissement.

1. les Invalides
2. le Panthéon
3. la tour Eiffel
4. l'Opéra
5. l'Arc de Triomphe

6. le centre Pompidou
7. le Sacré Cœur
8. le Louvre
9. la cathédrale de Notre Dame
10. la Place de la Bastille

5. Fractions

½ { la moitié	⅓ un tiers	⅕ un cinquième	⅞ sept huitièmes
un demi	¾ trois quarts	3/7 trois septièmes	1/100 un centième

NOTE:

1. Fractions in French are formed, as in English, by combining cardinal and ordinal numbers. Only **demi, moitié, tiers,** and **quart** are irregular.

2. **Moitié,** a noun, is used with an article. **Demi,** generally used as an adjective, is invariable when used with a hyphen before the noun. When it follows the noun, there is agreement:

la *moitié* de la classe	*half the class*
une *demi*-bouteille	*a half bottle*
une bouteille et *demie*	*a bottle and a half*

Exercice O

Vous êtes dans un magasin d'alimentation. Vous dites au marchand:

EXEMPLE: ⅓ de terrine de pâté
Je voudrais un tiers de terrine de pâté, s'il vous plaît.

1. ¼ de brie
2. ½ livre de salade russe
3. ⅓ de camembert
4. ¾ de tarte aux poireaux
5. ½ douzaine d'œufs
6. ⅔ de quiche

6. Multiples

Multiple numerals are used in the same manner as their English equivalents:

une fois	*once*	**simple**	*single, simple*
deux fois	*twice*	**double**	*double*
trois fois	*three times*	**triple**	*triple*

Je lui ai téléphoné **deux fois.**	*I called him twice.*
Il est venu me voir **une fois.**	*He came to see me once*
J'ai mangé **le double** de ce que tu as mangé.	*I ate twice as much as you.*
Prenez une feuille de copie **simple.**	*Take a single sheet of paper.*

NOTE:

1. Numeral adverbs expressing a certain number of occurrences are formed with a cardinal number and the word **fois** *(time[s]):*

J'ai vu le film **trois** *fois.*   *I saw the film three times.*

2. Multiples like **double, triple** may be either adjectives or nouns:

C'est un mot à ***double* sens**.   *It's a word with double meaning.*

Il a couru **le double** de la distance.   *He ran twice the distance.*

Exercice P

Votre ami passe le week-end chez vous. Vous ne savez plus quoi faire. Votre mère vous demande combien de fois vous avez joué aux jeux suivants:

EXEMPLE: Combien de fois avez-vous joué aux échecs? (5)
          Cinq fois.

1. Combien de fois avez-vous joué au basket? (1)
2. Combien de fois avez-vous joué aux cartes? (7)
3. Combien de fois avez-vous joué aux dames? (4)
4. Combien de fois avez-vous joué au tennis? (3)
5. Combien de fois avez-vous joué aux jeux vidéos? (10)

7. Titles of Rulers

Charles premier (Charles Ier)   *Charles the First*

But:

Henri deux (Henri II)   *Henry the Second*
Louis quatorze (Louis XIV)   *Louis the Fourteenth*

NOTE: **Premier** is the only ordinal used in numerical titles of rulers; in all other titles, cardinal numbers are used. The definite article is omitted in French.

Exercice Q

Il vous faut étudier pour un examen d'histoire. Quels personnages historiques font partie de votre liste?

> EXEMPLE: Henri II
> **Henri deux**

1. François Ier
2. Louis IX
3. Henri IV
4. Louis XIV
5. Louis XV
6. Napoléon Ier

◆ MASTERY EXERCISES ◆

Exercice R

Vous venez de recevoir une nouvelle voiture pour votre anniversaire et vous allez acheter une police d'assurance. Répondez aux questions de l'assureur:

1. Quelle est votre date de naissance?
2. Quel âge avez-vous?
3. De quelle marque et de quelle année est votre voiture?
4. Combien de kilomètres conduisez-vous par jour pour vous rendre à l'école?
5. Combien de fois avez-vous changé de voiture?
6. Combien avez-vous payé cette voiture?
7. Pour combien voulez-vous assurer votre voiture contre le vol?
8. Combien de personnes vont conduire cette voiture?

Exercice S

Imaginez que vous êtes un critique de restaurant. Exprimez en français vos commentaires sur le restaurant Charles V:

1. The restaurant Charles V on First Avenue and 53rd Street has received 3½ stars.
2. Richard Jourdan established this restaurant in 1987.
3. Since that time, more than 250,000 people have eaten there.
4. There are about 20 different dishes on the menu.
5. One half of the dishes on the menu are French; the other half are American.
6. One can choose from a dozen different delicious desserts.

7. The price of an average dinner is $48.
8. The 21 waiters and waitresses work 6 days a week and earn over $450 per week.
9. This was the first time that I ate in this restaurant and I was very satisfied.
10. To reserve a table, call 1-800-555-7803.

27

Time; Dates

1. Time

Quelle heure est-il?	*What time is it?*
Il est une heure.	*It is one o'clock.*
Il est neuf heures vingt.	*It is twenty after nine.*
Il est huit heures et quart.	*It is a quarter after eight.*
Il est onze heures et demie.	*It is half past eleven.*
Il est trois heures moins dix.	*It is ten (minutes) to three.*
Il est deux heures moins le (un) quart.	*It is a quarter to two.*
Il est midi.	*It is twelve o'clock (noon).*
Il est minuit.	*It is twelve o'clock (midnight).*
Il est midi (minuit) et demi.	*It is half past twelve.*

NOTE:

1. To express time after the hour, the number of minutes is added; **et** is used only with **quart** and **demi(e).** To express time before the hour, **moins** is used.

2. **Midi** and **minuit** are masculine.

2. Time Expressions

à quelle heure?	*at what time?*
à midi précis (pile)	*at exactly noon*
à cinq heures précises	*at five o'clock sharp*
trois heures du matin	*three o'clock in the morning, 3:00 a.m.*
quatre heures de l'après-midi	*four o'clock in the afternoon, 4:00 p.m.*
sept heures du soir	*seven o'clock in the evening, 7:00 p.m.*
midi vingt-cinq; minuit et quart	*12:25 p.m.; 12:15 a.m.*
vers neuf heures	*about nine o'clock*

un quart d'heure; une demi-heure	*a quarter hour; a half hour*
Quelle heure est-il à votre montre?	*What time is it on your watch?*
Ma montre avance (retarde) de dix minutes.	*My watch is ten minutes fast (slow).*

NOTE: In public announcements, such as timetables, the official twenty-four-hour system is commonly used, with midnight as the zero hour:

$$0 \text{ h } 20 = 12{:}20 \text{ } a.m.$$
$$14 \text{ heures} = 2{:}00 \text{ } p.m.$$
$$20 \text{ h } 45 = 8{:}45 \text{ } p.m.$$

In the official time system, all times are expressed in full numbers:

$$21 \text{ h } 45 = \textbf{vingt et une heures quarante-cinq}$$

Exercice A

Vous enseignez à votre neveu comment lire l'heure en français. Exprimez les heures que marquent les horloges:

1.

Il est _____.

2.

Il est _____.

3.

Il est _____.

4.

Il est _____.

5.

Il est _____.

6.

Il est _____.

7.

Il est _____.

8.

Il est _____.

9.

Il est _____.

10.

Il est _____.

11.

Il est _____.

12.

Il est _____.

Exercice B

On a l'habitude de faire certaines choses chaque jour à la même heure. Expliquez à quelle heure vous faites les choses indiquées:

> EXEMPLE: déjeuner
> **Je déjeune à midi.**

1. se réveiller
2. se lever
3. prendre le petit déjeuner
4. partir pour l'école
5. arriver à l'école
6. aller au cours de français
7. rentrer à la maison
8. goûter
9. faire les devoirs
10. regarder son émission préférée à la télévision
11. dîner
12. écouter les informations
13. se laver
14. aller se coucher

Exercice C

Vos parents voudraient savoir où vous serez à certaines heures de la journée. Répondez à leurs questions:

1. Tu vas chez le dentiste à 8 h 15. La visite dure une heure et demie. À quelle heure quitteras-tu le cabinet du dentiste?
2. À 10 h 30 tu vas jouer au basket avec tes frères au parc. Tu comptes y rester une heure quarante-cinq minutes. À quelle heure auras-tu terminé ton match?
3. Tes amis et toi allez manger au bistro à midi et quart. Vous allez y rester quarante-cinq minutes. À quelle heure quitterez-vous le bistro?
4. Le film que tu vas voir commence à 2 h 15 et dure une heure quarante minutes. À quelle heure est-ce que le film se termine?
5. La surprise-partie sera terminée à 1 h 00 du matin. Il te faut quarante minutes pour retourner à la maison. À quelle heure rentreras-tu?

Exercice D

Vous traversez l'Atlantique en croisière avec vos parents. Vous regardez le programme de la journée et vous indiquez l'horaire des activités à votre père qui a oublié ses lunettes dans sa cabine:

ACTIVITÉS DU JOUR	
Footing	6 h 15
Petit déjeuner	8 h 30
Volley-ball	9 h 15
Film	10 h 45
Déjeuner sur le pont supérieur	13 h 00
Bingo	14 h 05
Concours de plongeons	15 h 20
Concours de ping-pong	16 h 35
Dîner: buffet froid	19 h 00
Soirée dansante	21 h 15
Bal costumé	0 h 30

EXEMPLE: **Le footing commence à six heures et quart du matin.**

1. le petit déjeuner
2. le volley-ball
3. le film
4. le déjeuner sur le pont supérieur
5. le bingo

6. le concours de plongeons
7. le concours de ping-pong
8. le dîner: buffet froid
9. la soirée dansante
10. le bal costumé

Exercice E

Vous êtes dans le train de Nice et vous demandez au contrôleur à quelle heure le train arrive dans les villes qui précèdent Nice. Avec un(e) camarade de classe menez le dialogue en suivant l'exemple:

DÉPART 16 h 15	
Paris—Nice	
19 h 10	Valence
20 h 10	Avignon
21 h 16	Marseille
22 h 18	Toulon
23 h 06	St-Raphaël
23 h 29	Cannes
23 h 41	Antibes
23 h 57	Nice

EXEMPLE: Vous: À quelle heure est-ce que le train arrive à Valence?
          Contrôleur: À sept heures dix.
          Vous: **Et à Avignon?**
          Contrôleur: **À . . .**

1. Vous
   Contrôleur
2. Vous
   Contrôleur
3. Vous
   Contrôleur

4. Vous
   Contrôleur
5. Vous
   Contrôleur

6. Vous
   Contrôleur
7. Vous
   Contrôleur

Exercice F

Quelle heure est-il dans ces villes quand il est 7 h à New York? Donnez l'heure en français:

EXEMPLE: **À Sydney il est vingt-deux heures.**

1. À Rio de Janeiro _____ .
2. À Londres _____ .
3. À Paris _____ .
4. À Bagdad _____ .

5. À Pékin _____ .
6. À Tokyo _____ .
7. À San Francisco _____ .
8. À Chicago _____ .

3. Days, Months, Seasons

LES JOURS DE LA SEMAINE	LES MOIS DE L'ANNÉE	LES SAISONS DE L'ANNÉE
lundi *Monday*	**janvier** *January*	**le printemps** *spring*
mardi *Tuesday*	**février** *February*	**l'été** *summer*
mercredi *Wednesday*	**mars** *March*	**l'automne** *autumn*
jeudi *Thursday*	**avril** *April*	**l'hiver** *winter*
vendredi *Friday*	**mai** *May*	
samedi *Saturday*	**juin** *June*	
dimanche *Sunday*	**juillet** *July*	
	août *August*	
	septembre *September*	
	octobre *October*	
	novembre *November*	
	décembre *December*	

NOTE:

1. Days, months, and seasons are all masculine and not capitalized in French.

2. To express *in* with months and seasons, **en** is used, except with **printemps**:

en **janvier** *in January*   *en* **été** *in (the) summer*
en **juillet** *in July*   *en* **automne** *in (the) autumn*
en **décembre** *in December*   *en* **hiver** *in (the) winter*

But:

au **printemps** *in (the) spring*

3. For the use of the article with days of the week, see page 201, Section 3f.

Exercice G

Exprimez quel est votre emploi du temps pour la semaine:

EXEMPLE: lundi / nettoyer ma chambre
Lundi je nettoie ma chambre.

1. mardi / travailler au café
2. mercredi / aller à la bibliothèque
3. jeudi / étudier pour l'examen de biologie
4. vendredi / aller en ville faire des courses
5. samedi / aller au cinéma avec Paul
6. dimanche / rendre visite aux grands-parents

Exercice H

Votre nouveau correspondant français vous demande en quel mois on célèbre ces fêtes importantes aux États-Unis:

EXEMPLE: le Nouvel An
On célèbre le Nouvel An en janvier.

1. l'anniversaire de Martin Luther King
2. l'anniversaire de George Washington
3. l'anniversaire d'Abraham Lincoln
4. la Saint-Valentin
5. la fête du Travail
6. la fête des Mères

7. la fête nationale américaine
8. l'anniversaire de l'arrivée en Amérique de Christophe Colomb
9. le jour d'action de grâce
10. Noël

Exercice I

Qu'est-ce que les Caron vont faire cette semaine? Consultez leur agenda:

lundi:	*planter les fleurs*
mardi:	*faire la lessive*
mercredi:	*aller à la pharmacie*
jeudi:	*aller à la boucherie*
vendredi:	*laver la voiture*
samedi:	*aller au supermarché*
dimanche:	*nettoyer la maison*

EXEMPLE: jeudi / M. Caron
Jeudi M. Caron va aller à la boucherie.

1. lundi / Mme Caron
2. dimanche / M. Caron
3. mercredi / Lisette

4. mardi / Antoine
5. samedi / les Caron
6. vendredi / Suzanne

4. Dates

Quelle est la date aujourd'hui?	*What is today's date?*
Quel jour (de la semaine) est-ce aujourd'hui? **Quel jour sommes-nous aujourd'hui?**	*What day of the week is today?*
C'est aujourd'hui vendredi. **Nous sommes vendredi.**	*Today is Friday.*
C'est aujourd'hui le premier août. **Aujourd'hui nous sommes le premier août.**	*Today is August 1st (the first of August).*

en dix-neuf cent quatre-vingt-
  quinze
en mil neuf cent quatre-vingt-
  quinze $\Big\}$ *in 1995*

le quatre juillet dix-sept cent
  soixante-seize (le 4 juillet $\Big\}$ *July 4, 1776*
  1776)

NOTE:

1. In dates, **le premier** is used for the first day of the month. For all other days, cardinal numbers are used.

2. Years are commonly expressed in hundreds, as in English. The word for *one thousand* in dates, if used, is generally written **mil**.

3. The date in numbers follows the sequence *day, month, year:*

le 2 janvier 1994 (2.1.94)   *January 2, 1994 (1/2/94)*
le 21 septembre 1954 (21.9.54)   *September 21, 1954 (9/21/54)*

5. Other Expressions Using Dates

Il est parti le trois août.   *He left on the 3rd of August.*
Nous reviendrons jeudi le   *We will come back on*
  onze septembre.   *Thursday, September 11.*
On revient dans quinze jours.   *We are coming back in two*
                weeks.

Elle est née au mois de février.   *She was born in the month of*
                February.
Elle est née en février.   *She was born in February.*
il y a huit jours   *a week ago*
d'aujourd'hui en huit   *a week from today*

NOTE: The English words *on* and *of* are not expressed in French dates.

Exercice J

Exprimez les dates suivantes en français:

1. May 2, 1808
2. December 20, 1910
3. October 12, 1492
4. December 7, 1941
5. March 31, 1519
6. February 22, 1731
7. April 1, 1649
8. September 16, 1820
9. November 1, 1396
10. April 12, 1823

Exercice K

Vous expliquez à un(e) ami(e) quelles sont les fêtes importantes en France:

> EXEMPLE: la victoire de 1945: 8/5
> **On célèbre la victoire de 1945 le huit mai.**

1. le jour de l'an: 1/1
2. la journée de la femme: 8/3
3. la fête du travail: 1/5
4. la fête nationale: 14/7

5. la Toussaint: 1/11
6. l'Armistice: 11/11
7. Noël: 25/12

Exercice L

Vous venez de recevoir un nouvel agenda. Notez-y la date d'anniversaire de chaque membre de votre famille:

1. ma mère
2. mon père
3. ma grand-mère paternelle
4. mon grand-père maternel
5. ma sœur

6. mon frère
7. une cousine
8. un cousin
9. une tante
10. un oncle

Exercice M

Êtes-vous fort en histoire? Choisissez la date correcte de chaque événement historique donné:

> dix-sept cent quatre-vingt-neuf
> dix-sept cent quatre-vingt-treize
> dix-neuf cent soixante-neuf

> dix-neuf cent quarante-cinq
> dix-neuf cent quarante et un
> dix-neuf cent quatorze

1. La première guerre mondiale commença en _____ .
2. Louis XVI et Marie-Antoinette furent guillotinés en _____ .
3. L'attaque de Pearl Harbor eut lieu en _____ .
4. La deuxième guerre mondiale se termina en _____ .
5. On marcha sur la lune pour la première fois en _____ .
6. La prise de la Bastille à Paris, qui marqua le début de la Révolution française, eut lieu en _____ .

Exercice N

Vous parlez de votre lycée et de la vie des jeunes Américains à un étudiant de Fort-de-France qui est venu assister à votre classe de français. Répondez à ses questions:

1. Étudiant: Combien de jours par semaine vas-tu au lycée?
   Vous:
2. Étudiant: Combien d'élèves y a-t-il dans ton lycée?
   Vous:
3. Étudiant: Combien de minutes dure chaque classe?
   Vous:
4. Étudiant: À quelle heure commence ta première classe?
   Vous:
5. Étudiant: À quelle distance habites-tu du lycée?
   Vous:
6. Étudiant: Combien de temps te faut-il pour arriver à l'école?
   Vous:
7. Étudiant: Pourquoi n'y a-t-il pas classe le dernier jeudi de novembre?
   Vous:
8. Étudiant: À quel âge a-t-on le droit de voter?
   Vous:
9. Étudiant: À quelle heure quittes-tu le lycée?
   Vous:
10. Étudiant: En quelle année comptes-tu recevoir ton diplôme?
    Vous:

◆ MASTERY EXERCISES ◆

Exercice O

Vous écrivez une carte à votre nouvelle correspondante canadienne. Donnez-lui les renseignements suivants:

1. le nombre d'états qu'il y a dans votre pays
2. la date de l'indépendance de votre pays
3. la population de votre pays
4. la population de votre ville ou de votre état (approximativement)
5. votre niveau scolaire
6. la date du dernier jour de classe cette année
7. quand commence et finit votre journée scolaire
8. votre date de naissance

Exercice P

Vous écrivez un article pour le journal de l'école. Vous venez d'interviewer Mme Stendhal, un nouveau professeur. Exprimez en français ce que vous avez appris sur elle:

1. Mrs. Georgette Stendhal was born on Saturday, July 11, 1947, at 1:20 p.m.
2. She attended school from 1952 to 1968.
3. On Thursday, August 7, 1969, at 7:30 p.m., she married the boyfriend she had known for six years.
4. In July, 1965, she visited France for the first time.
5. She worked and studied in France during the months of July and August in 1966 and 1967.
6. She received her college degree on Friday, June 3, 1968, at the age of 20.
7. She became a French teacher on Tuesday, September 9, 1970.
8. On Friday, May 3, 1974, at 12:30 a.m., her first son, Eric, was born.
9. On Friday, April 22, 1977, at 9:15 a.m., her second son, Michael, was born.
10. In 1984, she wrote her first French book based on her experiences as a teacher.

28

Interrogatives; Exclamations

1. Interrogative Pronouns

	PERSONS	THINGS
SUBJECT OF A VERB	qui qui est-ce qui } *who?*	qu'est-ce qui *what?*
DIRECT OBJECT OF A VERB	qui qui est-ce que } *whom?*	que qu'est-ce que } *what?*
AFTER A PREPOSITION	qui qui est-ce que } *whom?*	quoi quoi est-ce que } *what?*

NOTE: The **e** of **que** is dropped before a word beginning with a vowel; the **i** of **qui** is never dropped:

*Qu'*a-t-il fait?	*What did he do?*
Qui arrivera le premier?	*Who will arrive first?*
Qui est-ce *qu'*il a vu?	*Whom did he see?*

a. Interrogative pronouns as subjects

Qui and **qui est-ce qui** (*who?*) are used for people. **Qu'est-ce qui** (*what?*) is used for things. These forms are followed by the third person singular of the verb:

Qui le fera? *Qui est-ce qui* le fera? }	*Who will do it?*
Qui t'a raconté cela? *Qui est-ce qui* t'a raconté cela? }	*Who told you that?*
Qu'est-ce qui est tombé?	*What fell?*

b. Interrogative pronouns as direct objects

Qui or **qui est-ce que** (*whom?*) is used for people. **Que** or **qu'est-ce que** (*what?*) is used for things:

Qui cherchez-vous? *Qui est-ce que* vous cherchez? }	*Whom are you looking for?*

Qui **Paul cherche-t-il?**
Qui est-ce que **Paul cherche?**

> *Whom is Paul looking for?*

Que faites-vous?
Qu'est-ce que **vous faites?**

> *What are you doing?*

Que font les enfants?
Qu'est-ce que **les enfants font?**

> *What are the children doing?*

NOTE:

1. After the short forms **qui** and **que,** the word order is inverted.

2. After the long form, the word order is regular.

Exercice A

Votre professeur n'était pas là hier et veut savoir ce que vous avez fait en classe pendant son absence. En utilisant qui *et* qui est-ce qui, *posez ses questions selon les réponses données:*

EXEMPLE: **Qui a fini le travail?**
Qui est-ce qui a fini le travail?
Tout le monde a fini le travail.

1. Jean est arrivé en retard.
2. Personne n'a désobéi au remplaçant.
3. Richard et Lucie ont écrit les devoirs au tableau.
4. Marc et Lisette ont aidé le remplaçant.
5. Anne s'est amusée en classe.
6. Pierre et Jacques n'ont pas travaillé.

Exercice B

Mme Junot a essayé de travailler, mais il y a eu trop de distractions. Demandez ce qui est arrivé selon les réponses données et en utilisant qu'est-ce qui:

EXEMPLE: **Qu'est-ce qui a empêché Mme Junot de travailler?**
Un coup de téléphone a empêché Mme Junot de travailler.

1. La sonnette a retenti.
2. Une alarme de voiture s'est mise à sonner.
3. Un coup de vent a fait voler tous ses papiers.
4. Sa machine à écrire s'est cassée.
5. Plusieurs coups de téléphone ont interrompu Mme Junot.
6. Un accident a eu lieu devant sa maison.

Exercice C

Daniel est un garçon curieux. Complétez les questions qu'il pose à sa mère en utilisant **qui** *ou* **qu'est-ce qui:**

1. _____ vient de téléphoner?
2. _____ nous arrivera si papa se retire des affaires?
3. _____ vient dîner chez nous ce soir?
4. _____ sera invité à la fête des Daumier?
5. _____ s'est passé chez les Magloire hier après-midi?
6. _____ va arriver si je ne fais pas mes devoirs?
7. _____ va t'aider à faire le ménage?
8. _____ est tombé de l'étagère?

Exercice D

Posez des questions en vous basant sur les situations suivantes:

EXEMPLE: Paul remercie Lucie de sa gentillesse.
   Qui Paul remercie-t-il de sa gentillesse?
   Qui est-ce que Paul remercie de sa gentillesse?

1. Daphnée aime Serge.
2. Patrick a embrassé Cécile.
3. M. Baptiste va accompagner ses filles au théâtre.
4. Les filles aident toujours leurs cousins.
5. Janine félicite ses grands-parents.

Exercice E

Demandez à vos amis ce qu'ils ont fait ce week-end. Basez vos questions sur leurs réponses:

EXEMPLE: **Qu'as-tu lu?**
   Qu'est-ce que tu as lu?
   J'ai lu un roman.

1. J'ai regardé un match de tennis.
2. Nous avons écouté de la musique classique.
3. Il a terminé ses devoirs.
4. Elles ont écrit des poèmes.
5. J'ai lavé ma voiture.
6. Ils ont dessiné des paysages.

Exercice F

*Anne raconte à un(e) ami(e) ce qu'elle a fait samedi soir et son ami(e)
lui pose des questions. Avec un(e) camarade de classe menez le dialogue
entre Anne et son ami(e). Formulez les questions avec* **qui** *ou* **que** *selon
les exemples:*

> EXEMPLES: Anne: Je suis allée à la fête d'anniversaire de Janick
> samedi soir. (rencontrer)
> Vous: **Qui as-tu rencontré?**
>
> Anne: Roger a été le centre d'attention toute la soirée.
> (faire)
> Vous: **Qu'a-t-il fait?**

1. Anne: J'ai apporté un cadeau superbe à Janick. (acheter)
   Vous:
2. Anne: Janick a invité des gens intéressants. (venir)
   Vous:
3. Anne: Jean est venu avec une amie. (amener)
   Vous:
4. Anne: Je me suis habillée très chic. (mettre)
   Vous:
5. Anne: Nous avons entendu de la musique formidable. (écouter)
   Vous:
6. Anne: J'ai goûté la cuisine délicieuse de la mère de Janick.
   (manger)
   Vous:

Exercice G

En utilisant **qui, qui est-ce que** *ou* **que, qu'est-ce que,** *demandez à votre
frère quels sont ses projets pour le mois:*

1. _____ vas-tu aller écouter en concert?
2. _____ tu comptes emmener au concert avec toi?
3. _____ veux-tu faire le week-end prochain?
4. _____ inviteras-tu à dîner dimanche?
5. _____ tu désires voir au cinéma?
6. _____ feras-tu une fois en ville?
7. _____ tu as envie d'accompagner au bal?
8. _____ tu vas acheter avec ton argent de poche?

Exercice H

Lisez les situations, puis posez des questions en vous basant sur les expressions en caractères gras:

EXEMPLE: Samedi soir, **la rue Montaigne** était vide. Delphine y a trouvé **un portefeuille** en allant chez son amie. **Son père** lui a dit d'aller au poste de police. Un agent de police a aussitôt averti **le propriétaire.**

    a. **Qu'est-ce qui était vide samedi soir?**
    b. **Qu'est-ce que Delphine y a trouvé?**
    c. **Qui lui a dit d'aller au poste de police?**
    d. **Qui est-ce que l'agent de police a aussitôt averti?**

1. Hier soir, **André** rentrait chez lui en voiture. Tout à coup, il a remarqué qu'**un arbre** bloquait la route. Il a appelé **un gendarme.** Il a décrit **le problème** au téléphone.
2. Marie a rencontré **Sylvie** en ville. Elles ont fait **des courses** ensemble. Mais **une grève des conducteurs de métro** les a empêchées de rentrer à l'heure. **La mère de Sylvie** était très inquiète.
3. **La voiture de M. Rousseau** ne marche pas. Il décide d'appeler **son voisin** pour l'aider. **M. Dupont** essaie de réparer la voiture. Finalement, il lui donne **l'adresse de son garagiste.**

C. Interrogative pronouns as objects of prepositions

A preposition + **qui** is used to refer to people. A preposition + **quoi** is used to refer to things:

À qui **pensez-vous?**	*Whom are you thinking of? (Of whom are you thinking?)*
Pour qui **a-t-il acheté des fleurs?**	*Whom did he buy flowers for? (For whom did he buy flowers?)*
À quoi **pensez-vous?**	*What are you thinking of? (Of what are you thinking?)*
Avec quoi **lavez-vous le plancher?**	*What do you wash the floor with? (With what do you wash the floor?)*

NOTE:

1. **Est-ce que** may be used in place of inversion:

À qui **est-ce que** vous pensez?
Pour qui **est-ce qu'**il a acheté des fleurs?

À quoi **est-ce que** vous pensez?
Avec quoi **est-ce que** vous lavez le plancher?

2. To show possession, use **à qui** (*whose*); to show relationship, use **de qui** (*whose*):

À qui **sont ces chaussures?**	Whose shoes are these? (To whom do these shoes belong?)
De qui **êtes-vous la nièce?**	Whose niece are you? (Of whom are you the niece?)

Exercice I

Vous cherchez à mieux connaître votre ami(e). En utilisant une préposition + qui ou quoi, posez les questions auxquelles il / elle répond:

EXEMPLE: **De quoi as-tu besoin?**
J'ai besoin de plus de confiance en moi.

1. Je me marierai avec une personne intelligente.
2. Je compte sur mes amis.
3. Je suis satisfait de mes talents.
4. J'ai peur de décevoir mes parents.
5. Je rêve de devenir riche.
6. Je tiens de mon père.
7. Je compte sur la générosité de ma famille.
8. Je me mets en colère contre l'injustice.
9. J'ai besoin d'amour.
10. J'ai beaucoup de respect pour les gens âgés.
11. Je tiens à ma liberté.
12. Je ressemble à mon frère.

Exercice J

Exprimez les questions que vous poseriez à un ami, puis exprimez quelles seraient ses réponses:

à		être respectueux
avec		aller souvent
chez		se fâcher
contre	qui	avoir de l'admiration
de		s'amuser
envers		penser souvent
pour		s'occuper

EXEMPLE: **Chez qui vas-tu souvent?**
Je vais souvent chez des amis.

Exercice K

Complétez les questions de vos amis en utilisant l'expression interroga-tive qui convient:

à qui	qu'est-ce que
avec qui	qu'est-ce qui
avec quoi	que
de qui	qui
de quoi	qui est-ce que

1. _____ as-tu fait tes devoirs?
2. _____ tu veux faire après l'école?
3. _____ as-tu besoin pour finir ce projet?
4. _____ s'est passé dans la classe d'histoire?
5. _____ est le président du cercle français?
6. _____ fait le professeur Aupin en classe?
7. _____ essuie-t-on le tableau?
8. _____ est ce livre?
9. _____ es-tu l'ami?
10. _____ tu aides à faire son travail scolaire?

2. Variable Interrogative Pronouns

	MASCULINE	FEMININE	
SINGULAR	**lequel**	**laquelle**	*which? which one(s)?*
PLURAL	**lesquels**	**lesquelles**	

Lequel de ces films avez-vous vu?	Which (one) of these films did you see?
Lesquels de ces films avez-vous vus?	Which (ones) of these films did you see?
Laquelle de ces robes préférez-vous?	Which (one) of these dresses do you prefer?
Lesquelles de ces robes préférez-vous?	Which (ones) of these dresses do you prefer?

NOTE:

1. The pronoun **lequel** agrees with the noun it replaces.

2. When **à** and **de** are used before forms of **lequel,** the usual contrac-tions take place:

	MASCULINE	FEMININE
SINGULAR	**auquel**	**à laquelle**
	duquel	**de laquelle**
PLURAL	**auxquels**	**auxquelles**
	desquels	**desquelles**

Auquel **de tes amis** as-tu écrit?

Which (one) of your friends did you write to?

Il est fier **des enfants.**
  — *Desquels* est-il fier?

He is proud of the children.
  —Which ones is he proud of?

Exercice L

Une amie vous raconte ce qu'elle a fait pendant le week-end. Demandez-lui de préciser:

EXEMPLE: J'ai lu des articles amusants.
            Ah, oui? Lesquels?

1. J'ai acheté des disques très bon marché.
2. J'ai vu un film fantastique.
3. J'ai appris une belle chanson.
4. J'ai appelé mes amies au téléphone.
5. J'ai pris une décision importante.
6. J'ai rencontré mes cousines.

Exercice M

Roger parle toujours de son frère d'une façon vague. Demandez-lui de préciser en lui posant des questions:

EXEMPLES: Mon frère a écrit à une de ses correspondantes.
             À laquelle?

             Mon frère est allergique à certains produits.
             Auxquels?

1. Mon frère s'intéresse aux films étrangers.
2. Il téléphone toujours à une amie.
3. Il participe à un concert.
4. Il assiste à des conférences.
5. Il va aux magasins.

Exercice N

Lucien et vous discutez à la sortie des cours. Posez-lui des questions afin de préciser ce qu'il dit:

EXEMPLES: Je fais partie d'une nouvelle équipe.
De laquelle?

Je joue d'un instrument de musique.
Duquel?

1. Je suis membre d'un club.
2. Je rêve de ma voisine.
3. Je parle de mes amies.
4. Je me souviens de ma petite amie.
5. Je m'occupe des animaux.

3. Interrogative Adjectives

The interrogative adjective **quel** *(which?, what?)* agrees with the noun it modifies:

	MASCULINE	FEMININE
SINGULAR	**quel**	**quelle**
PLURAL	**quels**	**quelles**

Quel est **le nom** de ce village?   *What is the name of that village?*

Dans *quelle* **maison** habitez-vous?   *In which house do you live?*

Quels **livres** a-t-elle lus?   *Which books has she read?*

NOTE: The only verb that may separate **quel** from its noun is **être:**

Quelle *était* **la question?**   *What was the question?*

Exercice O

Un des élèves de votre classe mène une enquête. Aidez-le à préparer ses questions en donnant la forme correcte de l'adjectif quel, *puis répondez aux questions:*

1. _____ est ton nom de famille?
2. _____ est ton adresse?

3. _____ est ton numéro de téléphone?
4. _____ sont tes programmes de télévision préférés?
5. _____ émissions écoutes-tu à la radio?
6. _____ journaux lis-tu?
7. À _____ heure fais-tu tes devoirs?
8. _____ langues parles-tu?
9. _____ est ton sport préféré?
10. _____ sorte de film préfères-tu?

4. Interrogative Adverbs

combien?	*how much? how many?*	**d'où?**	*from where?*
comment?	*how?*	**pourquoi?**	*why?*
où?	*where (to)?*	**quand?**	*when?*

a. Interrogative adverbs are used with inversion as well as with **est-ce que** to form questions:

Quand **faites-vous** vos
   devoirs?   } When do you do your
Quand **est-ce que vous faites**   homework?
   vos devoirs?

Pourquoi **va-t-elle** au
   magasin?   } Why is she going to the store?
Pourquoi **est-ce qu'elle va** au
   magasin?

Où **Pierre est-il allé?**   } Where did Pierre go?
Où **est-ce que Pierre est allé?**

b. When the subject of the verb is a noun, inverted questions are formed as follows:

Comment *Paul* **se sent-il?**	How is Paul feeling?
Combien *cette robe* **coûte-t-elle?**	How much does this dress cost?
Où *la tour Eiffel* **se trouve-t-elle?**	Where is the Eiffel Tower?
Quand *les enfants* **rentrent-ils?**	When are the children coming home?
Pourquoi *ces livres* **sont-ils** si chers?	Why are these books so expensive?

NOTE: With **quand, comment, combien,** and **où** (but not with **pourquoi**), questions with noun subjects may also be formed with the simple inversion of subject and verb:

Comment **se sent** *Paul?*   Où **se trouve** *la tour Eiffel?*
Combien **coûte** *cette robe?*   Quand **rentrent** *les enfants?*

But:

Pourquoi **Marie pleure-**   *Pourquoi* **est-ce que Marie**
t-elle?   **pleure?**

Simple inversion may not be used when the verb has a direct object. Use inversion with the subject pronoun:

Quand *Paul voit-il* **sa petite**   When does Paul see his
amie?   girlfriend?

Exercice P

Vous êtes fort curieux. Posez des questions à votre ami Henri qui part en voyage:

EXEMPLE: Henri fait ses valises. (pourquoi)
Pourquoi est-ce que tu fais tes valises?

1. Henri part aux États-Unis le 21 septembre. (quand)
2. Henri part de l'aéroport Charles de Gaulle. (d'où)
3. Il ira à l'aéroport en taxi. (comment)
4. Son billet a coûté 300 dollars. (combien)
5. Il va aller chez ses cousins. (où)
6. Il va aux États-Unis pour apprendre l'anglais. (pourquoi)

Exercice Q

Votre ami(e) vous a invité(e) au restaurant et vous lui demandez quelques renseignements. Formulez des questions auxquelles les mots en caractères gras répondent:

EXEMPLES: **Comment allons-nous au restaurant?**
Nous allons au restaurant **en voiture.**

Où le restaurant se trouve-t-il?
Le restaurant se trouve **rue Jacques.**

1. Le restaurant est **très élegant.**
2. On va au restaurant **pour célébrer l'anniversaire de Marie.**
3. Un dîner prix fixe coûte **40 dollars.**
4. Leur cuisine est **très bonne.**
5. Nous allons au restaurant **ce soir à 8 heures.**

5. Other Interrogative Expressions

Qu'est-ce que c'est?	*What is it?*
Qu'est-ce que c'est que cela?	*What is that?*

Qu'est-ce qu'un brontosaure?	
Qu'est-ce que c'est qu'un brontosaure?	*What is a brontosaurus?*

Exercice R

Vous et votre petit frère étudiez dans la même pièce. Votre frère lit plusieurs mots qu'il ne comprend pas et vous en demande le sens. Formulez ses questions selon vos réponses:

EXEMPLE:　**Qu'est-ce que l'ornithologie?**
　　　　　　L'ornithologie est la science qui traite des oiseaux.

1. L'acier est un métal.
2. La pétanque est un jeu de boules populaire en France.
3. Un nomade est une personne qui n'a pas de domicile fixe.
4. Un cobra est un serpent venimeux.
5. Le cristal de roche est du quartz extrêmement pur.

6. Exclamations

The forms of **quel** are used in exclamations to express *what a . . . !* or *what . . . !*:

Quel beau chien!	*What a beautiful dog!*
Quels garçons intelligents!	*What intelligent boys!*
Quelle histoire!	*What a story!*
Quelles oranges délicieuses!	*What delicious oranges!*

Exercice S

Qu'est-ce que vous vous exclamez en voyant les choses suivantes:

EXEMPLE:

bonne note
Quelle bonne note!

1.

jolie bicyclette

2.

lion féroce

3.

longue file d'attente

4.

avion rapide

5.

oiseaux bruyants

6.

embouteillage affreux

7.

match passionnant

8.

maisons mystérieuses

♦ MASTERY EXERCISES ♦

Exercice T

La première fois que Louis conduit la voiture de son père, un agent de police l'arrête. En vous basant sur les réponses de Louis, formulez les questions que l'agent lui pose:

1. Agent:
   Louis: Cette voiture appartient à mon père.
2. Agent:
   Louis: Mon nom est Louis Dutour.
3. Agent:
   Louis: J'ai dix-huit ans.
4. Agent:
   Louis: Mon adresse est quarante, rue Jacob.
5. Agent:
   Louis: Ce sont mes amis.
6. Agent:
   Louis: Nous allons au cinéma.
7. Agent:
   Louis: Je conduisais vite parce que nous sommes en retard.
8. Agent:
   Louis: J'ai eu mon permis de conduire la semaine passée.
9. Agent:
   Louis: C'est la première fois qu'un agent m'arrête.
10. Agent:
    Louis: Je dirai à mon père que j'ai appris une leçon importante.

Exercice U

M. Laforêt va se faire opérer des yeux. Complétez les questions que des amis se posent à son égard. Utilisez l'expression interrogative qui convient:

qui	à qui	que	de qui	quel	laquelle
quelle	auquel	qu'est-ce qui	desquels	avec quoi	de quoi

EXEMPLE: __Qui__ s'occupera de lui après l'opération?

1. _____ l'irritera? Le bruit ou la lumière?
2. _____ va-t-il faire tout de suite après? Se reposer ou reprendre le travail?
3. _____ viendra le voir avant l'opération?
4. _____ pourra-t-il lire? Avec ses lunettes ou avec des verres de contact?

5. _____ peut-il téléphoner en cas d'urgence? À ses filles ou à ses fils?
6. _____ de ses fils veut-il parler? Au cadet ou à l'aîné?
7. _____ est-il le frère? De Régis ou de Patrice?
8. _____ âge a-t-il? Soixante ou soixante-dix ans?
9. _____ de ses filles va rester à l'hôpital? Anne ou Colette?
10. _____ de ses enfants est-il fier? De ses fils ou de ses filles?
11. _____ musique a-t-il envie d'écouter? La musique classique ou le jazz?
12. _____ a-t-il peur? Des piqûres ou du scalpel?

Exercice V

Béatrice va faire un voyage en France et veut apprendre à dire certaines choses. Exprimez en français les phrases qu'elle veut apprendre:

1. What is the exchange rate?
2. How much does the ticket cost?
3. Where can I buy shampoo?
4. Which one of these buses do I take to the Louvre?
5. When do the stores open?
6. At what time is dinner served?
7. Who can help me with my suitcases?
8. Why do you want to see my passport?
9. How many francs does this cost?
10. Which are the best restaurants?
11. What a delicious meal!
12. What is interesting to see?
13. To whom should I speak?
14. What do I need?
15. What is happening?

29

Possession

1. Expressing Possession

a. In French, possession and relationship are expressed by the preposition **de**:

le livre *d'***Henri**	*Henri's book*
les patins *de* **Michel**	*Michel's skates*
le bureau *du* **directeur**	*the principal's office*
le mari *de l'***actrice**	*the actress' husband*
la grand-mère *des* **enfants**	*the children's grandmother*
la couleur **des fleurs**	*the color of the flowers*

NOTE: **de** is repeated before each noun:

Les livres *de* **Marc** et *de* **Paul.**	*Marc and Paul's books.*

b. Forms of **être à** (*to belong to*) also express possession:

Ce livre *est à* **Jean.**	*This book belongs to Jean.*
Le cahier *est au* **garçon.**	*The notebook belongs to the boy.*
Cette gomme *est à* **moi.**	*This eraser belongs to me.*
Les règles *sont à* **eux.**	*The rulers belong to them.*

NOTE:

1. **à** is repeated before each noun:

Ces journaux *sont à* **Paul** et *à* **Luc.**	*These newspapers belong to Paul and Luc.*

2. Forms of **être à** are used as follows in questions:

À qui est le livre?	*To whom does the book belong? (Whose book is it?)*
À qui sont les stylos?	*To whom do the pens belong? (Whose pens are they?)*

Exercice A

Vous expliquez à votre mère à qui appartiennent les objets que vous avez empruntés:

EXEMPLES: la blouse/Anne
C'est la blouse d'Anne.

les gants/garçon
Ce sont les gants du garçon.

1. le baladeur/voisin
2. les chemises/Étienne
3. les disques/Marie et Liliane
4. la raquette/M. Martin

5. les stylos/mes copines
6. le jouet/chien
7. les robes/sœur d'Anne
8. la guitare/instructeur

Exercice B

Danielle et son frère sont en train de nettoyer après une grande boum qu'ils ont donnée chez eux. Ils discutent à qui appartiennent les choses que certains invités ont oubliées:

EXEMPLES: les lunettes de soleil/Alexandre
À qui sont les lunettes de soleil?
Elles sont à Alexandre.

l'agenda/Madeleine
À qui est l'agenda?
Il est à Madeleine.

1. la veste bleue/Sylvie
2. le stylo rouge/professeur
3. la radio/François
4. les crayons/filles de Claudine

5. le manteau/la sœur de Julien
6. le baladeur/Robert
7. les disques/Marie et Liliane
8. le foulard/Jacqueline

Exercice C

Monique voudrait rendre à ses amis ce qu'elle leur a emprunté. Exprimez leurs réponses à ses questions:

EXEMPLE: Ce livre est à Paul?
Oui, il est à lui.

1. Ces disques sont à François et à Julien?
2. Ce bracelet est à toi, Georgette?
3. Ces vêtements sont à vous, Régine et Hélène?

4.   Cette cassette est à Marie?
5.   Ces romans sont à Claudette et à moi?
6.   Cette radio est à moi?
7.   Ce stylo est à ton père, Richard?
8.   Ces blouses sont à vos sœurs?

2. Possessive Adjectives

SINGULAR		PLURAL	
MASCULINE	FEMININE		
mon	ma	mes	my
ton	ta	tes	your (familiar)
son	sa	ses	his, her, its
notre	notre	nos	our
votre	votre	vos	your
leur	leur	leurs	their

NOTE:

1. Possessive adjectives, like other adjectives, agree with the nouns
    they describe. They are repeated before each noun:

    nos **rideaux** et *notre* **tapis**   *our curtains and our rug*
    sa **tante** et *son* **oncle**   *her aunt and uncle*

2. The forms **mon, ton,** and **son** are used instead of **ma, ta,** and
    sa before a feminine singular noun beginning with a vowel or
    silent **h:**

    mon **idée** *my idea*   *ton* **adresse** *your address*
    son **habitude** *his habit*

3. To clarify or emphasize the possessor, **à** + stress pronoun is used:

    J'ai pris **mes gants** *à moi.*   *I have taken* MY *gloves.*
    C'est **sa guitare** *à lui.*   *It's* HIS *guitare.*
    Où sont **leurs clefs** *à eux?*   *Where are* THEIR *keys?*

4. With parts of the body, the possessive adjective is usually replaced
    by the definite article if the possessor is clear:

    Je me suis coupé *le* **doigt.**   *I cut my finger.*
    Il avait un livre sous *le* **bras.**   *He had a book under his arm.*

Exercice D

Demandez à un(e) camarade de nommer ce qu'il/elle préfère et exprimez ses réponses:

EXEMPLE: cours favori
Nomme ton cours favori.
Mon cours favori est le français.

1. acteur favori
2. actrice favorite
3. roman favori
4. disques préférés
5. programmes préférés

6. film favori
7. couleurs préférées
8. saison favorite
9. restaurant favori
10. sport favori

Exercice E

Vos parents et vous arrivez à la douane de l'aéroport Charles de Gaulle. Le douanier vous pose des questions et vous y répondez:

EXEMPLE: carte verte
Avez-vous votre carte verte?
Oui, nous avons notre carte verte.

1. carte d'identité
2. déclaration en douane
3. passeports
4. bagages
5. reçus d'enregistrement des bagages
6. billet de retour
7. visa
8. cartes de séjour

Exercice F

Exprimez quel est le lien de parenté entre les personnes suivantes:

Marie + Jean

Georgette + Paul   Lise + Marc

Daniel   Robert   Suzanne   Georges   Carine

EXEMPLES: Marie est la tante de Paul?
Non, Marie n'est pas sa tante, elle est sa mère.

Daniel est le frère de Georges et de Carine?
Non, Daniel n'est pas leur frère, il est leur cousin.

1. Paul est le père de Marie?
2. Lise est la femme de Paul?
3. Paul et Lise sont les parents de Marie et de Jean?
4. Marc est le père de Daniel, de Robert et de Suzanne?
5. Carine est la mère de Lise?
6. Paul et Georgette sont les grands-parents de Georges et de Carine?
7. Georges est le cousin de Carine?
8. Georgette est la sœur de Suzanne?

Exercice G

Georges et Pauline bavardent dans le couloir de l'école. Pauline, qui n'arrive pas à entendre à cause du bruit, pose des questions à son ami. Complétez leur conversation:

> EXEMPLE: —J'ai un disque. Je vais le prêter à Charles.
> —Qu'est-ce que tu vas prêter à Charles?
> **—Mon disque.**

1. —Bertrand a une petite amie. Il la voit tous les jours.
   —Qui voit-il tous les jours?
2. —Martine a une nouvelle voiture. Elle va la conduire.
   —Qu'est-ce que Martine va conduire?
3. —Lisette et Paul ont des devoirs. Ils vont les faire ensemble.
   —Qu'est-ce qu'ils vont faire ensemble?
4. —Marc a deux chiens. Il va les décrire dans sa composition.
   —Qu'est-ce qu'il va décrire dans sa composition?
5. —Jean-Luc a un oncle à Montréal. Il va bientôt aller le voir.
   —Qui est-ce que Jean-Luc va bientôt aller voir?
6. —Marianne a une nouvelle bague. Elle la porte tous les jours.
   —Qu'est-ce qu'elle porte tous les jours?

Exercice H

Éric aime bien porter les vêtements des autres. Pendant qu'il s'habille, il discute avec son ami qui l'attend pour sortir. Complétez leur conversation avec les adjectifs possessifs corrects:

Paul: Aujourd'hui tu portes un très joli pull. Est-ce que c'est _____
1

pull?

Éric: Non, ce n'est pas _____ pull, c'est le pull de _____ frère
2   3

Pierre.

Paul: Mets-tu toujours _____ vêtements?

                          4

Éric: Souvent. J'aime bien _____ pulls et _____ chapeaux.

                         5   **6**

Paul: Cette cravate est jolie. Où l'as-tu achetée?

Éric: Je ne l'ai pas achetée. Ce n'est pas _____ cravate, elle est à

                          7

     _____ frère Édouard. J'aime porter _____ cravates.

      8   **9**

Paul: Quels autres habits empruntes-tu à _____ frères?

                                   10

Éric: De temps en temps je mets _____ chaussettes et _____

                             11   **12**

manteaux.

Paul: N'as-tu pas _____ propre manteau?

               13

Éric: Si, mais _____ manteau n'est pas aussi chaud que ceux de

              14

     _____ frères.

      15

Paul: Bon. Allons-y. Il se fait tard.

Éric: Attends un moment. Je dois chercher _____ ceinture noire.

                                       16

Paul: Je crois qu'elle est ici sur la table, mais il me semble que c'est la

ceinture de _____ père.

              17

Éric: Tu as raison, mais puisque lui et moi nous l'utilisons, nous

considérons que c'est _____ ceinture.

                       18

Paul: Quelle chance tu as! _____ frères ne me prêtent jamais rien!

                         19

Éric: Bon. Je suis prêt. Dépêchons-nous car _____ petites amies nous

                                   20

attendent!

Exercice I

Michel, un garçon de cinq ans, raconte à sa mère ce qui s'est passé en classe aujourd'hui. Complétez les phrases avec un article défini ou un adjectif possessif selon le cas:

1. Robert a enlevé _____ souliers.

2. Claire s'est blessée à _____ jambe.

3. Édouard a levé _____ tête pour mieux voir.

4. La maîtresse a ouvert _____ parapluie quand nous sommes descendus de l'autobus.

5. Lucie s'est coupé _____ cheveux avec un rasoir électrique.

6. Je me suis lavé _____ mains après avoir peint.

7. L'infirmière a mis _____ blouse avant d'examiner Jean.

8. Pierre s'est cassé _____ nez en tombant.

9. J'ai perdu _____ écharpe à l'école.

10. Après avoir joué au football, Henri a eu mal à _____ tête.

3. Possessive Pronouns

SINGULAR		PLURAL		
MASCULINE	FEMININE	MASCULINE	FEMININE	
le mien	**la mienne**	**les miens**	**les miennes**	*mine*
le tien	**la tienne**	**les tiens**	**les tiennes**	*yours* (familiar)
le sien	**la sienne**	**les siens**	**les siennes**	*his, hers, its*
le nôtre	**la nôtre**	**les nôtres**	**les nôtres**	*ours*
le vôtre	**la vôtre**	**les vôtres**	**les vôtres**	*yours*
le leur	**la leur**	**les leurs**	**les leurs**	*theirs*

NOTE:

1. A possessive pronoun replaces a possessive adjective + noun. The pronoun agrees with the noun it replaces:

   Ma voiture est dans le garage. Où est *la vôtre?*   *My car is in the garage. Where is yours?*

   Mes yeux sont plus foncés que *les tiens.*   *My eyes are darker than yours.*

2. The definite article, a regular part of the possessive pronoun, contracts with the prepositions **à** and **de** in the usual way:

   Il parle à nos fils et ***aux* leurs.**   *He speaks to our sons and theirs.*

| Parles-tu de son voyage ou *du mien?* | Are you speaking about his trip or mine? |

3. The possessive pronoun is used after forms of **être** to express distinction:

| Cette montre est *la mienne,* pas *la vôtre.* | That watch is mine, not yours. |

4. Note these French expressions of relationship:

un de mes amis	a friend of mine, one of my friends
un de ses cousins	a cousin of his, one of his cousins
une de leurs voisines	a neighbor of theirs, one of their neighbors

Exercice J

Georges est un garçon de six ans. Il aime dire que tout ce qu'il a est mieux que tout ce que les autres ont. En employant un pronom possessif, exprimez ce que Georges dit:

EXEMPLE: Ma bicyclette va plus vite que la bicyclette de Raymond.
Ma bicyclette va plus vite que la sienne.

1. Mon frère est plus grand que le frère d'Hélène.
2. Mon costume est plus beau que ton costume.
3. Votre chat est plus petit que notre chat.
4. Mes amis sont plus forts que tes amis.
5. Vos grands-parents sont plus sévères que nos grands-parents.
6. Les amies de mon frère sont plus belles que les amies de Paul.
7. Ta maison est moins moderne que ma maison.
8. Ton ordinateur est moins sophistiqué que l'ordinateur de mes frères.
9. Ma mère cuisine mieux que ta mère.
10. Le frère d'Albert est moins courageux que mon frère.

Exercice K

Vous réfléchissez à plusieurs choses. Exprimez les phrases selon l'exemple:

EXEMPLE: Mes impressions de voyage et les impressions de Jean sont très différentes.
Mes impressions de voyage et **les siennes** sont très différentes.

1. Ma voiture et la voiture d'Alice sont rouges.
2. Mes goûts et les goûts de Georges sont similaires.
3. Mon anniversaire et l'anniversaire des jumeaux tombent le même jour.
4. Les conseils de mon père et les conseils du père d'Arthur ne sont pas les mêmes.
5. Mes bagues et vos bagues sont très jolies.
6. Les idées de Janine et de Claudine et nos idées à nous sont intéressantes.
7. Tes boums et les boums de tes amies sont amusantes.
8. Les notes d'Anne et les notes de Béatrice sont les meilleures.

Exercice L

Élise et Béatrice sont jumelles. Élise sait toujours où tout se trouve. Béatrice, au contraire, ne trouve jamais rien et doit demander à chaque fois à sa sœur. Exprimez les réponses d'Élise aux questions de Béatrice:

> EXEMPLE: Béatrice: J'ai trouvé mon baladeur, mais je ne sais pas
> où est le baladeur de Georges. (dans la cuisine)
> Élise: **Le sien est dans la cuisine.**

1. Béatrice: Où se trouve ma blouse verte? (dans l'armoire)
   Élise:

2. Béatrice: Voilà la montre de maman. Je ne trouve pas la montre de papa. (sur la commode)
   Élise:

3. Béatrice: Où est-ce que j'ai laissé mon billet pour le concert? (dans ton livre d'histoire)
   Élise:

4. Béatrice: Est-ce que tu as vu ma brosse? (dans la salle de bains)
   Élise:

5. Béatrice: Je ne trouve pas ma ceinture rouge. Je peux me servir de ta ceinture rouge? (dans le tiroir)
   Élise:

6. Béatrice: Je cherche les lettres de Jean-Paul. (dans le bureau)
   Élise:

7. Béatrice: Je dois emprunter ton disque de John Lennon. (là-bas)
   Élise:

Exercice M

Les personnes suivantes viennent d'arriver à leur hôtel en France. Exprimez ce qu'elles font en utilisant le pronom possessif correct:

> EXEMPLES: Marie présente son amie et moi, je présente
> _____**la mienne**_____.
>
> Je ressemble à mon père, et toi, tu ressembles
> _____**au tien**_____.

1. Denis monte ses bagages et moi, je monte _____ .
2. Hubert présente sa carte d'identité et nous, nous présentons _____ .
3. Gilbert monte dans sa chambre et vous, vous montez dans _____ .
4. Yves remplit sa fiche et Martine et Olivier remplissent _____ .
5. Barbara cherche son passeport et Bernadette cherche _____ .
6. Patrick téléphone à ses cousins et toi, tu téléphones _____ .
7. Nathalie parle à sa tante et moi, je parle _____ .
8. Dominique discute de ses projets et nous, nous discutons _____ .
9. Liliane parle de sa famille et Frédéric parle _____ .
10. Jean-Pierre défait ses valises et Madeleine et Roger défont _____ .

♦ MASTERY EXERCISES ♦

Exercice N

M. Marcel veut rendre les objets que des étudiants ont oubliés dans les vestiaires du gymnase. Exprimez ses conversations avec les étudiants:

EXEMPLES: Ce stylo est à toi?
Non, ce n'est pas le mien.

Ces stylos sont à toi?
Non, ce ne sont pas les miens.

1. Ce maillot est à Jean?
2. Cette montre est à vous?
3. Ces clés sont à moi?
4. Ces cravates sont à Étienne et à Hervé?
5. Ces shorts sont à toi?
6. Cette écharpe est à Marie?
7. Ces gants sont à Lucie et à Cécile?
8. Ces livres sont à vous?

Exercice O

Exprimez en français ce qu'Éric dit à son amie Caroline tandis qu'ils regardent un album de photos:

1. I wonder whose photo album this is.
2. Hey, it's my grandmother's album!
3. It contains pictures of my cousin Paul's family and mine.
4. Look at Paul's brother George and mine, Michael.
5. They are wearing their Halloween costumes.
6. George is making a face at his girlfriend and my brother at his.
7. George is doing his best and my brother his to amuse the girls.
8. Can you see Lola's smile?
9. Now she is George's wife.
10. This album is really the story of my friends' lives and mine.

30

Demonstratives

Demonstrative adjectives and pronouns indicate or point out the person or thing referred to (*this, that, these, those*).

1. Demonstrative Adjectives

ce	before a masculine singular noun beginning with a consonant	*ce* **garçon**	*this (that) boy*
cet	before a masculine singular noun beginning with a vowel or silent **h**	*cet* **appareil** *cet* **hiver**	*this (that) instrument* *this (that) winter*
cette	before a feminine singular noun	*cette* **revue**	this (that) magazine
ces	before all plural nouns	*ces* **garçons** *ces* **appareils** *ces* **hivers** *ces* **revues**	*these (those) boys* *these (those) instruments* *these (those) winters* *these (those) magazines*

> **Ce chapeau** est à Sylvie.
> **Cet ascenseur** ne marche pas.
> Voyez-vous **cette cathédrale?**
> **Ces hors-d'œuvre** étaient
> délicieux.

> *This hat belongs to Sylvie.*
> *This elevator does not work.*
> *Do you see that cathedral?*
> *These appetizers were
> delicious.*

NOTE:

1. Demonstrative adjectives precede and agree with the nouns they describe.

2. The demonstrative adjective is repeated before each noun:

   ce lac et **cette** plage   *that lake and beach*
   ces aiguilles et **ces** épingles   *these needles and pins*

3. To distinguish between *this* and *that* or between *these* and *those,* **ci** and **là** with hyphens are added to the nouns contrasted. For *this* or *these,* **-ci** is added; for *that* or *those,* **-là** is added:

   cette écriture-*ci* ou **cette**   *this handwriting or that*
       écriture-*là*   *handwriting*
   ces poèmes-*ci* et **ces poèmes-*là***   *these poems and those poems*

Exercice A

Alice vient d'acheter des vêtements qu'elle va porter pendant son voyage de noces à la Martinique. Son fiancé voudrait savoir combien chaque article a coûté. Complétez ses questions avec la forme appropriée de l'adjectif démonstratif (ce, cet, cette ou ces):

EXEMPLE: Combien ont coûté ___ces___ blouses?

1. Combien ont coûté _____ souliers?
2. Combien a coûté _____ maillot de bain?
3. Combien a coûté _____ imperméable?
4. Combien a coûté _____ jupe?
5. Combien a coûté _____ sac?
6. Combien a coûté _____ pantalon?
7. Combien ont coûté _____ lunettes de soleil?
8. Combien a coûté _____ écharpe?
9. Combien a coûté _____ robe?
10. Combien ont coûté _____ sandales?

Exercice B

Vous êtes au cirque avec votre famille. Qu'est-ce que vous vous exclamez pendant le spectacle:

EXEMPLE: lion féroce
            Regardez ce lion féroce!

1. jongleurs adroits
2. acrobate gracieuse
3. trapéziste audacieux
4. tigres sauvages

5. éléphant gigantesque
6. clown maladroit
7. chevaux maladroit
8. chiens intelligents

Exercice C

Vous êtes au marché. Gloria veut tous les fruits qu'elle voit. Exprimez ce qu'elle va acheter:

EXEMPLES: melon / ici
             Elle va acheter ce melon-ci.

             fraises / là
             Elle va acheter ces fraises-là.

1. oranges / ici
2. pêches / là
3. avocat / ici

4. poires / ici
5. raisins / là
6. pomme / là

7. ananas / ici
8. prunes / là

Exercice D

Votre ami Alphonse vous rend visite. Il veut tout savoir sur votre ville.
Répondez à ses questions en utilisant un adjectif démonstratif:

> EXEMPLE: Est-ce que la discothèque est populaire?
> **Oui, cette discothèque est populaire.**

1. Est-ce que la librairie est ouverte toute la journée?
2. Est-ce que les restaurants sont chers?
3. Est-ce que les cafés servent du chocolat chaud?
4. Est-ce que les magasins font beaucoup de soldes?
5. Est-ce que le lac est profond?
6. Est-ce que la piscine est grande?

2. Demonstrative Pronouns

	MASCULINE	FEMININE	
SINGULAR	**celui**	**celle**	*this one, that one, the one*
PLURAL	**ceux**	**celles**	*these, those, the ones*

Il préfère cette chemise à *celle* **de Jean**.	*He prefers this shirt to Jean's.*
Ce vase ressemble à *celui* que **je viens d'acheter.**	*This vase resembles the one that I just bought.*

a. Demonstrative pronouns agree with the nouns they refer to:

Je prends cette **robe**-ci et *celle*-là.	*I am taking this dress and that one.*
Donnez-moi ces **papiers**-ci et *ceux*-là.	*Give me these papers and those.*

b. **Celui** and its forms are not used alone. They are generally used with one of the following: **de, -ci, -là, où,** or the relative pronouns **qui, que,** and **dont:**

(1) **celui de** *the one of, that of*

Donnez-moi **mon billet et** *celui* **de Gautier.**	*Give me my ticket and Gautier's.*

Les cours de cette année sont plus intéressants que *ceux de* **l'année dernière.**	This year's courses are more interesting than last year's (those of last year).
Nous avons deux **envies, *celle* de voyager** et *celle de* **nous amuser.**	We have two desires: that of traveling and that of having fun.

(2) **celui-ci** *this (one), the latter*
   celui-là *that (one), the former*

Cette composition-ci est meilleure que *celle-là.*	This composition is better than that one.
Quels bracelets préférez-vous, *ceux-ci* ou *ceux-là?*	Which bracelets do you prefer, these or those?
Lamartine et **Balzac** étaient écrivains; *celui-ci* était romancier et *celui-là* poète.	Lamartine and Balzac were writers; the latter was a novelist and the former a poet.

(3) **celui qui** *the one that (subject)*
   celui que *the one that (object)*
   celui dont *the one of which*
   celui où *the one in which, the one where*

Ceux qui travaillent dur réussissent.	The ones who work hard succeed.
La maison blanche est *celle qu'*ils vont acheter.	The white house is the one (that) they are going to buy.
C'est *celui dont* je vous ai parlé.	This is the one (that) I spoke to you about.
À **quel magasin** vas-tu?—À *celui où* il y a des soldes.	Which store are you going to?—To the one where there are sales.

NOTE: In the construction **celui** + relative pronoun, the relative pronoun may be the object of a preposition:

J'aime tous mes frères mais Philippe est **celui** *avec qui* je m'amuse le plus.	I love all my brothers, but Philippe is the one with whom I have the most fun.
Ce professeur est **celui** *pour qui* j'ai le plus d'admiration.	This professor is the one for whom I have the most admiration.

Exercice E

Vous venez de louer votre premier appartement et vous avez besoin de tout acheter. Votre mère vous accompagne au grand magasin où vous comparez les articles à acheter. Complétez votre conversation avec le vendeur:

> EXEMPLE: Voici un frigidaire. (le dernier modèle / plus économique)
> **Celui-ci est le dernier modèle.**
> **Mais celui-là est plus économique.**

1. Voici un tapis. (joli / meilleur marché)
2. Voici des chaises. (confortables / plus à la mode)
3. Voici une lampe. (très décorative / plus pratique)
4. Voici des tableaux. (modernes / en solde)
5. Voici une chaîne stéréo. (programmable / de meilleure qualité)
6. Voici un climatiseur. (puissant / plus silencieux)
7. Voici des tables. (rustiques / moins chères)

Exercice F

Pierre fait des commentaires sur les gens qu'il connaît. Complétez ses phrases avec les formes correctes de **celui-ci** *ou* **celui-là**:

1. Jean a dix-sept ans tandis que son frère en a quinze. _____ est le cadet et _____ l'aîné.
2. Les Dupont dépensent facilement leur argent tandis que les Renard vivent simplement. _____ sont économes et _____ dépensiers.
3. Liliane est aimable tandis que sa sœur est désagréable. _____ a un mauvais caractère et _____ un bon caractère.
4. Pierre fait toujours ses devoirs tandis que Luc ne fait jamais les siens. _____ est paresseux et _____ consciencieux.
5. Marie et Anne aiment faire du sport tandis que Laure et Françoise préfèrent aller à la bibliothèque. _____ sont studieuses et _____ sportives.

Exercice G

Votre petit frère discute avec son ami. Exprimez ce qu'il dit à son ami pour l'impressionner:

> EXEMPLE: La voiture de mes parents est rapide.
> **Celle de mes parents est encore plus rapide.**

1. Le vélo de mon frère est léger.
2. La télé de mes parents est très grande.
3. Les jeux vidéo de mon cousin sont difficiles.

4. La caméra vidéo de ma mère est sophistiquée.
5. Les chemises de mon père sont à la mode.
6. Le micro-ordinateur de ma sœur est extraordinaire.
7. Les recherches de mon père sont importantes.
8. Les bijoux de ma mère sont précieux.

Exercice H

Comparez le lieu indiqué dans la phrase avec le lieu entre parenthèses et donnez votre opinion selon l'exemple. Utilisez un pronom démonstratif et les expressions **moins, plus** *ou* **aussi:**

EXEMPLE: Les restaurants du Canada sont excellents. (États-Unis)
Ceux des États-Unis sont aussi excellents.

1. La plage de Nice est propre. (New York)
2. Les hôtels de Monte-Carlo sont luxueux. (Las Vegas)
3. Les boutiques de Paris sont élégantes. (Berlin)
4. Les vignobles de Champagne sont renommés. (San Francisco)
5. Les astronefs des États-Unis sont avancés. (Russie)
6. Les exportations du Japon sont nombreuses. (Angleterre)
7. Le temps de Paris est agréable. (Los Angeles)
8. Le président des États-Unis est intelligent. (France)

Exercice I

Exprimez ce que vous préférez en choisissant un des adjectifs entre parenthèses:

EXEMPLE: Quels vêtements aimez-vous mieux? (chics / confortables)
J'aime mieux ceux qui sont confortables.

1. Quelles coupes de cheveux aimez-vous mieux? (à la mode / traditionnelles)
2. Quelles voitures préférez-vous? (rapides / spacieuses)
3. Quel travail choisirez-vous? (stimulant / facile)
4. Quels sports préférez-vous? (dangereux / amusants)
5. Quels professeurs aimez-vous mieux? (sévères / indulgents)
6. Quelle activité préférez-vous? (sportive / intellectuelle)
7. Quels films préférez-vous voir? (drôles / effrayants)
8. Quelles classes préférez-vous? (faciles / difficiles)

Exercice J

Répondez aux questions qu'un ami vous pose:

> EXEMPLE: Quels sont les cours que tu préfères?
> **Ceux que je préfère sont le français et l'histoire.**

1. Quelle est la voiture que tu préfères?
2. Quel est le film que tu préfères?
3. Quels sont les chanteurs que tu préfères?
4. Quelles sont les bandes dessinées que tu préfères?
5. Quels sont les restaurants que tu préfères?
6. Quel est le journal que tu préfères?
7. Quelle est la boisson que tu préfères?
8. Quelles sont les revues que tu préfères?

Exercice K

M. Georges va à un magasin spécialisé chercher le matériel qu'il a commandé la semaine dernière pour rénover sa maison. Exprimez les réponses du vendeur à ses questions:

> EXEMPLE: Avez-vous reçu les planches?
> **Non, je n'ai pas reçu celles dont vous avez besoin.**

1. Avez-vous reçu le marteau?
2. Avez-vous reçu les échelles?
3. Avez-vous reçu les clous?
4. Avez-vous reçu la peinture?
5. Avez-vous reçu les câbles (m.) électriques?
6. Avez-vous reçu le papier peint?

Exercice L

Richard rend visite à sa grand-mère. Pendant qu'ils se promènent dans son village natal, Richard lui pose des questions sur sa jeunesse. Formulez les réponses de sa grand-mère:

> EXEMPLE: C'est le village où tu es née?
> **Oui, c'est celui où je suis née.**

1. C'est la maison où tu as grandi?
2. Ce sont les écoles où tu as étudié?
3. C'est le parc où tu jouais?
4. Ce sont les magasins où tu faisais les courses?

5. C'est le restaurant où tu as fait la connaissance de grand-père?
6. Ce sont les boutiques où tu as travaillé?
7. Ce sont les théâtres où tu t'es amusée?
8. C'est l'église où tu t'es mariée?

3. *ceci, cela, ça*

The demonstrative pronouns **ceci** (*this*) and **cela, ça** (*that*) refer to objects, ideas, or facts indicated or pointed to but not named. While, generally, **cela** (**ça**) refers to an idea or fact already mentioned, **ceci** introduces it:

Donnez-lui **ceci**.	*Give him this.*
Qu'est-ce que c'est que **cela** (**ça**)?	*What is that?*
Votre fils a reçu une bonne note; *cela (ça)* vous fera certainement plaisir.	*Your son received a good grade; that will certainly please you.*
Ceci vous fera certainement plaisir: **votre fils a reçu une bonne note.**	*This will certainly please you: your son received a good grade.*

NOTE:

1. The form **ça** often replaces **cela** in spoken French.

2. **Ceci** refers to the object near the speaker, **cela** to the object away from the speaker:

Il regarda **l'ordinateur** puis *la machine à écrire* et dit: «**Ceci** remplacera *cela*.»	*He looked at the computer, then at the typewriter and said: "This will replace that."*

Exercice M

Il y a du commérage à l'école. Complétez les phrases des étudiants en utilisant ceci *ou* cela:

1. Écoutez _____ : Paul est tombé amoureux de Marie.
2. Mme Rouleau va se marier. _____ me paraît impossible.
3. Julien a reçu une bourse de dix mille dollars. _____ m'a beaucoup surpris.
4. _____ va te faire plaisir: notre professeur d'histoire est absent.
5. On ne peut pas aller à la piscine demain. _____ ne fait rien.

6. Lucie va aller à l'université de Paris. _____ dit, j'ajoute qu'elle le mérite.
7. Raoul fait l'école buissonnière aujourd'hui. _____ ne sera pas sans conséquences.
8. Les vacances ont _____ de bon: il n'y a pas de devoirs.

▉ Exercice N ▉

Exprimez les sentiments de Jean-Jacques en utilisant ça:

> EXEMPLE: Je n'aime pas parler devant la classe. (rendre nerveux)
> **Ça me rend nerveux.**

1. Je n'aime pas les montagnes russes. (faire peur)
2. J'aime faire du sport. (passionner)
3. Je n'aime pas chanter devant tout le monde. (embarrasser)
4. J'aime le cinéma japonais. (intéresser)
5. Je n'aime pas parler de politique. (ennuyer)
6. J'aime recevoir des cadeaux de mon amie. (faire plaisir)

◆ MASTERY EXERCISES ◆

▉ Exercice O ▉

Imaginez que vous êtes dans un musée où il y a des tableaux, des sculptures, des tapis et d'autres objets d'art. Décrivez huit de ces objets en utilisant un adjectif démonstratif:

> SUGGESTIONS: bijou   sculpture   tapis
> dessin   statue   vaisselle
> meuble   tableau   vase
> portrait

> EXEMPLES: **Ces portraits sont jolis.**
> **Cette sculpture est fort bizarre.**

▉ Exercice P ▉

Vous montrez des photos à votre frère. Comme il est très curieux, il vous demande des précisions. Répondez à ses questions:

> EXEMPLES: Est-ce la fille avec qui Christian est sorti?
> **Oui, c'est celle avec qui il est sorti.**
>
> Marc a parlé de ces amis-ci?
> **Oui, ce sont ceux dont il a parlé.**

1. Est-ce à cet hôpital que Janine est allée?
2. Ce sont ces chiens-là qui ont détruit vos plantes?
3. Est-ce de cette jeune fille que Pierre a fait la connaissance?
4. Ce sont les deux nouvelles voitures que M. Bertrand vient d'acheter?
5. Est-ce de ce chanteur formidable que Luc m'avait parlé?
6. Est-ce cette robe-ci qu'elle voulait porter au bal?
7. Ce sont ces films qu'il avait envie de voir?
8. Est-ce de ce petit chien-là que Marie avait peur?
9. Est-ce cette ville où Jean voulait aller?
10. Ce sont les boutiques où les Marchand ont travaillé?

Exercice Q

Henri et Richard essaient de gagner de l'argent en faisant des travaux pour leurs voisins. Exprimez en français ce qu'ils disent à M. Boulanger:

1. These curtains are clean, those are very dirty.
2. These stains are not a problem, but I'm sure that one will not disappear.
3. We cannot move this table, but we can move that one.
4. This soap is too strong; the one that I prefer is more gentle.
5. This room is larger than the one where Henri is working.
6. We fixed the broken chair, the one that you had put in the garage.
7. The kitchen and the basement are dirty: I will clean that one and Richard will clean this one.
8. This house is larger than M. Leclerc's.
9. Can we finish that tomorrow?
10. M. Boulanger, could you put that chair here and this one there?
11. I don't need this brush; I need the one that Henri is talking about.
12. That's a good idea; we'll try to do it this week.

Indefinites

1. Forms

Indefinites may be adjectives, pronouns, or both:

ADJECTIVE	PRONOUN
aucun(e) *any, no*	**aucun(e)** *any, no one, none*
autre(s) *other*	**autre(s)** *other(s) other one(s)*
certain(e)(s) *certain, some*	**certain(e)(s)** *certain one(s), some*
chaque *each*	**chacun(e)** *each one, everyone*
le (la) (les) même(s) *the same*	**le (la) (les) même(s)** *the same one(s)*
	on *we, you, they, people, one*
plusieurs *several*	**plusieurs** *several*
quelque(s) *some*	**quelqu'un(e)** *someone, anyone*
	quelques-un(e)s *some, a few*
	quelque chose (m.) *something, anything*
	rien *nothing*
tout, tous, toute, toutes *all, every*	**tous, toutes** *all*
	tout *all, everything, anything*

2. Uses

a. aucun(e)

Aucun(e) is used in the singular (with or without **ne**) as an adjective or a pronoun.

(1) As an adjective, **aucun(e)** may be used with a noun to emphasize negation:

Il réussira sans *aucun* doute.   *He will succeed without any doubt.*

Le ferais-tu? — En *aucun* cas.   *Would you do it? — Under no circumstances.*

(2) As a pronoun, **aucun(e)** may be followed by **de** + noun or pronoun:

Je n'ai vu *aucun* de ces films.   *I didn't see any of those films.*
Aucune d'elles n'est partie.   *None of them left.*

Exercice A

Exprimez ce que la mère d'Antoine dit de son fils qui vient d'achever ses études universitaires. Utilisez le mot aucun(e):

EXEMPLE: il / travailler / sans difficulté
Il a travaillé sans aucune difficulté.

1. il / choisir de se spécialiser en science / sans hésitation
2. il / assister à tous les cours / sans exception
3. il / passer tous ses examens / sans problème
4. il / suivre son cours de physique / sans effort
5. il / faire quatre ans d'études / sans aide financière
6. il / faire un bon choix / sans doute

Exercice B

M. Carré rentre après avoir passé cinq ans à l'étranger. Durant ces années, il n'a eu aucun contact avec son pays. Exprimez ce qu'il répond à un ami qui lui pose des questions:

EXEMPLE: suivre / ces histoires
Je n'ai suivi aucune de ces histoires.

1. voir / ces films
2. lire / ces articles
3. apprendre / ces danses
4. entendre / ces nouvelles
5. recevoir / ces revues
6. écouter / ces disques

b. autre

Autre may be used as an adjective or a pronoun.

(1) As an adjective, **autre** (*other, another*) precedes the noun it describes. It may be preceded by a definite or an indefinite article:

Il va suivre *l'autre* cours.   He is going to take the other
                                                      course.
Donnez-moi *une autre* feuille   Give me another (a different)
   de papier.   sheet of paper.
J'ai *d'autres* problèmes.   I have other problems.

NOTE: **encore un(e)** (*another*) means an additional:

Apportez-nous *encore un*   Bring us another glass, for
   verre car nous sommes   there are three of us.
   trois.

(2)   As a pronoun, **autre** (*other [one]*, *others*) is preceded by an article:

Moi, j'appelle Christine et toi, Jean, tu appelles **les autres.**	*I call Christine and you, John, (you) call the others.*
À ma place, **un autre** aurait fait la même chose.	*In my place, another (person) would have done the same thing.*
Moi, j'ai trouvé ce film intéressant, mais **d'autres** ne l'aimeront peut-être pas.	*I found this film interesting, but others (other people) may not like it.*

NOTE:

1.   The indefinite article used with plural **autres** is always **d':**

Il n'y a pas **d'autres** possibilités.	*There are no other possibilities.*
D'autres viendront plus tard.	*Others will come later.*

2.   The following expressions are used to show reciprocal action, especially with reflexive verbs (see Chapter 11, Section 6f):

l'un(e) l'autre	*each other (of two)*
les un(e)s les autres	*one another (of more than two)*

Elles ne se parlent pas *l'une à l'autre.*	*They don't speak to each other.*
Ils s'aidaient les uns *les autres.*	*They used to help one another.*

3.   **Autre** is used in the following expressions:

l'un(e) et l'autre *both, both of them*
l'un(e) ou l'autre *either one*
ni l'un(e) ni l'autre *neither one*
l'un(e) à l'autre *to each other*
l'un(e) pour l'autre *one for the other, for each other*

Ils travaillent *l'un pour l'autre.*	*They work for each other.*
Tu as deux stylos. Donne-moi *l'un ou l'autre.*	*You have two pens. Give me either one.*
Laquelle de ces robes préfères-tu? — *Ni l'une ni l'autre.*	*Which of these dresses do you prefer? — Neither one.*

Exercice C

Denise prépare une nouvelle recette avec son frère. Ça ne va pas très bien et elle s'énerve. Exprimez ce qu'elle dit à son frère:

> EXEMPLE: un bol
> **Donne-moi un autre bol.**

1. un œuf
2. une cuillère en bois
3. des épices

4. un couteau
5. des spatules
6. un verre d'eau

Exercice D

Tirez des conclusions basées sur ce que M. Hameau dit de scs fils jumeaux, Louis et Gabriel. Utilisez une expression avec **l'un . . . l'autre:**

> EXEMPLES: Jean travaille. Gabriel travaille aussi.
> **Ils travaillent l'un et l'autre.**
>
> Jean écrit à Gabriel. Gabriel écrit à Jean.
> **Ils s'écrivent l'un à l'autre.**

1. Jean parle à Gabriel. Gabriel parle à Jean.
2. Jean aide Gabriel. Gabriel aide Jean.
3. Jean travaille pour Gabriel. Gabriel travaille pour Jean.
4. Jean est sérieux. Gabriel est sérieux.
5. Jean téléphone à Gabriel. Gabriel téléphone à Jean.

C. certain(e)(s)

(1) As an adjective, **certain(e)(s)** (*certain, some*) takes the indefinite article **un(e)** in the singular and no article in the plural, as in English:

J'ai **un** *certain* **talent** pour les affaires.	*I have a certain talent for business.*
Certains **tableaux** se trouvent au Musée d'Art Moderne.	*Certain (some) paintings are at the Museum of Modern Art.*

(2) As a pronoun, **certain(e)s** (*certain ones, some*) is used only in the plural. The phrase **d'entre eux (elles)** (*of them*) may be added:

Certains n'ont pas fini.	*Some haven't finished.*
Certaines **d'entre elles** voulaient chanter.	*Some of them wanted to sing.*

Exercice E

Dans la classe de Mme Rameau les élèves font des choses différentes.
Exprimez qui d'entre eux fait certaines choses:

> EXEMPLE: Il y a des élèves qui étudient beaucoup.
> **Certains élèves étudient beaucoup et certains n'étudient**
> **pas beaucoup.**

1. Il y a des jeunes filles qui se maquillent.
2. Il y a des élèves qui jouent d'un instrument.
3. Il y a des garçons qui sont forts en sport.
4. Il y a des élèves qui s'habillent à la mode.
5. Il y a des élèves qui parlent bien français.
6. Il y a des élèves qui aident le professeur.

d. **chaque** *each, every* (adjective)
chacun(e) *each, each one, everyone* (pronoun)

These indefinites, used only in the singular, stress the individual:

***Chaque** ouvrier* a sa spécialité.	*Each (Every) worker has his specialty.*
Dans notre équipe, **chacune** fait de son mieux.	*On our team, everyone (each one) does her best.*

NOTE: The stress pronoun **soi** is used with **chacun(e):**

Chacun(e) pour **soi.**	*Everyone for himself/herself.*

Exercice F

Viviane va en France pour la première fois. Formulez les questions
qu'elle pose à son cousin Denis et les réponses de Denis:

> EXEMPLE: hôtel / offrir / les mêmes services
> **Chaque hôtel offre les mêmes services?**
> **Mais non! Chacun offre des services différents.**

1. restaurant / servir / les mêmes spécialités
2. cinéma / jouer / les mêmes films
3. musée / ouvrir / à la même heure
4. région / donner / les mêmes fêtes
5. magasin / vendre / les mêmes articles
6. ville / avoir / les mêmes magasins

e. le (la, les) même(s) *the same* (adjective)
le (la, les) même(s) *the same one(s)* (pronoun)

Ils portent **les mêmes chaussures.**	They're wearing the same shoes.
Les mêmes coûtent cent dollars.	The same ones cost one hundred dollars.

Exercice G

Régine veut s'habiller exactement comme sa meilleure amie Nicole. Elles discutent des vêtements et de leurs prix. Exprimez ce que Régine dit et la réponse de Nicole:

EXEMPLE: pantalon ($50)
Je voudrais acheter le même pantalon.
Le même coûte cinquante dollars.

1. robe ($80)   3. pull ($65)   5. jupe ($75)
2. blouse ($35)   4. chaussures ($100)   6. chaussettes ($12)

f. on

The subject pronoun **on** (*we, you, they, people, one*) refers to an indefinite person or persons and always takes a third person singular verb. It has several possible equivalents in English. The active construction with **on** is often used in French where English uses the passive (see Chapter 13):

On prépare les repas dans la cuisine. {
We prepare meals in the kitchen.
You prepare meals in the kitchen.
They prepare meals in the kitchen.
People prepare meals in the kitchen.
One prepares meals in the kitchen.
Meals are prepared in the kitchen.
}

NOTE:

1. **Soi** (*oneself*) is the stress pronoun for **on**:

On ne doit pas toujours penser à soi.	One should not always think of oneself.

2. After certain monosyllables ending in a pronounced vowel sound, such as **et**, **ou**, **où**, and **si**, the form **l'on** may be used for the sake of pronunciation:

la salle où *l'on* danse	the room in which we dance
si *l'on* tire la corde	if you pull the cord

Exercice H

Exprimez ce qu'on fait quand on est malade:

    EXEMPLE: Quand on a une forte fièvre, <u>on garde le lit</u>.

1. Quand on a mal à la tête, _____.
2. Quand on a le nez qui coule, _____.
3. Quand on a mal à la gorge, _____.
4. Quand on a la grippe, _____.
5. Quand on se casse la jambe, _____.
6. Quand on ne peut pas dormir, _____.

g. plusieurs

As an adjective and pronoun, **plusieurs** means *several*; **plusieurs** may be followed by **d'entre eux (elles)** (*of them*):

J'ai **plusieurs** amis.	*I have several friends.*
Plusieurs *d'entre eux* sont très aimables.	*Several of them are very friendly.*

Exercice I

Monique raconte à son amie Colette ce qu'elle vient d'acheter. Colette dit ce qu'elle en pense. Imaginez la conversation entre les deux copines:

    EXEMPLE: livres (intéressants)
                Monique: **Je viens d'acheter plusieurs livres.**
                Colette: **Plusieurs d'entre eux sont intéressants.**

1. maillots (à la mode)
    Monique
    Colette
2. disques (vieux)
    Monique
    Colette
3. cassettes (formidables)
    Monique
    Colette

4. affiches (drôles)
    Monique
    Colette
5. chemises (chic)
    Monique
    Colette
6. bonbons (délicieux)
    Monique
    Colette

h. quelque(s) some, a few (adjective)
quelqu'un(e) *someone, somebody, anyone* (pronoun)
quelques-un(e)s *some, any, a few* (pronoun)

Je vais acheter **quelques bouteilles** d'eau minérale.	*I am going to buy a few bottles of mineral water.*

Quelqu'un le lui a dit.	*Someone told her so.*
Ils m'ont prêté *quelques-uns* **de leurs livres.**	*They lent me a few of their books.*

Exercice J

Henri et Julien sont allés en voyage avec l'école. À leur retour, leurs parents leur posent quelques questions. Exprimez la conversation entre eux:

EXEMPLE: voir / monuments historiques
Avez-vous vu quelques monuments historiques?
Oui, nous en avons vu quelques-uns.

1. visiter / cathédrales
2. goûter / plats typiques
3. prendre / photos
4. envoyer / cartes postales
5. acheter / tee-shirts
6. voir / spectacles intéressants

i. **quelque chose** (*something, anything*)
rien, ne. . .rien (*nothing*)

Quelque chose and **rien (ne. . .rien)** are pronouns; they take **de** before an adjective:

Y a-t-il *quelque chose* qui ne va pas?	*Is there something wrong?*
Avez-vous remarqué *quelque chose* **de mystérieux?**	*Did you notice something mysterious?*
Il *n*'a *rien* dit **d'intéressant.**	*He didn't say anything interesting.*

Exercice K

Jean et Vincent, son frère cadet, sont seuls à la maison. Vincent a peur. Expliquez ce que Vincent dit à Jean et la réponse de celui-ci:

EXEMPLE: mystérieux
Vincent: **Il y a quelque chose de mystérieux ici.**
Jean: **Il n'y a rien de mystérieux ici.**

1. effrayant
   Vincent
   Jean
2. menaçant
   Vincent
   Jean
3. bizarre
   Vincent
   Jean
4. sinistre
   Vincent
   Jean
5. étrange
   Vincent
   Jean
6. inquiétant
   Vincent
   Jean

j. **tout, tous, toute, toutes**

(1) **tout, tous, toute, toutes** (*the whole, all, every*) (adjective)

Il a mangé *tout* le gateau.	*He ate the whole cake.*
Il aime *tous* ses amis.	*He likes all his friends.*
J'ai vu *toutes* les peintures.	*I saw all the paintings.*

(2) **tout, toutes, tous** *all, everything, everyone* (pronoun):

Tout est bien qui finit bien.	*All's well that ends well.*
Ils partageront **tout**.	*They will share everything.*
Tous étaient présents.	*Everyone was present. (They were all present.)*
Tout ce qu'il dit est la vérité.	*Everything he says is the truth.*

(3) Common expressions with **tout:**

en tout cas *in any case, at any rate*
pas du tout *not at all*
tout à coup *all of a sudden, suddenly*
tout à fait *entirely, quite*
tout à l'heure *just now, a little while ago* (referring to immediate past); *in a little while, presently* (referring to immediate future)
tout de même *nevertheless*
tout de suite *immediately, right away, at once*
tous/toutes (les) deux *both*
tout le monde *everybody, everyone*
tout le temps *all the time*

En tout cas, vous n'avez rien à craindre.	*In any case, you have nothing to fear.*
Ça te gêne? — **Pas du tout!**	*Does that bother you? — Not at all!*
Elle est **tout à fait** guérie.	*She is completely cured.*
Elle nettoiera sa chambre **tout à l'heure.**	*She will clean her room in a little while.*
Nous avons vu notre tante et notre oncle. **Tous les deux** vont bien.	*We saw our aunt and uncle. Both are well.*
Il répète **tout le temps** la même chose.	*He repeats the same thing all the time.*

Exercice L

Décrivez ce qui se passe à l'école en complétant les phrases avec une expression avec **tout:**

1. Richard interrompt toujours les autres et parle sans cesse. En fait, il parle _____ .

2. Chaque élève participera à la fête. _____ s'amusera.
3. Janine dit au professeur: «Excusez-moi, pourriez-vous répéter votre explication, s'il vous plaît. Je n'ai pas _____ compris.»
4. Jean est allé parler avec le conseiller. Henri l'a accompagné. _____ ont parlé de leur emploi du temps.
5. Bien que Suzette ait beaucoup étudié pour son examen de maths, elle n'est pas _____ confiante.
6. Le remplaçant du professeur de biologie arrivera dans cinq minutes. Ça veut dire qu'il arrivera _____.
7. Que tu étudies ou non, téléphone-moi _____.
8. Jacques parlera au professeur _____ après l'examen.

◆ MASTERY EXERCISES ◆

Exercice M

Mme Dubois, le professeur de français, était absente hier. Complétez la lettre que sa remplaçante lui a laissée:

_____ d'extraordinaire n'est arrivé en classe hier. Je n'ai eu
1 (Nothing)

_____ problème avec les élèves. Ils sont _____ très
2 (any) **3 (all)**

sympathiques. _____ d'entre eux m'ont beaucoup aidée.
4 (certain ones)

_____ élève a fait son travail et _____ m'a écoutée.
5 (each) **6 (each one)**

_____ des filles ont écrit les devoirs au tableau.
7 (A few)

_____ garçons ont essuyé le tableau. _____ filles ont
8 (Some) **9 (Several)**

terminé leurs devoirs en classe. _____ doivent les finir chez
10 (Some others)

elles. Dans votre classe, _____ fait _____. J'ai
11 (everyone) **12 (everything)**

_____ à vous demander. Je voudrais enseigner cette
13 (something)

_____ classe encore une fois. Savez-vous si _____ va
14 (same) **15 (someone)**

me téléphoner de nouveau pour vous aider?

Exercice N

Jean-Claude est déprimé parce qu'il a beaucoup de problèmes. Exprimez en français ce qu'il dit à son conseiller scolaire:

1. I have some problems. Several of them are serious.
2. Some difficulties date from my childhood and some of them are more recent.
3. All of my friends try to help me, but each one has other things to do.
4. None of my friends can do anything because none of them understands me well.
5. Everyone does not think like me. They have other ideas than I.
6. I don't have either the same thoughts as my friends or the same ones as you.
7. Certain solutions are better because certain ones are easier to accept.
8. Is something bothering me today? No, nothing.
9. One day I will resolve all of my problems and everything will go well for me.
10. One should do everything to help oneself.

PART

Civilization

FOUR

LA LANGUE FRANÇAISE
DANS LE MONDE

32

La Langue française

Le français — comme l'italien, l'espagnol, le portugais et le roumain — est une **langue romane,** c'est-à-dire une langue dérivée du latin. C'est le latin populaire ou vulgaire, la langue parlée par les légionnaires romains et adoptée par le peuple gaulois, qui est devenu peu à peu le français.

Au Moyen Âge, deux idiomes principaux régnaient en France: **la lan-** 5
gue d'oïl dans le Nord et **la langue d'oc** dans le Midi [1].* La Loire formait la frontière entre ces deux régions linguistiques. Puisque le centre politique de la France était l'Île-de-France, c'est le dialecte de cette province, un dialecte de la langue d'oïl, qui est devenu la langue officielle du pays. 10

Néanmoins, la langue d'oc est toujours vivante. Elle a donné son nom à l'ancienne province méridionale du Languedoc. **Le provençal,** le dialecte le plus important de la langue d'oc, se parle encore dans le midi de la France. Il a donné naissance à toute une littérature provençale, dont le représentant le plus illustre est le poète **Frédéric Mistral** (1830–1914). 15

D'autres dialectes existent encore en France: **le celtique,** la langue des Gaulois, en Bretagne; **le basque,** dans les Pyrénées; **le bas-allemand,** en Alsace. Dans la langue française d'aujourd'hui, on peut trouver des traces du celtique et de l'allemand. Le français a emprunté aussi beaucoup de termes modernes d'origine anglaise, par exemple, **club, détective, match,** 20
steak, jazz, parking, tunnel, interview, week-end.

Le français est connu pour la clarté de sa syntaxe, de son expression et de sa pensée. Au XVIIIᵉ siècle, l'écrivain Antoine Rivarol exprima l'importance de cette clarté en ces termes: «Ce qui n'est pas clair n'est pas français.» 25

Pour étudier, conserver et perfectionner le français, le cardinal de Richelieu fonda **l'Académie française** en 1635. L'Académie fut chargée de la rédaction du Dictionnaire de la langue française et d'une grammaire. Une nouvelle édition de ce dictionnaire paraît environ tous les cinquante ans. On appelle les membres de l'Académie «les quarante immortels». 30

Le français a exercé une influence profonde sur la langue anglaise. Quand le duc de Normandie traversa la Manche en 1066 et fit la conquête

* Bracketed numbers refer to Notes at the end of the text.

28 **la rédaction** writing

de l'Angleterre, le français devint la langue officielle de la cour royale, des nobles anglais et de la justice. Par conséquent, un grand nombre de mots français sont entrés dans la langue anglaise.

LA LANGUE FRANÇAISE DANS LE MONDE

5   Il y a des francophones — des personnes qui parlent français — partout dans le monde. En Europe, on parle français non seulement en France, mais aussi en Belgique, en Suisse et au Luxembourg. On parle français dans les départements d'outre-mer tels que la Martinique et la Guade-loupe, et dans les territoires d'outre-mer tels que la Polynésie et la
10   Nouvelle-Calédonie.

Le français est langue officielle et langue d'enseignement dans plusieurs des nouvelles républiques d'Afrique, par exemple, le Gabon, la République Centrafricaine et la Côte d'Ivoire. Dans d'autres pays africains, comme le Maroc, la Tunisie et l'Algérie, c'est la langue d'enseignement
15   dans les écoles.

Au Canada, le français est devenu une des deux langues officielles, puisque c'est la langue maternelle de plusieurs millions de Canadiens qui habitent dans l'est du pays, surtout dans la province de Québec. Aux États-Unis, on s'en sert encore en Louisiane, où il bénéficie d'un statut officiel.
20   Le français est aussi une langue officielle de l'O.N.U. (l'Organisation des Nations Unies).

Examinez la carte sur l'emploi du français dans le monde à la page 416.

NOTE:

[1] Les mots **oïl** et **oc** expriment l'affirmation (**oui**).

Exercice A

Complétez avec la réponse convenable:

1. La langue française est dérivée surtout du latin _____ .
    (a) écrit par les poètes romains   (b) des grands orateurs de Rome
    (c) parlé par les soldats romains
2. En Bretagne, on entend même aujourd'hui _____, la langue des Gaulois.
    (a) le celtique   (b) le bas-allemand   (c) le basque
3. Le fondateur de l'Académie française est _____ .
    (a) Antoine Rivarol   (b) le cardinal de Richelieu   (c) le duc de Normandie
4. On parle français dans plusieurs pays _____ .
    (a) d'Asie   (b) d'Amérique   (c) d'Afrique

---

9   **outre-mer** overseas

Exercice B

Complétez en français:

1. C'est le dialecte de la province de _____ qui est devenu la langue officielle de la France.
2. Le français, _____ et _____ sont des langues romanes.
3. C'est la _____ qui formait la frontière entre la langue d'oïl et la langue d'oc.
4. Le dialecte le plus important de la langue d'oc est le _____ .
5. Trois autres pays européens où l'on parle français sont le Luxembourg, la _____ et la _____ .
6. L'Académie française publie une _____ et un _____ de la langue française.
7. Le français a exercé une influence profonde sur la langue _____ .
8. «Ce qui n'est pas _____ n'est pas français.»
9. Deux mots anglais qui ont été adoptés par les Français sont _____ et _____ .
10. Dans la province canadienne de _____ , des millions de personnes parlent français.

Exercice C

Identifiez:

1. le grand poète provençal
2. les quarante immortels
3. l'état américain où l'on parle encore français
4. l'organisation où le français est une des langues officielles

33

La Géographie de la France

Le pays qu'on appelle souvent «la douce France» ou «la belle France» occupe une position favorable dans le continent européen, entre deux des mers les plus importantes du monde: la Méditerranée et la Manche. La France est un pays extrêmement varié. Elle est remarquable par la diversité
5 et l'harmonie de ses aspects: le climat, le relief, le paysage, le sol, les ressources naturelles et les produits.

POSITION GÉOGRAPHIQUE, CLIMAT

Située en pleine zone tempérée, la France est presque à égale distance de l'équateur et du pôle nord. Paris est à la même latitude que Montréal.
10 Grâce à cette latitude, à son relief de moyenne élévation, à l'influence modératrice du Gulf Stream qui réchauffe ses côtes et à la proximité de quatre mers, la plus grande partie de la France jouit d'un climat doux. Cependant, le climat devient graduellement plus rigoureux quand on s'éloigne de la mer. Puisque les mers qui entourent la France régularisent
15 les températures et les pluies, la France est, en général, bien arrosée; il n'y a presque pas de région tout à fait sèche.

SUPERFICIE, POPULATION, LIMITES

La France a une superficie de 551.000 kilomètres carrés (=213.000 miles carrés). Quoiqu'elle soit plus petite que l'état du Texas, la France
20 est le pays le plus grand de la Communauté Européenne.

La France a une population d'environ 56 millions d'habitants, y compris la Corse.

Le pays a la forme d'un hexagone régulier [1], c'est-à-dire d'une figure géométrique à six faces. Trois de ces faces sont des frontières maritimes,
25 baignées par les plus importantes mers européennes. La France est bornée au nord par **la Manche** et **la mer du Nord,** à l'ouest par **l'océan Atlantique,** au sud par **la mer Méditerranée.** Les côtes de la France présentent les aspects les plus variés.

---

5 **le relief** topography
15 **arrosé** watered
18 **la superficie** area

Les trois autres faces de l'hexagone ont des frontières continentales. La France est bornée par six pays: au nord-est par **la Belgique** et **le Luxembourg;** à l'est par **l'Allemagne, la Suisse** et **l'Italie;** au sud par **l'Espagne.**

5   Cinq des faces de l'hexagone sont des frontières naturelles. La seule frontière artificielle se trouve au nord-est, entre le Rhin et Dunkerque.

La Corse, une île dans la Méditerranée au sud-est de la France, fait partie du pays. C'est une île montagneuse avec une côte sauvage et une vaste plaine. Le climat est méditerranéen. C'est ici, dans la ville d'Ajaccio,
10   qu'est né Napoléon Bonaparte.

MONTAGNES

Il y a cinq massifs montagneux en France. Les Alpes, les Pyrénées et le Jura sont des montagnes jeunes. Leur altitude est élevée et leur relief très accidenté. Ces montagnes servent de frontières à la France. Les Vosges
15   et le Massif Central sont des massifs anciens. Ce sont des montagnes peu élevées dont les sommets ont été arrondis par l'érosion.

1.   **Les Alpes,** les montagnes les plus élevées, s'étendent entre la France, l'Italie et la Suisse. C'est dans les Alpes que se trouve le plus haut sommet de l'Europe, **le mont Blanc** (4.807 mètres = 15.780 pieds).
20   2.   **Les Pyrénées** forment une barrière naturelle entre la France et l'Espagne. Moins hautes que les Alpes, les Pyrénées ont de nombreux pics élevés et aigus.
3.   **Le Jura,** une chaîne moins élevée, s'étend du Rhin aux Alpes. C'est la frontière principale entre la France et la Suisse.
25   4.   **Les Vosges** se trouvent en Alsace, près de l'Allemagne.
5.   **Le Massif Central,** ou plateau central, est un vaste ensemble de hautes terres au centre de la France. C'est la chaîne de montagnes la plus ancienne où se trouvent de nombreux volcans éteints qu'on appelle «puys». **Les Cévennes** font partie du Massif Central.

30   La France a un relief assez varié. La distribution des montagnes est favorable aux communications intérieures et extérieures. Les plaines occupent plus de la moitié de la superficie du pays. Des régions très fertiles et bien cultivées sont: au nord, **le bassin parisien,** la plaine la plus vaste; au sud-ouest, **le bassin aquitain;** et au sud, **la vallée du Rhône.**

35   FLEUVES

1.   **La Seine** est le plus navigable et le plus utilisé des fleuves français. Elle naît dans le centre de la France, traverse Paris, coule à travers la Normandie et se jette dans la Manche près du Havre.

---

12   **le massif** (mountain) range
14   **accidenté** jagged

2. **La Loire** est le plus long fleuve de France, mais le moins utile au point de vue économique. Elle prend sa source dans le Massif Central et se jette dans l'Atlantique. La vallée de la Loire est célèbre par ses châteaux magnifiques.

3. **La Garonne,** le plus court des fleuves importants, prend naissance dans les Pyrénées et après Bordeaux se jette dans l'Atlantique, où elle s'élargit pour former **la Gironde,** un véritable bras de mer. C'est un fleuve médiocre pour la navigation, mais qui produit beaucoup d'énergie hydro-électrique. 5

4. **Le Rhône** est un fleuve rapide et puissant. Descendant des Alpes 10 suisses, il traverse le lac Léman (lac de Genève), reçoit **la Saône** à Lyon et se jette dans la Méditerranée près de Marseille. Le vaste delta que forme ce fleuve à son embouchure s'appelle **la Camargue.** Les barrages énormes qu'on a construits sur le Rhône, tels que Génissiat et Donzère-Mondragon, fournissent de grandes quantités d'énergie hydro- 15 électrique.

5. **Le Rhin,** un des plus longs fleuves d'Europe, sépare la France de l'Allemagne.

Les fleuves et les rivières navigables sont reliés par de nombreux canaux, dont le plus célèbre est le vieux canal du Midi. Ce canal relie la 20 Méditerranée avec la Garonne et, par conséquent, avec l'Atlantique.

Le réseau fluvial français sert de moyen de transport, à l'irrigation et comme source d'énergie hydro-électrique.

LES PROVINCES

Avant la Révolution de 1789, la France était composée de 32 25 **provinces.** Chacune avait ses propres coutumes, ses propres traditions culturelles et ses traits particuliers.

Quoique la France soit aujourd'hui divisée en **départements,** les Français ont encore l'habitude d'employer les noms des anciennes provinces, surtout en parlant de leur terre natale. (En 1982, une nouvelle unité ad- 30 ministrative a été créée, les régions, qui reprennent plus ou moins les noms et les limites des provinces.) Chaque province avait un costume régional qu'on porte encore aujourd'hui à l'occasion d'une fête. La coiffe et les sabots se voient encore de nos jours dans certaines parties de la France.

Voici quelques-unes des provinces les mieux connues: 35

1. **La Bretagne** est la péninsule au nord-ouest de la France qui s'avance dans l'Atlantique. Une grande partie de sa population est d'origine

---

13   **l'embouchure** mouth (of river)
13   **le barrage** dam
22   **le réseau fluvial** river system

FLANDRE
ARTOIS
PICARDIE
NORMANDIE
ÎLE-DE-FRANCE
CHAMPAGNE
LORRAINE
ALSACE
BRETAGNE
ORLÉANAIS
ANJOU
TOURAINE
BOURGOGNE
SAVOIE
AUVERGNE
GASCOGNE
LANGUEDOC
PROVENCE

PROVINCES

celte, et aujourd'hui encore nombreux sont ceux qui parlent **breton,**
l'ancienne langue de cette province. Dans cette région de faible altitude, baignée de trois côtés par la mer et arrosée de pluies abondantes,
les habitants vivent surtout de la mer. Les marins et les pêcheurs
5   bretons ont toujours joué un grand rôle dans les traditions maritimes
de la France. Dans la marine militaire et la marine marchande se trouve
un grand nombre de Bretons.

Les Bretons sont généralement conservateurs et superstitieux. À
l'occasion des **pardons,** fêtes religieuses, on porte le costume tradi-
10   tionnel. Celui de la Bretonne se distingue surtout par sa **coiffe** blanche.
Il y a en Bretagne de grandes pierres préhistoriques, isolées ou

---

9   **les pardons** religious pilgrimages dedicated to penitence and forgiveness

alignées l'une derrière l'autre, dont la signification est demeurée mystérieuse. On les appelle **menhirs** ou **dolmens**. [2]

2. **La Normandie** est située au nord-ouest de la France, sur les côtes de la Manche. Avec son climat humide, c'est une région de fermes fertiles et de pâturages. La Seine coule à travers cette province. Le long 5 des côtes, il y a plusieurs ports de commerce et de pêche ainsi que des plages bien connues. Les belles vaches de la Normandie produisent le lait qui sert à fabriquer le beurre et les fromages normands de renommée mondiale. Il y a aussi en Normandie de grands centres industriels. Deux événements importants sont liés à l'histoire de la 10 Normandie: la conquête de l'Angleterre en 1066 par Guillaume le Conquérant, duc de Normandie, et le débarquement en 1944 des forces alliées de la Libération.

3. **L'Île-de-France,** dans le bassin parisien, est une région fertile et industrialisée. Avec sa capitale, Paris, ce fut le véritable cœur admi- 15 nistratif du pays et le berceau de la monarchie française. La langue parlée en Île-de-France est devenue la langue officielle de la France.

4. **L'Alsace** et **la Lorraine** se trouvent au nord-est de la France. Pendant de nombreuses années, la France et l'Allemagne se disputèrent ces deux provinces. L'Alsace est principalement une région agricole. La 20 Lorraine, avec ses mines de fer les plus riches d'Europe, est importante au point de vue industriel.

5. **La Provence,** la province ensoleillée, se trouve au sud-est. Elle est bornée par le Rhône, les Alpes et la Méditerranée. Puisque le climat y est doux la plupart du temps, on y voit toute une végétation 25 exotique. Les fleurs, qui poussent en toute saison, sont une des richesses de la terre. Entre Marseille et la frontière italienne se trouve le littoral célèbre qui s'appelle **la Côte d'Azur (la Riviera)** à cause du bleu intense du ciel et de la Méditerranée. En certaines saisons, un vent violent, froid et sec — **le mistral** — souffle du nord et descend 30 la vallée du Rhône. En Provence, on trouve des monuments romains bien conservés. Même aujourd'hui, beaucoup de Provençaux parlent **provençal,** la langue des anciens troubadours.

6. Dans la vallée de la Loire se trouvent trois anciennes provinces: **la Touraine, l'Orléanais** et **l'Anjou.** Cette région s'appelle «le pays des 35 châteaux» parce qu'aucune autre région ne possède tant de châteaux sur une étendue si limitée. **Azay-le-Rideau, Blois, Chambord** et **Chenonceaux** sont les plus connus de ces beaux châteaux. La Touraine, «le jardin de la France», produit une grande quantité de fruits et de légumes. 40

---

5 **le pâturage** pastureland
16 **le berceau** cradle

7. **La Bourgogne** et **la Champagne** sont deux provinces fertiles où l'on cultive la vigne. Les vins de ces provinces sont estimés dans le monde entier.

8. **L'Auvergne,** au centre du Massif Central, est une province de terre volcaniques. On y trouve les **puys,** des volcans éteints. C'est une région vouée essentiellement à l'élevage.

9. **La Savoie,** à la frontière de l'Italie, est la province principale des Alpes françaises. En Savoie, connue pour la beauté de son paysage, se trouve le mont Blanc.

10. **La Flandre, l'Artois,** et **la Picardie,** au nord de la France, sont des plaines fertiles et des régions industrielles. La Flandre, qui forme la frontière avec la Belgique, est la région industrielle la plus importante de France.

11. D'autres provinces dont les noms sont bien connus sont **la Gascogne** et **le Languedoc,** dans le Midi. La région qu'on appelle «le pays basque» se trouve près des Pyrénées et près de l'Atlantique. Les Basques parlent une langue différente et compliquée dont l'origine est un mystère. Ils ont donné au monde le **béret** et leur jeu régional, la **pelote.**

PARIS

À l'origine, Paris s'appelait **Lutèce.** C'était le village des Parisii, tribu gauloise qui a donné son nom à la ville. Lutèce se trouvait sur une île qu'on appelle aujourd'hui **l'île de la Cité,** «le berceau de Paris».

Paris, la capitale politique, économique et intellectuelle de la France, est située au centre du bassin parisien. La «Ville Lumière» est le cerveau du pays. C'est le centre de la vie artistique et littéraire, le premier centre commercial et industriel de la France, le centre de la mode et le premier port français de navigation intérieure.

Comme toutes les villes, le visage de Paris change de jour en jour. Tandis que la ville proprement dite compte à peu près deux millions d'habitants, la région parisienne — Paris et ses environs — a une population d'environ dix millions d'habitants. Cette concentration humaine fait de Paris l'une des villes du monde dont la densité de population est la plus forte.

Pour son administration, Paris est divisé en vingt **arrondissements.** C'est une ville de beauté, célèbre pour ses monuments magnifiques, ses musées, ses églises et ses jardins.

La Seine divise la ville en deux parties: la rive droite et la rive gauche.

---

19 **la pelote** jai alai (court game similar to handball played with a ball and curved basket strapped to the wrist)

25 **le cerveau** brain

La rive droite, au nord, est plus grande et plus animée. C'est le centre des affaires — maisons de commerce, grands magasins — et de la vie mondaine — grands boulevards, théâtres, restaurants. C'est sur la rive droite que se trouve **Montmartre.**

Le Quartier latin, où les étudiants parlaient latin au Moyen Âge, et   5
Montparnasse sont sur **la rive gauche.** C'est au Quartier latin — centre de l'enseignement et d'activités culturelles — qu'on trouve la plupart des grandes écoles: la Sorbonne, le Collège de France, l'École Polytechnique, l'École de Médecine et l'École Normale Supérieure. Montparnasse et Montmartre sont connus comme centres de la vie bohémienne. Quelques-   10
un des cafés bien connus de la rive gauche sont **le Dôme, les Deux Magots** et **le Café de Flore.**

Le Pont-Neuf, construit au XVIe siècle, est le plus ancien et le plus renommé des nombreux ponts de Paris. Il traverse la Seine à l'île de la Cité.   15

MUSÉES

Il y a plus de trente musées à Paris. En voici quelques-uns qui attirent un grand nombre de visiteurs:

1. **Le musée du Louvre,** dans l'ancien palais royal, est le musée d'art le plus important de France. C'est un des musées les plus vastes et les   20
   plus riches du monde. On peut y voir des chefs-d'œuvre tels que *La Joconde* (portrait de Monna Lisa) de Léonard de Vinci, la *Vénus de Milo* et *La Victoire de Samothrace.* Une pyramide de verre de 22 mètres de haut a été récemment érigée pour servir d'entrée au musée.
2. **L'Hôtel des Invalides,** construit par Louis XIV pour les anciens   25
   combattants blessés, contient le tombeau de Napoléon et un musée militaire.
3. **Le Panthéon,** au Quartier latin, était à l'origine une église construite en l'honneur de sainte Geneviève, patronne de Paris. Il sert maintenant de mausolée à de nombreux Français illustres: Voltaire, Jean-Jacques   30
   Rousseau, Victor Hugo, Émile Zola. Par conséquent, on l'appelle souvent le «Westminster Abbey de France». L'édifice porte l'inscription: «Aux grands hommes la Patrie reconnaissante». Les murs intérieurs du Panthéon sont décorés de peintures dont les plus célèbres, par Puvis de Chavannes, représentent la vie de sainte Geneviève.   35
4. **Le musée de Cluny,** au Quartier latin, est consacré à l'art du Moyen Âge. Il renferme aussi des ruines de bains romains.
5. **Le Centre national d'art et de culture Georges Pompidou,** inauguré en 1977, est composé de plusieurs parties. Dans le musée des arts

---

38   **Georges Pompidou** Prime Minister of France (1962–1968) and president
     (1969–1974). A passionate art lover, he was instrumental in the crea-
     tion of the center that bears his name.

PARIS

1 PALAIS DE CHAILLOT
2 PLACE CHARLES DE GAULLE
  ARC DE TRIOMPHE
3 PLACE DE LA CONCORDE
4 ÉGLISE DE LA MADELEINE
5 OPÉRA
6 RUE DE LA PAIX
7 PLACE VENDÔME,
  RUE ST. HONORÉ
8 TUILERIES
9 MUSÉE D'ORSAY
10 INVALIDES
11 TOUR EIFFEL
12 JARDIN DU LUXEMBOURG
13 BOULEVARD ST. MICHEL
14 SORBONNE
15 PANTHÉON
16 MUSÉE DE CLUNY
17 QUARTIER LATIN
18 SAINT GERMAIN DES PRÉS
19 CONCIERGERIE
20 PONT NEUF
21 SAINTE CHAPELLE
22 ÎLE DE LA CITÉ
23 CATHÉDRALE NOTRE-DAME
24 CENTRE GEORGES POMPIDOU
25 FORUM DES HALLES
26 LOUVRE
27 AVENUE DE L'OPÉRA
28 ÉGLISE DU SACRÉ-CŒUR
29 CITÉ DES SCIENCES
  ET DE L'INDUSTRIE
30 PARC DE LA VILLETTE
31 PLACE DE LA BASTILLE
32 ZOO DE VINCENNES
33 CITÉ UNIVERSITAIRE

modernes et contemporains se trouvent des collections permanentes et des expositions itinérantes. Ce centre culturel comprend aussi un institut pour l'expérimentation musicale, un centre de création industrielle, des facilités audio-visuelles et une bibliothèque d'information.

6. **Le musée d'Orsay** a été installé dans l'ancienne gare d'Orsay. On a 5 restauré l'extérieur de la gare et transformé l'intérieur en musée. Les collections illustrent l'ensemble de la création artistique de la seconde moitié du XIX\ :superscript: siècle et des premières années du XX\ :superscript: siècle dans toute sa richesse et sa diversité.

7. **La Cité des sciences et de l'industrie** est un musée très moderne où 10 l'on présente des expositions relatives aux sciences et à la technologie d'aujourd'hui. Dans son théâtre spectaculaire — la Géode — on joue des films à trois dimensions.

ÉGLISES

1. La cathédrale **Notre-Dame de Paris,** dans l'île de la Cité, est une mer- 15 veille de l'architecture gothique. Commencée au XIIe siècle, c'est le plus bel édifice religieux de la ville.

2. L'élégante église de **la Madeleine,** avec sa majestueuse colonnade, a l'aspect d'un temple grec.

3. **Le Sacré-Cœur** est une église blanche qui ressemble à une mosquée. 20 Bâtie au XIXe siècle sur la colline de Montmartre, l'église domine la ville. De là, la vue sur Paris est magnifique.

4. **La Sainte-Chapelle,** dans l'île de la Cité, est célèbre pour ses beaux vitraux de couleurs superbes. C'est Louis IX (saint Louis) qui l'a fait construire au XIIIe siècle pour servir de chapelle à la famille royale et 25 pour abriter des reliques précieuses. On appelle l'église «le bijou de l'architecture gothique».

5. L'église romane de **Saint-Germain-des-Prés,** au Quartier latin, est une des plus anciennes de Paris.

JARDINS ET BOIS   30

1. **Le bois de Boulogne,** ancienne forêt, est le vaste parc public à l'ouest de Paris. On y trouve des lacs, des jardins de fleurs, deux champs de courses et des restaurants.

2. **Le jardin des Tuileries** était autrefois un jardin particulier des rois de France. Ce parc, avec ses nombreuses statues, est situé près de la Seine, 35 entre le Louvre et la place de la Concorde.

---

24 **le vitrail (les vitraux)** stained-glass window(s)
26 **abriter** to shelter
28 **roman** romanesque
32 **le champ de course** race track

3. **Le jardin du Luxembourg,** sur la rive gauche, est un rendez-vous favori des étudiants.

4. Dans **le bois de Vincennes,** au sud-est de Paris, il y a un jardin zoologique célèbre.

5 *PLACES*

1. **La place de la Concorde** est la plus grande et la plus belle de Paris. C'est ici qu'on a guillotiné des centaines de Français, y compris Louis XVI et Marie-Antoinette, pendant la Révolution de 1789. Au milieu de la place se trouvent l'obélisque égyptien de Louqsor, entre deux belles
10 fontaines, et des statues qui représentent huit grandes villes de France.

2. **La place Charles de Gaulle** portait le nom de «place de l'Étoile» jusqu'à 1970; elle s'appelait ainsi parce que les douze avenues qui rayonnent autour de **l'Arc de Triomphe** dessinent une étoile. Napoléon avait ordonné de construire cet arc gigantesque pour commémorer ses vic-
15 toires. Sous l'arc, où brûle la flamme éternelle, se trouve **le tombeau du Soldat Inconnu,** mort pour la France pendant la Première Guerre mondiale. Le célèbre bas-relief, **la Marseillaise,** chef-d'œuvre de l'artiste François Rude, décore une des faces de l'arc.

3. **La place de l'Opéra** est située au cœur de la ville. Le grandiose **Opéra,**
20 qui date de 1875, domine l'animation de la place. L'édifice splendide, avec ses façades sculptées, son grand escalier en marbre et son foyer somptueux, est l'œuvre de Charles Garnier. Au coin de la place se trouve **le Café de la Paix,** rendez-vous international, où l'on entend parler toutes les langues du monde.

25 4. **La place Vendôme** est le centre des magasins élégants. Au milieu de la place s'élève **la colonne Vendôme,** avec ses spirales de bronze où sont representées des scènes des campagnes militaires de Napoléon. Au sommet de la colonne se trouve la statue de l'empereur.

5. C'est sur **la place de la Bastille** que se trouvait autrefois la vieille prison
30 que les Français ont prise et détruite en 1789. Aujourd'hui, au centre de la place se dresse **la colonne de Juillet,** élevée à la mémoire des Parisiens tués dans la révolution de juillet 1830 [3]. Tout près d'ici se trouve le nouvel **Opéra de la Bastille.**

AUTRES MONUMENTS ET CURIOSITÉS

35 1. **La tour Eiffel** est le monument parisien le plus universellement connu. Construite en acier par l'ingénieur Alexandre Gustave Eiffel pour l'Exposition de 1889, elle mesure 336 mètres de haut. On peut monter au sommet par des ascenseurs ou des escaliers. Les deux restaurants servent de bons repas. La tour est utilisée comme poste émetteur de
40 radio et de télévision.

2. **La Sorbonne,** fondée en 1253 par Robert de Sorbon, chapelain de Louis IX, est la partie la plus ancienne de l'Université de Paris. C'est la Faculté des lettres et des sciences de l'université.

3. **Le palais de Chaillot,** qui date de 1937, est un des meilleurs exemples de l'architecture moderne. Le palais contient plusieurs musées et un théâtre. L'Assembléc des Nations Unies s'y est réunie.

4. **La Cité Universitaire,** composée d'un grand nombre de bâtiments, est la section résidentielle de l'Université de Paris. Des étudiants français   5
et étrangers y demeurent. La Cité encourage la compréhension mutuelle entre les jeunes gens de tous les pays du monde et facilite l'organisation de leur vie d'étudiant.

5. **La Conciergerie** est l'ancienne prison dans l'île de la Cité. C'est ici qu'un grand nombre de victimes de la Révolution, y compris Marie-   10
Antoinette, ont passé leurs dernières heures.

6. **Le Forum des Halles,** à l'endroit où se trouvaient les Halles, le grand marché central de Paris, maintenant transféré dans la banlieue Rungis, contient un centre commercial et des équipements de loisir.

7. Quelque-uns des grands magasins de Paris sont: **les Galeries Lafayette,**   15
le Bon Marché et **Au Printemps.**

8. Il y a deux palais célèbres près de Paris. Situé dans un immense parc est le magnifique palais de **Versailles,** construit au XVIIe siècle par Louis XIV. Dans **la Galerie des Glaces,** on a signé le traité de Versailles en 1919 [4]. Le château de **Fontainebleau,** entouré d'une belle forêt, était   20
la retraite préférée de Napoléon.

RUES

1. **L'avenue des Champs-Élysées** est la promenade large et splendide qui s'étend de la place de la Concorde à la place Charles de Gaulle. Le long de cette avenue — centre de commerce et de divertissement — se   25
trouvent des boutiques, des magasins d'automobiles, des maisons de couture, de grands hôtels, des théâtres et des cinémas.

2. **L'avenue de l'Opéra, la rue de la Paix, la rue Royale** et **la rue St-Honoré** sont connues pour leurs boutiques élégantes.

3. Sous les arcades de **la rue de Rivoli,** qui s'étend parallèlement à la   30
Seine, il y a des magasins de luxe qui attirent des milliers de touristes.

4. **Les grands boulevards** sont de larges avenues bordées d'arbres qui forment les artères de Paris. **Le boulevard St-Michel** est la rue principale du Quartier latin. D'autres boulevards également bien connus sont les boulevards **Montmartre, Montparnasse, Haussmann, des Capu-**   35
cines, de la Madeleine et **des Italiens.**

5. Les **quais** sont les rues qui bordent les deux rives de la Seine. C'est ici que les **bouquinistes,** dont les boîtes garnissent les parapets, vendent des livres d'occasion.

---

39   **d'occasion** second-hand

TRANSPORTS

La situation commerciale de Paris est excellente. C'est le premier port fluvial de la France et le centre du réseau routier. Deux aéroports desservent la ville: Charles de Gaulle, le vaste aéroport international à Roissy, et Orly. Toutes les grandes lignes de chemin de fer passent par Paris, où se trouvent plusieurs gares. Le **TGV**, train à grande vitesse, relie Paris à Lyon, Marseille, Genève et la Bretagne.

Pour voyager dans la ville même, il y a trois moyens de transport public:

10   1. **Le métro (métropolitain)** est le chemin de fer souterrain. Le vaste réseau de métro relie tous les points de la ville et on peut aller n'importe où dans Paris en changeant de métro à des correspondances. Dans la plupart des stations, il y a une grande carte murale qui montre au voyageur l'itinéraire à suivre avec des lumières de couleurs différentes.

15   2. **Le R.E.R. (Réseau Express Régional)** est un ensemble de lignes traversant Paris et sa banlieue. Ce «super-métro» a un système de contrôle unique automatisé.

  3. Un réseau d'autobus dessert la ville entière et les banlieues.

Si l'on prend un des **bateaux-mouches** qui descendent et remontent la Seine, on peut faire une belle excursion sur le fleuve et admirer plusieurs des monuments historiques de la ville. Pendant la journée, il y a aussi des bateaux qui permettent de traverser Paris en évitant les embarras de la circulation automobile.

AUTRES VILLES FRANÇAISES

25   Parmi les villes principales de la France, du point de vue de la population, sont **Lyon, Marseille, Lille, Toulouse, Bordeaux** et **Nice.**

PORTS

  1. **Marseille,** sur la Méditerranée, près de l'embouchure du Rhône, est le plus grand port de mer français. Marseille, qui relie la France à l'Afrique du Nord et à l'Orient, est aussi un centre industriel très actif.

  2. **Le Havre,** à l'embouchure de la Seine, est le plus grand port sur la Manche. Par ce port se fait la plus grande partie du trafic orienté vers l'Amérique du Nord.

  3. **Bordeaux,** à l'embouchure de la Garonne, est un port actif, surtout dans le commerce des vins renommés de la région.

---

  3 **desservir** to serve
 12 **la correspondance** transfer, connection
 16 **la banlieue** suburb
 22 **l'embarras de la circulation automobile** traffic jam

4. **Nantes,** à l'embouchure de la Loire, est un centre de constructions navales.
5. D'autres ports maritimes sont:

> sur la Manche: **Cherbourg** (port militaire), **Boulogne, Calais, Dunkerque**
> sur l'Atlantique: **Brest** (port militaire), **Saint-Nazaire, La Rochelle**
> sur la Méditerranée: **Toulon** (port militaire), **Sète**

VILLES INDUSTRIELLES

1. **Lyon** se trouve au confluent du Rhône et de la Saône. C'est une ville commerciale et le centre traditionnel de l'industrie de la soie.
2. **Lille,** au nord-est de la France, est un grand centre de l'industrie textile. C'est également un centre de constructions mécaniques.
3. **Strasbourg,** sur le Rhin, est une ville industrielle et un port fluvial important. Cette ancienne capitale de l'Alsace est connue pour son pâté de foie gras. Dans la magnifique cathédrale gothique se trouve une célèbre horloge astronomique.
4. **Reims,** le centre de la préparation du champagne, possède une des plus belles cathédrales gothiques de France, un chef-d'œuvre d'architecture et de sculpture. Dans cette cathédrale, on couronnait les rois de France. D'autres villes connues pour leur cathédrale gothique sont **Chartres** et **Amiens.**
5. **Nancy,** ancienne capitale de la Lorraine, et **Metz,** également en Lorraine, se trouvent dans une ancienne région d'industrie métallurgique.
6. **Rouen,** sur la Seine en Normandie, est une ville industrielle et un port fluvial. Jeanne d'Arc y fut brûlée en 1431.
7. **Grenoble,** au sud-est, est le centre principal de la fabrication des gants.
8. **Toulouse,** sur la Garonne, est le centre industriel et commercial de la région. On y fabrique les avions de l'Airbus Industrie.
9. **Clermont-Ferrand,** dans le centre du pays, est la métropole française du caoutchouc. On y fabrique des pneus.

STATIONS D'ÉTÉ ET D'HIVER

1. **Nice,** la plus grande ville de la Côte d'Azur, et la ville avoisinante de **Cannes** sont deux stations balnéaires qui attirent beaucoup de touristes, surtout en hiver et au printemps. C'est à Cannes que le Festival international de cinéma se tient chaque année au mois de mai.
2. **Chamonix,** situé au pied du mont Blanc, est un centre important d'alpinisme et de sports d'hiver.

---

34 **la station balnéaire** seaside resort
38 **l'alpinisme** mountain climbing

3. **Deauville** et **Trouville** sont des plages populaires sur la Manche.
4. **Vichy** est la grande station thermale du Massif Central. Ses eaux minérales sont exportées aux quatre coins du monde. D'autres stations thermales sont **Évian, Vittel** et **Aix-les-Bains.**
5. **Biarritz,** dans le pays basque, est une station balnéaire sur l'Atlantique, près de l'Espagne.

VILLES HISTORIQUES

1. **Carcassonne** se trouve dans le midi de la France. Célèbre pour les remparts qui l'entourent, c'est le meilleur exemple d'une ville fortifiée du Moyen Âge.
2. **Le Mont-Saint-Michel,** qu'on appelle «la Merveille de l'Occident», est situé sur un îlot rocheux de la Manche, entre les côtes de la Bretagne et de la Normandie. C'est une forteresse médiévale dominée par une abbaye bénédictine en style gothique.
3. **Avignon** est une ville provençale sur le Rhône renommée pour son **palais des Papes.** Ce palais était la résidence du pape au quatorzième siècle. **Le pont Saint-Bénézet** est bien connu, grâce à la vieille chanson fameuse, «Sur le pont d'Avignon».
4. **Nîmes** et **Arles,** deux villes méridionales, conservent quelques-uns des plus beaux monuments romains de France. À Nîmes se trouvent **la Maison Carrée,** temple romain, et les arènes. Pas loin de la ville, on peut voir **le pont du Gard,** aqueduc romain. Arles également a un théâtre antique et des arènes.
5. **Lourdes,** dans les Pyrénées, est le lieu de pèlerinage le plus célèbre de France. Ce grand centre religieux attire chaque année des milliers de catholiques du monde entier. **Lisieux,** en Normandie, est un autre lieu de pèlerinage.

NOTES:

[1] **l'hexagone:** term used by the French to refer to France.
[2] **menhirs et dolmens:** prehistoric monuments composed of megaliths, or very large stones. Menhirs are upright stones placed singly or aligned in rows; dolmens are composed of two or more upright stones supporting a horizontal stone slab and may have been used as tombs.
[3] **Révolution de juillet 1830:** three-day revolution ending in the abdication of ultra-royalist Charles X and the creation of a new monarchy headed by Louis-Philippe Ier.
[4] **Traité de Versailles:** (June 28, 1919) Treaty between France, her allies, and Germany ending World War I.

---

3 **la station thermale** spa
27 **le pèlerinage** pilgrimage

Exercice A

Pour chaque description de la première colonne, donnez la lettre du nom correspondant de la seconde colonne:

1. courant maritime chaud
2. frontière principale entre la France et l'Italie
3. rivière qui se jette dans le Rhône
4. montagnes anciennes en Alsace
5. île française dans la Méditerranée
6. plaine vaste
7. delta du Rhône
8. volcans éteints
9. fleuve le plus navigable
10. chaîne de montagnes la plus ancienne

a. la Camargue
b. la Corse
c. la Saône
d. la Seine
e. le bassin parisien
f. le Gulf Stream
g. le Massif Central
h. les Alpes
i. les puys
j. les Vosges

Exercice B

Vrai ou faux? Indiquez si chaque phrase est vraie ou fausse. Si elle est fausse, changez-la pour la rendre vraie:

1. Le climat français est plus rigoureux près de la mer.
2. Généralement la France reçoit une quantité suffisante de pluie.
3. Le paysage et le sol de la France sont très variés.
4. Paris se trouve à la même latitude que Boston.
5. Génissiat est le nom d'un barrage sur la Loire.
6. La superficie de la France est supérieure à celle de l'état du Texas.
7. Les hautes montagnes françaises se trouvent sur les frontières.
8. La Seine se jette dans la Méditerannée près du Havre.
9. Le canal du Midi relie la France et l'Espagne.
10. Les montagnes françaises empêchent la communication intérieure.

Exercice C

Complétez en français:

1. La France est presque à égale distance du pôle nord et de _____.
2. Les Cévennes font partie du _____.
3. On peut voir de nombreux _____ magnifiques dans la vallée de la Loire.
4. _____ des faces de l'hexagone français sont des frontières maritimes.
5. La France compte _____ millions d'habitants.
6. Les Alpes culminent au _____, le point le plus élevé de l'Europe.
7. _____ est la frontière principale entre la France et la Suisse.
8. La France est située tout entière dans la zone _____.

9. _____ est le fleuve le plus long mais le moins utile de France.

10. La seule frontière artificielle s'étend au nord-est, entre Dunkerque et le _____.

11. _____, qui prend naissance dans les Alpes suisses, est un fleuve qui fournit des quantités énormes d'énergie hydro-électrique.

12. Les Pyrénées séparent la France de _____.

13. Après Bordeaux, la Garonne s'élargit dans un estuaire, la _____.

14. _____, qui prend sa source dans le centre de la France, traverse Paris.

Exercice D

Identifiez la province:

1. Dans cette province se trouvent les mines de fer les plus riches d'Europe.

2. À cause de sa production de fruits et de légumes, on appelle cette province «le jardin de la France».

3. Située sur la Manche et l'Atlantique, cette péninsule tire ses principales ressources de la mer et de la vie maritime.

4. Cette province, près de la Belgique, est une région industrielle très importante.

5. Une région de fermes riches et de pâturages, cette province a des plages célèbres sur la Manche.

6. On y trouve beaucoup de monuments romains bien conservés.

7. Cette province du Massif Central est une région d'origine volcanique.

8. C'est la province principale des Alpes françaises.

9. Cette province, dont Paris fut la capitale, est une région fertile et industrialisée.

10. Cette province est bornée par le Rhône, la Méditerranée et les Alpes.

Exercice E

Vrai ou faux? Indiquez si chaque phrase est vraie ou fausse. Si elle est fausse, changez-la pour la rendre vraie:

1. Chacune des trente-deux provinces avait ses propres traditions culturelles.

2. La Normandie est une région purement agricole.

3. L'Alsace est importante principalement au point de vue industriel.

4. Les Bretons sont généralement conservateurs.

5. La Touraine, l'Orléanais et l'Anjou se trouvent dans la vallée du Rhône.

6. En Provence on peut voir un grand nombre de pierres préhistoriques alignées l'une derrière l'autre.

7. L'agriculture est l'industrie principale de l'Auvergne.
8. Blois et Chenonceaux sont en Bourgogne.
9. L'Artois et la Picardie sont des plaines fertiles et des régions industrielles.
10. Le pays basque se trouve près des Alpes.

Exercice F

Pour chaque description de la première colonne, donnez la lettre du nom correspondant de la seconde colonne:

1. berceau de la monarchie française	**a.** Auvergne
2. puys	**b.** Basques
3. habitants d'origine celte	**c.** Bretons
4. béret et pelote	**d.** Côte d'Azur
5. littoral méditerranéen	**e.** Île-de-France
6. débarquement des armées alliées en 1944	**f.** mistral
7. langue des anciens troubadours	**g.** Normandie
8. vent froid qui descend la vallée du Rhône	**h.** provençal
9. pays des châteaux	**i.** Provençaux
10. Marseillais	**j.** vallée de la Loire

Exercice G

Complétez en français:

1. La _____ coule à travers la Normandie.
2. Les _____, qui poussent toute l'année, sont une des richesses de la Provence.
3. La femme bretonne porte souvent une _____ blanche sur la tête.
4. Les célèbres _____ d'Azay-le-Rideau et de Chambord attirent chaque année un grand nombre de touristes.
5. C'est la langue de _____ qui est devenue la langue officielle de la nation française.
6. Deux provinces dont les vins sont renommés dans le monde entier sont _____ et _____.
7. Le _____ est le nom de la fête religieuse des Bretons.
8. C'est en _____, connue pour la beauté de ses montagnes, que se trouve le mont Blanc.
9. En 1066, Guillaume le Conquérant, duc de _____, traversa la Manche et envahit l'Angleterre.
10. Deux provinces souvent disputées par la France et l'Allemagne sont _____ et _____.

Exercice H

Pour chaque description de la première colonne, donnez la lettre du nom correspondant de la seconde colonne:

1. «Aux grands hommes la Patrie reconnaissante»
2. tribu gauloise
3. jardin zoologique
4. palais de Louis XIV
5. auteur de peintures murales
6. colonne de Juillet
7. lacs, champs de courses, restaurants
8. sculpteur du bas-relief sur l'Arc de Triomphe
9. Café de la Paix
10. grand magasin
11. église blanche de Montmartre
12. ingénieur du XIXᵉ siècle

a. bois de Boulogne
b. bois de Vincennes
c. Eiffel
d. Galeries Lafayette
e. Panthéon
f. Parisii
g. place de l'Opéra
h. place de la Bastille
i. Puvis de Chavannes
j. François Rude
k. Sacré-Cœur
l. Versailles

Exercice I

Complétez:

1. Au temps des Romains, Paris s'appelait _____ .
2. On appelle la capitale de la France la «Ville _____ ».
3. Les grandes écoles, telles que l'École Polytechniqe et l'École de Médecine, se trouvent sur la rive _____ .
4. On peut voir *La Joconde*, la *Vénus de Milo*, et *La Victoire de Samothrace* dans le _____ .
5. Les étalages des bouquinistes se trouvent le long des _____ , les rues qui bordent la Seine.
6. _____ et _____ sont les deux grands aéroports de Paris.
7. Le Panthéon sert de mausolée aux Français illustres, tels que _____ et _____ .
8. La flamme éternelle brûle sur le tombeau _____ .
9. L'avenue _____ s'étend de la place de la Concorde à la place Charles de Gaulle.
10. L'obélisque de Louqsor et les huit statues de villes francaises se trouvent sur la place _____ .

Exercice J

Pour chaque description de la première colonne, donnez la lettre du nom correspondant de la seconde colonne:

1. l'édifice qui contient le tombeau de Napoléon Ier
2. le musée d'art médiéval au Quartier latin
3. le grand marché qui alimentait Paris
4. «le bijou de l'architecture gothique»
5. l'église en forme de temple grec
6. l'ancienne prison dans l'île de la Cité où Marie-Antoinette passa ses dernières heures
7. le monument qui se trouve au milieu de la place Charles de Gaulle
8. le musée installé dans une ancienne gare
9. la statue de bronze qui domine la colonne Vendôme
10. le monument en acier, très élevé, utilisé comme poste émetteur de télévision

a. Chaillot
b. le musée de Cluny
c. l'Arc de Triomphe
d. l'Hôtel des Invalides
e. la Cité des sciences et de l'industrie
f. la Conciergerie
g. la Galerie des Glaces
h. la Joconde
i. la Madeleine
j. la Sainte-Chapelle
k. la tour Eiffel
l. le Centre Pompidou
m. le château de Fontainebleau
n. le Dôme
o. le musée d'Orsay
p. les Halles
q. Montparnasse
r. Napoléon
s. Notre-Dame
t. Sainte Geneviève

Exercice K

Vrai ou faux? Indiquez si chaque phrase est vraie ou fausse. Si elle est fausse, changez-la pour la rendre vraie:

1. Paris est divisé en vingt arrondissements.
2. Douze avenues rayonnent de la place de la Bastille.
3. L'Opéra qui date de 1875 est l'œuvre de l'architecte Charles Garnier.
4. Paris est un grand port fluvial.
5. Le R.E.R. est un moyen de transport public.
6. «Au Printemps» est un beau jardin.
7. Pour entrer au Louvre, on passe par la pyramide de verre.
8. Le Sacré-Cœur ressemble à une mosquée.
9. La Cité Universitaire encourage la compréhension mutuelle entre les étudiants de tous les pays.
10. La rive gauche est le centre principal du commerce parisien.

███ **Exercice L** ███

Complétez les paragraphes suivants en français:

Le matin, après la visite du Louvre, nous avons traversé le plus

ancien des ponts de Paris, le _____, pour voir le quartier des écoles, le

　　　　　　　　　　　　　　　　1

Quartier _____, sur la rive _____. Le calme des petites rues

　　　　2　　　　　　　　3

contraste avec l'animation du boulevard _____, la rue principale du

　　　　　　　　　　　　　　　　　4

quartier. Nous avons visité la _____, la plus ancienne partie de

　　　　　　　　　　　　5

l'Université de Paris. Ensuite, nous sommes entrés dans le _____ pour

　　　　　　　　　　　　　　　　　　　　　　6

y admirer les peintures murales qui représentent la vie de _____,

　　　　　　　　　　　　　　　　　　　　　　7

patronne de Paris. Plus tard, pour nous reposer un peu, nous nous

sommes assis sur un banc au jardin _____, rendez-vous favori des

　　　　　　　　　　　　　　8

étudiants.

L'après-midi, nous avons pris un de ces bateaux-_____ qui

　　　　　　　　　　　　　　　　　　　9

descendent et remontent la _____. Quelle promenade inoubliable! La

　　　　　　　　　10

place _____, la plus grande de Paris, offre au visiteur de belles

　　　11

perspectives. Puis nous avons vu près du fleuve le jardin _____,

　　　　　　　　　　　　　　　　　　　　12

ancien jardin des rois de France. En nous approchant de l'île _____, le

　　　　　　　　　　　　　　　　　　　　　　　13

berceau de Paris, nous avons reconnu ce chef-d'œuvre de l'architecture

gothique, la cathédrale _____. Enfin, n'en pouvant plus, nous avons

　　　　　　　　　14

pris le _____, le chemin de fer souterrain, pour retourner à l'hôtel.

　　15

Exercice M

Pour chaque description de la première colonne, donnez la lettre du nom correspondant de la seconde colonne:

1. grande station thermale
2. on y fabrique des avions
3. ville normande où Jeanne d'Arc mourut
4. premier port de mer, sur la Méditerranée
5. ville industrielle sur le Rhin
6. station balnéaire de la Côte d'Azur
7. grand port au sud-ouest, actif dans le commerce des vins
8. lieu de pèlerinage dans les Pyrénées
9. centre de la préparation du champagne
10. port transatlantique à l'embouchure de la Seine

a. Bordeaux
b. Cannes
c. Le Havre
d. Lourdes
e. Marseille
f. Vichy
g. Reims
h. Rouen
i. Strasbourg
j. Toulouse

Exercice N

Vrai ou faux? Indiquez si chaque phrase est vraie ou fausse. Si elle est fausse, changez-la pour la rendre vraie:

1. À cause de la douceur de leur climat, Deauville et Trouville attirent beaucoup de touristes en hiver.
2. On peut voir la célèbre horloge astronomique dans la cathédrale de Chartres.
3. Biarritz est sur l'Atlantique, près de l'Espagne.
4. La ville de Carcassonne est dominée par une abbaye bénédictine.
5. La Maison Carrée de Nîmes fut un temple romain.
6. Le pont du Gard, près de Nîmes, est un aqueduc du Moyen Âge.
7. Le port de Marseille relie la France à l'Angleterre.
8. Bordeaux est renommé pour ses textiles.

Exercice O

Complétez en français:

1. Lyon se trouve au confluent de la Saône et _____ .
2. _____ , dans le Massif Central, est le centre de l'industrie du caoutchouc.
3. Deux ports sur la Manche sont _____ et _____ .
4. Le palais des Papes se trouve à _____ .
5. Le Mont-Saint-Michel est situé sur un îlot de la _____ , entre la _____ et la _____ .
6. Reims et Amiens sont célèbres pour leur _____ gothique.

7. _____ est une plage populaire sur la Manche.
8. _____, situé au pied du mont Blanc, est un centre de sports d'hiver.
9. Deux villes méridionales connues pour leurs beaux monuments romains sont _____ et _____.
10. Nantes, à l'embouchure de la Loire, est un centre de constructions _____.
11. La Rochelle et Saint-Nazaire sont deux ports sur _____.

Exercice P

Identifiez la ville:

1. centre principal de la fabrication des gants
2. «la Merveille de l'Occident»
3. ville principale de la Riviera
4. le meilleur exemple d'un ville fortifiée du Moyen Âge
5. grande station thermale dans le Massif Central, connue pour ses eaux minérales

34

L'Histoire de la France

LA PRÉHISTOIRE

La France est riche en vestiges de civilisations préhistoriques. On a découvert dans plusieurs grottes françaises, comme celles des Eyzies et de Lascaux [1], des squelettes d'hommes et des dessins sur pierre. Les menhirs et les dolmens — des blocs de pierre préhistoriques — sont nombreux en Bretagne. 5

Au premier siècle avant Jésus-Christ, la France s'appelait **la Gaule.** C'était le territoire des **Celtes,** ou **Gaulois,** qui avaient une civilisation primitive. Les Gaulois étaient divisés en un grand nombre de tribus rivales qui se faisaient souvent la guerre. Leurs prêtres, appelés **druides,** occu- 10 paient une place importante dans leur société. Les druides, qui étaient aussi médecins et juges, exerçaient une influence sociale et politique en même temps que religieuse. Ils adoraient la nature et enseignaient que le gui, plante toujours verte, était sacré et que l'âme était immortelle.

LES ROMAINS 15

Jules César, le général romain, profita de la désunion des Gaulois pour entreprendre la conquête du pays entier. Cette conquête se termina par la bataille d'Alésia en 52 avant J.-C. **Vercingétorix,** chef courageux et général habile, avait réussi à former une coalition des peuples gaulois contre César. Après la défaite des Gaulois à Alésia, Vercingétorix fut emmené à Rome, 20 où il figura dans le triomphe de César. Au bout de six ans de prison, le chef gaulois fut exécuté. On considère Vercingétorix comme le premier héros national de la France.

Sous le gouvernement des Romains, qui dura plus de 400 ans, la Gaule prospéra. Les Gaulois adoptèrent les coutumes, la religion et le code de 25 justice des vainqueurs, et ils apprirent le latin, la langue de Rome. Les Romains développèrent l'agriculture et le commerce. Ils construisirent de belles routes, des aqueducs, des amphithéâtres, des temples et d'autres bâtiments publics. La conquête romaine donna à la Gaule la paix et la sécurité. 30

---

14 **le gui** mistletoe

LES FRANCS

L'empire romain était très vaste et, par conséquent, difficile à défendre. À partir du IIIe siècle, des peuplades barbares — Visigoths, Vandales, Burgondes, Huns — commencèrent à envahir la Gaule. Au Ve siècle,
5   une tribu germanique, **les Francs,** conquit le pays et s'y installa. Ce sont eux qui ont donné leur nom à la France.

    Clovis (465–511), roi des Francs, battit les Romains et se fit maître de presque toute la Gaule. Il se convertit au christianisme, qui devint la religion officielle du pays.

10   **Sainte Geneviève** est la patronne de Paris. Au Ve siècle, quand les Huns étaient sur le point d'attaquer Paris (alors Lutèce), Geneviève, une bergère, donna aux habitants le courage de rester dans la ville. Elle avait raison, car l'armée d'Attila changea de direction, et Paris fut sauvé.

    En 732, **Charles Martel** sauva la France de l'invasion musulmane en
15   écrasant les Arabes à la bataille de Poitiers.

LES CAROLINGIENS

    Charlemagne, ou Charles le Grand, petit-fils de Charles Martel, fut le souverain le plus puissant du Moyen Âge. En 800, à Rome, le pape le couronna empereur d'Occident. Il gouverna un empire immense: la plus
20   grande partie de l'Europe occidentale. Charlemagne était un administrateur sage qui essayait d'améliorer la condition de son peuple. Il promulgua des lois bonnes et justes. Protecteur des arts et des lettres, il encouragea l'enseignement en créant de nombreuses écoles. Ses exploits guerriers sont célébrés dans *La Chanson de Roland*, le premier chef-d'œuvre de la litté-
25   rature française. Malheureusement, après la mort de Charlemagne, son vaste empire fut démembré.

LES NORMANDS

    À la fin du IXe siècle, quand la France ne pouvait plus se défendre, le pays fut ravagé par **les Normands,** les hommes du Nord. Ces pirates, qui
30   venaient par mer, remontaient les fleuves et pillaient tout sur leur passage. Ils finirent par rester dans la région qu'on appelle aujourd'hui la Normandie.

    En 1066, **Guillaume le Conquérant,** duc de Normandie, traversa la Manche, fit la conquête de l'Angleterre et devint roi de ce pays.

35   **Louis IX,** ou **saint Louis,** est connu pour son amour de la justice et de la paix. Il s'intéressait à ses sujets, surtout aux pauvres. Très pieux, il prit

---

20   **occidental** western
30   **piller** to loot

une part active aux Croisades du XIIIe siècle. Louis IX fit beaucoup pour consolider le pouvoir royal.

LA GUERRE DE CENT ANS

Pendant la guerre de Cent Ans, de 1337 à 1453, les armées anglaises envahirent la France. Les rois d'Angleterre, qui prétendaient à la couronne de France, dévastèrent le pays. Grâce au courage d'une jeune paysanne française, la France fut sauvée.

Jeanne d'Arc, appelée «la Pucelle d'Orléans», est l'héroïne nationale de la France. Elle naquit en 1412 à Domrémy, en Lorraine. Jeanne crut entendre des voix surnaturelles qui lui commandaient de délivrer la France. À la tête d'une armée française, elle battit les Anglais à Orléans et fit sacrer Charles VII roi de France dans la cathédrale de Reims. Trahie, elle fut prise et vendue aux Anglais. Ceux-ci, l'ayant accusée d'hérésie, la brûlèrent vive à Rouen en 1431. Après la mort de Jeanne d'Arc, les Français, inspirés par son courage, chassèrent les Anglais de France.

DU XVIe SIÈCLE AU XVIIIe SIÈCLE

Francois Ier fut roi de France pendant la première moitié du XVIe siècle, l'époque de la Renaissance. Administrateur brillant et patron des arts, il fit venir à sa cour de grands artistes italiens, des hommes de lettres et des savants. Il fonda le Collège de France, fit construire de beaux châteaux le long de la Loire et encouragea l'exploration. Sous son règne, Jacques Cartier prit possession du Canada.

Henri IV, le premier monarque de la famille des Bourbons, est le plus aimé des rois de France. On l'appelle souvent «le bon roi Henri» parce qu'il gouvernait avec intelligence et humanité. Né protestant, il se convertit au catholicisme pour mettre fin aux guerres de religion et pour restaurer la paix en France. Par le célèbre **Édit de Nantes** de 1598, il accorda aux protestants la liberté du culte. Henri IV entreprit l'œuvre de restaurer l'autorité royale, de réorganiser l'administration et de rétablir la prospérité du pays. Il encouragea l'industrie, le commerce et l'agriculture. Il fit construire des routes et des ponts. Un de ses capitaines, Samuel de Champlain, fonda Québec en 1608.

Le cardinal de Richelieu, le premier ministre intelligent et énergique de Louis XIII, fut un grand homme d'état. En abaissant la puissance des grands seigneurs et en forçant les protestants à se soumettre au roi, il fonda l'absolutisme royal. Il améliora la vie économique de la France et réforma

5

10

15

20

25

30

35

---

8 **la Pucelle** Maid
28 **le culte** worship

les finances et la législation. Protecteur des lettres, des arts et des sciences, il fonda l'Académie française en 1635. Richelieu fit de la France une des plus grandes nations du monde.

5 **Louis XIV,** appelé «le roi Soleil», fut le maître absolu de la France et le monarque le plus puissant de l'Europe. Son despotisme se résume dans les fameuses paroles: «L'État, c'est moi». Son règne de soixante-douze ans fut une époque de gloire militaire et de grandeur littéraire et artistique. Le magnifique palais qu'il fit construire à Versailles devint le centre poli-
10 tique, social et culturel de la France. Son ministre brillant et infatigable Jean-Baptiste Colbert mit de l'ordre dans les finances, développa le commerce et l'industrie et encouragea les travaux publics. Mais l'égotisme et l'ambition du roi causèrent de longues guerres qui furent désastreuses pour la France. Ces guerres et la cour somptueuse du roi finirent par ruiner le pays. En 1685, Louis XIV révoqua l'Édit de Nantes et persécuta les
15 protestants.

Louis XV régna de 1715 à 1774. Au lieu de s'intéresser aux affaires du royaume, il s'occupait de ses propres plaisirs, dépensant de grandes sommes d'argent pour s'amuser. À cette époque, la France perdit le Canada. On prête à Louis XV la phrase sinistre: «Après moi, le déluge». En
20 effet, le mécontentement créé sous son règne fut une des causes principales de la Révolution française.

LA RÉVOLUTION DE 1789

Louis XVI, plein de bonnes intentions, mais manquant de décision, ne savait pas gouverner. Il écoutait les mauvais conseils de sa femme fri-
25 vole, **Marie-Antoinette.** Ennemie des réformes, la reine perdit tout de suite l'estime du peuple. Louis était incapable de résoudre la crise financière, politique et sociale qui troublait le pays. Le 14 juillet 1789, le peuple de Paris attaqua la Bastille et prit la prison détestée. Cet événement historique marqua le commencement de la Révolution française et la chute de la
30 royauté. En 1793, le roi et la reine furent condamnés à mort et guillotinés.

En 1789, on vota la *Déclaration des droits de l'homme et du citoyen* qui proclamait les droits fondamentaux de l'individu que le gouvernement devait respecter. **La Première République** française fut établie en 1792 dans le but de substituer à un régime fondé sur le privilège une société
35 basée sur l'égalité de tous. Mais les premières années de la république furent une période de crises et de violence. Parmi les grandes personnalités de cette époque révolutionnaire, il faut mentionner **Mirabeau,** partisan d'une monarchie constitutionnelle; **Danton,** grand orateur; **Marat,**

29 **la chute** fall
34 **le but** goal, aim

journaliste et député à la Convention; et **Robespierre,** chef de **la Terreur** [2].

NAPOLÉON BONAPARTE

Napoléon Bonaparte, né à Ajaccio, en Corse, en 1769, exerça sur son temps une grande influence. Dans l'armée de la République, il se dis- 5
tingua comme capitaine et plus tard comme général. Il devint Premier con-
sul après un coup d'état et en 1804 se fit couronner Empereur des Français
sous le nom de Napoléon Ier. Génie militaire d'une énorme ambition, il
essaya de conquérir l'Europe et d'en faire une sorte de fédération. En 1814,
les ennemis de la France envahirent le pays, et Napoléon, obligé d'abdi- 10
quer, se retira à l'île d'Elbe. Quelques mois plus tard, il retourna en France.
Mais en 1815, il fut vaincu à Waterloo, en Belgique, par les armées réunies
de ses ennemis. Les Anglais l'exilèrent à Sainte-Hélène, où il mourut en
1821.

Malgré ses guerres désastreuses et ses mesures despotiques qui épui- 15
sèrent la France, Napoléon fit des contributions permanentes à son pays.
Il réforma l'organisation judiciaire; **le Code Napoléon** est encore aujour-
d'hui à la base des lois françaises. Il encouragea l'industrie et l'agriculture, établit l'administration préfectorale [3] et fit construire un réseau de
routes modernes. En donnant à la France un système d'éducation centra- 20
lisé, en fondant des lycées et en réorganisant l'Université de Paris, il
réforma l'enseignement. Napoléon institua un nouveau système financier
au moyen de **la Banque de France** et créa **la Légion d'Honneur.** C'est lui
qui vendit la Louisiane aux États-Unis.

XIXe ET XXe SIÈCLES 25

La France proclama **la Seconde République** en 1848, et **Louis Napoléon,** neveu de Napoléon Bonaparte, en fut élu Président. En 1852, il se
fit empereur sous le nom de Napoléon III et fonda **le Second Empire.** Il
enleva beaucoup des libertés qu'avaient gagnées les Français, mais il
donna au pays une période de prospérité économique. Son gouvernement 30
entreprit de nombreux travaux publics et stimula l'agriculture, l'industrie
et le commerce. À cette époque Paris fut transformé et embelli. Pourtant
la politique extérieure de l'empereur fut désastreuse. Après la défaite de
la France dans la guerre franco-allemande de 1870–1871, les Français ren-
versèrent l'empire et établirent **la Troisième République.** 35

La Grande Guerre entre la France et l'Allemagne éclata en 1914. Le
maréchal **Ferdinand Foch** fut le généralissime à la tête de toutes les troupes

---

15 **épuiser** to exhaust
19 **le réseau** network

alliées, y compris les troupes américaines. En 1918, après une longue guerre, les armées alliées obligèrent l'Allemagne à se rendre. La France fut victorieuse, mais épuisée.

5   En 1940, la France fut encore une fois envahie par l'Allemagne. Ce fut la Seconde Guerre Mondiale qui marqua la fin de la Troisième République. Pendant l'occupation allemande, le maréchal **Pétain** dirigea de la ville de Vichy un gouvernement forcé de collaborer avec l'Allemagne. En juin 1940, le général **Charles de Gaulle** se réfugia en Angleterre et prit la tête d'un mouvement de résistance contre l'Allemagne. Il encouragea le

10   peuple par son appel à tous les Français: «La France a perdu une bataille! Mais la France n'a pas perdu la guerre!» Les alliés débarquèrent en Normandie en 1944, et bientôt après la France fut libérée. **La Quatrième République** date de 1947.

15   En 1958, les Français ont approuvé une nouvelle constitution et Charles de Gaulle fut élu le premier Président de la **Cinquième République.** Il s'est retiré de la présidence en 1969. Depuis cette année, trois hommes ont accédé à la présidence: **Georges Pompidou** (1969–1974), **Valéry Giscard d'Estaing** (1974–1981) et **François Mitterand** (1981–   ).

INSTITUTIONS POLITIQUES

20   1. La France est une république démocratique et sociale. Elle garantit l'égalité devant la loi de tous les citoyens sans distinction d'origine, de race ou de religion. Le suffrage est universel, égal et secret. Tous les citoyens français âgés de plus de 18 ans des deux sexes ont le droit de voter.

25   2. **Le pouvoir exécutif** appartient au Président de la République et au Gouvernement dirigé par le Premier Ministre.

    Le Président de la République représente l'autorité suprême de la nation. C'est le véritable chef du gouvernement. Il est élu pour sept ans directement par tous les électeurs. Le Président de la République

30   nomme le Premier Ministre et, sur la proposition de celui-ci, les autres membres du Gouvernement. Il promulgue les lois. Il est le chef des armées. Il peut soumettre au référendum [4] des projets de loi. Il peut, après consultation du Premier Ministre et des présidents des deux Chambres du Parlement, prononcer la dissolution de l'Assemblée Na-

35   tionale. En période de crise, il peut exercer des pouvoirs exceptionnels. Sa résidence officielle est **le palais de l'Élysée,** à Paris.

    Le Gouvernement, composé du Premier Ministre et de ses ministres, assure l'exécution des lois. **Le Premier Ministre** dirige l'action du Gouvernement. **Le Conseil des Ministres** détermine et conduit la

---

39 **déterminer** to formulate

politique de la nation. Il est responsable de la défense nationale. Le
Gouvernement est responsable devant l'Assemblée Nationale.

3. **Le pouvoir législatif** appartient au **Parlement** qui comprend l'**Assemblée Nationale** et **le Sénat.** Les députés à l'Assemblée Nationale sont
élus au suffrage direct pour cinq ans. Les sénateurs, élus pour neuf ans   5
au suffrage indirect [5], représentent les départements et les Français
établis hors de France. Le Parlement vote la loi et autorise la déclaration
de guerre. L'Assemblée Nationale ne peut obliger le Gouvernement à
démissionner que si une motion de censure est votée à la majorité ab-
solue des députés.   10

    Le Conseil Constitutionnel a pour rôle d'assurer le respect de la
constitution et la régularité des élections et des opérations de référendum. Il se prononce sur la conformité des lois à la constitution.

4. **Le pouvoir judiciaire** est indépendant des autres pouvoirs. L'autorité
judiciaire, garantie par la constitution, est la gardienne de la liberté   15
individuelle. **La Cour de cassation,** qui siège à Paris, est le tribunal
suprême. **Les cours d'assises,** qui jugent les crimes, sont les seules à
avoir un jury populaire composé de neuf personnes. Dans les autres
tribunaux, la décision est rendue par trois juges.

5. Le territoire français est divisé en 95 **départements** au point de vue   20
administratif. La République compte également quatre départements
d'outre mer (Guadeloupe, Martinique, Réunion et Guyane). **Le préfet,**
qui est nommé par le Gouvernement, est à la tête du département. Il
est assisté d'un **conseil général,** élu au suffrage universel. Depuis 1982,
les départements sont regroupés en 22 **régions,** formées plus ou moins   25
d'après les anciennes provinces. Ceci a permis de décentraliser le gouvernement. À la tête de chaque région est un **conseil régional** élu au
suffrage universel.

6. L'emblème national est le drapeau tricolore: bleu, blanc et rouge.
L'hymne national, *La Marseillaise,* fut composé en 1792 par **Rouget de**   30
Lisle. La devise de la République est «Liberté, Égalité, Fraternité» — la
devise même de la Révolution française. Le quatorze juillet — l'anniversaire de la prise de la Bastille par le peuple de Paris en 1789 — est
la date de la fête nationale française. La Bastille, prison royale, était le
symbole de la tyrannie de l'ancien régime. On peut voir la clef de la   35
Bastille à Mount Vernon en Virginie; c'est le marquis de La Fayette qui
l'a donnée à George Washington. Pour célébrer la fête nationale, on
danse dans les rues. Il y a aussi des revues militaires, des cérémonies
au tombeau du Soldat Inconnu, des représentations gratuites dans les
théâtres et des feux d'artifice dans toute la France.   40

---

1 **la politique** policy
9 **démissionner** to resign

LA FRANCE ET L'AMÉRIQUE DU NORD

Les explorateurs français ont joué un rôle important dans l'histoire de l'Amérique du Nord.

Jacques Cartier découvrit le Saint-Laurent en 1535 et prit possession
5   du Canada au nom du roi de France. Plus tard il remonta le fleuve jusqu'à la montagne qu'il appela Montréal.

Samuel de Champlain fonda la ville de Québec en 1608 et découvrit le lac Champlain.

Le père Jacques Marquette explora la région des Grands Lacs et dé-
10   couvrit le Mississippi. Avec **Louis Joliet** il descendit le fleuve en 1673.

Robert Cavelier de La Salle explora le Mississippi jusqu'au Golfe du Mexique en 1682. Il prit possession de l'immense vallée du fleuve, la nommant «Louisiane» en l'honneur de Louis XIV.

Trois nobles français qui aidèrent les colonies américaines à conquérir
15   leur indépendance dans la lutte contre l'Angleterre se sont assuré la reconnaissance affectueuse du peuple américain:

Le jeune marquis de La Fayette prit une part active à la guerre d'Indépendance en Amérique. Il devint un ami personnel du général Washington. Après la Révolution américaine, La Fayette retourna en France
20   pour défendre les causes libérales dans son pays natal. En 1917, quand les troupes américaines débarquèrent en France, un des officiers du général Pershing exprima ces paroles célèbres: «La Fayette, nous voici».

Le comte de Rochambeau commanda l'armée française envoyée à l'aide des Américains, et **l'amiral de Grasse** commanda la flotte française.
25   Tous les trois contribuèrent à la défaite des Anglais à la bataille de Yorktown en 1781. On trouve aujourd'hui aux États-Unis beaucoup de noms géographiques d'origine française, tels que Bayonne, Champlain, Detroit, Eau Claire, Joliet, Havre de Grace, Louisiana, New Orleans, New Rochelle, St. Louis, Terre Haute et Vermont.

NOTES:
[1] **Eyzies et Lascaux:** caves in the Dordogne region in southwest France. Their walls are decorated with paintings and engravings of bulls and other animals dating back to the 16th century B.C. These caves were believed to have been used for rituals during prehistoric times.
[2] **la Terreur:** the period from 1793 to 1794 during the French Revolution, when ordinary laws were suspended so that Robespierre and his allies could destroy their political opponents.
[3] **l'administration préfectorale:** administrative organization set up by Napoleon to strengthen the central government. France was divided into departments, each headed by a **préfet,** who was appointed by the central government. The préfet was the agent of the central govern-

---

24   **la flotte** fleet

ment in the department and dealt with matters affecting the department. He was assisted by a **conseil général**, a council whose members were elected by popular vote.

[4] **le référendum:** a political process that submits a measure proposed by the government for approval or rejection by popular vote.

[5] **le suffrage indirect:** an electoral system in which candidates are elected by delegates chosen by popular vote.

Exercice A

Mettez dans l'ordre chronologique:

> l'invasion des Francs
> la Cinquième République
> la conquête de l'Angleterre par les Normands
> la Déclaration des droits de l'homme
> la Renaissance
> la Troisième République
> la vente de la Louisiane aux États-Unis
> le conquête de la Gaule par les Romains
> le couronnement de Charlemagne
> le gouvernement de Vichy

Exercice B

Vrai ou faux? Indiquez si chaque phrase est vraie ou fausse. Si elle est fausse, changez-la pour la rendre vraie:

1. Henri IV, né protestant, se convertit au catholicisme.
2. Rome gouverna la Gaule pendant plus de six cents ans.
3. Le palais de Versailles fut construit pour Louis XVI.
4. Le Code Napoléon est encore aujourd'hui à la base des lois appliquées en France.
5. Louis XVI était un monarque médiocre, s'occupant surtout de ses propres plaisirs.
6. Jeanne d'Arc réussit à chasser les Romains de France.
7. Jacques Cartier découvrit le Mississippi.
8. Louis XV révoqua l'Édit de Nantes.
9. Les Celtes avaient une civilisation très avancée.
10. C'est Louis XI qu'on appelle saint Louis.

Exercice C

Pour chaque expression de la première colonne, donnez la lettre du nom correspondant de la seconde colonne:

1.	ministre de Louis XIII	**a.**	Bretagne
2.	«La Fayette, nous voici.»	**b.**	Jean-Baptiste Colbert
3.	dessins préhistoriques	**c.**	Danton
4.	«L'État, c'est moi.»	**d.**	La Salle
5.	île d'Elbe	**e.**	Lascaux
6.	Second Empire	**f.**	Louis XIV
7.	Mississippi	**g.**	Louis XV
8.	grand orateur	**h.**	Louis XVI
9.	ministre de Louis XIV	**i.**	Napoléon Bonaparte
10.	«Après moi, le déluge.»	**j.**	Napoléon III
11.	menhirs et dolmens	**k.**	officier américain
12.	roi à l'époque de la Révolution française	**l.**	cardinal de Richelieu

Exercice D

Complétez en français:

1. Autrefois la France s'appelait _____ .
2. Les Celtes considéraient le gui, toujours vert, comme une _____ sacrée.
3. Quand _____ se convertit, le christianisme devint la religion officielle de la France.
4. Charles _____ repoussa l'invasion arabe en 732.
5. Les exploits de Charlemagne sont célébrés dans _____, le premier chef-d'œuvre de la littérature française.
6. Jeanne d'Arc, née dans le village de _____, en Lorraine, fut brûlée à _____, ville de Normandie.
7. Sous le règne de _____, on bâtit de nombreux châteaux sur la Loire.
8. _____ fonda l'Académie française.
9. _____ commanda l'armée française et _____ commanda la flotte française à la bataille de Yorktown.
10. Napoléon Bonaparte naquit en Corse et mourut à _____, où les Anglais l'avaient emmené en exil.

Exercice E

Identifiez:

1. le plus aimé des rois de France
2. les prêtres des Gaulois
3. le souverain le plus puissant du Moyen Âge
4. le Roi Soleil
5. la dernière bataille de Napoléon Ier
6. le roi de France pendant la Renaissance
7. le fondateur de la Légion d'Honneur

8. le fondateur de la ville de Québec
9. le général romain qui conquit les tribus gauloises
10. le chef de la résistance française en 1940
11. la sainte patronne de Paris
12. le chef de la Terreur

Exercice F

Vrai ou faux? Indiquez si chaque phrase est vraie ou fausse. Si elle est fausse, changez-la pour la rendre vraie:

1. La France est une monarchie constitutionnelle.
2. Le Premier Ministre est le chef des armées.
3. Le Parlement vote les lois, le Président les promulgue et le Gouvernement en assure l'exécution.
4. L'Assemblée Nationale est responsable devant le Gouvernement.
5. Les ministres du Gouvernement peuvent être membres du Parlement.
6. Les sénateurs sont élus au suffrage direct.
7. Le Président est responsable de la défense nationale.
8. Un département est plus grand qu'une région.
9. La constitution française garantit l'indépendance de l'autorité judiciaire.
10. La clef de la Bastille se trouve dans la ville de Washington, D.C.

Exercice G

Complétez avec la réponse convenable:

1. Le _____ peut prononcer la dissolution de l'Assemblée Nationale.
   (a) Président de la République   (b) Premier Ministre   (c) préfet
2. Les députés à l'Assemblée Nationale sont élus _____.
   (a) au suffrage direct   (b) au suffrage indirect   (c) par référendum
3. Le _____ autorise la déclaration de guerre.
   (a) Conseil des Ministres   (b) Parlement   (c) Premier Ministre
4. Quand la République est menacée d'une manière grave et immédiate, le _____ peut prendre des mesures exceptionnelles.
   (a) Président de la République   (b) Premier Ministre   (c) Sénat
5. La résidence officielle du Président à Paris est le palais de _____.
   (a) Versailles   (b) Chaillot   (c) l'Élysée
6. Le préfet est le chef _____.
   (a) d'un arrondissement   (b) d'un département   (c) d'une région

7. Le préfet est _____ .
   (a) élu au suffrage universel   (b) élu par le Parlement
   (c) nommé par le Gouvernement
8. La France est composée de _____ départements plus quatre
   départements d'outre-mer.
   (a) 95   (b) 22   (c) 32
9. Le pouvoir _____ appartient à l'Assemblée Nationale et au Sénat.
   (a) législatif   (b) judiciaire   (c) exécutif
10. Tous les citoyens français âgés de plus de _____ ans ont le droit
    de voter.
    (a) 18   (b) 19   (c) 21

35

L'Agriculture, l'industrie, le commerce

L'AGRICULTURE

1. L'agriculture, l'industrie et le commerce font la force de l'économie française. La France, pays fortement industrialisé, est aussi le premier producteur agricole de la Communauté Européenne (CE) [1]. Une agriculture intensive et commercialisée, basée sur des techniques 5
modernes, continue à se développer.

   La fertilité de son sol permet à la France d'être presque indépendante en matière d'alimentation. Les plaines et les bassins des fleuves sont les régions les plus fertiles. L'excellence et la variété du sol et du climat ont contribué à faire de la France un pays dont la gastronomie 10
attire des gourmets du monde entier.

2. Le blé, dont on fait le pain — la nourriture fondamentale des Français — est un produit agricole important. Les Français sont de grands mangeurs de pain. On cultive aussi une abondance d'autres céréales et une variété de fruits et de légumes, ainsi que des plantes industrielles 15
comme la betterave sucrière. Les bois et les forêts, qui couvrent environ 25% de la superficie totale du pays, fournissent une bonne quantité de bois pour l'industrie. La forêt française, la plus étendue de la Communauté Européenne, joue un rôle essentiel dans la protection de l'environnement. 20

3. La viticulture est une des grandes richesses agricoles de la France. La France fournit une grande partie de la production mondiale des vins. Parmi les vins les plus renommés sont **le champagne, le bourgogne** et **le bordeaux. Le cognac,** une eau-de-vie distillée du vin, les nombreuses liqueurs — **chartreuse, bénédictine, cointreau,** entre autres — 25
et les apéritifs qui stimulent l'appétit — **dubonnet, lillet,** par exemple — sont très estimés. D'autres boissons produites en France sont le cidre, surtout en Normandie et en Bretagne, la bière et les eaux minérales, comme celles de Vichy, Vittel, Évian ou Perrier.

4. La France, connue pour l'excellence de sa volaille et de son bétail — 30
vaches, bœufs, moutons, chèvres, porcs, chevaux — est un grand pays

---

16   **la betterave sucrière** sugar beet
24   **l'eau-de-vie** brandy
30   **la volaille** poultry
30   **le bétail** livestock

AGRICULTURE

d'élevage. C'est le premier exportateur mondial de viandes et de volaille. Le pays est renommé aussi pour ses foies gras d'oie ou de canard.

5. La production de produits laitiers continue à augmenter. La Normandie, en particulier, est une région de production laitière très riche. Les Français sont experts dans la fabrication des fromages, dont les plus connus sont le **brie,** le **camembert,** le **port-salut,** le **roquefort,** qui est fabriqué avec du lait de brebis, et le **chèvre,** qui est fabriqué avec du lait de chèvre.

6. Les Français se nourissent aussi des produits de la mer. L'industrie de la pêche est active sur les côtes, spécialement en Bretagne.

Grâce à toutes ces richesses de la terre et de la mer, les industries agroalimentaires fleurissent en France.

---

13 **agroalimentaire** relating to the production of consumable goods from agricultural products

7. De plus, le sol fertile de la Côte d'Azur fournit des quantités de fleurs qu'on envoie à Grasse, où l'on extrait les essences parfumées. La fabrication des parfums est achevée à Paris, centre des cosmétiques. Quelques-uns des parfumeurs réputés dans le monde entier sont: **Caron, Chanel, Coty, Dior, Lancôme, Guerlain** et **Saint-Laurent.**   5

L'INDUSTRIE

1. L'industrie française est très variée, depuis la production d'équipement lourd jusqu'à la fabrication d'instruments de précision délicats, depuis l'immense usine moderne jusqu'à l'atelier du petit artisan. En général, les ouvriers français sont des artistes qui, préférant la bonne qualité à   10 la grande quantité, sont fiers de leur travail: une combinaison d'originalité et d'habileté artistique. Pour maintenir sa position dans la compétition internationale, la France intensifie ses efforts dans le domaine des recherches scientifiques et des applications industrielles.
2. Depuis longtemps, des résultats souvent remarquables ont été atteints   15 dans plusieurs secteurs des industries nucléaire, électrique et électronique, aéronautique, aérospatiale et ferroviaire, plaçant la France dans les premiers rangs mondiaux. Les principaux centres industriels sont Paris, Lille, Lyon et la Lorraine. La France est le sixième pays du monde pour la production de l'acier. Elle possède beaucoup de bauxite, dont   20 on fabrique l'aluminium. La métallurgie est une industrie très importante.
3. Dans les industries mécaniques — la production de machines et d'appareils divers — ainsi que dans la construction électrique et électronique, l'activité française est remarquable. L'application de la haute   25 technique de ces industries n'a pas été limitée au territoire français. Les Français ont réalisé dans divers pays à l'étranger des œuvres de grande importance.
4. L'industrie automobile joue un rôle important dans l'équilibre de la balance commerciale. On exporte des voitures françaises dans toutes   30 les parties du monde. Les marques principales sont: **Citroën, Peugeot** et **Renault.**
5. L'industrie aéronautique et aérospatiale construit des avions, des hélicoptères et des engins spatiaux. L'Aérospatiale fabrique les avions d'Airbus Industrie en coopération avec les Pays-Bas, l'Allemagne, la   35 Grande Bretagne et l'Espagne. Cette industrie a réalisé des dimensions internationales avec les **Airbus** et avec l'avion franco-britannique, le supersonique **Concorde.** La plus grande ligne d'aviation européenne, **Air France,** couvre le monde entier. Dans le domaine spatial, la fusée européenne **Ariane** est un grand succès.   40

---

17 **l'industrie ferroviaire** railroad industry
39 **la fusée** rocket

INDUSTRIE

6. Le rôle des industries textiles, qui étaient florissantes surtout dans le nord-est, est moins important qu'au passé. Mais on continue à produire de belles soies à Lyon.

7. L'industrie chimique prend une importance de plus en plus considérable. Par conséquent, la France est maintenant un pays exportateur de produits chimiques et pharmaceutiques. La production du verre, du caoutchouc et des matières plastiques est toujours en augmentation.

8. À cause de son manque de ressources énergétiques naturelles, la France a développé un programme nucléaire très ambitieux, l'énergie nucléaire étant devenue sa principale source de production d'électricité. On assiste au déclin du charbon et du pétrole et à la progression constante de l'énergie nucléaire, dont la France a progressivement acquis la maîtrise. On utilise l'énergie hydro-électrique des torrents ou des grands fleuves (Rhône, Rhin) pour produire de l'électricité. Le gaz naturel contribue aussi aux besoins de l'économie. De plus, le vent, le soleil et les marées de la mer contribuent un peu à la production totale de l'énergie. La France doit importer du pétrole brut, du charbon et du gaz naturel pour satisfaire ses besoins.

LE COMMERCE

1. Sa situation stratégique a fait de la France une puissance maritime. Les ports de mer sont nombreux. Il y a des constructions navales surtout dans les régions des ports de l'Atlantique et de la Manche.
2. Paris est la capitale de la haute couture. C'est ici que la mode féminine 5 est devenue un art. Quelques-uns des couturiers les plus connus sont: **Coco Chanel, Christian Dior, Pierre Cardin, Yves Saint-Laurent, André Courrèges** et **Hubert de Givenchy.**
3. Dans un pays où l'art et l'industrie s'unissent, les ouvriers qualifiés peuvent se distinguer dans les métiers qui exigent de l'élégance et de 10 la délicatesse — les industries de luxe. Les Français ont une renommée universelle pour la perfection de leurs produits. Paris fabrique une grande quantité d'articles de luxe: bijoux, argenterie, objets en cuir, tapisseries des Gobelins, objets d'art, produits photographiques, instruments de précision. D'autres villes aussi doivent leur réputation 15 à des spécialités:

> **Alençon** — dentelles
> **Aubusson** et **Beauvais** — tapis
> **Baccarat** — cristallerie
> **Besançon** — montres et horloges 20
> **Grenoble** — gants
> **Limoges** et **Sèvres** — porcelaine de luxe

4. Le tourisme, surtout le tourisme étranger, mérite une mention spéciale puisqu'il contribue beaucoup à l'économie française.
5. La France importe des matières premières pour ses industries: pétrole, 25 laine, coton, soie, caoutchouc; et des produits alimentaires: café, cacao, fruits tropicaux.

   Elle exporte: tissus, vêtements, automobiles, avions, produits chimiques et pharmaceutiques, articles de luxe, parfums et produits alimentaires — vins, fromages, conserves. 30
6. Les activités économiques sont liées aux moyens de transport intérieurs et extérieurs: le réseau fluvial, le réseau routier, les chemins de fer, la navigation maritime et la navigation aérienne.
7. La France possède un excellent réseau fluvial — l'ensemble des fleuves, des rivières et des canaux. Les nombreux canaux qui relient 35 les fleuves et les rivières permettent un transport économique des marchandises lourdes. Les principaux ports fluviaux sont Paris, Rouen, Strasbourg et Lyon.

---

5   **la haute couture** exclusive and often trend-setting fashion
25   **les matières premières** raw materials
28   **le tissu** fabric
30   **les conserves** canned food

8. Le réseau routier est très dense. On modernise les routes et l'on crée un ensemble d'autoroutes. Les principales routes nationales rayonnent de Paris vers les frontières. Sur les routes, généralement bordées d'arbres, en plus des voitures et des camions on voit quantité
5   de bicyclettes et de motocyclettes.

9. La **S.N.C.F. (Société Nationale des Chemins de Fer),** sous le contrôle du gouvernement, administre le réseau ferroviaire, les chemins de fer. Toutes les grandes lignes forment une toile d'araignée autour de Paris. Ce réseau relie la capitale avec les autres villes importantes de France
10   et d'Europe. Les trains français sont les plus rapides du monde. Le **TGV (Train à Grande Vitesse)** a atteint le record mondial avec une vitesse de pointe de 260 kilomètres (162 miles) à l'heure. Dans le domaine des métros, la France jouit d'une excellente réputation.

10. Certains autres moyens de communication en France sont également
15   la responsabilité du gouvernement central. Le service postal et des télécommunications, les **P.T.T.** — postes, télégraphes et téléphones — est administré par l'État. Les P.T.T. ont récemment créé le **Minitel,** un service électronique qui permet d'obtenir toutes sortes de renseignements chez soi, au bureau ou dans les postes avec un ter-
20   minal d'ordinateur. On peut acheter des timbres dans les bureaux de tabac aussi bien que dans les bureaux de poste. En France, le tabac est un monopole du gouvernement.

11. Les communications aériennes sont assurées par la **Compagnie Air France** et quelques compagnies privées. Le plus fort trafic est à des-
25   tination de l'étranger. **Charles de Gaulle,** près de Paris, est le plus grand aéroport international de la France.

    La France, qui fait partie de la Communauté Européenne, joue un rôle important dans la vie économique de l'Europe.

NOTE:

[1] **Communauté Européenne (CE):** The European Community was originally formed in 1957 to remove trade barriers and create a common market among its members. As of January 1993, the economies of the member countries became officially a single common market.

---

2 **l'autoroute** superhighway
8 **la toile d'araignée** spider's web

Exercice A

Pour chaque expression de la première colonne, donnez la lettre du nom correspondant de la seconde colonne:

1. liqueur célèbre
2. fromage français
3. produit de Vichy
4. maison de haute couture
5. porcelaine
6. essences pour la parfumerie
7. voiture française
8. fusée spatiale
9. boisson de Normandie
10. exportation française

a. Ariane
b. articles de luxe
c. bénédictine
d. brie
e. cidre
f. Christian Dior
g. eau minérale
h. Grasse
i. Limoges et Sèvres
j. Renault

Exercice B

Vrai ou faux? Indiquez si chaque phrase est vraie ou fausse. Si elle est fausse, changez-la pour la rendre vraie:

1. Il y a en France un bon équilibre entre la production agricole et la production industrielle.
2. En général, le sol ne fournit pas aux Français de quoi se nourrir suffisamment.
3. Pour la plupart des ouvriers français, la quantité compte plus que la qualité.
4. La principale source d'électricité en France est l'énergie hydro-électrique.
5. Les Français cultivent une variété de fruits et de légumes.
6. Les principales industries du pays sont l'industrie automobile et le tourisme.
7. La France est un grand pays d'élevage.
8. La production française de machines et d'appareils électriques est presque négligeable.
9. La France manque de bons ports.
10. La France doit importer de grandes quantités de bauxite.
11. Le pays est importateur de produits chimiques et de produits alimentaires.
12. La France joue un rôle actif dans la Communauté Européenne.

Exercice C

Identifiez:

1. centre de haute couture
2. région de production laitière très riche

3. service électronique créé par les P.T.T.
4. ville connue pour sa cristallerie
5. fromage fabriqué avec du lait de brebis
6. région qui fournit des quantités énormes de fleurs
7. aéroport international de France
8. grande ligne française d'aviation
9. train le plus rapide
10. avion international construit en France

Exercice D

Complétez en français:

1. Les plaines et les bassins des _____ sont les régions les plus fertiles.
2. Les routes françaises sont généralement bordées de (d') _____ .
3. Le champagne et le _____ sont des vins renommés.
4. Deux grands ports fluviaux sont Paris et _____ .
5. Les Français et les _____ ont coopéré pour produire le Concorde.
6. Il y a des constructions navales surtout dans les ports de l'Atlantique et de la _____ .
7. En France, c'est l'État qui administre les postes, les télégraphes et les _____ .
8. Deux grands centres industriels sont Paris et _____ .
9. Un réseau de _____ relie les fleuves et les rivières.
10. Tous les chemins de fer forment une toile d'araignée autour de _____ .

36

La Vie quotidienne

RELIGION

La plupart des Français sont catholiques, mais il n'y a pas de religion officielle en France. La Cinquième République respecte toutes les croyances.

ENSEIGNEMENT   5

L'instruction en France est gratuite et obligatoire pour tous les enfants de six à seize ans. L'enseignement est administré par le ministère de l'Éducation nationale, et à cet effet la France est divisée en régions, appelées **Académies.** À côté des écoles publiques, il y a des établissements privés, généralement catholiques. Les écoles françaises cherchent à don- 10
ner à chaque élève un enseignement en rapport avec ses aptitudes.

L'enseignement préscolaire, donné dans des écoles maternelles aux enfants de deux à cinq ans, n'est pas obligatoire.

L'enseignement élémentaire, commun à tous les enfants français, dure cinq ans. Les jours de congé sont le mercredi et le dimanche. Le samedi, 15
il y a des classes de huit heures du matin jusqu'à midi.

L'enseignement secondaire consiste en deux cycles. Le premier cycle, donné dans les collèges, est obligatoire. Il dure quatre ans. Le second cycle est facultatif et peut être **long** ou **court.** Le second cycle long, de trois ans, est donné dans les lycées. Il mène au **baccalauréat** — appelé familière- 20
ment bac ou bachot — et à l'enseignement supérieur. Le second cycle court, de deux ans, offre des cours techniques.

L'enseignement supérieur se donne dans les facultés des universités et dans les «grandes écoles», des écoles de spécialisation qui préparent aux carrières supérieures de l'administration, de l'enseignement, de 25
l'industrie, du commerce, de l'armée, de la marine. Parmi les grandes

---

    quotidien daily
  6 **gratuit** free
  7 **le ministère** ministry
 12 **l'école maternelle** nursery school
 15 **le jour de congé** day off
 19 **facultatif** optional

écoles, citons: **l'École Normale Supérieure** (où sont préparés les professeurs de l'enseignement secondaire et supérieur); **l'École Polytechnique**
(qui forme des ingénieurs); **l'École des Beaux-Arts; l'École des Mines;** et
les écoles militaires — **l'École Interarmes** (autrefois l'École militaire de
5   Saint-Cyr), qui est le «West Point» de France; **l'École Navale;** et **l'École de
l'Air.**

LOISIRS

1. Les sports ont conquis une place importante en France, où l'on trouve
aujourd'hui des milliers de sociétés sportives. Parmi les sports favoris,
10   il faut mentionner le football, le cyclisme, l'alpinisme, le ski, la natation, la pêche et le tennis. Chaque année les sports sous-marins
deviennent de plus en plus à la mode. Les Français, qui aiment vivre
en plein air, font beaucoup de camping. Il y a aussi des sports régio-
naux: du pays basque vient **la pelote; le jeu de boules** est populaire
15   surtout dans le Midi.
   La course de bicyclettes la plus célèbre est **Le Tour de France,** qui
se dispute tous les ans en juillet. Cette épreuve internationale, qui dure
plus de trois semaines, est sans doute l'événement auquel les Français
s'intéressent le plus.
20   2. **Le café** joue un rôle social dans la vie quotidienne des Français. C'est
le lieu social où l'on rencontre ses amis. Au café, les clients peuvent
lire le journal, écrire des lettres ou jouer aux cartes. La plupart des cafés
ont aussi des terrasses en plein air sur le trottoir, où sont placées des
tables et des chaises.
25   3. Le théâtre, le cinéma, l'opéra, le ballet et les concerts attirent un grand
nombre de Français. Paris est le centre de la vie théâtrale, mais il y a
des centres dramatiques dans toutes les parties de la France. Les
théâtres nationaux, subventionnés par l'État, sont: **l'Opéra** avec ses
deux théâtres, **la Salle Garnier** et **l'Opéra de la Bastille,** et **l'Opéra
30   Comique** qui donnent des opéras et des ballets; **la Comédie-Française**
et **le Théâtre National de l'Odéon,** qui jouent des pièces classiques; et
le Théâtre National Populaire, où l'on peut souvent voir des pièces
nouvelles ou expérimentales.
   Dans les théâtres français, on annonce le lever du rideau par trois
35   coups frappés derrière la scène. En France, on donne un pourboire aux
placeurs ou ouvreuses (personnes qui placent les spectateurs dans les
théâtres et les cinémas).
4. Les Français aiment aussi lire et visiter les musées et les expositions
d'art. On publie des milliers de livres en France chaque année. Parmi

---

10   **le football** soccer
10   **l'alpinisme** mountain climbing

les journaux de Paris, citons: *France-Soir*, *Le Monde*, *Le Figaro* et *Le Parisien libéré*. Le nombre de postes récepteurs de télévision augmente sans cesse. Quant à la Loterie nationale, autorisée par le gouvernement, elle est très populaire.

5. À la longue liste d'attractions, ajoutons celle qui s'appelle «Son et Lumière». C'est un spectacle dramatique qui a lieu dans le cadre d'un monument historique, comme les châteaux de la Loire, le palais des Papes à Avignon et la Cité de Carcassonne. Le *Son* est la narration des événements y ayant pris place accompagnée d'une partie musicale appropriée; la *Lumière* est constituée par des effets de lumière ou de couleurs qui soulignent l'intensité de la présentation.

FÊTES

Les Français célèbrent beaucoup de fêtes, dont la plupart sont d'origine religieuse. Les fêtes légales sont:

1. **le jour de l'An** — le 1er janvier; on donne et on reçoit des étrennes et on souhaite à tout le monde «une bonne et heureuse année».
2. **Pâques** — fête religieuse, en mars ou avril (dimanche et lundi).
3. **la fête du Travail** — le 1er mai; le muguet, qui doit porter bonheur, se vend partout dans les rues.
4. **l'Ascension** — fête religieuse célébrée quarante jours après Pâques.
5. **la fête de Jeanne d'Arc** — le deuxième dimanche du mois de mai; c'est également le jour V qui commémore la fin de la Seconde Guerre Mondiale.
6. **la Pentecôte** — fête religieuse qui a lieu le septième dimanche après Pâques (dimanche et lundi).
7. **la fête nationale** — le 14 juillet; l'anniversaire de la prise de la Bastille.
8. **l'Assomption** — fête religieuse qui tombe le 15 août.
9. **la Toussaint** — le 1er novembre; fête religieuse en l'honneur de tous les saints.
10. **la fête de la Victoire** — le 11 novembre; commémore la fin de la guerre de 1914–1918.
11. **Noël** — le 25 décembre. En France, seulement les enfants reçoivent des cadeaux. Ils déposent leurs chaussures devant la cheminée ou près de l'arbre de Noël pour la visite du Père Noël. Après la messe de minuit à l'église, la famille prend un grand repas, le réveillon.

---

15 **une étrenne** New Year's present
17 **Pâques** Easter
18 **le muguet** lily of the valley
24 **la Pentecôte** Pentecost, Whitsuntide

CUISINE

Pour le Français, la cuisine est un art et une tradition. Puisque le Français est un **gourmet,** c'est-à-dire, quelqu'un qui aime la bonne chère, les repas sont toujours préparés avec soin. Il faut beaucoup de temps pour
5 prendre un repas en France parce que manger est un grand plaisir. Comme le climat et le sol du pays, la cuisine française est très variée. Chaque région a ses propres spécialités délicieuses. Comme les Français ne peuvent rien manger sans pain, le régime français en comprend une grande quantité.
10 Vers huit heures du matin, on prend le petit déjeuner: du café au lait ou du chocolat et du pain beurré, des croissants ou des brioches. Le déjeuner, qu'on prend vers midi, et le dîner, pris après sept heures du soir, consistent en plusieurs plats: hors-d'œuvre ou potage, poisson, viande ou volaille avec des légumes, salade, fromage et fruits. Pendant le
15 repas, on boit du vin, du cidre ou de l'eau minérale. À la fin du repas, le Français préfère du café.
Quelques-uns des plats célèbres dont la France a enrichi l'art culinaire sont: la soupe à l'oignon, le pâté de foie gras, le coq au vin, le pot-au-feu, la bouillabaisse (spécialité culinaire de Marseille) et les crêpes Suzette.
20 Dans les restaurants français, les plats sont généralement servis sur commande. On peut commander un repas à la carte (le prix de chaque plat étant indiqué) ou à prix fixe (le prix du repas entier étant déterminé d'avance). La carte du jour se trouve bien en vue devant chaque restaurant pour faire savoir aux clients les plats du jour et les prix. Le bistro, petit
25 restaurant simple, est très fréquenté par les Français.

UNITÉS DE MESURE

1. **Le système métrique** fut institué en France au début du XIXe siècle. Ce système, dont le mètre est la base, est très simple parce qu'il n'a que des multiples et des subdivisions décimales. Il est en vigueur
30 aujourd'hui dans presque tous les pays de l'Europe et de l'Amérique du Sud. Les scientifiques du monde entier l'emploient.
Le mètre est l'unité de longueur.
1 mètre = 100 centimètres (39.37 inches)
1.000 mètres = 1 kilomètre (5/8 mile)
35 **Le gramme** est l'unité de masse.
1.000 grammes = 1 kilogramme (2.2 pounds)
Le litre est l'unité de mesure de capacité. Il vaut un peu plus que le «quart» américain.

---

3 **la bonne chère** good food
8 **le régime** diet
14 **la volaille** poultry

2. L'unité monétaire en France était **le franc**. Depuis 2002, c'est l'**euro**. Il y a 100 **centimes** dans un euro.
3. Le thermomètre **centigrade**, qu'on emploie en France, comprend 100 divisions. Le point 0 correspond à la température de la glace fondante et le point 100 à celle de la vapeur d'eau bouillante.

5

Exercice A

Pour chaque expression de la première colonne, donnez la lettre du nom correspondant de la seconde colonne:

1. spectacle dramatique
2. fête des étrennes
3. enseignement préscolaire
4. spécialité culinaire
5. unité de capacité
6. croissants et brioches
7. repas fait dans la nuit de Noël
8. petit restaurant populaire
9. unité de masse
10. fête religieuse

a. bistro
b. école maternelle
c. gramme
d. Jour de l'An
e. litre
f. Pâques
g. pâté de foie gras
h. petit déjeuner
i. réveillon
j. Son et Lumière

Exercice B

Vrai ou faux? Indiquez si chaque phrase est vraie ou fausse. Si elle est fausse, changez-la pour la rendre vraie:

1. L'enseignement public coûte cher en France.
2. La plupart des Français sont protestants.
3. Le premier cycle de l'enseignement secondaire, qui dure quatre ans, est obligatoire.
4. On cherche à donner à chaque élève français la forme d'enseignement qui répond le mieux à ses aptitudes.
5. Pour voir des pièces de théâtre en France, il faut aller à Paris.
6. Le gouvernement français interdit les loteries.
7. Le système métrique fut institué en France pendant le règne de Louis XV.
8. L'École Interarmes est l'équivalent français de notre Académie Navale d'Annapolis.
9. En France, on donne des pourboires aux ouvreuses de cinéma et de théâtre.
10. D'ordinaire, les Français donnent des cadeaux à leurs amis pour la fête de Noël.

Exercice C

Identifiez:

1. la grande école qui forme des ingénieurs
2. un sport d'origine basque
3. la fleur qui se vend dans la rue le 1er mai
4. une spécialité culinaire de Marseille faite avec une variété de poissons
5. une personne qui aime la bonne chère
6. l'unité monétaire de France
7. l'événement sportif le plus suivi en France
8. mille mètres
9. le fête du 1er novembre en l'honneur des saints
10. le thermomètre qui s'emploie en France

Exercice D

Complétez en français:

1. La scolarité en France est obligatoire à partir de _____ ans et jusqu'à l'âge de _____ ans.
2. On donne l'enseignement supérieur dans les facultés des _____ et dans les «_____ écoles».
3. À la fin des études de trois ans dans le lycée, on obtient le _____, appelé aussi le bachot.
4. En France, il n'y a pas de classes le _____ et le dimanche.
5. Beaucoup de _____ français ont des terrasses sur le trottoir.
6. Le _____ vaut à peu près 2.2 livres américaines.
7. On joue aux boules, sport régional, surtout dans le _____ de la France.
8. La _____, célèbre théâtre national où l'on joue des pièces classiques, fut fondée en 1680 par ordre de Louis XIV.
9. Les enfants français déposent leurs _____ devant la cheminée pour la visite du _____ Noël.
10. Deux journaux quotidiens de Paris sont _____ et _____.
11. On annonce le _____ dans les théâtres par trois coups frappés derrière la scène.
12. On peut commander un repas à la _____ ou à prix _____.

37

La Littérature

MOYEN ÂGE

On considère traditionnellement les *Serments de Strasbourg* — le traité d'alliance conclu par Louis le Germanique et Charles le Chauve en 842 — comme le premier document en vieux français. Mais les premières œuvres littéraires, **les chansons de geste,** datent du Moyen Âge. Ces poèmes 5
épiques célèbrent avec un enthousiasme patriotique et religieux les exploits légendaires des chevaliers de la société féodale.

La Chanson de Roland, composée au commencement du XIIe siècle, est la plus ancienne et la plus belle des chansons de geste. Ce premier chef-d'œuvre de la littérature française, dont on ne connaît pas l'auteur, 10
raconte l'histoire idéalisée de Charlemagne et de son neveu, Roland, dans les guerres contre les Sarrasins d'Espagne.

François Villon, poète éloquent du XVe siècle, mena une vie aventureuse, une vie de bohème. On le considère comme le premier des grands poètes lyriques français. Avec un accent personnel, plein de sincérité et 15
de sentiment, il chante ses propres fautes, les misères du temps et la mort. Dans une de ses ballades, on trouve le vers si souvent cité: «Mais où sont les neiges d'antan?»

XVIe SIÈCLE

Au XVIe siècle, la littérature française perd son caractère populaire. 20
On découvre l'antiquité gréco-latine et on écrit pour une élite cultivée. C'est l'époque de **la Renaissance.**

François Rabelais (vers 1494–1553) exprime l'enthousiasme de la Renaissance et l'amour de la vie sous toutes les formes. Dans ses romans amusants et satiriques *Gargantua* et *Pantagruel,* où il raconte les aventures 25
de deux géants imaginaires, il nous peint avec une verve extraordinaire la société et les mœurs de son temps. Esprit érudit, il énonce des idées modernes sur l'éducation et sur le développement complet de l'individu.

Pierre de Ronsard (1524–1585), le plus grand poète du XVIe siècle,

---

5   **la chanson de geste** medieval epic poem
17   **«Mais où sont les neiges d'antan?»** ''But where are the snows of yesteryear?''

fut le chef de **la Pléiade,** un groupe de sept jeunes poètes. S'inspirant de l'antiquité, il essaya de renouveler la forme de la poésie française à l'imitation des anciens et des Italiens.

    Michel de Montaigne (1533–1592), philosophe, humaniste et mora-
5 liste, inventa un nouveau genre de littérature. Ses observations person-
nelles et morales se trouvent dans ses *Essais,* où il étudie l'homme en général et lui-même en particulier. Affirmant que l'homme ne peut trouver la vérité et la justice, Montaigne recommande la modération, du bon sens et un esprit de tolérance. Son scepticisme se résume dans la question:
10 «Que sais-je?»

XVIIᵉ SIÈCLE: L'ÂGE D'OR

    Le XVIIᵉ siècle, surtout le règne de Louis XIV, est vraiment l'âge d'or de la littérature française. C'est la période du classicisme, doctrine littéraire fondée sur le respect de la tradition antique. Le classicisme est un
15 mouvement d'ordre et de discipline dans tous les genres. Les auteurs, en analysant les sentiments humains, cherchent une perfection de forme, d'expression et de style. Dans le théâtre, on établit la règle des trois unités: action, temps et lieu. D'après cette règle dramatique, la pièce entière doit se développer en une seule action principale, dans l'espace d'une journée
20 et dans le même lieu.

    Pierre Corneille (1606–1684) est le créateur de l'art classique au théâtre. Ses héros intellectuels, motivés par les sentiments les plus nobles, doivent choisir entre leur devoir et leur passion dans des situations compliquées. C'est la volonté, plutôt que l'amour, qui influence leur actions.
25 Les tragédies remarquables de Corneille comprennent *Le Cid, Cinna, Horace* et *Polyeucte.*

    Jean de la Fontaine (1621–1695), l'admirable fabuliste français, peint, sous le couvert du règne animal, un tableau de la vie humaine et de la société de son époque. Ses *Fables* en vers sont des chefs-d'œuvre de
30 morale et de style.

    Molière, pseudonyme de Jean-Baptiste Poquelin (1622–1673), est le plus grand écrivain français de comédies classiques. Appelé souvent le Shakespeare français, il peint des types éternels plutôt que des individus. Il s'attaque d'une façon comique aux vices humains dans ses chefs-
35 d'œuvre: *Les Précieuses ridicules, Le Médecin malgré lui, Le Bourgeois Gentilhomme, Tartuffe, L'Avare.*

    Jean Racine (1639–1699), le plus grand des poètes tragiques, analysa les passions humaines en état de crise. Son théâtre est l'expression la plus

---

  2 **renouveler** to renew
  9 **se résumer** to be summed up
24 **la volonté** will
27 **le fabuliste** writer of fables

pure du génie classique. Parmi ses œuvres principales, citons *Andromaque*, *Athalie* et *Phèdre*.

D'autres écrivains illustres du XVIIe siècle sont les philosophes **Blaise Pascal** (1623–1662) et **René Descartes** (1596–1650) (voir chapitre 40). La philosophie de Descartes se résume dans la proposition célèbre: «Je pense,   5
donc je suis».

XVIIIe SIÈCLE

La littérature du XVIIIe siècle est une littérature militante, presque entièrement en prose, opposant à la tradition et à l'autorité la raison humaine et l'individualisme. C'est l'époque de l'esprit critique et scientifique,   10
l'époque des nouvelles idées politiques et sociales, l'époque des grands philosophes. Les principaux précurseurs de la Révolution française sont Montesquieu, Voltaire, Rousseau et Diderot. Les auteurs de la Constitution américaine adoptèrent plusieurs de leurs idées.

Charles de Secondat de Montesquieu (1689–1755) est l'auteur des   15
Lettres persanes, une satire et une critique des institutions françaises, et de *L'Esprit des lois*. Dans ces livres, Montesquieu expose des idées originales sur la législation, la séparation des pouvoirs gouvernementaux et la liberté politique. Ses idées contribuèrent à renverser la monarchie française et à créer la Constitution américaine. Montesquieu est un des fon-   20
dateurs de la sociologie moderne.

Voltaire (1694–1778), dont le vrai nom était François-Marie Arouet, domine le XVIIIe siècle. Esprit satirique, il attaque l'absolutisme, l'injustice sociale et les autres abus des institutions françaises. Il se fait le défenseur de l'humanité et de la liberté sous tous les aspects. Son œuvre   25
immense et de genres variés comprend les *Lettres philosophiques* et *Candide*, roman philosophique et satirique. Voltaire a puissamment agi sur la pensée du XVIIIe siècle.

Jean-Jacques Rousseau (1712–1778) est le théoricien de la démocratie. En attaquant violemment l'ordre social, il inspire la révolte intellectuelle   30
qui mène à la Révolution. Rousseau est le défenseur de la liberté et de l'égalité de l'individu et de la souveraineté du peuple. Ses théories pédagogiques, surtout celle du retour à la nature, ont profondément influencé l'éducation moderne. Son amour de la nature et sa sentimentalité font de Rousseau le précurseur du mouvement romantique. Ses princi-   35
pales œuvres sont: *La Nouvelle Héloïse*, *Le Contrat social* et *Émile*.

Denis Diderot (1713–1784) dirigea, avec Jean Le Rond d'Alembert (1717–1783), la publication de *l'Encyclopédie*, le grand arsenal de propagande des nouvelles idées philosophiques. Cette œuvre gigantesque fut écrite avec la collaboration de tous les savants et de tous les hommes de   40
lettres du siècle. Attaquant la tradition, Diderot exprime sa foi dans le progrès de l'humanité.

XIXᵉ SIÈCLE

La première moitié du XIXᵉ siècle produit une réaction littéraire contre la tradition classique. C'est l'époque du **romantisme,** qui veut laisser à l'écrivain toute liberté. Ce mouvement, qui trouve son origine dans les
5 œuvres de Rousseau, continue à se développer au début du XIXᵉ siècle dans les théories de **Mme de Staël** (1766–1817) et dans les ouvrages de **François René de Chateaubriand** (1768–1848). Dans la littérature romantique, qui essaie de créer l'émotion, chaque écrivain exprime librement sa personnalité et son individualisme. C'est une littérature lyrique dont les
10 éléments essentiels sont l'imagination, le sentiment et l'amour de la nature.

    Victor Hugo (1802–1885) fut le chef de l'école romantique et son plus grand poète. Il est renommé aussi pour ses pièces de théâtre et ses romans *Notre-Dame de Paris* et *Les Misérables.*
15   Les autres poètes romantiques de cette époque sont **Alphonse de Lamartine** (1790–1869), **Alfred de Vigny** (1797–1863) et **Alfred de Musset** (1810–1857).

    Stendhal (nom de plume de Henri Beyle) (1783–1842) reflète dans ses romans psychologiques l'influence du romantisme. **George Sand** (nom de
20 plume d'Aurore Dupin) (1804–1876) est l'auteur d'un nombre de romans lyriques.

    Honoré de Balzac (1799–1850) peint un tableau des mœurs et des problèmes de son temps dans *La Comédie humaine,* une série de vingt-quatre romans admirables et de nombreuses nouvelles. Deux de ses chefs-
25 d'œuvre sont *Eugénie Grandet* et *Le père Goriot.* Avec Balzac, le roman évolue du romantisme vers **le réalisme.** C'est un écrivain remarquable par la puissance de son observation, par sa peinture exacte de toutes les classes de la société et par son imagination féconde.

    Alexandre Dumas père (1802–1870) écrivit un grand nombre de ro-
30 mans historiques, qui sont populaires encore aujourd'hui dans le monde entier, comme *Les Trois Mousquetaires* et *Le Comte de Monte-Cristo.*

    Au milieu du XIXᵉ siècle naissent des tendances nouvelles qui s'opposent au romantisme. La littérature se rapproche de la vie réelle, de la vérité et du matérialisme. Ce mouvement réaliste évolue vers **le**
35 **naturalisme,** qui cherche à analyser et à peindre la vie et la nature telles qu'elles sont. On devient impersonnel, intellectuel et même scientifique.

    Gustave Flaubert (1821–1880), quoique romancier réaliste, garde quelques traits de l'imagination romantique. Ses romans, *Madame Bovary,* par exemple, sont caractérisés par une observation et une docu-
40 mentation minutieuses.

---

24 **la nouvelle** novelette

Edmond de Goncourt (1822–1896) et son frère, **Jules de Goncourt** (1830–1870), décrivent dans leurs romans des caractères en état de crise physique ou sentimentale. Leur style devint raffiné et original.

Alexandre Dumas fils (1824–1895) essaie de défendre dans ses pièces de théâtre dramatiques et brillantes une thèse de morale sociale: *La Dame*   5 *aux camélias.*

Jules Verne (1828–1905) est l'auteur de romans d'aventures fantastiques et le créateur de la fiction scientifique: *Vingt mille lieues sous les mers, Le Tour du monde en 80 jours.*

Alphonse Daudet (1840–1897) est connu surtout pour ses romans   10 d'une sensibilité délicate qui représentent la vie du Midi de la France, comme *Tartarin de Tarascon, Lettres de mon moulin* et *Le Petit Chose.*

Émile Zola (1840–1902), chef de l'école naturaliste, observa et analysa d'une façon scientifique les personnages de ses romans dans la société de son époque. Il est sans égal dans la peinture du peuple. *L'Assommoir* et   15 *Germinal* sont parmi ses ouvrages principaux.

Guy de Maupassant (1850–1893) est le type même du romancier naturaliste. C'est le plus grand maître français de contes, tels que *La Parure* et *La Ficelle.*

Les poètes de l'époque naturaliste veulent être impersonnels, intellec-   20 tuels et scientifiques. **Charles Leconte de Lisle** (1818–1894) est le chef des **Parnassiens,** poètes qui défendent le formalisme et l'art pour l'art. **Charles Baudelaire** (1821–1867), **Stéphane Mallarmé** (1842–1898) et **Paul Verlaine** (1844–1896) contribuent à la fondation du **mouvement symboliste,** qui recherche la valeur symbolique et musicale des mots, l'essence des   25 choses. **Sully Prudhomme** (1839–1907), un poète didactique, reçut le premier prix Nobel de littérature en 1901 et **Frédéric Mistral** (1830–1914), qui écrivit son œuvre en dialecte provençal, le reçut en 1904.

XXᵉ SIÈCLE

C'est un nouvel âge d'or pour la littérature française. De nombreux   30 écrivains exercent par leurs œuvres variées une profonde influence sur leurs contemporains.

Parmi les romanciers il faut citer:

Anatole France (1844–1924) est un romancier, satiriste et philosophe plein d'érudition. Ses ouvrages sont d'une ironie délicate et d'un style   35 parfait. Citons: *Le Crime de Sylvestre Bonnard* et *Le Livre de mon ami.*

---

11   **la sensibilité** feeling
11   **le Midi** south (of France)
18   **la parure** necklace
19   **la ficelle** piece of string

Pierre Loti (1850–1923), romancier impressionniste, est attiré par les paysages et les civilisations exotiques. Il est l'auteur de *Pêcheur d'Islande*.

Romain Rolland (1866–1944) est l'auteur de romans et de pièces de théâtre. Il inaugure le genre du **roman-fleuve**, un roman très long, or-
5 ganisé en épisodes successifs et souvent en plusieurs volumes. *Jean-Christophe*, dont l'ensemble compte 10 volumes, lui gagne le Grand Prix de l'Académie Française. Rolland croit en l'indépendance de l'esprit et la foi en l'humanité (Prix Nobel de littérature 1915).

André Gide (1869–1951) est l'écrivain le plus important de la France
10 entre les deux guerres mondiales. Il a fondé avec un groupe d'amis *La Nouvelle Revue française*. Son œuvre, qui compte plus de soixante titres, est étonnamment variée: contes, récits, romans, drames. Dans ses romans célèbres, *La Symphonie pastorale* et *Les Faux monnayeurs*, Gide se révèle comme un humaniste au style lucide, médité et subtil. Son œuvre est
15 dominée par la haine du mensonge et le rejet de la tradition et de l'hypocrisie. Trois de ses récits bien connus sont *Si le Grain ne meurt*, *L'Immoraliste* et *La Porte étroite*. Ses récits sont souvent autobiographiques. Parfois il aime exprimer ses idées sous forme de fables et de mythes. Gide a un style entièrement original, avec un vocabulaire très
20 étudié. Ses goûts artistiques l'attirent vers le classicisme. Son influence a été considérable (Prix Nobel de littérature 1947).

Marcel Proust (1871–1922), dans son vaste roman *À la recherche du temps perdu*, qui compte douze volumes, utilise des faits de sa vie pour une recherche allégorique de la vérité. Tout ce qui est transitoire dans la
25 vie, la recherche du bonheur à travers la vie sociale, l'amour, l'art conduisent au désappointement et à la tristesse. Mais la mémoire inconsciente conserve la réalité à la fois présente et passée de tout ce qui est beau ou bon, qui devient ainsi indestructible et éternel comme une œuvre d'art.

Roger Martin du Gard (1881–1958), romancier et dramaturge, analyse
30 les problèmes intellectuels et moraux de son époque. Il a écrit *Jean Barois* en 1913 et un vaste roman-fleuve, *Les Thibault*, en huit volumes. Martin du Gard est peut-être, de tous les romanciers du XXᵉ siècle, celui qui a le plus cherché à rapprocher le roman de l'histoire. C'est un historien moraliste. Parmi ses grands thèmes sont le destin, la justice, le dialogue de
35 l'esprit et du cœur et le mystère de la mort (Prix Nobel de littérature 1937).

Georges Duhamel (1884–1966), médecin-biologiste et romancier, a une profonde compassion pour l'humanité. Il conseille de cultiver la vie intérieure sur laquelle est basée la fraternité du genre humain. Dans son roman-cycle en dix volumes, *La Chronique des Pasquier*, il peint une
40 tapisserie romanesque d'une société en état de crise et essaie de concilier le réalisme et l'idéalisme.

André Maurois (1885–1967) est l'auteur de souvenirs de guerre romancés, de romans, d'essais, d'études historiques et de biographies littéraires. Il a écrit des histoires de l'Angleterre et des États-Unis. Il s'est
45 rendu célèbre comme biographe d'écrivains anglais et français: Shelley,

Byron, Proust, George Sand, Hugo, Dumas. Très connu à l'étranger, il trouve une large audience dans les pays de langue anglaise.

François Mauriac (1885–1970), romancier, dramaturge et essayiste catholique se plaît à analyser les âmes tourmentées. Ses romans, comme *Thérèse Desqueyroux* ou *Nœud de vipères*, offrent la vision d'un monde humain en lutte contre le mal et la douleur, mais aidé par la grâce. Il écrit également des pièces de théâtre et des articles critiques et politiques. Son style est riche, puissant, varié, tour à tour chargé d'orages et harmonieux (Prix Nobel de littérature 1952).

Jules Romains (1885–1972) est l'initiateur de l'unanimisme. Cette théorie affirme l'absorption de la personnalité individuelle par le groupe, la foule, la ville, le pays. C'est une fraternité universelle où le groupe, et non l'individu, domine. Romains est l'auteur de pièces de théâtre (*Knock*), de poèmes, d'essais et d'un roman monumental, *Les Hommes de bonne volonté*. Dans ce roman-cycle, Romains peint en vingt-sept volumes la multiplicité des activités humaines.

Antoine de Saint-Exupéry (1900–1944), pilote de ligne, puis pilote de guerre, évoque dans ses romans la vie héroïque des aviateurs civils et militaires. Il tire son œuvre directement de son métier, l'aviation, et c'est son métier qui lui donne un monde nouveau à peindre, celui du danger perpétuel, des aventures mortelles et des joies de l'aviation. Dans ses romans, *Vol de nuit*, *Pilote de guerre*, *Terre des hommes*, il ressent dans le contact avec le vent, le sable et la mer une solidarité fraternelle avec la terre des hommes. *Le Petit Prince* est un conte destiné aux adultes comme aux enfants. Saint-Exupéry est légendaire pour son courage et son charme. En 1944, il disparaît sur le front méditerranéen au retour d'une mission.

André Malraux (1901–1976) considère le roman comme un moyen d'exprimer le tragique et la noblesse de l'espèce humaine. Il étudie les passions qui conduisent ses héros à lutter et à mourir pour un idéal. Agnostique, il fait de la fraternité une religion. Il participe à la guerre des républicains espagnols contre Franco et pendant la libération de la France, il commande la célèbre brigade «Alsace-Lorraine». Il participe à la vie politique aux côtés du général de Gaulle et devient ministre de l'Information et plus tard ministre des Affaires culturelles. Pour le roman qui domine son œuvre, *La Condition humaine*, on lui a décerné le prix Goncourt en 1933.

Marguerite Yourcenar (1903–1987) est l'auteur de romans historiques d'analyse pénétrante: *Les Mémoires d'Hadrien*, *L'Abysse*. Ses romans évoquent un passé qui illumine le présent. Son œuvre reflète en détails précis et pittoresques ses voyages à travers le monde. Yourcenar, érudite et philosophe, est un écrivain de tendance classique. Elle est la première et la seule femme admise à l'Académie Française. Elle était citoyenne de la France et des États-Unis où elle a passé de nombreuses années.

Georges Simenon (1903–1989), né en Belgique, est l'auteur de multiples romans policiers reliés par le personnage du Commissaire Maigret.

À partir de 1957, un groupe d'écrivains français crée un nouveau genre de roman qu'on appelle le «nouveau roman». Ces auteurs rejettent les éléments qui ont fait l'intérêt et la valeur du roman traditionnel. Il ne s'agit plus d'amuser le lecteur par des histoires et de l'intriguer par des compli-
5 cations psychologiques. Ce qui compte, c'est la manière plutôt que l'idée, c'est l'objectivité. En employant des descriptions méticuleuses et répétées, on veut faire sentir les mystérieux rapports des objets, des gestes, des personnages, même si leurs traits restent vagues. Le sujet n'est que suggéré; le lecteur doit le découvrir. Des membres de ce groupe sont:
10   **Nathalie Sarraute** (1902–   ) Son refus de la psychologie traditionnelle et sa recherche des sensations à l'état naissant font d'elle un des initiateurs du «nouveau roman» (*Tropismes*).
        Claude Simon (1913–   ) a obtenu le prix Nobel de littérature en 1985. Ses romans, *La Route des Flandres*, par exemple, sont caractérisés
15 par un style fluide de longues phrases compliquées, souvent sans ponctuation. Ils donnent des descriptions précises et détaillées d'impressions sensuelles.
        Marguerite Duras (1914–   ) présente les événements du point de vue de leur importance psychologique. Ses romans et son théâtre com-
20 posent une dénonciation des aliénations culturelles et sociales (*L'Amant*).
        Alain Robbe-Grillet (1922–   ), le théoricien et le représentant le plus complet de cette nouvelle école. Il est l'auteur de romans d'où est bannie la psychologie traditionnelle et qui opposent l'homme à une réalité impénétrable. Il écrit aussi des scénarios pour le cinéma. Son meilleur
25 roman, *La Jalousie*, est un récit dans l'espace et dans le temps par un narrateur qui n'a pas de nom, qui n'est pas décrit. Ce récit, avec de longues phrases, a lieu dans un décor exotique de mystère, de sensualité et de fortes passions.
        Michel Butor (1926–   ) donne une apparence poétique au roman
30 qu'il veut renouveler. Il explore la culture et le chaos naturel des humains. Dans *La Modification*, le narrateur se parle de lui-même à lui-même: son Vous est un Je qui observe et un Il observé.
        Jean-Marie Le Clézio (1940–   ) décrit dans un style très personnel la diversité de la vie et l'aventure d'être vivant. L'idée de la mort et
35 l'insatisfaction préoccupent souvent ses personnages, comme dans *Le Livre des fuites*.
        Patrick Modiano (1945–   ) recherche l'identité de ses caractères à travers des passés douloureux et des présents énigmatiques. Il reçut le prix Goncourt en 1978 pour *Rue des boutiques obscures*.

40 Parmi les auteurs dramatiques, il faut noter:

        Edmond Rostand (1868–1918), un écrivain brillant dont le *Cyrano de Bergerac* a inspiré plusieurs films.
        Paul Claudel (1868–1955), poète mystique et dramaturge puissant, fut

ambassadeur aux États-Unis, au Japon et en Belgique. Profondément catholique, il croyait que la vie est un mystère religieux. Son œuvre entière, théâtre et poésie, est un hymne à la confiance de l'homme en Dieu. C'est une œuvre difficile et parfois obscure, mais toujours optimiste. *L'Annonce faite à Marie, Partage de Midi* sont des pièces importantes.   5

Samuel Beckett (1906–1990), écrivain irlandais, compose des pièces de théâtre et des romans en anglais et en français, mais sa carrière littéraire est principalement en France. Dans ses drames, il dénonce l'absurdité de la condition humaine et crée une allégorie comiquement pessimiste (*En attendant Godot*). Il reçut le prix Nobel de littérature en 1969.   10

Jean Anouilh (1910–1987) est un célèbre auteur dramatique. Son théâtre va de la fantaisie et de l'humour à la satire et au pessimisme dans *Antigone*, par exemple. Ses pièces, même brillantes, ne sont jamais loin d'une vue pessimiste de l'humanité.

Eugène Ionesco (1912–   ) peint dans ses pièces la tragédie déri-   15
soire de l'homme (*Rhinocéros*). On trouve dans son œuvre une compassion satirique face à un monde irrationnel. C'est le théâtre de l'absurde.

Parmi les écrivains philosophes, il faut mentionner:

Henri Bergson (1859–1941) qui a eu une grande influence sur la pensée française. Il a défini l'intuition comme le moyen d'atteindre toute   20
connaissance et il a créé une morale basée sur la liberté (*L'Évolution créatrice*). Il a reçu le prix Nobel de littérature en 1927.

Jean-Paul Sartre (1905–1980), philosophe et écrivain, est le brillant théoricien de **l'Existentialisme.** Il affirme que l'existence de l'homme exclut l'existence de Dieu. Il dit que l'homme doit construire sa propre   25
destinée, que l'homme est ce qu'il se fait. Il parle de l'absurdité de la vie. Il a développé ses thèses dans des romans (*La Nausée*), des nouvelles et des essais. Mais c'est au théâtre que Sartre a le mieux réussi (*Les Mouches, Huis Clos*). On lui a décerné le prix Nobel de littérature en 1964, mais il l'a refusé.   30

Simone de Beauvoir (1908–1986), principale disciple de Sartre, est l'auteur de romans (*Les Mandarins*), d'essais et de mémoires. Elle a consacré une volumineuse étude à la condition de la femme (*Le deuxième sexe*). Elle a reçu le prix Goncourt en 1954.

Albert Camus (1913–1960), philosophe et moraliste, est tour à tour   35
essayiste (*Le mythe de Sisyphe*), romancier (*L'Étranger, La Peste*) et auteur dramatique. Un des représentants de la «philosophie de l'absurde», il parle de l'absence de toute raison profonde de vivre, du non-sens de la vie, du caractère machinal de l'existence sans but. D'après lui, la condition humaine est absurde (Prix Nobel de littérature 1957).   40

Roland Barthes (1915–1980). L'œuvre de ce philosophe s'inspire des travaux de la linguistique, de la psychanalyse et de l'anthropologie modernes. Il a créé une «nouvelle» critique en réaction contre la critique universitaire.

Parmi les poètes du XXe siècle, il faut mentionner:

Paul Valéry (1871–1945) qui combine le goût de la littérature et l'étude des mathématiques. Il publie des vers, des dialogues et des essais. Valéry veut être maître de sa pensée et de ses émotions. Il a une passion pour la
5   culture de l'intellect et considère la poésie comme un exercice discipliné (*La Jeune Parque, Le Cimetière marin*). Valéry écrit une poésie d'un symbolisme difficile, d'un art subtil, brillant et mystérieux.

Saint-John Perse (1887–1975), diplomate et poète. Il montre dans ses vers une joie triomphale de la conquête du monde par l'homme. Il y crée
10   des images exotiques, le reflet de ses voyages et de sa culture. Ses recueils lyriques composent une méditation sur le destin de l'homme à la poursuite de lui-même (Prix Nobel de littérature 1960).

Paul Éluard (1895–1952) est l'auteur de poèmes aux sonorités et aux couleurs délicates. Il participe à la création du groupe surréaliste, puis
15   devient pendant l'occupation allemande un des poètes de la Résistance. Il y a dans toute la poésie d'Éluard une sincérité simple et forte, un mélange intime de vérité et d'imagination, une harmonie de clarté et de mystère.

Louis Aragon (1897–1982) porte en lui un tempérament d'homme d'action. Un des fondateurs du mouvement surréaliste, il s'est consacré à
20   l'illustration des thèmes du communisme et de la Résistance. Plus tard, il est revenu au réalisme et au lyrisme traditionnels.

Jacques Prévert (1900–1977), poète et brillant scénariste au cinéma, mêle le rêve et le réel, le rire et la révolte. Il est l'auteur de poèmes où la fantaisie anticonformiste s'allie à la gouaille populaire. Sa poésie, souvent
25   en forme de caricature et de satire, attaque les sottises de l'époque, la guerre en particulier. Elle peint aussi l'amour et la tendresse humaine et sert de texte à de nombreuses chansons.

Exercice A

Vrai ou faux? Indiquez si chaque phrase est vraie ou fausse. Si elle est fausse, changez-la pour la rendre vraie:

1. Le classicisme est fondé sur le respect de la tradition antique.
2. Charlemagne a écrit *La Chanson de Roland*.
3. Le plus grand poète tragique du XVIIe siècle est François Rabelais.
4. Molière peint des types éternels plutôt que des individus.
5. Les auteurs de la Constitution américaine influencèrent les idées des grands philosophes français du XVIIIe siècle.
6. Alphonse de Lamartine, Alfred de Musset et Alfred de Vigny sont des poètes symbolistes.
7. L'auteur des *Trois Mousquetaires* et du *Comte de Monte-Cristo* est Honoré de Balzac.

---

24   **la gouaille** banter

8. Le chef de l'existentialisme est Jean-Jacques Rousseau.
9. Pierre de Ronsard fut le chef de la Pléiade, un groupe de jeunes poètes du XXᵉ siècle.
10. André Gide, François Mauriac et Albert Camus ont reçu le prix Nobel.

Exercice B

Complétez avec la réponse convenable:

1. Le philosophe du XVIIIᵉ siècle qui a influencé l'enseignement moderne est _____.
   (a) Voltaire   (b) Jean-Jacques Rousseau   (c) Montesquieu
2. Les chansons de geste datent _____.
   (a) du Moyen Âge   (b) de la Renaissance   (c) du classicisme
3. Le premier des grands poètes lyriques est _____.
   (a) François Villon   (b) Alfred de Musset   (c) Pierre de Ronsard
4. _____ dirigea la publication de *L'Encyclopédie*.
   (a) Montesquieu   (b) Voltaire   (c) Denis Diderot
5. Le _____ siècle est l'époque de la Renaissance.
   (a) seizième   (b) dix-septième   (c) dix-huitième
6. Le premier document en vieux français s'appelle _____.
   (a) *les Serments de Strasbourg*   (b) *La Chanson de Roland*
   (c) *Pantagruel*
7. «Que sais-je» est une question posée par _____.
   (a) Molière   (b) Montaigne   (c) Montesquieu
8. L'auteur de biographies littéraires est _____.
   (a) Jean-Paul Sartre   (b) Albert Camus   (c) André Maurois
9. Les auteurs _____ cherchaient une perfection de forme et d'expression.
   (a) romantiques   (b) symbolistes   (c) classiques
10. Deux poètes du XIXᵉ siècle sont Paul Verlaine et _____.
    (a) Charles Baudelaire   (b) Gustave Flaubert   (c) Pierre Loti

Exercice C

Pour chaque œuvre de la première colonne, donnez la lettre de l'auteur de la seconde colonne:

1. *Émile*
2. *Gargantua*
3. *La Comédie humaine*
4. *Madame Bovary*
5. *Candide*

a. Honoré de Balzac
b. Alexandre Dumas fils
c. Gustave Flaubert
d. Victor Hugo
e. Molière

6. *La Dame aux camélias*   f. Marcel Proust
7. *À la recherche du temps perdu*   g. François Rabelais
8. *Le Bourgeois Gentilhomme*   h. Edmond Rostand
9. *Les Misérables*   i. Jean-Jacques Rousseau
10. *Cyrano de Bergerac*   j. Voltaire

Exercice D

Complétez en français:

1. C'est _____ qui a écrit: «Mais où sont les neiges d'antan?»
2. _____ est souvent appelé le Shakespeare français.
3. C'est le _____ siècle qu'on appelle l'âge d'or de la littérature française.
4. Le scepticisme de Michel de Montaigne lui faisait se demander: « _____ ?»
5. Le mouvement littéraire dont les éléments essentiels sont l'imagination, le sentiment et l'amour de la nature est le _____.
6. La règle des trois unités concerne l'_____, le _____ et le _____.
7. Le grand ouvrage de propagande du XVIIIᵉ siècle, écrit avec la collaboration de nombreux savants, est _____.
8. Montesquieu, dans _____, critique les institutions françaises.
9. Les principaux précurseurs de la Révolution française sont _____, _____, _____ et Denis Diderot.
10. Le grand romancier qui peint dans ses œuvres un tableau de toutes les classes de la société de la première moitié du XIXᵉ siècle est _____.

Exercice E

Identifiez:

1. grand écrivain satirique du XVIIIᵉ siècle
2. le chef de l'école naturaliste
3. l'auteur de *La Peste*
4. le chef du romantisme littéraire
5. le créateur de la fiction scientifique
6. le célèbre fabuliste français
7. la plus belle des chansons de geste
8. le plus grand maître de contes
9. les deux frères qui faisaient partie de l'école naturaliste
10. le plus grand écrivain de comédies classiques

38

Les Beaux-Arts

L'histoire des beaux-arts [1] en France remonte aux temps préhistoriques. Dans les cavernes du Périgord on a trouvé les premières œuvres d'art — d'admirables peintures d'animaux dessinées sur les murs par l'homme primitif.

À l'époque gallo-romaine, des édifices remarquables furent construits: des temples, des arènes, des amphitéâtres. Les meilleurs exemples de ces monuments romains se trouvent aujourd'hui dans les régions de Nîmes et d'Arles, en Provence.

Au Moyen Âge, les arts étaient associés à la religion. Les églises romanes étaient des édifices lourds à cause de l'épaisseur des murs. Puisque les ouvertures étaient rares et petites, l'intérieur était nécessairement obscur. C'est aussi à cette époque que la reine Mathilde, femme de Guillaume le Conquérant, aurait brodé la célèbre *tapisserie de Bayeux*, qui représente la conquête de l'Angleterre par les Normands.

Pour remplacer la sombre église romane, la France créa un nouveau style d'architecture qui montre le génie artistique français. **L'architecture gothique,** née au XIIe siècle en Île-de-France, permet la construction d'édifices de vastes dimensions. Cette architecture, avec l'arc de voûte pointu supporté par des piliers et des arcs-boutants à l'extérieur, permet d'amincir l'épaisseur des murs, de les percer de nombreuses ouvertures et d'élever les édifices à de grandes hauteurs. Pour ne pas avoir un excès de lumière à l'intérieur des églises, on couvre les ouvertures de vitraux dont les couleurs sont souvent magnifiques. L'architecture gothique est ornée de sculpture, de statues et de gargouilles.

Quelques-uns des chefs-d'œuvre de cette architecture essentiellement religieuse sont: la Sainte-Chapelle, la cathédrale Notre-Dame de Paris et les cathédrales d'Amiens, de Chartres et de Reims.

PEINTRES

Poussin, Watteau, David et Ingres sont les principaux représentants du **classicisme.**

---

15   **roman** Romanesque
18   **l'arc de voûte** vaulted arch
19   **l'arc-boutant** flying buttress

Nicolas Poussin (1594–1665), qui composait avec le plus grand soin ses «paysages historiques», combinait l'antiquité et la nature. On trouve dans ses tableaux la perfection de la forme et de la couleur.

Antoine Watteau (1684–1721), le plus grand peintre du XVIIIe siècle,
5   créa des scènes pastorales pleines de charme. Ses tableaux des fêtes galantes sont des reflets de la société élégante de son époque. Watteau est un coloriste de premier ordre.

Louis David (1748–1825), chef de l'école néo-classique, était le peintre de la Révolution française et plus tard de la cour de Napoléon. Il peignait
10   avec précision des scènes de l'histoire grecque aussi bien que des portraits.

Dominique Ingres (1780–1867), élève de David, devint le champion de la peinture académique: l'exactitude de l'observation, la perfection du dessin et la pureté de la ligne.

15   Au XIXe siècle, la peinture française jouissait d'une célébrité universelle. Plusieurs écoles fleurissaient et Paris devint un centre mondial de la peinture.

Le romantisme, voulant rompre avec la discipline et les règles du classicisme, réagit contre l'art antique de David. L'école romantique, qui s'intéressait au sentiment et à la couleur, fut dirigée par Géricault et Delacroix.
20

Théodore Géricault (1791–1824), le premier des peintres romantiques, peignait surtout des scènes historiques pleines de mouvement et de grandeur.

Eugène Delacroix (1798–1863), le chef de l'école romantique et son
25   plus grand peintre, était un coloriste extraordinaire. Ses tableaux allégoriques, orientaux ou historiques débordent de vitalité et de mouvement dramatique.

Le réalisme fut la réaction à la fois contre le romantisme et le classicisme. Les artistes réalistes voulaient peindre la vie quotidienne et
30   la nature telles qu'ils les voyaient et sans les idéaliser.

Honoré Daumier (1808–1879) est connu surtout pour ses caricatures politiques et sociales. C'était un peintre réaliste de talent.

Gustave Courbet (1819–1877), le champion du réalisme, préférait des scènes de la vie réelle et des paysages.

35   Plusieurs paysagistes qui s'établirent à Barbizon, un petit village près de Fontainebleau, formèrent un groupe connu sous le nom de l'**École de Barbizon.**

Jean-Baptiste Corot (1796–1875), le plus grand paysagiste de l'École de Barbizon, savait peindre avec un charme poétique la lumière et l'atmos-
40   phère d'un paysage.

---

5   **la fête galante** merry celebration
26   **déborder** to overflow
38   **le paysagiste** landscape painter

Jean-François Millet (1814–1875), chef de l'École de Barbizon, aimait peindre la vie des paysans: *L'Angélus, Les Glaneuses.*

Dans la seconde moitié du XIXe siècle, **l'impressionnisme** évolua à partir du réalisme. Les impressionnistes essayaient de traduire leurs sensations visuelles. Ils choisissaient leur sujets dans la vie moderne, 5 rendaient l'impression dans tous les détails et faisaient de la lumière l'objet essentiel de leur peinture.

Édouard Manet (1832–1883), un maître du naturalisme, fut un des fondateurs de l'école impressionniste. Il aimait travailler en plein air.

Edgar Degas (1834–1917) savait exprimer les formes et le mouvement. 10 Il est bien connu pour ses tableaux des danseuses de l'Opéra.

Claude Monet (1840–1926) était le plus grand paysagiste de l'impressionnisme. Il se plaisait à rendre les jeux de la lumière, à représenter le même sujet diversement éclairé à des moments différents du jour: *Cathédrale de Rouen.* 15

Auguste Renoir (1841–1919) était un des maîtres de l'impressionnisme. On lui doit un grand nombre de portraits de femmes et de jeunes filles.

Georges Seurat (1859–1891) fonda **le pointillisme,** une technique néo-impressionniste qui consiste à peindre en se servant d'une multitude de 20 points de couleurs pures.

Malgré les nouveaux mouvements artistiques du XIXe siècle, il y avait des artistes qui préféraient le traditionalisme.

Rosa Bonheur (1822–1899) peignait les travaux de la ferme et la vie des champs: *Le Marché aux Chevaux.* 25

Pierre Puvis de Chavannes (1824–1898) est l'auteur de peintures murales qui décorent le Panthéon — *La Vie de Sainte Geneviève* — et la Sorbonne. Ses œuvres, aux sobres couleurs, ont une douceur et une noblesse admirables.

Le post-impressionnisme, le mouvement moderne de la fin du XIXe 30 siècle, fut la réaction contre les excès de l'impressionnisme et du réalisme. Les modernistes, en évitant la représentation photographique, n'hésitent pas à déformer la nature et le corps humain. Chacun de ces artistes est un individualiste qui peint à sa manière particulière.

Paul Cézanne (1839–1906) est le père de l'art moderne et l'inspirateur 35 de la nouvelle peinture. Ses paysages et ses natures mortes, où il déforme souvent les objets, donnent l'impression d'une troisième dimension.

Paul Gauguin (1848–1903) voulait exprimer des émotions d'ordre spirituel dans ses peintures. Après avoir fait des paysages bretons, il partit pour Tahiti, où il composa des scènes tahitiennes d'un style décoratif en 40

---

2 **la glaneuse** gleaner
36 **la nature morte** still life

vives couleurs. «*D'où venons-nous? Que sommes-nous?*» est le titre d'une
de ses peintures.

Vincent van Gogh (1853–1890), peintre expressionniste d'origine hollandaise. trouva son inspiration en Provence, dans la région d'Arles. Ses
5 toiles — natures mortes, paysages, portraits — sont pleines de couleurs
brillantes et de soleil.

Henri de Toulouse-Lautrec (1864–1901), peintre de scènes de music-
hall et de cirque, fit du dessin des affiches un nouvel art.

Henri Matisse (1869–1954) était le chef du **fauvisme,** mouvement ar-
10 tistique de la première moitiè du XXe siècle. Les artistes qui s'appelaient
les Fauves (animaux sauvages) réagirent contre l'analyse impressionniste
et décidèrent de peindre à leur gré, en couleurs pures très vives. On considère Matisse, qui aimait la simplicité et l'harmonie, comme un des plus
grands peintres de son époque. Son chef-d'œuvre d'art décoratif est la cha-
15 pelle de Vence.

Parmi les fauves, il faut également citer **Maurice de Vlaminck** (1876–
1958) et **André Derain** (1880–1954).

Pablo Picasso (1881–1973), d'origine espagnole, est l'artiste le plus
illustre de l'époque moderne. Il a exercé une influence profonde sur
20 l'évolution de l'art moderne. Essayant une variété de techniques, il a
réalisé une synthèse entre le cubisme et le surréalisme.

Georges Braque (1882–1963), un grand peintre de natures mortes, était
le fondateur du **cubisme.** Cette école d'art se proposait de représenter les
objets sous des formes géométriques en plusieurs angles de vue simul-
25 tanés.

Le surréalisme s'opposait à toutes les formes d'ordre et de conven-
tions et voulait atteindre le fonctionnement réel de la pensée par l'auto-
matisme, la libre association des idées et le rêve. Parmi les surréalistes,
André Masson (1896–1987) et **René Magritte** (1898–1967) sont impor-
30 tants. **Henri Rousseau,** dit **le Douanier** (1844–1910), peintre primitif et
poétique, était apprécié par les surréalistes.

D'autres artistes du XXe siècle sont: **Georges Rouault** (1871–1958)
peintre d'un expressionnisme mystique; **Fernand Léger** (1881–1955), le
peintre de la vie moderne et des éléments mécaniques; **Maurice Utrillo**
35 (1883–1955), peintre des coins de Montmartre; **Marc Chagall** (1887–1985)
dont les peintures sont pleines d'une fantaisie poétique; **Nicolas de Staël**
(1914–1955), peintre abstrait très raffiné.

À l'heure actuelle, **l'école de Paris** continue à rassembler de nombreux
artistes, de tendance abstraite comme **Hans Hartung** (1904–1989), **Georges**
40 **Mathieu** (1921–   ), ou de tendance figurative comme **Balthus**
(1908–   ) et **Bernard Buffet** (1928–   ).

---

8 **l'affiche** poster

SCULPTEURS

Jean-Antoine Houdon (1741–1828), sculpteur réaliste, exécuta les bustes de plusieurs personnages célèbres: Voltaire, Rousseau, Diderot, La Fayette, Washington, Franklin et Jefferson.

François Rude (1784–1855), sculpteur de l'école romantique, est l'au-   5
teur de *La Marseillaise*, le merveilleux bas-relief qui décore une des faces de l'Arc de Triomphe de l'Étoile.

Jean-Baptiste Carpeaux (1827–1875) donna le mouvement et le rythme à ses œuvres. Son groupe de *La Danse* embellit la façade de l'Opéra Garnier de Paris.   10

Frédéric-Auguste Bartholdi (1834–1904) est le sculpteur de la statue colossale qui se trouve à l'entrée du port de New York, *La Liberté éclairant le monde*.

Auguste Rodin (1840–1917), le plus grand sculpteur des temps modernes, savait exprimer en marbre les émotions et la puissance de la vie.   15
Ses œuvres principales sont: *Le Penseur*, *Les Bourgeois de Calais*, et *La Porte de l'Enfer*.

Aristide Maillol (1861–1944) allie la grâce et la simplicité à des formes solides. Il est connu surtout pour ses statues de femmes.

Jacques Lipchitz (1891–1973) donnait à ses sculptures cubistes une   20
puissante expressivité lyrique.

ARCHITECTES

Jules Hardouin Mansard, (1646–1708), premier architecte de Louis XIV, construisit la plus grande partie du palais de Versailles, le dôme des Invalides et la place Vendôme.   25

Eugène Viollet-le-Duc (1814–1879) restaura de nombreux monuments historiques du Moyen Âge, tels que Notre-Dame de Paris, la cathédrale d'Amiens et la cité de Carcassonne.

Le Corbusier (1887–1965) est le chef de l'école moderne. Architecte créateur, il chercha des solutions nouvelles pour l'habitation, surtout pour   30
les ensembles urbains.

Jean Prouvé (1901–1984) fut un pionnier de la construction métallique et de l'emploi des murs-rideaux, murs extérieurs non porteurs, généralement construits avec des éléments préfabriqués.

Bernard Zehrfuss (1911–   ) est un des architectes contemporains   35
qui donnent à de nouveaux quartiers, comme celui de la Défense à Paris, une apparence toute nouvelle.

Les grands projets d'architecture exécutés à Paris au cours des dernières années ont permis la réalisation d'œuvres importantes, comme la

---

33 **non porteur** nonbearing

Cité de la Musique de **Christian de Portzamparc** (1944–   ), l'Institut du Monde arabe de **Jean Nouvel** (1945–   ) et la Grande Bibliothèque de France de **Dominique Perrault** (1953–   ).

NOTE:

[1] Quelques-uns des musées célèbres de Paris où l'on peut voir des chefs-d'œuvre de l'art sont: le musée du Louvre, le Centre Pompidou, le musée d'Orsay, le musée Rodin, le musée Picasso.

Exercice A

Vrai ou faux? Indiquez si chaque phrase est vraie ou fausse. Si elle est fausse, changez-la pour la rendre vraie:

1. Les murs des églises romanes sont plus minces que ceux des églises gothiques.
2. L'art du Moyen Âge est surtout religieux.
3. L'architecture gothique remonte à l'époque gallo-romaine.
4. Jules Hardouin Mansard était le premier architecte de Louis XVI.
5. *Les Bourgeois de Calais* et *La Porte de l'Enfer* sont deux chefs-d'œuvre d'Aristide Maillol.
6. Claude Monet était un des plus célèbres paysagistes de l'école de Paris.
7. La cathédrale de Reims est un chef-d'œuvre de l'architecture romane.
8. L'artiste qu'on appelle «le père de l'art moderne» est Paul Cézanne.
9. Le pointillisme est un style d'architecture populaire en France.
10. Pablo Picasso est l'artiste le plus célèbre du vingtième siècle.

Exercice B

Pour chaque œuvre de la première colonne, donnez la lettre de l'artiste de la seconde colonne:

1. scènes de ballet	a. Frédéric-Auguste Bartholdi
2. *L'Angélus*	b. Honoré Daumier
3. ensembles urbains	c. Edgar Degas
4. caricatures politiques et sociales	d. Paul Gauguin
	e. Jean-Antoine Houdon
5. scènes de Tahiti	f. Le Corbusier
6. la chapelle de Vence	g. Henri Matisse
7. *Le Penseur*	h. Jean-François Millet
8. *La Marseillaise* (bas-relief)	i. Auguste Rodin
9. *La Liberté éclairant le monde*	j. François Rude
10. bustes de Voltaire et de Washington	

Exercice C

Complétez avec la réponse convenable:

1. On trouve les meilleurs exemples de monuments romains en
_____.
   (a) Provence   (b) Normandie   (c) Bretagne
2. L'architecture _____ permet de percer un grand nombre d'ouvertures dans les murs.
   (a) romane   (b) gallo-romaine   (c) gothique
3. Henri Matisse était le chef du _____.
   (a) pointillisme   (b) fauvisme   (c) cubisme
4. *La tapisserie de Bayeux* représente la conquête de _____.
   (a) la Gaule   (b) l'Angleterre   (c) l'Allemagne
5. Les artistes de l'École de Barbizon peignaient surtout des _____.
   (a) portraits   (b) natures mortes   (c) paysages
6. L'objet essentiel de la peinture impressionniste est _____.
   (a) la lumière   (b) le détail   (c) le sentiment
7. L'architecture gothique a pris naissance en _____.
   (a) Tourraine   (b) Provence   (c) Île-de-France
8. Le «grand siècle» de la peinture française est le _____.
   (a) dix-septième   (b) dix-huitième   (c) dix-neuvième
9. Le plus grand sculpteur des temps modernes est _____.
   (a) Auguste Rodin   (b) Rosa Bonheur   (c) François Rude
10. L'architecte du XIXe siècle qui a restauré Carcassonne et Notre Dame
est _____.
   (a) Jules Hardouin Mansard   (b) Le Corbusier   (c) Viollet-le-Duc

Exercice D

Complétez en français:

1. Les peintures murales de Puvis de Chavannes décorent le Panthéon et
_____.
2. L'arc de voûte pointu est une caractéristique de l'architecture
_____.
3. Les peintres _____ tenaient à représenter la nature telle qu'elle est
sans chercher à l'idéaliser.
4. Le palais de Versailles et la place Vendôme sont les œuvres de
_____.
5. Maurice _____, qui peint des scènes de Montmartre, et Fernand
_____, le peintre de la vie moderne, sont deux artistes bien connus
du XXe siècle.

6. Le _____, dont le premier peintre fut Théodore Géricault, réagit contre la discipline du classicisme.
7. Le sculpteur moderne Aristide Maillol est connu surtout pour ses statues de _____.
8. Georges Braque a fondé le _____, une école d'art qui représente les objets sous des formes géométriques.
9. Le peintre expressionniste _____, né en Hollande, trouva son inspiration en Provence.
10. Le Corbusier est le chef de l'école moderne d'_____.

39

La Musique

COMPOSITEURS

Jean-Baptiste Lully, ou **Lulli** (1632–1687), Italien de naissance, fut le créateur de l'opéra français. Il était le compositeur de la cour de Louis XIV, qui le nomma directeur de l'Opéra de Paris. Pour amuser le roi, il écrivit de la musique pour plusieurs comédies de Molière.　　　　　　　　　　5

Les grands musiciens classiques sont Couperin et Rameau:

François Couperin (1668–1733), le plus grand maître français du clavecin, composa des morceaux charmants pour cet instrument.

Jean-Philippe Rameau (1683–1764), claveciniste et organiste, était le plus célèbre compositeur français de son temps. Il fit une contribution　10 importante à la science de l'harmonie.

Au XIXe siècle, la musique française brilla d'un grand éclat.

Hector Berlioz (1803–1890), le plus grand compositeur de l'époque romantique, était un maître de l'orchestration. Ses œuvres, comme *La Damnation de Faust* et *La Symphonie fantastique*, sont remarquables par　15 la force du sentiment dramatique.

César Franck (1822–1890), Belge de naissance, était un organiste de grand renom. Il a formé de nombreux disciples et composé de nombreuses œuvres.

Camille Saint-Saëns (1835–1921) était un virtuose du piano et de　20 l'orgue. Il écrivit des poèmes symphoniques, tels que *La Danse macabre*, *Le Carnaval des animaux* et des opéras, dont le mieux connu est son chef-d'œuvre, *Samson et Dalila*.

Claude Debussy (1862–1918), le plus illustre des compositeurs modernes, fut influencé par les symbolistes et par les impressionnistes. Sa　25 musique est raffinée et délicate. Parmi ses œuvres principales sont *L'Après-midi d'un faune*, *La Mer*, *Clair de lune* et l'opéra *Pelléas et Mélisande*.

Maurice Ravel (1875–1937), un des grands artistes de la musique moderne, écrivit des œuvres marquées par la virtuosité et la sensibilité. Il composa des pièces pour le piano et pour l'orchestre symphonique: *Ma*　30 *mère l'Oye*, *Boléro*, *Daphnis et Chloé*.

D'autres compositeurs d'opéras célèbres sont:

Georges Bizet (1838–1875): *Carmen*, *Les Pêcheurs de perles*

8　**le clavecin** harpsichord

Gustave Charpentier (1860–1956): *Louise*
Léo Delibes (1836–1891): *Lakmé*
Charles Gounod (1818–1893): *Faust, Roméo et Juliette*
Jules Massenet (1842–1912) *Manon, Thaïs*
5   **Jacques Offenbach** (1819–1880): *Les Contes d'Hoffmann*
Ambroise Thomas (1811–1896): *Mignon*

Au XXᵉ siècle, la musique française reste toujours vivante avec des compositeurs de talent comme **Arthur Honegger** (1892–1955), **Darius Milhaud** (1892–1974), **Francis Poulenc** (1899–1963) et **George Auric**
10   (1899–1983). **Edgard Varèse** (1883–1965), **Olivier Messiaen** (1908–1992) et **Pierre Boulez** (1925–   ) sont des musiciens contemporains qui s'orientent vers une musique originale et non traditionnelle.

Exercice A

Choisissez la réponse correcte:

1. Le plus grand maître français du clavecin. _____
   (a) François Couperin   (b) Francis Poulenc   (c) Jean-Baptiste Lully
2. Opéra célèbre de Jacques Offenbach. _____
   (a) *Manon*   (b) *Les Pêcheurs de perles*   (c) *Contes d'Hoffmann*
3. Organiste et claveciniste qui contribua à la science de l'harmonie. _____
   (a) Léo Delibes   (b) Hector Berlioz   (c) Jean-Philippe Rameau
4. Organiste illustre qui a écrit un opéra célèbre. _____
   (a) César Franck   (b) Georges Auric   (c) Camille Saint-Saëns
5. Le plus célèbre des compositeurs modernes, dont la musique est très raffinée. _____
   (a) Ambroise Thomas   (b) Maurice Ravel   (c) Claude Debussy
6. Deux opéras français bien connus sont *Faust* et _____.
   (a) *Carmen*   (b) *La Dance macabre*   (c) *Ma mère l'Oye*

Exercice B

Complétez en français:

1. Jean-Baptiste Lully écrivit de la musique pour plusieurs comédies de _____.
2. Hector Berlioz est le plus grand compositeur de l'époque _____.
3. L'opéra prit naissance en France au XVIIᵉ siècle, sous le règne de _____.

4. On entend souvent jouer le *Boléro*, belle pièce orchestrale de
_____ .

5. Darius Milhaud et Arthur Honegger sont deux compositeurs du
_____ siècle.

Exercice C

Pour chaque œuvre de la première colonne, donnez la lettre du compositeur de la seconde colonne:

1. *Carmen*
2. *Samson et Dalila*
3. *Clair de lune*
4. *Faust*
5. *Manon; Thaïs*
6. *La Damnation de Faust*

a. Camille Saint-Saëns
b. Charles Gounod
c. Claude Debussy
d. Georges Bizet
e. Hector Berlioz
f. Jean-Baptiste Lully
g. Jules Massenet

40

Les Sciences

SAVANTS: HOMMES ET FEMMES DE SCIENCE

La civilisation française a toujours fait preuve d'une curiosité intellectuelle qui a aidé au développpement d'un esprit scientifique fondé sur la
raison et le goût de la recherche. De grands noms ont assuré, et continuent
5 d'assurer, une place de premier plan à la science française.

LES MATHÉMATIQUES

René Descartes (1596–1650), philosophe, mathématicien et physicien, fonda la méthode scientifique, basée sur le raisonnement. Il ex-
pliqua son point de vue dans le *Discours de la méthode*. Descartes est le
10 créateur de la géométrie analytique.
Pierre de Fermat (1601–1665) fut un précurseur dans la géométrie
analytique, la théorie des nombres et le calcul des probabilités.
Blaise Pascal (1623–1662), mathématicien, physicien et philosophe,
formula les lois de la pression atmosphérique et de l'équilibre des
15 liquides. Il est l'inventeur de la presse hydraulique, de la première machine à calculer et du calcul des probabilités.
Pierre-Simon de Laplace (1749–1827) fit des travaux sur la mécanique
céleste, le calcul des probabilités et conçut une théorie importante sur la
formation du système planétaire.
20 **Henri Poincaré** (1854–1912), un des plus grands mathématiciens de
tous les temps, fit des contributions importantes aux mathématiques, à la
physique et à l'astronomie.

LA PHYSIQUE

Charles-Augustin de Coulomb (1736–1806) établit les lois de
25 l'électrostatique et du magnétisme. (Le *coulomb* est l'unité de quantité
d'électricité).
André Ampère (1775–1836) créa l'électrodynamique. On lui doit
l'invention de l'électro-aimant et les principes de la télégraphie électrique.
L'*ampère*, l'unité d'intensité des courants électriques, porte son nom.
30 **Joseph Gay-Lussac** (1778–1850) découvrit les lois de la dilatation et
de la combinaison des gaz.

Henri Becquerel (1852–1908) découvrit la radioactivité en 1896 (Prix Nobel 1903).

Pierre Curie (1859–1906) (Prix Nobel 1903) et sa femme, **Marie Curie** (1867–1934) (Prix Nobel de physique 1903, de chimie 1911), découvrirent le radium en 1899. Leur découverte a complètement changé nos idées sur   5
la constitution de la matière et les sources de l'énergie. Leur fille, **Irène Joliot-Curie** (1897–1956), et son mari, **Frédéric Joliot** (1900–1958), poursuivirent ces recherches sur la structure de l'atome et découvrirent la radioactivité artificielle (Prix Nobel 1935).

Jean Perrin (1870–1942) apporta la preuve définitive de l'existence   10
des atomes (Prix Nobel 1926).

Louis de Broglie (1892–1976) développa la théorie de la mécanique ondulatoire (Prix Nobel 1929).

LA CHIMIE

Antoine-Laurent de Lavoisier (1743–1794) est un des fondateurs de la   15
chimie moderne. Il établit la nomenclature chimique, découvrit les lois de la combustion et détermina la composition de l'air. Il exprima la loi de la conservation de la matière en ces mots: «Rien ne se perd, rien ne se crée; dans la nature tout se transforme». Lavoisier fut guillotiné sous la Terreur.

Marcelin Berthelot (1827–1907) fit des travaux sur la chimie orga-   20
nique.

LES SCIENCES NATURELLES

Jean-Baptiste de Lamarck (1744–1829), le grand précurseur de Darwin, énonça une théorie sur les transformations des êtres vivants.

Georges Cuvier (1769–1832) est le créateur de l'anatomie comparée et   25
de la paléontologie, la science qui traite des fossiles.

LA BIOLOGIE ET LA MÉDECINE

Claude Bernard (1813–1878) est le fondateur de la physiologie moderne et de la médecine expérimentale. Il définit les principes fondamentaux de toute recherche scientifique.   30

Louis Pasteur (1822–1895), chimiste et biologiste, fut un grand bienfaiteur de l'humanité. En établissant que les fermentations sont causées par des cellules vivantes, les microbes, il fonda la bactériologie moderne. Il prouva que les maladies contagieuses sont dues à la transmission de microbes et trouva des vaccins pour les combattre. Il trouva le moyen de   35
guérir la rage et le charbon des moutons. Il découvrit les procédés de la pasteurisation, l'élimination des fermentations dangereuses. Ses travaux remarquables ont révolutionné la médecine.

L'Institut Pasteur de Paris fut fondé en 1886 par souscription internationale dans le but d'étudier les maladies infectieuses et pour perfectionner la chimie biologique. Aujourd'hui, avec plusieurs laboratoires, cet institut continue les travaux de Pasteur dans le monde entier.

5   **Émile Roux** (1853–1933) fit la découverte d'un sérum pour guérir la diphtérie.

Alexis Carrel (1873–1944) fit des recherches importantes sur la conservation, la culture et la greffe des tissus (Prix Nobel 1912). Il écrivit *L'Homme, cet inconnu.*

10   En d'autres domaines, il faut citer ces savants français et leurs contributions:

Jean-François Champollion (1790–1832) réussit à déchiffrer les hiéroglyphes égyptiens de la pierre de Rosette.

Louis-Jacques Daguerre (1789–1851) perfectionna la photographie.

15   **Louis Braille** (1809–1852) créa un système d'écriture et de lecture en relief pour les aveugles qui porte son nom.

Alphonse Bertillon (1853–1914) suggéra l'usage des empreintes digitales pour établir l'identité des criminels.

Plus récemment, le prix Nobel a été attribué à plusieurs Français pour
20   leurs travaux en de nombreux domaines:

1965: **François Jacob, André Lwoff** et **Jacques Monod** pour leurs recherches sur les mécanismes de la génétique bactérienne, la synthèse des protéines et le rôle de l'acide ribonucléique.

1966: **Alfred Kastler** pour la découverte du pompage optique (l'effet
25   laser).

1970: **Louis Néel** pour l'ensemble de ses travaux concernant le magnétisme.

1980: **Jean Dausset** pour ses recherches sur les antigènes et les tissus dans les transplantations d'organes.

30   1983: **Gérard Debreu** pour ses études sur l'application des méthodes statistiques en économie.

1987: **Jean-Marie Lehn** pour la synthèse des molécules artificielles.

1988: **Maurice Allais** pour ses études sur l'équilibre économique de la monnaie et du crédit.

35   1991: **Pierre-Gilles de Gennes,** pour l'ensemble de ses recherches en physique, notamment sur le magnétisme, la supraconductivité, les cristaux liquides et l'hydrodynamique.

La recherche scientifique est aujourd'hui concentrée dans le **Centre national de la recherche scientifique (CNRS),** qui regroupe plus de 1000
40   laboratoires et des milliers de chercheurs à travers toute la France. Le CNRS a pour mission de développer et de coordonner les recherches de tous ordres.

Exercice A

Complétez avec la réponse convenable:

1. L'unité de quantité d'électricité porte le nom de _____ .
   (a) Charles-Augustin de Coulomb   (b) Marcelin Berthelot
   (c) Marie Curie
2. Irène Joliot-Curie et son mari, Frédéric Joliot, découvrirent _____ .
   (a) la radioactivité artificielle   (b) le radium   (c) le magnétisme
3. Un savant français découvrit un sérum pour guérir _____ .
   (a) les fermentations dangereuses   (b) la diphtérie   (c) la pneumonie
4. Alphonse Bertillon imagina l'usage des empreintes digitales pour établir l'identité des _____ .
   (a) hiéroglyphes   (b) criminels   (c) moutons
5. _____ a défini les principes fondamentaux de la recherche scientifique.
   (a) Claude Bernard   (b) Louis de Broglie   (c) André Ampère
6. Henri Becquerel gagna le prix Nobel pour sa découverte _____ .
   (a) de la radioactivité   (b) de la paléontologie   (c) de l'électro-dynamique
7. Le naturaliste _____ fonda des théories que reprit Charles Darwin sur les transformations des êtres vivants.
   (a) Georges Cuvier   (b) Joseph Gay-Lussac   (c) Jean-Baptiste de Lamarck

Exercice B

Complétez en français:

1. Louis-Jacques Daguerre contribua au perfectionnement de la _____ .
2. Jean-François Champollion réussit à déchiffrer les hiéroglyphes _____ de la pierre de Rosette.
3. Henri Poincaré, qui fit des contributions à la physique et à l'astronomie, était un des plus grands _____ de tous les temps.
4. Louis Pasteur prouva que les _____ sont la cause de maladies contagieuses et trouva des _____ pour les combattre.
5. Louis Braille inventa l'alphabet en relief à l'usage des _____ .
6. Georges Cuvier, le créateur de l'anatomie comparée, fut aussi un fondateur de la paléontologie, la science qui traite des _____ .

Exercice C

Identifiez:

1. Ils découvrirent le radium en 1899.
2. Chimiste et biologiste, il créa la bactériologie moderne.
3. Ce grand philosophe, auteur du *Discours de la Méthode*, fonda la méthode scientifique et la géométrie analytique.
4. Cet établissement scientifique fut fondé en 1886 pour étudier les maladies infectieuses.
5. Mathématicien et philosophe, il inventa la presse hydraulique et la première machine à calculer.
6. Un des fondateurs de la chimie moderne, ce savant dit que dans la nature «Rien ne se perd, rien ne se crée».
7. Inventeur de l'électrodynamique, il donna son nom à l'unité d'intensité des courants électriques.

Civilization Quiz

A. *Choisissez la réponse convenable:*

1. Premier chef-d'œuvre de la littérature française:
   (a) *La Comédie humaine*   (b) *Son et Lumière*   (c) *La Chanson de Roland*   (d) *Le Figaro*

2. Lieu d'exil de Napoléon Bonaparte:
   (a) Waterloo   (b) Sainte-Hélène   (c) Tahiti   (d) Corse

3. Patronne de Paris:
   (a) Sainte Geneviève   (b) Jeanne d'Arc   (c) Marie-Antoinette   (d) Marie Curie

4. Langue romane:
   (a) bas-allemand   (b) basque   (c) celtique   (d) portugais

5. Tour de France:
   (a) sport sous-marin   (b) course de bicyclette   (c) jeu de boules   (d) ascension en montagne

6. Druides:
   (a) tribu germanique   (b) prêtres gaulois   (c) spécialités délicieuses   (d) fêtes religieuses

7. Explorateur:
   (a) Jacques Cartier   (b) Maximilien de Robespierre   (c) Ferdinand Foch   (d) Denis Diderot

8. Bistro:
   (a) espèce de pain   (b) unité de mesure   (c) restaurant simple   (d) sport populaire

9. Empereur d'un vaste empire:
   (a) Clovis   (b) Jean-Baptiste Colbert   (c) Charlemagne   (d) Charles de Gaulle

10. Ancien nom de la France:
    (a) Gaule   (b) Languedoc   (c) Lascaux   (d) Versailles

11. Le 14 juillet 1789:
    (a) Légion d'Honneur   (b) prise de la Bastille   (c) fête du Travail   (d) Grande Guerre

12. Sculpteur:
    (a) Jean-François Millet   (b) Marc Chagall   (c) Alphonse Daudet   (d) Frédéric-Auguste Bartholdi

13. Le baccalauréat, examen qui termine les études dans:
    (a) les écoles maternelles   (b) les universités   (c) les grandes
    écoles   (d) les lycées

14. Premier document en vieux français:
    (a) *Serments de Strasbourg*   (b) *Le Contrat social*   (c) *Pêcheur d'Islande*   (d) *Édit de Nantes*

15. Architecte:
    (a) Aristide Maillol   (b) Anatole France   (c) Jules Hardouin
    Mansard   (d) Édouard Manet

16. Élément essentiel du mouvement romantique:
    (a) la précision   (b) la vérité   (c) la science   (d) le sentiment

17. Grand maître de contes:
    (a) Mirabeau   (b) Antoine Watteau   (c) Guy de Maupassant
    (d) François René de Chateaubriand

18. Artiste:
    (a) Eugène Delacroix   (b) Jules de Goncourt   (c) Mme de
    Staël   (d) Marcelin Berthelot

19. Opéra:
    (a) *Madame Bovary*   (b) *Pêcheurs de perles*   (c) *Gargantua*
    (d) *Médecin malgré lui*

20. Compositeur:
    (a) Camille Saint-Saëns   (b) Georges Braque   (c) Lutèce
    (d) Danton

21. Bas-relief de l'Arc de Triomphe:
    (a) *La Danse*   (b) *La Marseillaise*   (c) *Les Glaneuses*   (d) *La
    Vie de Sainte Geneviève*

22. Chef-d'œuvre de l'architecture gothique:
    (a) le Louvre   (b) la Sorbonne   (c) l'École de Barbizon
    (d) Notre-Dame de Paris

23. Le roi le plus aimé:
    (a) Charlemagne   (b) Henri IV   (c) Louis XV   (d) Charles
    Martel

24. Bouillabaisse:
    (a) spécialité culinaire   (b) boisson populaire   (c) espèce de volaille   (d) gâteau délicieux

25. Savant:
    (a) Jean-Antoine Houdon   (b) Rosa Bonheur   (c) Darius
    Milhaud   (d) Claude Bernard

B. *Choisissez l'expression qui complète le sens de la phrase:*

1. La chaîne de montagnes la plus ancienne de France est _____ .
   (a) le Jura   (b) les Alpes   (c) le Massif Central   (d) les Vosges

2. Victor Hugo et Paul Verlaine se distinguèrent dans le domaine de
_____ .

(a) la poésie   (b) la tragédie   (c) la vie politique   (d) la
philosophie

3. L'amiral des forces navales françaises pendant la Révolution américaine fut _____ .

(a) La Fayette   (b) Rochambeau   (c) Louis Napoléon   (d) de
Grasse

4. L'adjectif qui caractérise le mieux le français est _____ .

(a) doux   (b) difficile   (c) clair   (d) riche

5. La pelote et les boules sont des _____ .

(a) fêtes régionales   (b) sports   (c) desserts   (d) danses
provinciales

6. Le roi français qui a donné son nom à la Louisiane est _____ .

(a) Louis XIV   (b) Louis IX   (c) Louis XV   (d) Louis XVI

7. «Les quarante immortels» sont _____ .

(a) les plus grands poètes de France   (b) les écrivains de *L'Encyclopédie*   (c) les impressionnistes   (d) les membres de
l'Académie française

8. Le peintre des scènes de music-hall qui éleva le dessin des affiches
au niveau de l'art est _____ .

(a) Henri de Toulouse-Lautrec   (b) Paul Gauguin   (c) Pierre
Puvis de Chavannes   (d) Henri Matisse

9. Mirabeau et Danton ont joué des rôles importants pendant _____ .

(a) la bataille de Yorktown   (b) la défaite de Napoléon   (c) la
Révolution française   (d) les guerres de religion

10. L'explorateur qui découvrit le Saint-Laurent en 1535 et prit possession du Canada au nom du roi de France est _____ .

(a) Robert Cavalier de La Salle   (b) Louis Joliet   (c) Jacques
Cartier   (d) Samuel de Champlain

11. Louis Braille a créé _____ .

(a) la chimie moderne   (b) un sérum pour guérir la diphtérie
(c) l'alphabet en relief à l'usage des aveugles   (d) les lois de la
dilatation des gaz

12. Le Code Civil des lois françaises d'aujourd'hui date du temps de
_____ .

(a) Charlemagne   (b) Richelieu   (c) Henry IV   (d) Napoléon

13. *L'Aurore* et *Le Monde* sont les noms de deux _____ .

(a) théâtres   (b) journaux   (c) bistros   (d) grands magasins

14. Le breton est un dialecte celtique parlé en _____ .

(a) Irlande   (b) Espagne   (c) Bretagne   (d) Grande-Bretagne

15. Le pointillisme et le fauvisme sont des mouvements _____ .

(a) artistiques   (b) musicaux   (c) littéraires   (d) scientifiques

16. Le Rhône se jette dans _____.

(a) l'Atlantique   (b) la Manche   (c) la Méditerranée   (d) la mer du Nord

17. Honoré Daumier est renommé pour ses _____.

(a) paysages   (b) animaux   (c) natures mortes   (d) caricatures

18. Jean-Baptiste Colbert est le ministre qui a bien servi _____.

(a) Francois Ier   (b) Louis XV   (c) Napoléon   (d) Louis XIV

19. André Ampère fit des découvertes importantes en _____.

(a) médecine   (b) électricité   (c) biologie   (d) chimie

20. Une phrase célèbre de René Descartes est _____.

(a) «Que sais-je?»   (b) «Ce qui n'est pas clair n'est pas français.»   (c) «Je pense, donc je suis.»   (d) «Mais où sont les neiges d'antan?»

21. Le principal représentant de la littérature provençale est _____.

(a) Frédéric Mistral   (b) Pierre de Ronsard   (c) Alphonse Daudet   (d) Alphonse de Lamartine

22. Le fleuve puissant qui fournit beaucoup d'énergie hydro-électrique est _____.

(a) le Rhin   (b) la Seine   (c) le Rhône   (d) la Loire

23. La région de fermes fertiles où les armées alliées ont débarqué en 1944 est _____.

(a) la Côte d'Azur   (b) la Normandie   (c) la Camargue   (d) la Bretagne

24. Les chansons de geste datent _____.

(a) de l'âge classique   (b) du Moyen Âge   (c) de la période gallo-romaine   (d) de la Renaissance

25. La France doit son nom à _____.

(a) une tribu germanique   (b) François Ier   (c) un chef gaulois   (d) un général romain

C. Choisissez l'expression qui complète le sens de la phrase:

1. Le Jura s'étend _____.

(a) du Rhin aux Alpes   (b) entre la France et l'Italie   (c) du Rhin à la Manche (d) entre l'Alsace et la Lorraine

2. Le peintre des danseuses de l'Opéra est _____.

(a) Claude Monet   (b) Edgar Degas   (c) Jean-Baptiste Corot   (d) Auguste Renoir

3. Les trois coups qu'on entend dans une salle de spectacle annoncent _____.

(a) le lever du rideau   (b) la fin de la pièce   (c) le commencement de l'entracte   (d) une situation dangereuse

4. Molière fut _____.

(a) le meilleur écrivain de la Renaissance   (b) le père de la tragédie française   (c) le premier écrivain du XVIIIe siècle   (d) le
créateur de la comédie en France

5. La Banque de France et la Légion d'Honneur sont des créations de

_____.

(a) Louis XIV   (b) Napoléon Ier   (c) la Troisième République   (d) la Révolution française

6. Le fleuve français le plus navigable est _____.

(a) la Loire   (b) le Rhône   (c) la Seine   (d) la Garonne

7. Le savant qui découvrit un vaccin contre la rage est _____.

(a) Claude Bernard   (b) André Ampère   (c) Louis Pasteur
(d) Georges Cuvier

8. L'école impressionniste, qui doit son nom au tableau de Monet intitulé *Impression*, fleurissait au _____.

(a) XVIe siècle   (b) XVIIe siècle   (c) XVIIIe siècle   (d) XIXe
siècle

9. Le chef du mouvement existentialiste s'appelle _____.

(a) André Gide   (b) Jean-Paul Sartre   (c) François Mauriac
(d) Émile Zola

10. Le premier mai, en France, on vend dans les rues _____.

(a) du muguet   (b) des violettes   (c) des roses   (d) des pensées

11. Corot est renommé pour ses _____.

(a) portraits   (b) paysages   (c) animaux   (d) scènes de Montmartre

12. Les volcans éteints qu'on appelle puys se trouvent dans _____.

(a) le Massif Central   (b) les Alpes   (c) les Pyrénées   (d) les
Vosges

13. Le premier héros national de la France fut _____.

(a) Charlemagne   (b) Clovis   (c) Saint Louis
(d) Vercingétorix

14. La France a des frontières naturelles excepté _____.

(a) au nord-est   (b) au sud-est   (c) au nord-ouest   (d) au sud-
ouest

15. Le chef-d'œuvre d'Honoré de Balzac dans lequel il peint un tableau
de la société du XIXe siècle s'appelle _____.

(a) *Les Misérables*   (b) *L'Encyclopédie*   (c) *La Comédie humaine*   (d) *Les Lettres philosophiques*

16. Henri Becquerel et Antoine-Laurent de Lavoisier sont connus pour
leurs contributions au domaine _____.

(a) de la musique   (b) des sciences   (c) des beaux-arts   (d) de
la philosophie

17. L'influence la plus profonde de la culture romaine est encore évidente en _____.

    (a) Provence   (b) Normandie   (c) Bretagne   (d) Alsace

18. Les Français dansent dans les rues chaque année pour célébrer _____.

    (a) Pâques   (b) la fête de la Victoire   (c) la fête du Travail
    (d) la fête nationale

19. Celui qu'on appelle «le père de la fiction scientifique» est _____.

    (a) Guy de Maupassant   (b) Jules Verne   (c) Voltaire
    (d) Alexandre Dumas fils

20. L'école romantique fut profondément influencée par _____.

    (a) Molière   (b) Voltaire   (c) Jean-Jacques Rousseau
    (d) Montesquieu

21. Le Corbusier est connu pour _____.

    (a) son architecture originale   (b) sa musique symphonique
    (c) ses théories scientifiques   (d) ses romans psychologiques

22. Le fleuve le plus long, mais le moins utile de France est _____.

    (a) la Loire   (b) la Seine   (c) le Rhône   (d) la Garonne

23. Des rois suivants, celui qui a contribué le moins à la grandeur de la France est _____.

    (a) Henri IV   (b) Louis XV   (c) François Ier (d) Louis XIV

24. Le premier des grands poètes lyriques français est _____.

    (a) François Villon   (b) Paul Verlaine   (c) Alfred de Musset
    (d) Pierre de Ronsard

25. Jules Massenet a composé la musique de _____.

    (a) *Louise*   (b) *Thaïs*   (c) *Mignon*   (d) *Samson et Dalila*

PART

Comprehensive Testing
Speaking
Listening Comprehension
Reading Comprehension
Writing

FIVE

1. Speaking: Oral Communication Tasks [24 points]

Your teacher will administer two communication tasks. Each task prescribes a simulated conversation in which you play yourself and the teacher assumes the role indicated in the task.

Each task requires six utterances on your part. An utterance is any spoken statement that is comprehensible and appropriate and leads to accomplishing the stated task. Assume that in each situation you are speaking with a person who speaks French.

2. Listening Comprehension

2a MULTIPLE CHOICE (ENGLISH) [18 points]

Part 2a consists of nine questions. For each question, you will hear some background information in English. Then you will hear a passage in French twice, followed by a question in English. Listen carefully. After you have heard the question, read the question and the four suggested answers in your book. Choose the best suggested answer.

1 How much does this test cost?

    1. 11 francs   2. 30 francs   3. 0 francs   4. 15 francs

2 To what type of event are the listeners being invited?

    1. An important dinner.   3. A military parade.
    2. The opening of a new store.   4. A fashion show.

3 What conclusion does the study referred to make?

    1. Cold cereal is a good breakfast.
    2. Cold cereals have too much sugar.
    3. Breakfast is an important meal.
    4. Cold cereal is unhealthy.

4 What does this advertisement promise?

    1. A wonderful trip around the world.
    2. A reliable overseas moving service.
    3. A dependable housekeeper.
    4. A fast messenger service.

5 What is included in this guidebook for the first time?

    1. The names of 10,500 luxury restaurants.
    2. The names of the most famous tours in France.

3. The names of hotels where smoking is prohibited.
4. The names of gas stations that sell unleaded gas.

6   What does this announcement propose to do?

1. Sell French books to students.
2. Buy French books for the public library.
3. Introduce children to French literature.
4. Improve children's English reading skills.

7   Who would benefit from this treatment?

1. People who want to look younger.
2. People who don't like the shape of their nose.
3. Overweight people.
4. People with heart conditions.

8   What does the son explain?

1. How to take photographs.
2. How to send a visual message to a friend.
3. How to make use of the present.
4. How to take the appliance apart.

9   What is the purpose of this auction?

1. To raise funds for child-care centers.
2. To feed hungry children.
3. To buy toys for poor children.
4. To send poor children to summer camp.

2*b* MULTIPLE CHOICE (FRENCH) [12 Points]

Part 2b consists of six questions. For each question, you will hear some background information in English. Then you will hear a passage in French *twice*, followed by a question in French. Listen carefully. After you have heard the question, read the question and the four suggested answers in your book. Choose the best suggested answer.

1   À qui est-ce que cette association offre des prix?

1. À ceux qui savent chanter en français.
2. À ceux qui ont bien réussi leurs études de français.
3. À ceux qui sont de bons acteurs en français.
4. À ceux qui veulent devenir traducteurs.

2   Pourquoi va-t-on établir ce musée?

1. Pour rendre hommage aux chanteurs.
2. Pour honorer les étoiles du ballet français.

    3. Pour commémorer les vedettes de cinéma du passé.

    4. Pour exhiber des peintures françaises anciennes.

3   À quoi sert Dexter?

    1. À remplacer le téléphone.

    2. À faire fonctionner les ordinateurs.

    3. À aider les handicapés.

    4. À rendre plus facile le travail mécanique.

4   Qui s'intéresserait à cette annonce?

    1. Une personne qui voudrait emprunter de l'argent.

    2. Une personne qui cherche du travail.

    3. Une personne qui a envie de devenir riche.

    4. Une personne qui désire épargner de l'argent.

5   Que peut-on dire de l'industrie fromagère en France?

    1. Elle offre peu de variété.

    2. Elle prospère.

    3. Elle est de moindre importance.

    4. Elle est très limitée.

6   Quelle est l'opinion de la plupart des élèves?

    1. Ils n'aiment pas l'école.

    2. Ils pensent que leurs vacances sont trop courtes.

    3. Ils préfèrent aller à l'école pendant toute l'année.

    4. Ils aiment mieux garder les grandes vacances.

3. Reading Comprehension

3a LONG CONNECTED PASSAGE [10 Points]

Part 3a consists of a passage followed by five questions or incomplete statements in French. For each, choose the expression that best answers the question or completes the statement *according to the meaning of the passage.*

    La structure des marchés français a peu changé depuis le Moyen Âge où les villages à travers le pays organisaient un marché tous les huit jours pour vendre et échanger de tout. Dans certaines régions il y avait même des foires aux célibataires annuelles où l'on allait dans l'espoir de se trouver une épouse ou un mari.

    Aujourd'hui l'importance des marchés varie selon la ville où ils prennent place. Tous les marchés ont lieu une fois par semaine, le matin, et se terminent vers midi. Le marché n'est ouvert que le matin parce que les marchands passent le reste de la journée à s'occuper de leurs fermes ou à acheter leurs propres marchandises. Quand on va au marché, il ne faut pas oublier d'apporter un filet ou un grand sac pour y mettre les achats car les marchands ne donnent que des petits sacs.

Le marché a souvent lieu sur la place principale de la ville ou du village. Chaque ville a un jour de marché déterminé. Les marchés français offrent des légumes, des fruits frais, des fromages, de la viande et du poisson. Mais vous pouvez aussi y trouver des plantes, des vêtements, des chaussures et des ustensiles de cuisine. Les marchés sont un lieu de rencontre très animé et cela vaut la peine de les visiter.

1 On a établi les premiers marchés

    1. récemment.   3. pendant la Renaissance.
    2. dans les années vingt.   4. il y a très longtemps.

2 De qui pouvait-on faire la connaissance au marché dans le passé?

    1. De sa future femme.   3. D'un fermier important.
    2. D'un homme célèbre.   4. Du facteur.

3 On doit aller au marché le matin de bonne heure

    1. parce que le marché est très grand.
    2. pour avoir les meilleurs choix.
    3. parce que le marché se termine à midi.
    4. pour être libre le soir.

4 Quand on va au marché, il faut

    1. vendre de la marchandise.
    2. aller voir les fermiers.
    3. aller loin du centre du village.
    4. prendre un sac à provisions.

5 Quand ont lieu les marchés?

    1. Tous les jours.   3. Une fois par semaine.
    2. Une fois par mois.   4. Tous les après-midis.

3b SHORT READINGS (MULTIPLE CHOICE, ENGLISH) [10 Points]

Part 3b consists of five short readings. For each selection, there is a question or incomplete statement in English. For each, choose the expression that best answers the question or completes the statement. Base your choice on the content of the reading selection.

LES «AÉROPORTS DE PARIS»

sont heureux de vous offrir à l'occasion de votre voyage un souvenir de France.

Ce souvenir vous sera remis gratuitement sur présentation de cette annonce et de votre carte d'embarquement dans toute boutique hors-taxe de la zone franche.

Il ne pourra être remis qu'un seul cadeau par passager.

1   To what does this card entitle you?

   1. A free gift.
   2. A discount on souvenir items.
   3. Use of the duty-free shop.
   4. A transfer from the airport to your hotel.

CURIOSITÉ DU JOUR

Il pleut à verse. Vous pouvez essayer de courir, mais vous ne resterez pas beaucoup plus sec qu'une personne marchant à un pas normal. Quelqu'un courant à 22 miles à l'heure sera mouillé 10% de moins seulement que quelqu'un marchant à une allure de 7 miles à l'heure.

2   What does this article suggest?

   1. Run for cover in the rain.
   2. You will get sick if you stay out in the rain.
   3. Rain can cause very severe problems.
   4. You might as well walk and not run in the rain.

Nous recherchons des personnes

pour organiser des échanges entre établissements scolaires français et américains. Nous désirons trouver des familles qui puissent loger les étudiants français. Pour tous renseignements, écrire à:

ORGANISATION DES ÉTUDIANTS AMÉRICAINS ET FRANÇAIS
16, rue Georges Washington
75000 Paris, France

---

3   Who would be interested in this notice?

1. A French student who wants to work in America.
2. Bilingual tour guides.
3. French and American summer-school students.
4. American teachers who want to organize student exchange programs.

ASTROVISION
votre horoscope

CAPRICORNE

Travail: Encore un petit effort et vous atteindrez le but que vous vous étiez fixé au début de l'année. Ce n'était pas si difficile que ça!

Amour: Vous tomberez amoureux d'une personne très originale et d'un âge très différent du vôtre.

Santé: Beaucoup de fatigue, mais vous ne la sentirez pas. Trois ou quatre heures de sommeil par nuit vous suffiront.

---

4   What do the stars predict for a person born under this sign?

1. Difficulties at work.
2. Falling in love with a much older or younger person.
3. Fatigue and much needed sleep and rest.
4. A bad accident.

La revue «*La Bonne Chère*» annonce un concours:

Participez à notre concours gastronomique. Envoyez-nous votre recette favorite et gagnez un de ces prix extraordinaires:

GRAND PRIX:

- un voyage en France, tous frais compris

AUTRES PRIX:

- un stage de 3 semaines, tous frais compris, à l'institut canadien des études françaises

- 50 parfums offerts par Chenonceaux

- 4 abonnements à *Voici Paris*, le magazine vidéo sur la France

- 35 disques des derniers succès

- 20 boîtes de chocolats d'une livre offertes par M. Praline

---

5   What do you have to do to win a prize?

  1. Be a good runner.
  2. Participate in a sports event.
  3. Know how to cook.
  4. Send in your favorite horoscope.

3c SLOT COMPLETION [10 Points]

For the following passage, there are five blank spaces numbered 1 through 5. Each blank represents a missing word or expression. For each blank space, four possible completions are provided. Only one of them makes sense in the context of the passage.

First, read the passage in its entirety to determine its general meaning. Then read it a second time. For each blank space, choose the completion that makes the best sense.

Dans une ville en Suisse, un robot intelligent est devenu l'auxiliaire de la police.

Les conducteurs de voiture qui pensent pouvoir éviter une contravention pour avoir dépassé les limites de ___(1)___ devraient reconsidérer leurs intentions s'ils comptent conduire en Suisse.

(1) 1 vitesse
  2 politesse
  3 moralité
  4 lenteur

(2) 1 tort
  2 problème
  3 chance
  4 but

Dans une ville en Suisse, on a installé un robot dont le seul __(2)__ est d'attraper ceux qui font des excès de vitesse. Ce robot fonctionne en combinant radar et photographie. Un signal radar est orienté vers la circulation routière. S'il détecte une voiture qui roule trop vite, il __(3)__ un appareil qui photographie la voiture.

Les agents de police développent le film et peuvent identifier __(4)__ de la voiture grâce au numéro de la plaque d'immatriculation. Ils lui envoient alors une contravention par la poste.

Les deux premiers mois de sa mise en place, le robot a intercepté plus de 3.000 conducteurs et les autorités affirment qu'il y a eu beaucoup moins __(5)__ .

(3) 1 travaille
2 fait
3 actionne
4 montre

(4) 1 la rapidité
2 le propriétaire
3 la taille
4 l'âge

(5) 1 de circulation
2 de vols
3 de chauffeurs
4 d'accidents

4. Writing

4a INFORMAL NOTE [6 Points]

Choose one of the topics below and write a well-organized note in French as directed. Your note must consist of at least six clauses. A clause must contain a verb, a stated or implied subject, and additional words necessary to convey meaning. The six clauses may be contained in fewer than six sentences if some of the sentences have more than one clause:

Examples:

One clause: Hier j'ai fait des courses.
Two clauses: Hier j'ai fait des courses et j'ai rencontré Jean dans la rue.
Three clauses: Hier j'ai fait des courses et j'ai rencontré Jean qui m'a invité à une boum chez lui.

Note that the salutation and closing will not count as part of the six clauses.

1. You need a book from the library. Write a short note to your brother/sister asking him/her to get it for you.

Use the following:

Salutation: [your brother/sister's name]
Closing: [your name]

2. A pen pal is going to visit you for the first time. Write a note in which you give him/her directions to your house.

Use the following:

Salutation: [your pen pal's name]
Closing: [your name]

4b NARRATIVE OR LETTER [10 Points]

Write a well-organized composition as directed below. Choose either the narrative or formal letter. Follow the specific instructions for the topic you select. Each composition must consist of at least ten clauses. A clause must contain a verb, a stated or implied subject, and additional words necessary to convey meaning. The ten clauses may be contained in fewer than ten sentences if some of the sentences have more than one clause.

A. NARRATIVE

Write a STORY in French about the situation shown in the picture. It must be a story about the situation in the picture, not a description of the picture.

Key words:		
	le bureau de poste	post office
	peser	to weigh
	la balance	scale
	le timbre	stamp
	la poche	pocket

B. FORMAL LETTER

Write a LETTER in French. Follow the specific instructions. Note that the dateline, salutation, and closing will *not* count as part of the required ten clauses.

You have just returned from a visit to Paris and realize that you forgot one of your possessions in your hotel room. Write a letter to the management in which you request its assistance in locating the item.

The suggested subtopics are: nature of the problem; article you left behind; description of the item; room you occupied; where you may have left it; how it can be returned to you.

You may use ideas suggested by any or all of the subtopics listed above or you may use your own ideas. Either way, you must accomplish the purpose of the letter, which is *to inquire about a lost item and to make arrangements for its return.*

Use the following:

Dateline: le ____ ____ 19__
Salutation: Monsieur/Madame,
Closing: Veuillez agréer, Monsieur/Madame, l'expression de mes sentiments les meilleurs.

Appendix

1. Verbs With Regular Forms

a. Simple Tenses

INFINITIVE

| parl**er** | fin**ir** | vend**re** | s'amuser |

PAST PARTICIPLE

| parl**é** | fin**i** | vend**u** | amusé |

PRESENT PARTICIPLE

| parl**ant** | fin**issant** | vend**ant** | s'amusant |

PERFECT PARTICIPLE

| ayant parlé | ayant fini | ayant vendu | s'étant amusé(e)(s) |

PRESENT

parl**e**	fin**is**	vend**s**	m'amuse
parl**es**	fin**is**	vend**s**	t'amuses
parl**e**	fin**it**	vend	s'amuse
parl**ons**	fin**issons**	vend**ons**	nous amusons
parl**ez**	fin**issez**	vend**ez**	vous amusez
parl**ent**	fin**issent**	vend**ent**	s'amusent

IMPERATIVE

parl**e**	fin**is**	vend**s**	amuse-**toi**
parl**ons**	fin**issons**	vend**ons**	amusons-**nous**
parl**ez**	fin**issez**	vend**ez**	amusez-**vous**

515

	IMPERFECT		
parlais	finissais	vendais	m'amusais
parlais	finissais	vendais	t'amusais
parlait	finissait	vendait	s'amusait
parlions	finissions	vendions	nous amusions
parliez	finissiez	vendiez	vous amusiez
parlaient	finissaient	vendaient	s'amusaient

	PASSÉ SIMPLE		
parlai	finis	vendis	m'amusai
parlas	finis	vendis	t'amusas
parla	finit	vendit	s'amusa
parlâmes	finîmes	vendîmes	nous amusâmes
parlâtes	finîtes	vendîtes	vous amusâtes
parlèrent	finirent	vendirent	s'amusèrent

	FUTURE		
parlerai	finirai	vendrai	m'amuserai
parleras	finiras	vendras	t'amuseras
parlera	finira	vendra	s'amusera
parlerons	finirons	vendrons	nous amuserons
parlerez	finirez	vendrez	vous amuserez
parleront	finiront	vendront	s'amuseront

	CONDITIONAL		
parlerais	finirais	vendrais	m'amuserais
parlerais	finirais	vendrais	t'amuserais
parlerait	finirait	vendrait	s'amuserait
parlerions	finirions	vendrions	nous amuserions
parleriez	finiriez	vendriez	vous amuseriez
parleraient	finiraient	vendraient	s'amuseraient

	PRESENT SUBJUNCTIVE		
parle	finisse	vende	m'amuse
parles	finisses	vendes	t'amuses
parle	finisse	vende	s'amuse
parlions	finissions	vendions	nous amusions
parliez	finissiez	vendiez	vous amusiez
parlent	finissent	vendent	s'amusent

b. Compound Tenses

		PASSÉ COMPOSÉ	
ai parlé	ai fini	ai vendu	me suis amusé(e)
as parlé	as fini	as vendu	t'es amusé(e)
a parlé	a fini	a vendu	s'est amusé(e)
avons parlé	avons fini	avons vendu	nous sommes amusé(e)s
avez parlé	avez fini	avez vendu	vous êtes amusé(e)(s)
ont parlé	ont fini	ont vendu	se sont amusé(e)s

		PLUPERFECT	
avais parlé	avais fini	avais vendu	m'étais amusé(e)
avais parlé	avais fini	avais vendu	t'étais amusé(e)
avait parlé	avait fini	avait vendu	s'était amusé(e)
avions parlé	avions fini	avions vendu	nous étions amusé(e)s
aviez parlé	aviez fini	aviez vendu	vous étiez amusé(e)(s)
avaient parlé	avaient fini	avaient vendu	s'étaient amusé(e)s

		FUTURE PERFECT	
aurai parlé	aurai fini	aurai vendu	me serai amusé(e)
auras parlé	auras fini	auras vendu	te seras amusé(e)
aura parlé	aura fini	aura vendu	se sera amusé(e)
aurons parlé	aurons fini	aurons vendu	nous serons amusé(e)s
aurez parlé	aurez fini	aurez vendu	vous serez amusé(e)(s)
auront parlé	auront fini	auront vendu	se seront amusé(e)s

		PAST CONDITIONAL	
aurais parlé	aurais fini	aurais vendu	me serais amusé(e)
aurais parlé	aurais fini	aurais vendu	te serais amusé(e)
aurait parlé	aurait fini	aurait vendu	se serait amusé(e)
aurions parlé	aurions fini	aurions vendu	nous serions amusé(e)s
auriez parlé	auriez fini	auriez vendu	vous seriez amusé(e)(s)
auraient parlé	auraient fini	auraient vendu	se seraient amusé(e)s

		PAST SUBJUNCTIVE	
aie parlé	aie fini	aie vendu	me sois amusé(e)
aies parlé	aies fini	aies vendu	te sois amusé(e)
ait parlé	ait fini	ait vendu	se soit amusé(e)
ayons parlé	ayons fini	ayons vendu	nous soyons amusé(e)s
ayez parlé	ayez fini	ayez vendu	vous soyez amusé(e)(s)
aient parlé	aient fini	aient vendu	se soient amusé(e)s

2. -er Verbs With Spelling Changes

	-cer verbs	**-ger** verbs	**-yer** verbs*
INFINITIVE	pla**cer**	man**ger**	emplo**yer**
PRESENT	place	mange	**emploie**
	places	manges	**emploies**
	place	mange	**emploie**
	plaçons	**mangeons**	employons
	placez	mangez	employez
	placent	mangent	**emploient**
IMPERFECT	**plaçais**	**mangeais**	
	plaçais	**mangeais**	
	plaçait	**mangeait**	
	placions	mangions	
	placiez	mangiez	
	plaçaient	**mangeaient**	
FUTURE			**emploierai**
			emploieras
			emploiera
			emploierons
			emploierez
			emploieront
CONDITIONAL			**emploierais**
			emploierais
			emploierait
			emploierions
			emploieriez
			emploieraient
PRESENT SUBJUNCTIVE			emploie
			emploies
			emploie
			employions
			employiez
			emploient
COMMANDS	place	mange	emploie
	plaçons	mangeons	employons
	placez	mangez	employez
PASSÉ SIMPLE	**plaçai**	**mangeai**	
	plaças	**mangeas**	
	plaça	**mangea**	
	plaçâmes	**mangeâmes**	
	plaçâtes	**mangeâtes**	
	placèrent	mangèrent	

*Verbs ending in **-ayer**, like **payer** and **balayer**, may be conjugated like **employer** or retain the **y** in all conjugations: je **paye** or je **paie**.

	-eler / -eter verbs		e + consonant + er verbs	é + consonant(s) + er verbs
INFINITIVE	appeler	jeter	mener	espérer
PRESENT	appelle	jette	mène	espère
	appelles	jettes	mènes	espères
	appelle	jette	mène	espère
	appelons	jetons	menons	espérons
	appelez	jetez	menez	espérez
	appellent	jettent	mènent	espèrent
IMPERFECT				
FUTURE	appellerai	jetterai	mènerai	
	appelleras	jetteras	mèneras	
	appellera	jettera	mènera	
	appellerons	jetterons	mènereons	
	appellerez	jetterez	mènerez	
	appelleront	jetteront	mèneront	
CONDITIONAL	appellerais	jetterais	mènerais	
	appellerais	jetterais	mènerais	
	appellerait	jetterait	mènerait	
	appellerions	jetterions	mènerions	
	appelleriez	jetteriez	mèneriez	
	appelleraient	jetteraient	mèneraient	
PRESENT SUBJUNCTIVE	appelle	jette	mène	espère
	appelles	jettes	mènes	espères
	appelle	jette	mène	espère
	appelions	jetions	menions	espérions
	appeliez	jetiez	meniez	espériez
	appellent	jettent	mènent	espèrent
COMMANDS	appelle	jette	mène	espère
	appelons	jetons	menons	espérons
	appelez	jetez	menez	espérez
PASSÉ SIMPLE				

3. Verbs With Irregular Forms

NOTE: 1. Irregular forms are printed in bold type.
2. Verbs conjugated with **être** in compound tenses are indicated with an asterisk (*).

INFINITIVE, PARTICIPLES	PRESENT	IMPERATIVE	IMPERFECT	PASSÉ SIMPLE
accueillir *to welcome* (like **cueillir**)				
aller* *to go* allant allé	**vais** **vas** **va** allons allez **vont**	va allons allez	allais allais allait allions alliez allaient	allai allas alla allâmes allâtes allèrent
s'asseoir* *to sit* s'asseyant **assis**	m'**assieds** t'**assieds** s'**assied** nous **asseyons** vous **asseyez** s'**asseyent** *or* m'**assois** t'**assois** s'**assoit**	assieds-toi asseyons-nous asseyez-vous *or* assois-toi assoyons-nous assoyez-vous	m'asseyais t'asseyais s'asseyait nous asseyions vous asseyiez s'asseyaient *or* m'assoyais t'assoyais s'assoyait	m'**assis** t'**assis** s'**assit** nous **assîmes** vous **assîtes** s'**assirent**
admettre *to admit* (like **mettre**)				
apercevoir *to notice* (like **recevoir**)				
apparaître *to appear* (like **connaître**)				
appartenir *to belong* (like **tenir**)				
apprendre *to learn* (like **prendre**)				
atteindre *to reach* (like **peindre**)				
avoir *to have* **ayant** **eu**	**ai** **as** **a** avons avez **ont**	**aie** **ayons** **ayez**	avais avais avait avions aviez avaient	**eus** **eus** **eut** **eûmes** **eûtes** **eurent**

FUTURE	CONDITIONAL	SUBJUNCTIVE	COMPOUND TENSES
irai	irais	aille	PASSÉ COMPOSÉ: je suis allé(e)
iras	irais	ailles	PLUPERFECT: j'étais allé(e)
ira	irait	aille	FUTURE PERFECT: je serai allé(e)
irons	irions	allions	PAST CONDITIONAL: je serais allé(e)
irez	iriez	alliez	PAST SUBJUNCTIVE: je sois allé(e)
iront	iraient	aillent	
m'assiérai	m'assiérais	m'asseye	PASSÉ COMPOSÉ: je me suis **assis**(e)
t'assiéras	t'assiérais	t'asseyes	PLUPERFECT: je m'étais **assis**(e)
s'assiéra	s'assiérait	s'asseye	FUTURE PERFECT: je me serai **assis**(e)
nous assiérons	nous assiérions	nous asseyions	PAST CONDITIONAL: je me serais **assis**(e)
vous assiérez	vous assiériez	vous asseyiez	PAST SUBJUNCTIVE: je me sois **assis**(e)
s'assiéront	s'assiéraient	s'asseyent	
or	*or*	*or*	
m'assoirai	m'assoirais	m'assoie	
t'assoiras	t'assoirais	t'assoies	
s'assoira	s'assoirait	s'assoie	
aurai	aurais	aie	PASSÉ COMPOSÉ: j'ai **eu**
auras	aurais	aies	PLUPERFECT: j'avais **eu**
aura	aurait	ait	FUTURE PERFECT: j'aurai **eu**
aurons	aurions	ayons	PAST CONDITIONAL: j'aurais **eu**
aurez	auriez	ayez	PAST SUBJUNCTIVE: j'aie **eu**
auront	auraient	aient	

INFINITIVE, PARTICIPLES	PRESENT	IMPERATIVE	IMPERFECT	PASSÉ SIMPLE
battre	**bats**	bats	battais	battis
to beat	**bats**	battons	battais	battis
	bat	battez	battait	battit
battant	battons		battions	battîmes
battu	battez		battiez	battîtes
	battent		battaient	battirent
boire	bois	bois	buvais	**bus**
to drink	bois	buvons	buvais	**bus**
	boit	buvez	buvait	**but**
buvant	**buvons**		buvions	**bûmes**
bu	**buvez**		buviez	**bûtes**
	boivent		buvaient	**burent**

combattre to fight
(like **battre**)

comprendre to understand
(like **prendre**)

conduire	conduis	conduis	conduisais	**conduisis**
to drive	conduis	conduisons	conduisais	**conduisis**
	conduit	conduisez	conduisait	**conduisit**
conduisant	**conduisons**		conduisions	**conduisîmes**
conduit	**conduisez**		conduisiez	**conduisîtes**
	conduisent		conduisaient	**conduisirent**

connaître	**connais**	connais	connaissais	**connus**
to know	**connais**	connaissons	connaissais	**connus**
	connaît	connaissez	connaissait	**connut**
connaissant	**connaissons**		connaissions	**connûmes**
connu	**connaissez**		connaissiez	**connûtes**
	connaissent		connaissaient	**connurent**

construire to build
(like **conduire**)

contenir to contain
(like **tenir**)

courir	**cours**	cours	courais	**courus**
to run	**cours**	courons	courais	**courus**
	court	courez	courait	**courut**
courant	**courons**		courions	**courûmes**
couru	**courez**		couriez	**courûtes**
	courent		couraient	**coururent**

FUTURE	CONDITIONAL	SUBJUNCTIVE	COMPOUND TENSES
battrai	battrais	batte	PASSÉ COMPOSÉ: j'ai battu
battras	battrais	battes	PLUPERFECT: j'avais battu
battra	battrait	battes	FUTURE PERFECT: j'aurai battu
battrons	battrions	battions	PAST CONDITIONAL: j'aurais battu
battrez	battriez	battiez	PAST SUBJUNCTIVE: j'aie battu
battront	battraient	battent	
boirai	boirais	boive	PASSÉ COMPOSÉ: j'ai **bu**
boiras	boirais	boives	PLUPERFECT: j'avais **bu**
boira	boirait	boive	FUTURE PERFECT: j'aurai **bu**
boirons	boirions	**buvions**	PAST CONDITIONAL: j'aurais **bu**
boirez	boiriez	**buviez**	PAST SUBJUNCTIVE: j'aie **bu**
boiront	boiraient	boivent	
conduirai	conduirais	conduise	PASSÉ COMPOSÉ: j'ai **conduit**
conduiras	conduirais	conduises	PLUPERFECT: j'avais **conduit**
conduira	conduirait	conduise	FUTURE PERFECT: j'aurai **conduit**
conduirons	conduirions	conduisions	PAST CONDITIONAL: j'aurais **conduit**
conduirez	conduiriez	conduisiez	PAST SUBJUNCTIVE: j'aie **conduit**
conduiront	conduiraient	conduisent	
connaîtrai	connaîtrais	connaisse	PASSÉ COMPOSÉ: j'ai **connu**
connaîtras	connaîtrais	connaisses	PLUPERFECT: j'avais **connu**
connaîtra	connaîtrait	connaisse	FUTURE PERFECT: j'aurai **connu**
connaîtrons	connaîtrions	connaissions	PAST CONDITIONAL: j'aurais **connu**
connaîtrez	connaîtriez	connaissiez	PAST SUBJUNCTIVE: j'aie **connu**
connaîtront	connaîtraient	connaissent	
courrai	**courrais**	coure	PASSÉ COMPOSÉ: j'ai **couru**
courras	**courrais**	coures	PLUPERFECT: j'avais **couru**
courra	**courrait**	coure	FUTURE PERFECT: j'aurai **couru**
courrons	**courrions**	courions	PAST CONDITIONAL: j'aurais **couru**
courrez	**courriez**	couriez	PAST SUBJUNCTIVE: j'aie **couru**
courront	**courraient**	courent	

INFINITIVE, PARTICIPLES	PRESENT	IMPERATIVE	IMPERFECT	PASSÉ SIMPLE
couvrir to cover (like **ouvrir**)				
craindre to fear craignant craint	**crains** **crains** **craint** **craignons** **craignez** **craignent**	crains craignons craignez	craignais craignais craignait craignions craigniez craignaient	**craignis** **craignis** **craignit** **craignîmes** **craignîtes** **craignirent**
croire to believe croyant **cru**	crois crois croit croyons croyez croient	crois croyons croyez	croyais croyais croyait croyions croyiez croyaient	**crus** **crus** **crut** **crûmes** **crûtes** **crurent**
cueillir to pick cueillant cueilli	**cueille** **cueilles** **cueille** **cueillons** **cueillez** **cueillent**	**cueille** cueillons ceuillez	cueillais cueillais cueillait cueillions cueilliez cueillaient	cueillis cueillis cueillit cueillîmes cueillîtes cueillirent
décevoir to disappoint (like **recevoir**)				
découvrir to discover (like **ouvrir**)				
décrire to describe (like **écrire**)				
détruire to destroy (like **conduire**)				
devenir* to become (like **tenir**)				
devoir to have to; to owe devant **dû, due, dus, dues**	**dois** **dois** **doit** **devons** **devez** **doivent**	dois devons devez	devais devais devait devions deviez devaient	**dus** **dus** **dut** **dûmes** **dûtes** **durent**
dire to say, tell disant **dit**	dis dis dit **disons** **dites** **disent**	dis disons dîtes	disais disais disait disions disiez disaient	**dis** **dis** **dit** **dîmes** **dîtes** **dirent**

FUTURE	CONDITIONAL	SUBJUNCTIVE	COMPOUND TENSES
craindrai	craindrais	craigne	PASSÉ COMPOSÉ: j'ai **craint**
craindras	craindrais	craignes	PLUPERFECT: j'avais **craint**
craindra	craindrait	craigne	FUTURE PERFECT: j'aurai **craint**
craindrons	craindrions	craignions	PAST CONDITIONAL: j'aurais **craint**
craindrez	craindriez	craigniez	PAST SUBJUNCTIVE: j'aie **craint**
craindront	craindraient	craignent	
croirai	croirais	croie	PASSÉ COMPOSÉ: j'ai **cru**
croiras	croirais	croies	PLUPERFECT: j'avais **cru**
coira	croirait	croie	FUTURE PERFECT: j'aurai **cru**
croirons	croirions	**croyions**	PAST CONDITIONAL: j'aurais **cru**
croirez	croiriez	**croyiez**	PAST SUBJUNCTIVE: j'aie **cru**
croiront	croiraient	croient	
cueillerai	**cueillerais**	cueille	PASSÉ COMPOSÉ: j'ai cueilli
cueilleras	**cueillerais**	cueilles	PLUPERFECT: j'avais cueilli
cueillera	**cueillerait**	cueille	FUTURE PERFECT: j'aurai cueilli
cueillerons	**cueillerions**	cueillions	PAST CONDITIONAL: j'aurais cueilli
cueillerez	**cueilleriez**	cueilliez	PAST SUBJUNCTIVE: j'aie cueilli
cueilleront	**cueilleraient**	cueillent	
devrai	**devrais**	doive	PASSÉ COMPOSÉ: j'ai **dû**
devras	**devrais**	doives	PLUPERFECT: j'avais **dû**
devra	**devrait**	doive	FUTURE PERFECT: j'aurai **dû**
devrons	**devrions**	**devions**	PAST CONDITIONAL: j'aurais **dû**
devrez	**devriez**	**deviez**	PAST SUBJUNCTIVE: j'aie **dû**
devront	**devraient**	doivent	
dirai	dirais	dise	PASSÉ COMPOSÉ: j'ai **dit**
diras	dirais	dises	PLUPERFECT: j'avais **dit**
dira	dirait	dise	FUTURE PERFECT: j'aurai **dit**
dirons	dirions	disions	PAST CONDITIONAL: j'aurais **dit**
direz	diriez	disiez	PAST SUBJUNCTIVE: j'aie **dit**
diront	diraient	disent	

INFINITIVE, PARTICIPLES	PRESENT	IMPERATIVE	IMPERFECT	PASSÉ SIMPLE
disparaître to disappear (like **connaître**)				
dormir *to sleep* dormant dormi	**dors** **dors** **dort** **dormons** **dormez** **dorment**	dors dormons dormez	dormais dormais dormait dormions dormiez dormaient	dormis dormis dormit dormîmes dormîtes dormirent
écrire *to write* écrivant **écrit**	écris écris **écrit** **écrivons** **écrivez** **écrivent**	écris écrivons écrivez	écrivais écrivais écrivait écrivions écriviez écrivaient	**écrivis** **écrivis** **écrivit** **écrivîmes** **écrivîtes** **écrivirent**
envoyer *to send* envoyant envoyé	**envoie** **envoies** **envoie** **envoyons** **envoyez** **envoient**	envoie envoyons envoyez	envoyais envoyais envoyait envoyions envoyiez envoyaient	envoyai envoyas envoya envoyâmes envoyâtes envoyèrent
éteindre to turn off (like **craindre**)				
être *to be* **étant** **été**	**suis** **es** **est** **sommes** **êtes** **sont**	**sois** **soyons** **soyez**	**étais** **étais** **était** **étions** **étiez** **étaient**	**fus** **fus** **fut** **fûmes** **fûtes** **furent**
faire *to do, make* faisant **fait**	fais fais **fait** **faisons** **faites** **font**	fais faisons faites	faisais faisais faisait faisions faisiez faisaient	**fis** **fis** **fit** **fîmes** **fîtes** **firent**
falloir *to be necessary* fallu	**il faut**		**il fallait**	**il fallut**
interdire to forbid (like **dire**)				
joindre to join (like **craindre**)				

FUTURE	CONDITIONAL	SUBJUNCTIVE	COMPOUND TENSES
dormirai	dormirais	dorme	PASSÉ COMPOSÉ: j'ai dormi
dormiras	dormirais	dormes	PLUPERFECT: j'avais dormi
dormira	dormirait	dorme	FUTURE PERFECT: j'aurai dormi
dormirons	dormirions	dormions	PAST CONDITIONAL: j'aurais dormi
dormirez	dormiriez	dormiez	PAST SUBJUNCTIVE: j'aie dormi
dormiront	dormiraient	dorment	
écrirai	écrirais	écrive	PASSÉ COMPOSÉ: j'ai **écrit**
écriras	écrirais	écrives	PLUPERFECT: j'avais **écrit**
écrira	écrirait	écrive	FUTURE PERFECT: j'aurai **écrit**
écrirons	écririons	écrivions	PAST CONDITIONAL: j'aurais **écrit**
écrirez	écririez	écriviez	PAST SUBJUNCTIVE: j'aie **écrit**
écriront	écriraient	écrivent	
enverrai	**enverrais**	envoie	PASSÉ COMPOSÉ: j'ai envoyé
enverras	**enverrais**	envoies	PLUPERFECT: j'avais envoyé
enverra	**enverrait**	envoie	FUTURE PERFECT: j'aurai envoyé
enverrons	**enverrions**	**envoyions**	PAST CONDITIONAL: j'aurais envoyé
enverrez	**enverriez**	**envoyiez**	PAST SUBJUNCTIVE: j'aie envoyé
enverront	**enverraient**	envoient	
serai	serais	**sois**	PASSÉ COMPOSÉ: j'ai **été**
seras	serais	**sois**	PLUPERFECT: j'avais **été**
sera	serait	**soit**	FUTURE PERFECT: j'aurai **été**
serons	serions	**soyons**	PAST CONDITIONAL: j'aurais **été**
serez	seriez	**soyez**	PAST SUBJUNCTIVE: j'aie **été**
seront	seraient	**soient**	
ferai	ferais	**fasse**	PASSÉ COMPOSÉ: j'ai fait
feras	ferais	**fasses**	PLUPERFECT: j'avais fait
fera	ferait	**fasse**	FUTURE PERFECT: j'aurai fait
ferons	ferions	**fassions**	PAST CONDITIONAL: j'aurais fait
ferez	feriez	**fassiez**	PAST SUBJUNCTIVE: j'aie fait
feront	feraient	**fassent**	
			PASSÉ COMPOSÉ: il a **fallu**
			PLUPERFECT: il avait **fallu**
il faudra	**il faudrait**	**il faille**	FUTURE PERFECT: il aura **fallu**
			PAST CONDITIONAL: il aurait **fallu**
			PAST SUBJUNCTIVE: il ait **fallu**

INFINITIVE, PARTICIPLES	PRESENT	IMPERATIVE	IMPERFECT	PASSÉ SIMPLE
lire	lis	lis	lisais	**lus**
to read	lis	lisons	lisais	**lus**
	lit	lisez	lisait	**lut**
lisant	**lisons**		lisions	**lûmes**
lu	**lisez**		lisiez	**lûtes**
	lisent		lisaient	**lurent**

maintenir *to maintain*
(like **tenir**)

mentir *to lie*
(like **sentir**)

mettre	**mets**	mets	mettais	**mis**
to put	**mets**	mettons	mettais	**mis**
	met	mettez	mettait	**mit**
mettant	mettons		mettions	**mîmes**
mis	mettez		mettiez	**mîtes**
	mettent		mettaient	**mirent**

mourir*	**meurs**	meurs	mourais	**mourus**
to die	**meurs**	mourons	mourais	**mourus**
	meurt	mourez	mourait	**mourut**
mourant	**mourons**		mourions	**mourûmes**
mort	**mourez**		mouriez	**mourûtes**
	meurent		mouraient	**moururent**

naître*	**nais**	nais	naissais	**naquis**
to be born	**nais**	naissons	naissais	**naquis**
	naît	naissez	naissait	**naquit**
naissant	**naissons**		naissions	**naquîmes**
né	**naissez**		naissiez	**naquîtes**
	naissent		naissaient	**naquirent**

obtenir *to obtain*
(like **tenir**)

offrir *to offer*
(like **ouvrir**)

ouvrir	**ouvre**	**ouvre**	ouvrais	ouvris
to open	**ouvres**	ouvrons	ouvrais	ouvris
	ouvre	ouvrez	ouvrait	ouvrit
ouvrant	**ouvrons**		ouvrions	ouvrîmes
ouvert	**ouvrez**		ouvriez	ouvrîtes
	ouvrent		ouvraient	ouvrirent

paraître *to seem, appear*
(like **connaître**)

partir* *to leave*
(like **sortir**)

FUTURE	CONDITIONAL	SUBJUNCTIVE	COMPOUND TENSES
lirai	lirais	lise	PASSÉ COMPOSÉ: j'ai **lu**
liras	lirais	lises	PLUPERFECT: j'avais **lu**
lira	lirait	lise	FUTURE PERFECT: j'aurai **lu**
lirons	lirions	lisions	PAST CONDITIONAL: j'aurais **lu**
lirez	liriez	lisiez	PAST SUBJUNCTIVE: j'aie **lu**
liront	liraient	lisent	

mettrai	mettrais	mette	PASSÉ COMPOSÉ: j'ai **mis**
mettras	mettrais	mettes	PLUPERFECT: j'avais **mis**
mettra	mettrait	mette	FUTURE PERFECT: j'aurai **mis**
mettrons	mettrions	mettions	PAST CONDITIONAL: j'aurais **mis**
mettrez	mettriez	mettiez	PAST SUBJUNCTIVE: j'aie **mis**
mettront	mettraient	mettent	
mourrai	**mourrais**	meure	PASSÉ COMPOSÉ: je suis **mort**(e)
mourras	**mourrais**	meures	PLUPERFECT: j'étais **mort**(e)
mourra	**mourrait**	meure	FUTURE PERFECT: je serai **mort**(e)
mourrons	**mourrions**	**mourions**	PAST CONDITIONAL: je serais **mort**(e)
mourrez	**mourriez**	**mouriez**	PAST SUBJUNCTIVE: je sois **mort**(e)
mourront	**mourraient**	meurent	
naîtrai	naîtrais	naisse	PASSÉ COMPOSÉ: je suis **né**(e)
naîtras	naîtrais	naisses	PLUPERFECT: j'étais **né**(e)
naîtra	naîtrait	naisse	FUTURE PERFECT: je serai **né**(e)
naîtrons	naîtrions	naissions	PAST CONDITIONAL: je serais **né**(e)
naîtrez	naîtriez	naissiez	PAST SUBJUNCTIVE: je sois **né**(e)
naîtront	naîtraient	naissent	

ouvrirai	ouvrirais	ouvre	PASSÉ COMPOSÉ: j'ai **ouvert**
ouvriras	ouvrirais	ouvres	PLUPERFECT: j'avais **ouvert**
ouvrira	ouvrirait	ouvre	FUTURE PERFECT: j'aurai **ouvert**
ouvrirons	ouvririons	ouvrions	PAST CONDITIONAL: j'aurais **ouvert**
ouvrirez	ouvririez	ouvriez	PAST SUBJUNCTIVE: j'aie **ouvert**
ouvriront	ouvriraient	ouvrent	

INFINITIVE, PARTICIPLES	PRESENT	IMPERATIVE	IMPERFECT	PASSÉ SIMPLE
peindre *to paint* (like **craindre**)				
permettre *to allow* (like **mettre**)				
plaindre *to pity* (like **craindre**)				
plaire *to please* plaisant **plu**	plais plais **plaît** **plaisons** **plaisez** **plaisent**	plais plaisons plaisez	plaisais plaisais plaisait plaisions plaisiez plaisaient	**plus** **plus** **plut** **plûmes** **plûtes** **plurent**
pleuvoir *to rain* **plu**	**il pleut**		**il pleuvait**	**il plut**
poursuivre *to pursue* (like **suivre**)				
pouvoir *to be able* pouvant **pu**	**peux (puis)** **peux** **peut** **pouvons** **pouvez** **peuvent**		pouvais pouvais pouvait pouvions pouviez pouvaient	**pus** **pus** **put** **pûmes** **pûtes** **purent**
prendre *to take* prenant **pris**	prends prends prend **prenons** **prencz** **prennent**	prends prenons prenez	prenais prenais prenait prenions preniez prenaient	**pris** **pris** **prit** **prîmes** **prîtes** **prirent**
produire *to produce* (like **conduire**)				
promettre *to promise* (like **mettre**)				
recevoir *to receive* recevant **reçu**	**reçois** **reçois** **reçoit** **recevons** **recevez** **reçoivent**	reçois recevons recevez	recevais recevais recevait recevions receviez recevaient	**reçus** **reçus** **reçut** **reçûmes** **reçûtes** **reçurent**
reconnaître *to recognize* (like **connaître**)				

FUTURE	CONDITIONAL	SUBJUNCTIVE	COMPOUND TENSES

plairai	plairais	plaise	PASSÉ COMPOSÉ: j'ai **plu**
plairas	plairais	plaises	PLUPERFECT: j'avais **plu**
plaira	plairait	plaise	FUTURE PERFECT: j'aurai **plu**
plairons	plairions	plaisions	PAST CONDITIONAL: j'aurais **plu**
plairez	plairiez	plaisiez	PAST SUBJUNCTIVE: j'aie **plu**
plairont	plairaient	plaisent	

			PASSÉ COMPOSÉ: il a **plu**
			PLUPERFECT: il avait **plu**
il pleuvra	**il pleuvrait**	**il pleuve**	FUTURE PERFECT: il aura **plu**
			PAST CONDITIONAL: il aurait **plu**
			PAST SUBJUNCTIVE: il ait **plu**

pourrai	**pourrais**	**puisse**	PASSÉ COMPOSÉ: j'ai **pu**
pourras	**pourrais**	**puisses**	PLUPERFECT: j'avais **pu**
pourra	**pourrait**	**puisse**	FUTURE PERFECT: j'aurai **pu**
pourrons	**pourrions**	**puissions**	PAST CONDITIONAL: j'aurais **pu**
pourrez	**pourriez**	**puissiez**	PAST SUBJUNCTIVE: j'aie **pu**
pourront	**pourraient**	**puissent**	

prendrai	prendrais	prenne	PASSÉ COMPOSÉ: j'ai **pris**
prendras	prendrais	prennes	PLUPERFECT: j'avais **pris**
prendra	prendrait	prenne	FUTURE PERFECT: j'aurai **pris**
prendrons	prendrions	**prenions**	PAST CONDITIONAL: j'aurais **pris**
prendrez	prendriez	**preniez**	PAST SUBJUNCTIVE: j'aie **pris**
prendront	prendraient	prennent	

recevrai	**recevrais**	reçoive	PASSÉ COMPOSÉ: j'ai **reçu**
recevras	**recevrais**	reçoives	PLUPERFECT: j'avais **reçu**
recevra	**recevrait**	reçoive	FUTURE PERFECT: j'aurai **reçu**
recevrons	**recevrions**	**recevions**	PAST CONDITIONAL: j'aurais **reçu**
recevrez	**recevriez**	**receviez**	PAST SUBJUNCTIVE: j'aie **reçu**
recevront	**recevraient**	reçoivent	

INFINITIVE, PARTICIPLES	PRESENT	IMPERATIVE	IMPERFECT	PASSÉ SIMPLE
relire to reread (like **lire**)				
remettre to put/give back (like **mettre**)				
ressentir to feel keenly (like **sortir**)				
retenir to hold back (like **tenir**)				
revenir* to come back (like **tenir**)				
rire to laugh riant **ri**	ris ris **rit** rions riez rient	ris rions riez	riais riais riait riions riiez riaient	**ris** **ris** **rit** **rîmes** **rîtes** **rirent**
savoir to know, know how to **sachant** **su**	**sais** **sais** **sait** **savons** **savez** **savent**	**sache** **sachons** **sachez**	savais savais savait savions saviez savaient	**sus** **sus** **sut** **sûmes** **sûtes** **surent**
sentir to feel (like **sortir**)				
servir to serve (like **sortir**)				
sortir* to go out sortant sorti	**sors** **sors** **sort** **sortons** **sortez** **sortent**	sors sortons sortez	sortais sortais sortait sortions sortiez sortaient	sortis sortis sortit sortîmes sortîtes sortirent
souffrir to suffer (like **ouvrir**)				
suivre to follow (like **rire**)				
surprendre to surprise (like **prendre**)				
se taire* to be quiet (like **plaire**)				

FUTURE	CONDITIONAL	SUBJUNCTIVE	COMPOUND TENSES
rirai	rirais	rie	PASSÉ COMPOSÉ: j'ai **ri**
riras	rirais	ries	PLUPERFECT: j'avais **ri**
rira	rirait	rie	FUTURE PERFECT: j'aurai **ri**
rirons	ririons	riions	PAST CONDITIONAL: j'aurais **ri**
rirez	ririez	riiez	PAST SUBJUNCTIVE: j'aie **ri**
riront	riraient	rient	
saurai	**saurais**	**sache**	PASSÉ COMPOSÉ: j'ai **su**
sauras	**saurais**	**saches**	PLUPERFECT: j'avais **su**
saura	**saurait**	**sache**	FUTURE PERFECT: j'aurai **su**
saurons	**saurions**	**sachions**	PAST CONDITIONAL: j'aurais **su**
saurez	**sauriez**	**sachiez**	PAST SUBJUNCTIVE: j'aie **su**
sauront	**sauraient**	**sachent**	
sortirai	sortirais	sorte	PASSÉ COMPOSÉ: je suis sorti(e)
sortiras	sortirais	sortes	PLUPERFECT: j'étais sorti(e)
sortira	sortirait	sorte	FUTURE PERFECT: je serai sorti(e)
sortirons	sortirions	sortions	PAST CONDITIONAL: je serais sorti(e)
sortirez	sortiriez	sortiez	PAST SUBJUNCTIVE: je sois sorti(e)
sortiront	sortiraient	sortent	

INFINITIVE, PARTICIPLES	PRESENT	IMPERATIVE	IMPERFECT	PASSÉ SIMPLE
tenir	**tiens**	tiens	tenais	**tins**
to hold	**tiens**	tenons	tenais	**tins**
	tient	tenez	tenait	**tint**
tenant	**tenons**		tenions	**tînmes**
tenu	**tenez**		teniez	**tîntes**
	tiennent		tenaient	**tinrent**

traduire *to translate*
(like **conduire**)

valoir	**vaux**	vaux	valais	**valus**
to be worth	**vaux**	valons	valais	**valus**
	vaut	valez	valait	**valut**
valant	**valons**		valions	**valûmes**
valu	**valez**		valiez	**valûtes**
	valent		valaient	**valurent**

venir* *to come*
(like **tenir**)

vivre	**vis**	vis	vivais	**vécus**
to live	**vis**	vivons	vivais	**vécus**
	vit	vivez	vivait	**vécut**
vivant	vivons		vivions	**vécûmes**
vécu	vivez		viviez	**vécûtes**
	vivent		vivaient	**vécurent**

voir	vois	vois	voyais	**vis**
to see	vois	voyons	voyais	**vis**
	voit	voyez	voyait	**vit**
voyant	**voyons**		voyions	**vîmes**
vu	**voyez**		voyiez	**vîtes**
	voient		voyaient	**virent**

vouloir	**veux**	**veuille**	voulais	**voulus**
to want	**veux**	**veuillons**	voulais	**voulus**
	veut	**veuillez**	voulait	**voulut**
voulant	voulons		voulions	**voulûmes**
voulu	voulez		vouliez	**voulûtes**
	veulent		voulaient	**voulurent**

4. Reflexive Verbs

a. Common reflexive verbs:

s'acheter *to buy for oneself*   **s'amuser à** *to have fun, enjoy*
s'agir de *to be a question of*   **s'apercevoir de** *to realize,*
s'améliorer *to improve*   *become aware of*

FUTURE	CONDITIONAL	SUBJUNCTIVE	COMPOUND TENSES
tiendrai	**tiendrais**	tienne	PASSÉ COMPOSÉ: j'ai **tenu**
tiendras	**tiendrais**	tiennes	PLUPERFECT: j'avais **tenu**
tiendra	**tiendrait**	tienne	FUTURE PERFECT: j'aurai **tenu**
tiendrons	**tiendrions**	**tenions**	PAST CONDITIONAL: j'aurais **tenu**
tiendrez	**tiendriez**	**teniez**	PAST SUBJUNCTIVE: j'aie **tenu**
tiendront	**tiendraient**	tiennent	

vaudrai	**vaudrais**	**vaille**	PASSÉ COMPOSÉ: j'ai **valu**
vaudras	**vaudrais**	**vailles**	PLUPERFECT: j'avais **valu**
vaudra	**vaudrait**	**vaille**	FUTURE PERFECT: j'aurai **valu**
vaudrons	**vaudrions**	valions	PAST CONDITIONAL: j'aurais **valu**
vaudrez	**vaudriez**	valiez	PAST SUBJUNCTIVE: j'aie **valu**
vaudront	**vaudraient**	**vaillent**	

vivrai	vivrais	vive	PASSÉ COMPOSÉ: j'ai **vécu**
vivras	vivrais	vives	PLUPERFECT: j'avais **vécu**
vivra	vivrait	vive	FUTURE PERFECT: j'aurai **vécu**
vivrons	vivrions	vivions	PAST CONDITIONAL: j'aurais **vécu**
vivrez	vivriez	viviez	PAST SUBJUNCTIVE: j'aie **vécu**
vivront	vivraient	vivent	

verrai	**verrais**	voie	PASSÉ COMPOSÉ: j'ai **vu**
verras	**verrais**	voies	PLUPERFECT: j'avais **vu**
verra	**verrait**	voie	FUTURE PERFECT: j'aurai **vu**
verrons	**verrions**	**voyions**	PAST CONDITIONAL: j'aurais **vu**
verrez	**verriez**	**voyiez**	PAST SUBJUNCTIVE: j'aie **vu**
verront	**verraient**	voient	

voudrai	voudrais	veuille	PASSÉ COMPOSÉ: j'ai **voulu**
voudras	voudrais	veuilles	PLUPERFECT: j'avais **voulu**
voudra	voudrait	veuille	FUTURE PERFECT: j'aurai **voulu**
voudrons	voudrions	voulions	PAST CONDITIONAL: j'aurais **voulu**
voudrez	voudriez	vouliez	PAST SUBJUNCTIVE: j'aie **voulu**
voudront	voudraient	veuillent	

s'appeler to be named
s'approcher de to approach, come near

s'arrêter de to stop
s'asseoir to sit
s'attendre à to expect to

se **baigner** *to bathe*
se **battre** *to fight*
se **blesser** *to hurt oneself*
se **bronzer** *to tan*
se **brosser** *to brush*
se **brûler** *to burn oneself*
se **cacher** *to hide oneself*
se **casser** *to break*
se **changer** *to change clothes*
se **coiffer** *to do one's hair*
se **conduire** *to behave*
se **contenter de** *to be satisfied with*
se **coucher** *to go to bed*
se **couper** *to cut oneself*
se **décider à** *to decide to*
se **déguiser en** *to disguise oneself as*
se **demander** *to wonder*
se **dépêcher de** *to hurry to*
se **déshabiller** *to undress*
se **dire** *to tell oneself*
se **disputer** *to quarrel*
se **douter de** *to suspect*
s'**échapper** *to escape*
s'**écrire** *to write to one another*
s'**éloigner de** *to move away from*
s'**embrasser** *to hug, kiss*
s'**endormir** *to go to sleep*
s'**ennuyer à/de** *to get bored*
s'**entendre** *to get along*
s'**entraider** *to help one another*
s'**étonner de** *to be surprised at*
s'**exercer à** *to practice*
s'**exprimer** *to express oneself*
se **fâcher contre** *to get angry with*
se **fiancer avec** *to get engaged to*
s'**habiller** *to dress*

s'**habituer à** *to get used to*
s'**impatienter** *to become impatient*
s'**inquiéter de** *to worry about*
s'**installer** *to settle down; to set up shop*
se **laver** *to wash*
se **lever** *to get up*
se **loger** *to lodge*
se **maquiller** *to put on makeup*
se **marier avec** *to get married to*
se **mettre à** *to begin to*
s'**occuper de** *to take care of*
se **parler** *to talk to each other*
se **passer** *to happen*
se **passer de** *to do without*
se **peigner** *to comb*
se **plaindre de** *to complain about*
se **plaire à** *to enjoy, be fond of*
se **préparer à** *to get ready to*
se **présenter** *to introduce oneself*
se **promener** *to take a walk*
se **rappeler** *to remember*
se **raser** *to shave*
se **réconcilier** *to reconcile*
se **regarder** *to look at oneself/ each other*
se **rencontrer** *to meet*
se **reposer** *to rest*
se **résigner à** *to resign oneself to*
se **respecter** *to respect oneself/ one another*
se **retrouver** *to meet again, be back again*
se **réunir** *to meet*
se **réveiller** *to wake up*
se **sauver** *to run away*
se **sentir** *to feel*

se **servir de** to use
se **spécialiser en** to specialize in
se **taire** to be quiet, become silent
se **téléphoner** to telephone each other

se **tromper** to be mistaken
se **trouver** to be, happen to be
se **vanter de** to boast about
se **voir** to see oneself/one another

b. Verbs always used reflexively in French but not usually in English:

s'**écrier** to exclaim, cry out
s'**écrouler** to collapse
s'**efforcer de** to strive to
s'**empresser de** to hasten to
s'**en aller** to leave, go away
s'**enfuir** to flee
s'**évanouir** to faint
se **fier à** to trust

se **lamenter de** to lament, grieve
se **méfier de** to mistrust
se **moquer de** to make fun of
se **soucier de** to care about, concern oneself about
se **souvenir de** to remember

5. Common Prepositions

a. Simple prepositions:

à to, at, in
après after
avant before
avec with
chez to/at in the house (place) of (a person)
contre against
dans in, into, within
de of, from, by
depuis since, for
derrière behind
devant in front of
en in, into, as

entre among, between
malgré despite
par by, through
parmi among
pendant during, for
pour for
sans without
sauf except
selon according to
sous under
sur on
vers toward

b. Compound prepositions:

à **cause de** *because of, on account of*
à **côté de** *next to, beside*
à **droite** *on (to) the right*
à **force de** *by, by means of, by repeated efforts*
à **gauche** *on (to) the left*
à **part** *aside from*
à **partir de** *beginning with*
à **propos de** *about, concerning*
à **travers** *through, across*
afin de *in order to*
au bas de *at the bottom of*
au bout de *at the end of, after*
au fond de *in the bottom of*
au lieu de *instead of*

au milieu de *in the middle of*
au sujet de *about, concerning*
au-dessous de *below, beneath*
au-dessus de *above, over*
autour de *around*
avant de *before*
du côté de *in the direction of, near, around*
en arrière de *backward(s), behind*
en face de *opposite*
grâce à *thanks to*
jusqu'à *until*
loin de *far from*
près de *near*
quant à *as for*

6. Punctuation

French punctuation, though similar to English, has the following major differences:

(a) The comma is not used before **et** or **ou** in a series:

Elle a laissé tomber le livre, le stylo et le crayon.   *She dropped the book, the pen, and the pencil.*

(b) In numbers, French uses a comma where English uses a period and a period where English uses a comma:

7.100 (sept mille cent)   *7,100 (seven thousand one hundred)*

7,25 (sept virgule vingt-cinq)   *7.25 (seven point twenty five)*

(c) French final quotation marks, contrary to English, precede the comma or period; however, the quotation mark follows a period if the quotation mark closes a completed statement:

Elle demande: **«Est-ce que tu m'aimes?»** — **«Oui»,** répond-il.   *She asks: "Do you love me?" — "Yes," he answers.*

7. Syllabication

French words are generally divided at the end of a line according to units of sound or syllables. A French syllable generally begins with a consonant and ends with a vowel.

(a) If a single consonant comes between two vowels, the division is made before the consonant:

ba-la-der   pré-**c**is   cou-**t**eau

> NOTE: A division cannot be made either before or after **x** or **y** when they come between two vowels:
>
>
>
> tu**y**au   e**x**act
>
>

(b) If two consonants are combined between the vowels, the division is made between the two consonants:

es-**p**oir   al-**l**er   chan-**t**er

> NOTE: If the second consonant is **r** or **l**, the division is made before the two consonants:
>
>
>
> sa-**bl**e   pro-**pr**e
>
>

(c) If three or more consonants are combined between the vowels, the division is made after the second consonant:

o**bs**-**t**iné   com**p**-**t**er   in**s**-**t**aller

(d) Two vowels may not be divided:

oa-sis   th**éâ**-tre   es-p**io**n

French-English Vocabulary

The French-English Vocabulary is intended to be complete for the contexts of this book. Basic terms usually taught in first-level courses and some obvious cognates are not included.

Irregular noun plurals are given in full: **œil** *m.* (*pl.* **yeux**). Irregular feminines of adjectives are also given in full: **amer** (*f.* **amère**).

ABBREVIATIONS

f.	feminine	*pl.*	plural
inf.	infinitive	*p.p.*	past participle
m.	masculine		

abaisser to lower
abbaye *f.* abbey, monastery
abdiquer to abdicate
abeille *f.* bee
abîmé damaged, ruined
abonnement *m.* subscription
abord: d'abord (at) first; **tout d'abord** first of all
abri *m.* shelter
abriter to shelter
absolu absolute
absolutisme *m.* absolute rule
abstrait abstract
abus *m.* abuse
accéder to enter upon the office of
accentué accentuated
accidenté rough, uneven
accord *m.* agreement; **d'accord** agreed, OK
accorder to grant
accompagner to accompany
accomplir to accomplish
accomplissement *m.* accomplishment
accoster to approach

accueil *m.* welcome; **famille d'accueil** *f.* host family
accueillir to welcome
accusé *m.* accused
achat *m.* purchase; **faire des achats** to go shopping
acheter to buy; **s'acheter** to buy for oneself
achever to finish, complete
acier *m.* steel
acquis *p.p. of* **acquérir** to acquire
actionner to set in motion, activate
actualités *f. pl.* news
actuel: à l'heure actuelle at the present time
admettre to admit
adroit skillful
aérien (*f.* **aérienne**) air
aérospatial aerospace
affaire *f.* affair; business; **affaires** *pl.* business; things; **avoir affaire à** to deal with
affectueux (*f.* **affectueuse**) affectionate
affiche *f.* poster

affreux (*f.* **affreuse**) dreadful
afin de in order to
agacé annoyed
agent (de police) *m.* police officer
agir to act; **s'agir de** to be a question of, deal with
agneau *m.* (*pl.* **agneaux**) lamb
agrandir to enlarge
agréer to accept
agricole agricultural
aide-soignant *m.* nurse's aide
aider to help
aigu sharp
aiguille *f.* needle
ailleurs elsewhere; **d'ailleurs** besides, moreover
aimable friendly
aimer to like, love
aîné eldest; **aîné** *m.* older, eldest
ainsi thus; **et ainsi de suite** and so on
air *m.* air; **en plein air** outdoor(s)
ajouter to add
aligné aligned
alimentaire alimentary, food
alimentation *f.* food
alimenter to feed
Allemagne *f.* Germany
allemand German
aller to go; **s'en aller** to go away, leave
allié allied; **allié** *m.* ally
s'allier to ally (oneself)
allumer to light
allumette *f.* match
alors so
alpinisme *m.* mountain climbing
amant *m.* lover
ambitieux (*f.* **ambitieuse**) ambitious
âme *f.* soul
améliorer to improve
aménager to arrange, remodel
amener to bring; to lead
amer (*f.* **amère**) bitter
ami *m.* friend; **petit ami** *m.* boyfriend; **petite amie** *f.* girlfriend
amical friendly
amincir to slenderize
amiral *m.* admiral

amitié *f.* friendship; **faire ses amitiés à** to give one's regards to; **se lier d'amitié** to become friends
amour *m.* love
amoureux (*f.* **amoureuse**) in love
amusant amusing, fun
amuser to amuse; **s'amuser** to have fun; to have a good time
an *m.* year
ananas *m.* pineapple
ancien (*f.* **ancienne**) old; former
anglais English
Angleterre *f.* England
animé animated, lively
année *f.* year
anniversaire *m.* birthday; anniversary
annulé cancelled
anorak *m.* windbreaker
anticonformiste *m. & f.* nonconformist
apercevoir to notice; **s'apercevoir de** to become aware of
apparaître to appear
appareil *m.* appliance
appareil-photo *m.* (*pl.* **appareils-photo**) camera
apparence *f.* appearance
appartenir to belong
appel *m.* call
appeler to call; **s'appeler** to call oneself, be named
appliqué industrious, studious; applied
apporter to bring
apprécier to value, appreciate
apprendre to learn; to teach
approcher to approach; **s'approcher de** to approach
approprié appropriate
après after; **d'après** according to
après-midi *m.* afternoon
araignée *f.* spider
arbre *m.* tree
arc-boutant *m.* flying buttress
arc-en-ciel *m.* rainbow
arène *f.* arena, amphitheater
argent *m.* silver; money; **argent de poche** spending money

argenterie *f.* silverware

aride arid, dry

armoire *f.* wardrobe; **armoire à pharmacie** medicine cabinet

arracher to tear out

arrêt *m.* stop

(s')arrêter (de) to stop

arrière behind; **en arrière** backward(s)

arrière-grand-mère *f.* great-grandmother

arrière-grand-père *m.* great-grandfather

arrondissement *m.* district, borough

arroser to water

artère *f.* artery

artifice: feu d'artifice *m.* fireworks

ascenseur *m.* elevator

aspirateur *m.* vacuum cleaner

assaut *m.* assault; **prendre d'assaut** to seize by force

s'asseoir to sit down

assez enough

assiette *f.* plate, dish

assister à to attend

associé *m.* (*f.* **associée**) associate

assurance *f.* insurance

assureur *m.* insurer

astronef *m.* spaceship

astronome *m. & f.* astronomer

atelier *m.* studio; workshop

atteindre to reach

attendre to wait; **s'attendre à** to expect

attente *f.* wait

atterrir to land

attirer to attract

attraper to catch

aucun (not) any, no

audacieux (*f.* **audacieuse**) daring

au-dessous below, beneath

au-dessus above, over

augmentation *f.* raise, increase

augmenter to increase

aujourd'hui today

auparavant before, previously

auprès de close to, near

auquel to which, to whom

aussitôt que as soon as

autant as much, as many

auteur *m.* author

automatisé automated

autoriser to authorize

autoroute *f.* highway

autour around

autrefois formerly, of old

Autriche *f.* Austria

auxiliaire auxiliary, subsidiary

avancer to advance; to introduce; to move ahead; **s'avancer vers** to move toward; **d'avance** in advance, early; **en avance** beforehand; fast (*clocks*)

avant-hier *m.* day before yesterday

avare stingy, miserly

avenir *m.* future

avertir to warn

aveugle blind

avion *m.* airplane

avis *m.* opinion

avocat *m. & f.* lawyer

avoir to have

avoisinant neighboring, near

bac, baccalauréat, bachot *m.* high-school diploma

bactérien bacterial

bague *f.* ring

baigner to wash; **se baigner** to go bathing

bain *m.* bath

bal *m.* ball, dance

baladeur *m.* (portable) transistor radio

balai *m.* broom

Balance *f.* Libra

balayer to sweep

ballon *m.* balloon, ball

balnéaire: station balnéaire *f.* seaside resort

banc *m.* bench

bande dessinée *f.* comic strip

banlieue *f.* suburb

bannir to banish, exile

banque *f.* bank

barbare barbarous, uncivilized

bas *m.* stocking

bas (*f.* **basse**) low; softly, down;
   là-bas down there
bas-relief *m.* sculptural relief
bataille *f.* battle
bateau *m.* (*pl.* **bateaux**) boat; **bateau
   à voiles** sailboat; **faire du bateau à
   voile** to go sailing
bateau-mouche *m.* (*pl.* **bateaux-
   mouches**) excursion boat
bâtiment *m.* building
bâtir to build
batterie *f.* battery
battre to beat; **se battre** to fight
bavard talkative
bavarder to chat
bavaroise *f.* Bavarian cream
beau, bel (*f.* **belle**) beautiful; **faire
   beau** to be nice out
beaux-arts *m. pl.* fine arts
belge Belgian
Belgique *f.* Belgium
Bélier *m.* Aries
bénéficier to benefit
berceau *m.* (*pl.* **berceaux**) cradle
berger *m.* shepherd
besoin *m.* need; **avoir besoin de** to
   need
bétail *m.* livestock
bêtise *f.* foolishness, stupidity
betterave *f.* beet
beurre *m.* butter
bibliothécaire *m. & f.* librarian
bibliothèque *f.* library
bicentenaire *m.* bicentennial
bienfaiteur *m.* (*f.* **bienfaitrice**) bene-
   factor
bientôt soon
bière *f.* beer
bijou *m.* (*pl.* **bijoux**) jewel
bijouterie *f.* jewelry; jewelry shop
bilingue bilingual
billet *m.* ticket; **billet doux** love note
blague *f.* joke
blanc (*f.* **blanche**) white
blé *m.* wheat
blesser to hurt, injure; **se blesser** to
   hurt oneself
bloquer to block
bœuf *m.* beef, ox

boire to drink
bois *m.* wood; woods
boisson *f.* drink
boîte *f.* box, can; **boîte aux lettres**
   mailbox
bol *m.* bowl
bonbon *m.* candy
bonheur *m.* happiness
bonté *f.* goodness, kindness
bord *m.* edge, border
borner to mark out the boundary of
botte *f.* boot
bouc *m.* billy goat
boucher *m.* (*f.* **bouchère**) butcher
boucherie *f.* butcher shop
boucle d'oreille *f.* earring
bouclé curly
boucler to buckle; to curl
boue *f.* mud
bouger to move
bougie *f.* candle
bouillabaisse *f.* fish stew
bouillant boiling
boulanger *m.* (*f.* **boulangère**) baker
boulangerie *f.* bakery
boule *f.* ball
bouleversé upset
boum *f.* party
bouquiniste *m. & f.* secondhand
   bookdealer
bourse *f.* scholarship
bout *m.* end
bouteille *f.* bottle
bouton *m.* button
bras *m.* arm; **bras de mer** sound,
   inlet
brancher to plug in, connect
brebis *f.* ewe, sheep
bref (*f.* **brève**) brief
breton (*f.* **bretonne**) Breton, from
   Brittany
bricoleur *m.* jack-of-all-trades; **brico-
   leuse** *f.* jane-of-all-trades
brièvement briefly
briller to shine
brioche *f.* breakfast roll
briser to break
britannique British
broder to embroider

bronzer to tan
brosser to brush; **se brosser** to brush
  oneself
bruit m. noise
brûler to burn
brun brown
bruyant noisy
**buissonnière: faire l'école
  buissonnière** to play hooky
bureau m. (pl. **bureaux**) desk; office
but m. aim, goal, purpose

cabine f. cabin; booth
cabinet m. office
cacher to hide
cadeau m. (pl. **cadeaux**) gift
cadet youngest; **cadet** m. (f. **cadette**)
  younger, youngest
caillou m. (pl. **cailloux**) pebble
caissier m. (f. **caissière**) cashier
calcul m. calculation; calculus
camarade de classe m. & f. school-
  mate
cambrioler to burglarize, break into
camion m. truck
camionnette f. van
campagne f. country; campaign
canard m. duck
caoutchouc m. rubber
capricieux (f. **capricieuse**) capri-
  cious
capter to seize, capture
captiver to captivate
car because
carnet m. notebook; memo pad
carré m. square
carrefour m. intersection
cartable m. schoolbag
carte f. menu; card; map; **carte
  d'embarquement** boarding pass;
  carte de séjour residency document; **carte de vœux** greeting card;
  carte d'identité I.D. card; **carte du
  jour** menu of the day; **carte murale**
  wall map; **carte orange** monthly
  subway ticket; **carte postale** post
  card; **jouer aux cartes** to play cards

cas m. case, event; **en cas de** in the
  event of; **selon le cas** as the case
  may be; **en tout cas** in any case
cassation: Cour de cassation f.
  Supreme Court (in France)
(se) casser to break
caverne f. cave, cavern
ceci this
ceinture f. belt; **ceinture de sécurité**
  seat belt
cela that
célèbre famous
célébrer to celebrate
céleste heavenly
célibataire single
cellule f. cell
celui (f. **celle**) the one; **celui-ci** the
  latter; **celui-là** the former
centaine about one hundred
centième hundredth
centime m. cent
cependant however
cercle m. club; circle
cerf-volant m. kite
cerise f. cherry
cerisier m. cherry tree
cerveau m. (pl. **cerveaux**) brain
cesser (de) to stop; **sans cesse** inces-
  santly
chacun each, every
chambre f. room; chamber
championnat m. championship
champ m. field; **champ de courses**
  racetrack
chance f. luck
chanceux (f. **chanceuse**) lucky
chanson f. song
chanter to sing
chanteur m. (f. **chanteuse**) singer
chapeau m. (pl. **chapeaux**) hat
chaque each, every
charbon m. coal
charcuterie f. delicatessen
charger (de) to entrust with, assign
charmant charming
charrette hippomobile f. horse-
  drawn wagon
chasse f. hunt
chasser to chase, hunt

château m. (pl. **châteaux**) castle
chaud warm, hot; **avoir chaud** to feel hot; **faire chaud** to be hot
chauffeur m. driver
chaussette f. sock
chaussure f. shoe
chauve bald
chef-d'œuvre m. (pl. **chefs-d'œuvre**) masterpiece
chemin m. way, road; **chemin de fer** railroad
cheminée f. fireplace
chemise f. shirt
cher (f. **chère**) dear; expensive
chercher to look for
chercheur scientifique m. scientific researcher
chère f. food and drink
cheval m. (pl. **chevaux**) horse; **à cheval** on horseback
cheveux m. pl. hair
cheville f. ankle
chèvre f. goat
chez at the house (business) of
chic stylish
chimie f. chemistry
chimique chemical
chimiste m. & f. chemist
chinois Chinese
choisir to choose
choix m. choice
chômage m. unemployment
chose f. thing
chou m. (pl. **choux**) cabbage
choucroûte f. sauerkraut
chronique f. chronicle
cicatrice f. scar
ciel m. sky
cimetière m. cemetery
circulation f. traffic
cirque m. circus
ciseaux m. pl. scissors
cité f. city, large town
citer to quote
citoyen m. (f. **citoyenne**) citizen
citronnade f. lemonade
clarté f. clearness, brightness
classer to file
classeur m. file; looseleaf binder

clavecin m. harpsichord
claveciniste m. & f. harpsichord player
clé, clef f. key
clignotant m. directional signal
climatisé air-conditioned
climatisation f. air conditioning
climatiseur m. air conditioner
cloche f. bell
clou m. (pl. **cloux**) nail
cœur m. heart; **de bon cœur** willingly, gladly
coffre-fort m. safe
coiffe f. headdress
coiffer to style hair; **se coiffer** to do one's hair
coiffeur m. (f. **coiffeuse**) hairdresser
coiffure f. hairstyle
colère f. anger; **en colère** angry
colis m. package
collier m. necklace
colline f. hill
colonie de vacances f. summer camp
colonne f. column
combattre to fight
combien how much, how many
combinaison f. combination
commande m. order; **(faire) sur commande** (to make) to order
commander to order
comme like, as
comment how
commérage m. gossip
commun common
complet m. suit
comportement m. behavior
se comporter to behave
composer to dial; to compose
compositeur m. composer
comprendre to understand; to include
compris including; **frais compris** expenses included
comptable m. & f. accountant
compte m. account; **se rendre compte de** to realize; **ce qui compte** what matters
compter to intend; to count; to number, have

comte m. count
comtesse f. countess
concilier to reconcile
conclure to conclude
concours m. contest
condamner to condemn
conduire to drive, conduct; **se conduire** to behave
conduite f. conduct
confiance f. confidence
congé m. leave, vacation
congédier to fire
connaissance f. acquaintance; knowledge; **faire la connaissance de** to meet (for the first time)
connaître to know; to be acquainted with
conquérir to conquer
conquête f. conquest
consacrer to consecrate; to devote, dedicate
conscientieux (f. **conscientieuse**) conscientious
conseil m. advice
conseiller to advise, recommend; m. (f. **conseillère**) counselor
constamment constantly
constitué constituted
construction navale f. shipbuilding
construire to construct
conte m. short story
conte de fées m. fairy tale
contenir to contain
contraire m. opposite
contravention f. traffic ticket
contre against
contredire to contradict
convenable appropriate
copain m. (f. **copine**) friend
coq m. rooster; **coq au vin** chicken with wine sauce
coquillage m. shell
cordonnier m. (f. **cordonnière**) shoemaker
correspondant m. **correspondante** f. pen pal
corriger to correct
costume m. suit; costume

côte f. coast; **Côte d'Azur** French Riviera
coucher to put to bed; **se coucher** to go to bed
couler to flow; to run
couleur f. color
couloir m. corridor, hallway
coup m. blow; stroke; **coup de feu** shot, gunshot; **coup de poing** punch; **coup de téléphone** telephone call; **coup de vent** gust of wind; **du coup** as a result; **tout à (d'un) coup** suddenly
coupable guilty
couper to cut
cour f. court; **Cour de cassation** Supreme Court (in France)
courageux (f. **courageuse**) courageous
couramment fluently
courant m. current; **au courant** informed, up to date; **mettre au courant** to inform
courir to run
couronne f. crown
couronnement m. coronation
couronner to crown
courrier m. mail
cours m. course
course f. race; **champ de courses** m. racetrack; **faire les courses** to go shopping
court short
couteau m. (pl. **couteaux**) knife
coûter to cost
coutume f. custom
couvert covered; m. flatware; **mettre le couvert** to set the table
couverture f. cover, blanket
couvrir to cover
craindre to fear
crainte f. fear
crâne m. skull
crapaud m. toad
cravate f. tie
créer to create
crème fraiche f. heavy cream
crier to scream
crise cardiaque f. heart attack

cristallerie f. glassworks
critère m. criterion
critique m. critic; f. criticism
critiquer to criticize
croire to believe
croisière f. cruise; aller en croisière to go on a cruise
croix f. cross
croyance f. belief
cueillir to pick
cuillère f. spoon
cuir m. leather
cuire to cook
cuisine f. kitchen; cooking; faire la cuisine to cook
cuisiner to cook
cuisinier m. (f. cuisinière) cook
cuit cooked
culpabilité f. guilt
cyclisme m. cycling

d'abord at first; tout d'abord first of all
dactylo f. typist
dame f. lady; jouer aux dames to play checkers
dater (de) to date back (to)
davantage more
se débarrasser de to get rid of
débarquement m. disembarkation; landing
débarquer to land
déborder to overflow
debout standing, upright
début m. beginning
décerner to award, confer
décevoir to disappoint
déchets m. pl. waste products
déchiffrer to decipher
décoiffé with disheveled hair
découper to cut up
découverte f. discovery
découvrir to discover
décrire to describe
décrocher to take off the hook (telephone)
dedans within, inside
dédier to dedicate

défaite f. defeat
défaut m. defect
défendre to defend; to prohibit, forbid
défenseur m. defendant
défilé m. parade
définir to define
dégât m. damage
se déguiser to disguise oneself
dehors outside
déjà already
déjeuner to eat (have) lunch; m. lunch; petit déjeuner breakfast
délivrer to deliver
déluge m. flood
demain tomorrow
demander to ask; se demander to wonder
démarrer to start
démembrer to dismember
déménager to move
demeurer to live, reside
demi half
demi-heure f. half-hour
démissioner to resign
dénoncer to denounce
dentelle f. lace
départ m. departure
dépasser to exceed
se dépêcher to hurry
dépenser to spend (money)
dépensier (f. dépensière) spend-thrift
déposer to drop, leave off
déprimé depressed
depuis since; for; from
déranger to bother, disturb
dérisoire derisive, ridiculous
dernier (f. dernière) last
derrière behind
dès since; dès que as soon as
désagréable unpleasant, disagreeable
descendre to go down
se déshabiller to undress
désobéir to disobey
désolé sorry
désordre m. disorder
despotique despotic
desservir to serve

dessin m. drawing, sketch
dessiner to draw; **bande dessinée** f. cartoon strip
dessous beneath, under
dessus above
désunion f. dissention
détaillé detailed
se détendre to relax
détruire to destroy
dette f. debt
devant in front of
dévaster to devastate
devenir to become
devoir to have to; to owe; m. duty; m. pl. homework
diamant m. diamond
Dieu m. God
digérer to digest
diminuer to decrease
diriger to direct
discours m. speech
discret (f. **discrète**) discreet
discuter to discuss
disparaître to disappear
disparition f. disappearance
dispute f. argument
(se) disputer to argue
disque m. record
distrait distracted, absent-minded
divan m. sofa, couch
divers changing, varied; different, several, diverse
diversement diversely, differently
divertir to amuse, distract
divertissement m. amusement, diversion
diviser to divide
dizaine f. about ten
doigt m. finger
dommage m. shame, pity
don m. gift
donc therefore
donner to give
dont of which, of whom, whose
dormir to sleep
dos m. back; **sac à dos** m. backpack
douane f. customs, duty
douanier m. (f. **douanière**) custom's official

doucement softly, quietly
douceur f. softness; mildness
doué talented
douleur f. pain
douloureux (f. **douloureuse**) painful
douter to doubt; **se douter de** to suspect
douteux (f. **douteuse**) doubtful
doux (f. **douce**) soft, gentle; sweet; mild
douzaine f. dozen
doyen m. (f. **doyenne**) dean
dramaturge m. & f. dramatist
drame m. drama
drap m. sheet
drapeau m. (pl. **drapeaux**) flag
se dresser to stand
droit straight; m. right; law
droite: à droite to the right
drôle funny, strange
duc m. duke
dur hard
durant during
durée f. duration
durer to last, endure

eau f. water
eau-de-vie f. brandy
échanger to exchange
échappement m. exhaust; leak
s'échapper to escape, run away
écharpe f. scarf
échec m. defeat; pl. chess; **jouer aux échecs** to play chess
échelle f. ladder
éclair m. lightning
éclaircir to clear up
éclairer to light; to illuminate
éclat m. ray; burst
éclater to break out; **éclater de rire** to burst out laughing
école f. school
économe thrifty
économique economical
économiser to save
Écosse f. Scotland
écouter to listen (to)
écraser to crush

s'écrier to cry out, exclaim
écrire to write; écrire sous la dictée to take dictation
écriture f. writing
écrivain m. writer
s'écrouler to collapse
édifice m. building
effacer to erase
effet m. effect
s'efforcer de to strive to
effrayant frightening
égal equal
également likewise
égalité f. equality
égard: à l'égard de with regards to
égoïsme m. selfishness
égoïste selfish
(s') élargir to stretch, widen
électeur m. voter
électro-aimant m. electromagnet
élevage m. breeding, rearing
élevé high, elevated
élever to bring up, raise; mal élevé ill-bred
élire to elect
s'éloigner to move away
emballage m. wrapping
embarquement: carte d'embarquement f. boarding pass
embarras de circulation m. traffic jam
embarrasser to embarrass
embaucher to hire
embellir to embellish
embêter to annoy, bother
embouchure f. mouth (of river)
embouteillage m. traffic jam
embrasser to hug; to kiss
émetteur m. transmitter
émission f. broadcast
emmener to lead away; to take out
empêcher to prevent
emploi m. use; job; emploi du temps program, schedule
employé m. employee
employer to use
emporter to take (away)
empreinte digitale f. fingerprint
s'empresser de to hasten to

emprunter to borrow
ému moved
en in; by; at
enchanté enchanted, pleased
encore still; yet; again; encore une fois again; encore que although
endommagé damaged
endormir to put to sleep; s'endormir to fall asleep
endroit m. place
énerver to annoy, bother
enfer m. hell
enfermer to lock up
enfin finally
s'enfuir to flee
engagé engaged, hired
enlever to take off; to remove
ennui m. boredom
ennuyer to bore; to bother; s'ennuyer to get bored
ennuyeux (f. ennuyeuse) boring
énoncer to state
énorme enormous
enquête f. inquiry; faire une enquête to conduct an investigation
enregistrement: reçu d'enregistrement m. baggage claim check
enregistrer to record; to check
enrhumé having a cold
enseignement m. teaching; education
enseigner to teach
ensemble together; m. ensemble; whole, totality; system
ensoleillé sunny
ensuite then
entendre to hear; s'entendre to get along
entendu understood; bien entendu of course
entier (f. entière) entire
entourer to surround
entracte m. intermission
s'entraider to help one another
s'entraîner to train, practice
entre between
entrée f. entrance
entreprendre to undertake
entrevue f. interview

envahir to invade
envers toward
envie f. desire; **avoir envie de** to feel like; to want
environ about
envisagé envisioned; expected
s'envoler to fly away
épaisseur f. thickness
épargner to save
épatant terrific
épice f. spice
épicerie f. grocery store
épicier m. (f. **épicière**) grocer
épingle f. pin
époque f. epoch; time; period; **à l'époque de** at the time of
épouser to marry
époux m. (f. **épouse**) spouse
épreuve f. test; ordeal
épuisant exhausting
épuisé exhausted
équilibre m. balance, equilibrium
équipe f. team
ériger to erect
érudit scholarly
escalader to scale; to climb
escalier m. stairs, staircase
escargot m. snail
esclave m. & f. slave
espace f. space
Espagne f. Spain
espagnol Spanish
espèce f. species; **espèces en voie de disparition** endangered species
espérer to hope
espion m. (f. **espionne**) spy
espoir m. hope
esprit m. spirit; mind; intelligence; wit
essai m. essay; trial, test
essayer to try, attempt
essence f. essence; gasoline
essuyer to wipe
est m. east
établir to establish
établissement m. establishment
étage m. story, floor (of building)
étagère f. set of shelves
étalage m. display

état m. state; **homme/femme d'état** statesman/stateswoman
États-Unis m. pl. United States
été m. summer
éteindre to extinguish; **s'éteindre** to go out; to blow out
étendue f. expanse, spread
étoffe f. fabric, material
étoile f. star; **à la belle étoile** out of doors
étonnant astonishing
étonner to astonish; **s'étonner** to be surprised
étrange strange
étranger foreign; m. (f. **étrangère**) foreigner; stranger; **à l'étranger** abroad
être to be; **être à** to belong to
étrenne f. (New Year's) gift
étroit narrow
étude f. study
s'évanouir to faint
éveillé awake
événement m. event
éviter to avoid
évoluer to evolve
exactitude f. exactness
exclure to exclude
excursion f. excursion, trip; **faire une excursion** to go on a trip
excuse f. excuse; **faire des excuses** to apologize
exercer to exercise; **s'exercer à** to practice
exercice m. exercise; **faire de l'exercise** to exercise
exhiber to exhibit
exigeant demanding
exiger to demand
expliquer to explain
exprès on purpose
exprimer to express
extra-terrestre extraterrestrial
extrait m. extract

fabriquer to manufacture
fabuliste m. & f. fabulist, person who writes fables

façade f. front
fâché angry
se fâcher to become angry
facile easy
façon f. way, manner; **de façon que** so that
facteur m. (f. **factrice**) mail carrier
facture f. bill
facultatif (f. **facultative**) optional
faculté f. faculty, capacity, power
faible weak
faillir + inf. to almost do something
faillite f. bankruptcy; **faire faillite** to go bankrupt
faim f. hunger; **avoir faim** to be hungry
faire to make; to do; **faire** + inf. to have (make) + inf.; **ça ne fait rien** it doesn't matter; **ça fait** it's been
fait m. fact; **en fait** in fact, as a matter of fact; **tout à fait** entirely; quite
falloir to be necessary
farce f. trick, joke; **faire des farces** to play tricks
farine f. flour
fatigué tired
fauché broke
faute f. mistake
faux (f. **fausse**) false
fécond fertile
fée f. fairy; **conte de fées** m. fairytale
félicitations f. pl. congratulations
féliciter to congratulate
femelle f. female
fente f. slot
féodal feudal
fer m. iron; **chemin de fer** m. railroad; **fil de fer** m. metal wire
fermer to close
fermier m. (f. **fermière**) farmer
féroce ferocious
ferroviaire railway
fête f. party
fêter to celebrate
feu m. (pl. **feux**) fire; **feu (rouge)** traffic light; **coup de feu** m. shot, gunshot; **feu d'artifice** fireworks; **feu de joie** bonfire

feuille f. leaf; sheet (of paper)
feuilleton m. soap opera
fiançailles f. pl. engagement
se fiancer avec to become engaged to
fiche f. form; **fiche d'hôtel** hotel registration form
fidèle faithful
fier (f. **fière**) proud
se fier à to trust
fièvre f. fever
figure f. face
figurer to appear
fil m. wire; **fil de fer** metal wire
filant: étoile filante f. shooting star
file f. line; **file d'attente** waiting line
filet m. net (shopping) bag
fille f. girl; daughter
fils m. son
fin f. end; **à la fin** finally
financier (f. **financière**) financial
finir to finish
flatté flattered
fleur f. flower
fleurir to flourish
fleuriste m. & f. florist
fleuve m. river
florissant flourishing
flotter to float
fluvial river
foi f. faith
foie m. liver; **foie gras** goose liver
foire f. fair
fois f. time; **à la fois** at the same time
fol, folle: see **fou**
foncé dark, deep
fonctionnement m. functioning, working
fonctionner to function, work (machine)
fondant melting
fondateur m. (f. **fondatrice**) founder
fonder to found
fontaine f. fountain
forêt f. forest
formidable great
fort strong; high (fever); large (sum, quantity); very; **parler fort** to speak loudly
forteresse f. fortress

fou, fol (*f.* **folle**) crazy; **foù** *m.* madman; **folle** *f.* madwoman
fouiller to dig, search
foule *f.* crowd
four *m.* oven
fourchette *f.* fork
fournir to furnish, supply
fournisseur *m.* supplier
fourrure *f.* fur
foyer *m.* home
frais (*f.* **fraîche**) fresh, cool; **crème fraîche** *f.* heavy cream; *m. pl.* expenses; **frais compris** expenses included
fraise *f.* strawberry
franc (*f.* **franche**) frank, sincere; *m.* franc (*unit of currency*)
français French
franchement frankly
franco-allemand Franco-German
francophone French-speaking
frapper to hit, knock, strike
frein *m.* brake
frère *m.* brother
frigo *m.* refrigerator
frites *f. pl.* french fries
frivole frivolous
froid cold; **avoir froid** to feel cold; **faire froid** to be cold
fromage *m.* cheese
fromager (*f.* **fromagère**) cheese
frotter to rub
fruiterie *f.* fruit store
fumer to smoke
fusée *f.* rocket

gagner to win; to earn
gant *m.* glove
garantir to guarantee
garçon *m.* boy; waiter
garder to keep; to guard; **se garder de** to take care not to; **garder le lit** to stay in bed
gare *f.* station
gargouille *f.* gargoyle
garni garnished, decorated
garnir to garnish; to decorate
gaspiller to waste

gâteau *m.* (*pl.* **gâteaux**) cake
gauche: à gauche to the left
gaulois Gallic; *m.* Gaul
gaz *m.* gas
géant *m.* giant
geler to freeze
Gémeaux *m. pl.* Gemini
gendarme *m.* police officer
gêner to bother
génie *m.* genius
genou *m.* (*pl.* **genoux**) knee
gens *m. pl.* people
gentil (*f.* **gentille**) nice
gentilhomme *m.* gentleman
gentillesse *f.* kindness
gérant *m.* (*f.* **gérante**) manager
geste *m.* gesture; **chanson de geste** *f.* medieval epic song
gigantesque gigantic
glace *f.* ice cream; mirror
gloire *f.* glory
gomme *f.* eraser
gorge *f.* throat; **avoir mal à la gorge** to have a sore throat
gouaille *f.* banter
goût *m.* taste
goûter to taste
grâce *f.* grace, charm; **jour d'action de grâce** *m.* Thanksgiving
gracieux (*f.* **gracieuse**) graceful
grand-chose: pas grand-chose not much
grand-mère *f.* grandmother
grands-parents *m. pl.* grandparents
grand-père *m.* grandfather
grandir to grow up
gras (*f.* **grasse**) fatty; greasy; **en caractères gras** bold-faced; **foie gras** *f.* goose liver
gratte-ciel *m.* skyscraper
gratter to scratch
gratuit free of charge
gré *m.* will; **à son gré** to one's liking
grec (*f.* **grecque**) Greek
greffe *f.* grafting, graft
grenier *m.* attic
grenouille *f.* frog
grève *f.* strike; **faire grève** to go on strike

griller to toast; to grill
grimper to climb
grippe *f.* flu
gris gray
gronder to scold
gros (*f.* **grosse**) fat
grossir to become fat
grotte *f.* cave
guère hardly
guérir to cure
guerre *f.* war
guerrier *m.* warrior
gui *m.* mistletoe
gym *f.* gym; **faire de la gym** to exercise

habile skillful, clever
habiller to dress; **s'habiller** to dress oneself, get dressed
habitant *m.* inhabitant
habiter to live in
habitude *f.* habit
habituer to accustom; **s'habituer à** to become accustomed to
haine *f.* hate, hatred
hameau *m.* (*pl.* **hameaux**) hamlet
hanté haunted
haricot *m.* bean
hasard *m.* chance; **par hasard** by chance
hâte *f.* haste; **avec hâte** hurriedly
haut high; **à haute voix** out loud; **en haut** upstairs
hauteur *f.* height
heure *f.* hour; time; **à l'heure** on time; **à tout à l'heure** see you later
heureux (*f.* **heureuse**) happy
hibou *m.* (*pl.* **hiboux**) owl
hier yesterday
histoire *f.* story; history
hiver *m.* winter
homme *m.* man
honnête honest
honte *f.* shame; **avoir honte** to be ashamed
horaire *m.* schedule
horloge *m.* clock
hors out, outside

hors-d'œuvre *m.* appetizer
hors-taxe duty-free
hôte *m.* host
hôtesse *f.* hostess
huile *f.* oil
humeur *f.* mood

ici here; **d'ici** from here; **d'ici** (+ *time*) by (+ *time*); **par ici** this way
idée *f.* idea
identique identical
identité: carte d'identité *f.* I.D. card
idiome *m.* idiom; language
île *f.* island
illustre famous
immatriculation: plaque d'immatriculation *f.* license plate
immeuble *m.* apartment building
s'impatienter to lose patience
imperméable *m.* raincoat
impoli impolite
importateur *m.* importer
impôt *m.* tax
impressionnant impressive
inaugurer to inaugurate, open
incendie *m.* fire
inconnu unknown
inconscient unconscious
inconstant fickle
indécis indecisive; uncertain
indice *m.* clue
indiquer to indicate
indulgent tolerant
infatigable tireless
infirmier *m.* (*f.* **infirmière**) nurse
informations *f. pl.* news
ingénieur *m.* engineer
injuste unfair
inonder to inundate, flood
inoubliable unforgettable
inquiet (*f.* **inquiète**) worried
inquiétant worrisome
s'inquiéter to worry
inquiétude *f.* worry
inscription *f.* inscription; enrollment
inscrire to enroll, register
instituteur *m.* (*f.* **institutrice**) schoolteacher

interdire to forbid, prohibit
intérêt m. interest
interrompre to interrupt
intime intimate
intimidé intimidated
intitulé entitled
introduire to introduce
inutile useless
invité m. guest
irlandais Irish
Irlande f. Ireland
isolé isolated
itinérant traveling

jalousie f. jealousy
jaloux (f. **jalouse**) jealous
jamais never; ever; **à jamais** forever
jambe f. leg
jardin m. garden
jardinier m. (f. **jardinière**) gardener
jeter to throw
jeton m. token
jeu m. (pl. **jeux**) game; **jeu de cartes** card game; **jeu d'échecs** chess
jeune young; **jeune fille** f. girl
jeunesse f. youth
joie f. joy
joindre to join
joli pretty
jongleur m. juggler
joue f. cheek
jouer to play; to act; **jouer à** to play (game, sport); **jouer de** to play (instrument)
jouet m. toy
joueur m. player
jouir to enjoy
joujou m. (pl. **joujoux**) toy
jour m. day; **jour d'action de grâce** Thanksgiving; **jour de congé** day off
journée f. day
joyeux (f. **joyeuse**) joyous, happy
judiciaire judicial
juge m. judge
juger to judge
jumeau m. (f. **jumelle**) (pl. **jumeaux, jumelles**) twin

jupe f. skirt
juré m. juror
jurer to swear
jus m. juice
jusqu'à until
juste fair; right

kiosque m. newsstand

là there; **là-bas** down there
lac m. lake
laid ugly
laine f. wool
laisser to leave; to let, allow; **laisser tomber** to drop
lait m. milk
laitier (f. **laitière**) dairy
se lamenter to complain
lampe f. lamp; **lampe de poche** flashlight
lancer to throw
langue f. tongue; language
lapin m. rabbit
large wide
larme f. tear
lavabo m. sink
laver to wash; **se laver** to wash oneself
lave-vaisselle m. dishwasher
lecteur m. (f. **lectrice**) reader
léger (f. **légère**) light
légume m. vegetable
lentement slowly
lenteur f. slowness
lessive f. laundry; **faire la lessive** to do the laundry
lever to raise; **se lever** to get up; m. rising
libérer to liberate
librairie f. bookstore
libre free
lier to tie, bind
lieu m. place; **avoir lieu** to take place; **au lieu de** instead of
lieue f. league
ligne f. line
linge m. linen

Lion m. Leo
lire to read
lit m. bed
livraison f. delivery
livre m. book; f. pound
livreur m. (f. **livreuse**) delivery person
loger to lodge
loi f. law
loisir m. leisure; pl. diversions
long (f. **longue**) long, lengthy; **le long de** along
longtemps a long time
longueur f. length
lors de at the time of
lorsque when
louer to rent
lourd heavy
lumière f. light
lune f. moon; **lune de miel** honeymoon
lunettes f. pl. glasses
lutter to fight
luxe m. luxury
luxueux (f. **luxueuse**) luxurious
lycée m. high school
lyrique lyrical

mâcher to chew
machin m. thingamajig
machinal mechanical, unconscious
maçon m. mason
magasin m. store; **grand magasin** department store
magnétoscope m. video cassette recorder
maigre lean, thin, skinny
maigrir to become thin
maillot m. tee shirt; **maillot de bain** bathing suit
maintenant now
maintenir to maintain
maire m. mayor
mairie f. town hall
maison f. house
maître m. master; teacher
maîtresse f. mistress; teacher
maîtrise f. mastery
majestueux (f. **majestueuse**) majestic

mal bad; badly; **mal elevé** ill-bred; m. (pl. **maux**) ache; harm; **avoir du mal à** + inf. to have a hard time; **avoir mal à** to hurt; **se faire mal** to hurt oneself
malade sick
maladroit clumsy
malchance f. bad luck
mâle m. male
malentendu m. misunderstanding
malgré despite
malheur m. misfortune
malheureusement unfortunately
malheureux (f. **malheureuse**) unfortunate; unhappy
malle f. trunk
manche f. sleeve
manger to eat
manière f. manner
mannequin m. fashion model
manquer to lack, be short of; to miss; **manquer de** to lack
manteau m. (pl. **manteaux**) coat
maquillage m. make-up
se maquiller to put on make-up
marbre m. marble
marchand m. merchant
marchandise f. merchandise
marché aux puces m. flea market
marcher to walk; to run, operate; to work
maréchal m. marshal
marée f. tide
mari m. husband
marié m. groom; **jeunes mariés** pl. newlyweds
mariée f. bride
se marier avec to get married to
marin seagoing; m. sailor
marine f. navy; **marine marchande** merchant marine; **marine militaire** navy
marmite f. pot
marque f. brand
marquer to mark
marraine f. godmother
marron chestnut brown
marteau m. (pl. **marteaux**) hammer
matelas m. mattress

matière f. matter; subject matter;
  matière première raw material
matin m. morning
mauvais bad; **faire mauvais (temps)**
  to be bad weather
méchant wicked, naughty
mécontent unhappy
médaille f. medal
médecin m. doctor
médecine f. medicine
médicament m. medication, medicine
se méfier de to distrust
meilleur best
mélange m. mixture
mêler to mix
même same, even; (*after a noun*)
  very; **tout de même** nevertheless
mémoire m. report, thesis;
  f. memory
menaçant menacing, threatening
menacer to menace, threaten
ménage m. household; **faire le**
  ménage to do housecleaning
ménager (f. **ménagère**) household
mener to lead
mensonge m. lie
mentir to lie
mer f. sea; seaside; **bras de mer**
  sound, inlet
méridional southern, south
mériter to deserve
merveille f. marvel, wonder; **à mer-**
  veille wonderfully
merveilleux (f. **merveilleuse**)
  marvelous
messager m. (f. **messagère**)
  messenger
messe f. mass
métal m. (*pl.* **métaux**) metal
météo f. weather forecast
métier m. trade, craft
métro m. subway
métropole f. metropolis
metteur en scène m. director (*movie,*
  theater)
mettre to put, set; to put on
  (*clothes*); to take (*time*); **se mettre**
  à to begin to

meuble m. piece of furniture;
  pl. furniture
meubler to furnish
meurtre m. murder
micro-onde m. microwave
micro-ordinateur m. desktop
  computer
midi m. noon; south
miel m. honey
mieux better
mignon (f. **mignonne**) cute
milieu m. middle
mille m. thousand; mile
milliard m. billion
milliardaire m. billionaire
millier m. thousand
minceur f. thinness, slimness
minerai de fer m. iron ore
minuit m. midnight
minutieux (f. **minutieuse**) meticulous
mode m. method; f. style, fashion; **à**
  la mode fashionable
mœurs f. pl. customs
moindre least
moins less
mois m. month
moitié f. half
monde m. world; **tout le monde**
  everyone
mondial worldwide
moniteur m. (f. **monitrice**) counselor
monnaie f. change, money
mont m. mountain
montagne f. mountain; **montagnes**
  russes roller coaster
montagneux (f. **montagneuse**)
  mountainous
monter to climb; **monter à cheval** to
  go horseback riding
montre f. watch
montrer to show
se moquer de to mock, make fun of
moquette f. wall-to-wall carpet
morceau m. (*pl.* **morceaux**) piece
mort f. death
mosquée f. mosque
mot m. word; note
mou, mol (f. **molle**) soft; limp

mouche *f.* fly
mouchoir *m.* handkerchief
mouillé wet
mourir to die
mousquetaire *m.* musketeer
mouton *m.* sheep
moyen *m.* means
moyenne *f.* average
muguet *m.* lily of the valley
mur *m.* wall; **mur-rideau** curtain wall
mural mural; **carte murale** *f.* wall map; **peinture murale** *f.* mural painting
musculation: faire de la musculation to work out
musée *m.* museum
musulman Muslim, Moslem

nager to swim
naïf (*f.* **naïve**) naive
naissance *f.* birth
naître to be born
nappe *f.* tablecloth
natal native
natation *f.* swimming; **faire de la natation** to swim, go swimming
nationalité *f.* citizenship
nautique: ski nautique *m.* water skiing
navette *f.* shuttle
navire *m.* ship
néanmoins nonetheless
négliger to neglect
neige *f.* snow
neiger to snow
nettoyer to clean
neuf (*f.* **neuve**) new
neveu *m.* nephew
nez *m.* nose
nièce *f.* niece
n'importe it doesn't matter
niveau *m.* (*pl.* **niveaux**) level
noces *f. pl.* wedding; **voyage de noces** *m.* honeymoon
nœud *m.* knot
noir black

noisette hazel
nom *m.* name; **nom de plume** pen name
nombre *m.* number
nombreux (*f.* **nombreuse**) numerous
nommer to name
nord *m.* north
Norvège *f.* Norway
notamment notably
nourrir to nourish
nourriture *f.* food
nouveau, nouvel (*f.* **nouvelle**) new; **de nouveau** again
nouvelles *f. pl.* news
nuit *f.* night
nulle part nowhere
numéro *m.* number

obéir to obey
obéissant obedient
obscur obscure, dark
observateur *m.* (*f.* **observatrice**) observer
obstiné stubborn
obtenir to obtain, get
occasion *f.* opportunity; **d'occasion** used
occident *m.* west
occidental (*pl.* **occidentaux**) western
s'occuper de to be busy with; to take care of
œil *m.* (*pl.* **yeux**) eye
œuf *m.* egg
œuvre *f.* work
offrir to offer
oie *f.* goose
oiseau *m.* (*pl.* **oiseaux**) bird
olivier *m.* olive tree
ombre *f.* shade; shadow
onde *f.* wave
ongle *m.* nail
or *m.* gold
orage *m.* storm
orange orange; **carte orange** monthly subway ticket
ordinateur *m.* computer
ordonner to order

oreille f. ear
oreiller m. pillow
orgue m. organ
orgueil m. pride
originaire de native of
orné adorned
orphelin m. orphan
oser to dare
oublier to forget
ouest m. west
outil m. tool
outre-mer overseas
ouvert open
ouverture f. opening
ouvrage m. work
ouvreuse f. usher
ouvrier m. (f. **ouvrière**) worker
ouvrir to open

pain m. bread; **petit pain** roll
paix f. peace
palais m. palace
panier m. basket
panique f. panic
panne f. breakdown; **tomber en panne** to break down
pantalon m. pants
pape m. pope
papier m. paper; document
papier peint m. wallpaper
Pâques f. pl. Easter
paquet m. package
paraître to seem; to appear
parallèlement parallel, in a parallel direction
parapluie m. umbrella
parc m. park; **parc d'attractions** amusement park
pardessus m. overcoat
pardonner to pardon; to forgive
paresseux (f. **paresseuse**) lazy
parfait perfect
parfois sometimes
parfum m. flavor; perfume
parfumerie f. perfume store
parler to speak
parmi among
partager to share

partie f. part; game; **faire partie de** to belong to, be part of
partir to leave
partout everywhere
pas m. step; **faire un pas** to take a step
passager m. (f. **passagère**) passenger; passing, momentary
passer to pass (by); to take (test); to spend (time); **se passer** to happen; **se passer de** to do without
passionnant exciting
passionner to excite
pastoral pastoral; country
pâté de foie gras m. minced goose liver
pâtes f. pl. pasta, noodles
patiner to skate
pâtisserie f. pastry; pastry shop
patissier m. (f. **patissière**) pastry cook; pastry-shop owner
patrie f. home country, homeland
patron m. (f. **patronne**) boss; patron; patron saint
pâturage m. pasture
pauvre poor
pauvreté f. poverty
payer to pay
paysage m. landscape
paysagiste m. landscape painter
paysan m. (f. **paysanne**) peasant
peau f. skin
pêche f. fishing; **faire de la pêche** to fish; **pêche sous-marine** underwater fishing
pêcheur m. fisherman
se peigner to comb one's hair
peindre to paint
peine f. pain; difficulty; **à peine** hardly; **cela vaut la peine** it's worthwhile
peintre m. painter
peinture f. painting
pèlerinage m. pilgrimage
pelote f. ball
pelouse f. lawn
pendant during
penser to think
penseur m. thinker

percer to pierce, break through
perdre to lose
père m. father
perfectionnement m. perfecting
perfectionner to perfect, improve
perle f. pearl
permettre to permit
permis m. permit; **permis de conduire** driver's license
perruque f. wig
personnage m. character
peser to weigh
peste f. plague
pétanque f. French ball game
petit small; **petit ami** m. boyfriend; **petite amie** f. girlfriend; **petit déjeuner** m. breakfast; **petit pain** m. roll; **petit pois** m. pea
petits-enfants m. pl. grandchildren
peu few; little; **à peu près** nearly, about; **peu à peu** little by little
peuplade f. small tribe
peuple m. people
peur f. fear; **avoir peur** to be afraid; **faire peur** to scare
phare f. headlight
pic m. peak
pièce f. play; room
pied m. foot
pierre f. stone
pieux (f. **pieuse**) pious, religious
pile sharp
pilier m. pillar
piller to loot
pion m. pawn
pique-nique m. picnic; **faire un pique-nique** to go on a picnic
piquer to sting
piqûre f. injection
pire worse
piscine f. swimming pool
pittoresque picturesque
place f. city square; seat; position; room; **à la place de** instead of
placer to place, set
placeur m. (f. **placeuse**) usher
plage f. beach
plaindre to pity; **se plaindre de** to complain about

plainte f. complaint
plaire to please; **se plaire à** to enjoy
plaisir m. pleasure; **faire plaisir à** to please
planche f. board; **faire de la planche à voile** to windsurf
plancher m. floor
plaque f. plate; bar (chocolate); **plaque d'immatriculation** license plate
plat m. dish
plateau m. (pl. **plateaux**) plateau; tray
plein full; **plein de** a lot of; **en plein air** outdoor(s)
pleurer to cry; **pleurer à chaudes larmes** to cry one's eyes out
pleurnicher to whine
pleuvoir to rain; **pleuvoir à verse** to rain cats and dogs
plombier m. plumber
plongeon m. diving
plonger to dive
pluie f. rain
plupart f. most, majority
plusieurs several
plutôt rather
pneu m. (pl. **pneus**) tire
poche f. pocket; **argent de poche** m. spending money; **lampe de poche** f. flashlight
poêle f. frying pan
poésie f. poetry
poids m. weight
poing m. fist; **coup de poing** m. punch
point m. period; point; **sur le point de** on the verge of, about to; **mettre au point** to develop, perfect; to tune up; **ne ... point** not (at all)
pointe: vitesse de pointe f. maximum speed
pointu pointed
poire f. pear
poireau m. (pl. **poireaux**) leek
pois m. pl. peas
poisson m. fish; **Poissons** Pisces
poissonnerie f. fish store

poivre m. pepper
poli polite
police d'assurance f. insurance policy
politesse f. politeness
Pologne f. Poland
pomme f. apple; **pomme de terre** potato
pompage m. pumping
pompier m. fire fighter
ponctuel (f. **ponctuelle**) punctual
pont m. bridge
porc m. pig; pork
porte f. door
portefeuille m. wallet
porte-monnaie m. change purse
porter to wear; to carry
portier m. doorman
portugais Portuguese
poser to place; **poser une question** to ask (a question)
posséder to possess, own
postale: carte postale f. post card
poste m. position, job; f. post office; **poste de police** police station; **poste de télévision** television set
potage m. soup
potasse f. potash
pou m. (pl. **poux**) louse
poubelle f. garbage can
pouce m. thumb; inch
poule chicken; hen
poulet m. chicken
poupée f. doll
pourboire m. tip, gratuity
pourri rotten
poursuite f. pursuit
poursuivre to pursue
pourtant however
pourvu que provided that
pousse f. shoot (of a plant)
pousser to push, shove; to grow
poussière f. dust
poussin m. chick
pouvoir m. power; to be able to, can; **n'en pouvoir plus** to be exhausted; **n'y pouvoir rien** to be unable to do anything
précédant preceding

précieux (f. **précieuse**) precious
se précipiter to hurl oneself
précis precise; sharp
préciser to specify; to be precise
prédire to predict
préfectoral prefectorial
préfet m. prefect, head (of a **département**)
préhistoire f. prehistory
pré-inscription f. preregistration
préjugé m. prejudice
premier (f. **première**) first; prime
prendre to take, take on; **prendre naissance** to originate; **prendre sa retraite** to retire; **prendre soin** to take care
se préoccuper de to be concerned about
préparatif m. preparation
près near; **à peu près** nearly, about
préscolaire preschool
présentateur m. (f. **présentatrice**) presenter
présenter to present; to introduce
presque almost
pression f. pressure
prêt ready
prétendre to claim
prêter to lend; **prêter attention** to pay attention
prêtre m. priest
preuve f. proof
prévenir to warn
prier to beg, ask to; to pray
primaire primary
primitif (f. **primitive**) primitive
principalement principally
principe m. principle
printemps m. spring
prise f. taking
privé private
prix m. price; prize
procédé m. process
prochain next
producteur m. producer
produire to produce
produit m. product
profond deep
programme m. program; schedule

projet *m.* project; plan
promenade *f.* walk; **faire une promenade** to go for a walk
promener to walk; **se promener** to go for a walk
promesse *f.* promise
promettre to promise
promulguer to promulgate, enact
pronom *m.* pronoun
propos *m.* purpose; **à propos** by the way
propre clean; own
proprement dit specifically, proper
propreté *f.* cleanliness
propriétaire *m. & f.* owner
protéger to protect
provisions *f. pl.* foodstuffs; **sac à provisions** shopping bag; **faire les provisions** to go food shopping
prudent prudent, wise
prune *f.* plum
publier to publish
puis then
puisque since, as
puissamment powerfully
puissant strong, powerful
puits *m.* well
punir to punish
pur pure
pureté *f.* purity
puy *m.* volcanic peak

quai *m.* embankment, wharf
quand when
quant à as for
quart *m.* quarter
quartier *m.* neighborhood
quel (*f.* **quelle**) which
quelque some, any; (*pl.*) a few
quelquefois sometimes
quelques-un(e)s a few
quelqu'un someone
querelle *f.* quarrel
queue *f.* line; **faire la queue** to stand in line, line up
quille *f.* (bowling) pin; **jouer aux quilles** to bowl
quitter to leave

quoi what; **il n'y a pas de quoi** you're welcome, don't mention it
quoique although
quotidien (*f.* **quotidienne**) daily

rabais *m.* discount
raccompagner to see home
raccrocher to hang up
raconter to tell
raffiné refined
ragoût *m.* stew
raison *f.* reason; **avoir raison** to be right
raisonnable reasonable
raisonnement *m.* reasoning
ramasser to pick up; to gather
ramener to bring back
ramoner to sweep (*a chimney*)
rang *m.* rank; row
ranger to put in order
rappeler to call again; **se rappeler** to recall, remember
rapport *m.* report; relationship
rapprocher to bring closer together; **se rapprocher de** to get closer to; to resemble
se raser to shave
rasoir *m.* razor
rassembler to reassemble, bring together
rassurer to reassure
ratatouille *f. vegetable dish*
raté failed
rater to fail; to miss
ravi delighted
rayonner to sparkle, radiate
réagir to react
réalisable achievable, feasible
récemment recently
récepteur *m.* receiver
recette *f.* recipe
recevoir to receive
réchauffer to warm up, heat
recherche *f.* research; **à la recherche de** in search of
rechercher to research
récit *m.* narrative, story
réciter to recite

recommencer to begin again
récompenser to reward
réconcilier to reconcile; **se réconcilier** to become friends again
réconforter to comfort
reconnaissant grateful
reconnaître to recognize
recouvrir to cover
reçu d'enregistrement m. baggage claim check
recueil m. collection; compilation
rédaction f. composition; editing
rédiger to write
réduction f. discount; **faire une réduction** to give a discount
réduire to reduce
réel real
refaire to redo
réfléchir to reflect, think
reflet m. gleam, reflection
réfugier to take refuge
refus m. refusal
regarder to look at
régime m. diet; **suivre un régime** to be on a diet
registre m. register
règle f. rule; ruler
règlement m. rules
régler to regulate; to tune (car)
régner to rule
régulariser to regulate
reine f. queen
rejeter to reject
réjouir to rejoice
relier to link
relire to reread
remarque f. remark
remarquer to notice
remercier to thank
remettre to put (give) back; to postpone
remonter to go up again; to date back
rempart m. rampart, fortification
remplaçant m. substitute, replacement
remplacer to replace
remplir to fill (out)

rencontrer to meet
rendre to return; **rendre (un) service** to do a favor; **se rendre compte de** to realize
renfermer to lock (shut) in; to contain
renom m. renown
renommé renowned
renouveler to renew
rénover to renovate
renseignements m. pl. information
rentrée f. return; reopening
rentrer to return; to go/come home
renverser to knock over; to spill; to overthrow
renvoyer to fire
répandu widespread
réparer to repair
répartir to divide, share
repas m. meal
repasser to review; to iron
répéter to repeat; to rehearse, practice
réplique f. reply
répondeur téléphonique m. answering machine
répondre to answer
réponse f. answer
se reposer to rest
repousser to push back
reprendre to take back; to take up again; to reprimand
reproche f. reproach; **faire des reproches** to reproach
réputé reputed, well-known
réseau m. (pl. **réseaux**) network, system
résigner to resign; **se résigner à** to resign oneself to
résolu resolved
résoudre to resolve
respectueux (f. **respectueuse**) respectful
ressembler (à) to resemble
ressentir to feel
ressource f. resource
rester to remain, to stay
restes m. pl. leftovers
résultat m. result

résumer to summarize
rétablir to reestablish
retard *m.* delay; **en retard** late
retarder to be slow
retenir to retain; to hold, keep back
retentir to ring
retirer to withdraw
retour *m.* return; **être de retour** to be
  back
retourner to return
retraite *f.* retreat; retirement;
  prendre sa retraite to retire
retrouver to find again; **se retrouver**
  to meet again, be back again
réunion *f.* meeting
(se) réunir to meet; to join
réussir to succeed
rêve *m.* dream
réveil, réveille-matin *m.* alarm clock
(se) réveiller to wake up
réveillon *m.* Christmas/New Year's
  Eve party
révéler to reveal
revenir to come back
rêver to dream
réviser to revise; to review
revoir to see again
révoquer to cancel, revoke
revue *f.* magazine
rhume *m.* cold
richesse *f.* wealth
rideau *m.* (*pl.* **rideaux**) curtain
rien nothing, not anything; **ça ne fait
  rien** it doesn't matter; **de rien**
  you're welcome, don't mention it
rigoureux (*f.* **rigoureuse**) rigorous
rigueur: de rigueur (socially) obligatory
rire to laugh; *m.* laughter
risquer to risk
rive *f.* bank (*river*)
rivière *f.* river, stream
riz *m.* rice
roche *f.* rock
rocheux (*f.* **rocheuse**) rocky
roi *m.* king
romain Roman
roman *m.* novel; **roman policier**
  detective story

romancé in novel form
romancier *m.* (*f.* **romancière**)
  novelist
rompre to break; to break off
rond round
ronger to bite
rôti *m.* roast
rôtir to roast
roue *f.* wheel
rouge red
rougir to blush
rouler to roll along; to ride
roumain Rumanian
route *f.* road, route; **se mettre en
  route** to start out
routier (*f.* **routière**) road
royaume *m.* kingdom
royauté *f.* royalty
rue *f.* street
russe Russian

sabot *m.* wooden shoe
sac *m.* pocketbook, bag; **sac à dos**
  backpack; **sac à provisions** shopping bag; **sac de couchage**
  sleeping bag
sacré holy, sacred
sacrer to crown
sage wise; well-behaved
Sagittaire *m.* Sagittarius
sain healthy; **sain et sauf** safe and
  sound
saisir to seize, capture, catch
saison *f.* season
salaire *m.* salary
sale dirty
salle *f.* room; hall; **salle d'attente**
  waiting room
salon *m.* living room; exhibition;
  salon de beauté beauty parlor
saluer to greet
salut hi
sans-abri *m.* homeless person
santé *f.* health
satisfaire to satisfy
satisfait satisfied
saucisse *f.* sausage
sauf except

sauvage savage, wild

sauver to save; **se sauver** to flee, run away

savant *m.* scientist

savoir to know (how)

savon *m.* soap

scénario *m.* script, screenplay

scénariste *m. & f.* screenwriter

scène *f.* scene; stage; **mettre en scène** to direct, produce

scolaire scholastic; school

scolarité *f.* school attendance, student status

Scorpion *m.* Scorpio

sculpter to sculpt, carve

sec (*f.* **sèche**) dry

secondaire secondary

secours *m.* help, aid; **sortie de secours** *f.* emergency exit

seigneur *m.* lord

séjour *m.* stay, visit; **carte de séjour** *f.* residency document

selon according to

semaine *f.* week

sembler to seem

sénat *m.* senate

sens *m.* sense; meaning

sensibilité *f.* sensitivity

sensible sensitive

sentir to smell; to feel; **se sentir** to feel

sérieux (*f.* **sérieuse**) serious

serrure *f.* lock

serveur *m.* waiter

service *m.* service; **rendre (un) service** to do a favor

serviette *f.* napkin; towel

servir to serve; **se servir de** to use

seul alone; only

sévère strict

siècle *m.* century

siège *m.* seat

sieste *f.* afternoon nap

siffler to whistle

signer to sign

silencieux (*f.* **silencieuse**) silent

simultané simultaneous

sinistre sinister, evil

sinon or else

situé situated

sobre sober; subdued

sœur *f.* sister

soi oneself, himself, herself, itself

soie *f.* silk

soif *f.* thirst; **avoir soif** to be thirsty

soigner to take care of

soigneux (*f.* **soigneuse**) careful, meticulous

soin *m.* care

soir *m.* evening

soirée *f.* evening; evening party

sol *m.* soil; ground

solaire solar

soldat *m.* soldier

solde *f.* sale; **en solde** on sale

soleil *m.* sun

sommeil *m.* sleep; **avoir sommeil** to be sleepy

sommet *m.* summit, top

somptueux (*f.* **somptueuse**) lavish, sumptuous

sondage *m.* opinion poll

songer à to think of; to imagine; to dream of

sonner to ring

sonnette *f.* doorbell

sonorité *f.* resonance, sound

sorte *f.* sort, kind

sortie *f.* exit; quitting time

sortir to leave, go out; to take out

sot (*f.* **sotte**) stupid

sottise *f.* foolishness, stupidity

souci *m.* anxiety, worry

se soucier de to be concerned, worry about

soucoupe *f.* saucer

soudain suddenly

souffrir to suffer

souhait *m.* wish

souhaiter to wish

soulagement *m.* relief

soulier *m.* shoe

souligner to underline

soumettre to submit

sourire to smile; *m.* smile

sous under

souscription *f.* subscription, membership

sous-marin underwater
souterrain underground
se souvenir de to remember
souvent often
souverain sovereign
souveraineté *f.* sovereignty
spacieux (*f.* **spacieuse**) spacious
spatial space
spatule *f.* spatula
spécialement especially
spécialité *f.* specialty
sportif (*f.* **sportive**) athletic; *m.*
(*f.* **sportive**) athlete
squelette *m.* skeleton
stade *m.* stadium
stage *m.* training period
standardiste *f.* switchboard operator
statut *m.* statute, regulation
studieux (*f.* **studieuse**) studious
stylo *m.* pen
subventionné subsidized
sucer to suck
sucette *f.* lollypop
sucré sweet
sucrerie *f. pl.* candy
sucrier *m.* sugar bowl
sud *m.* south
Suède *f.* Sweden
suffire to be enough
suffisant sufficient
suggérer to suggest
suisse Swiss
suite *f.* continuation; **et ainsi de suite**
and so on; **tout de suite** at once,
immediately
suivant following; next
suivre to follow
superficie *f.* area
superflu superfluous
supermarché *m.* supermarket
supporter to tolerate
supraconductivité *f.* superconduc-
tivity
sur on
sûr sure; **bien sûr** of course
surnaturel (*f.* **surnaturelle**) superna-
tural
surnom *m.* nickname
surprenant surprising

surprendre to surprise
surtout especially
surveiller to watch over
survivre to survive
sympathique nice
synthèse *f.* synthesis

tabac *m.* tobacco
tableau *m.* (*pl.* **tableaux**) painting;
chalkboard
tâcher to try
taille *f.* size
se taire to be quiet
tandis que while; whereas
tant so much, so many; **tant bien que**
mal rather badly, so-so; **tant mieux**
so much the better; **tant pis** too
bad
tante *f.* aunt
taper à la machine to type
tapis *m.* rug, carpet
tapisser to wallpaper
tapisserie *f.* tapestry
tapissier *m.* (*f.* **tapissière**) paper-
hanger
tapoter to tap
tard late; **plus tard** later; **il se fait**
tard it's getting late
tartine *f.* slice of bread and butter
tas *m.* pile; **un tas de** a lot of
tasse *f.* cup
Taureau *m.* Taurus
tel (*f.* **telle**) such; **tel que** as
téléphone *m.* telephone; **coup de**
téléphone *m.* telephone call
téléphonique telephone;
cabine téléphonique *f.* telephone
booth; **répondeur téléphonique** *m.*
answering machine
témoin *m.* witness
tempéré tempered, moderate
tempête *f.* storm
temps *m.* weather; time; tense; **à**
temps on time; **combien de temps**
how long; **de temps à autre, de**
temps en temps from time to time
tendance *f.* tendency

tendre tender

tendresse *f.* tenderness

tenir to hold; **tenir à** to really want to, insist on; to value; **tenir de** to take after

terminer to finish

terrain *m.* field; **terrain de camping** campground

terre *f.* earth; ground

terrestre terrestrial, earthly

terrine *f.* potted meat

tête *f.* head; **mal à la tête** *m.* headache; **faire à sa tête** to do as one pleases

têtu stubborn

thé *m.* tea

théâtral theatrical

théoricien *m.* (*f.* **théoricienne**) theorist

thèse *f.* thesis

thon *m.* tuna fish

tiers *m.* third

tirer to pull; to draw

tiroir *m.* drawer

tissu *m.* material, fabric

titre *m.* title

toile *f.* linen; cloth; **toile d'araignée** spiderweb

tombeau *m.* (*pl.* **tombeaux**) tomb

tomber to fall, fall down; **laisser tomber** to drop

tonalité *f.* dial tone

tonnerre *m.* thunder

tôt soon; early

toucher to touch

toujours always; still

tour *m.* tour; turn; **faire le tour** to go around; **jouer des tours** to play tricks; *f.* tower

tourne-disque *m.* record player

tourner to turn; to shoot (*film*)

Toussaint: la veille de la Toussaint Halloween

tousser to cough

tout all; very; **pas du tout** not at all; **tout à coup, tout d'un coup** suddenly; **tout à fait** quite; completely; **tout de même** nevertheless; **tout de suite** right away;

tout le monde everyone; **à tout à l'heure** see you in a little while

traducteur *m.* translator

traduire to translate

trahir to betray

train *m.* train; **être en train de** to be in middle of (*doing something*)

traîneau *m.* (*pl.* **traîneaux**) sled

traîner to drag

traité *m.* treaty

traitement de texte *m.* word processing

traiter to treat; to deal with

trajet *m.* trip, journey

tranquille calm; **laisser tranquille** to leave alone

trapéziste *m. & f.* trapeze artist

travail *m.* work

travailler to work

travailleur (*f.* **travailleuse**) hard-working

travers: à travers across

traverser to cross

tremblement de terre *m.* earthquake

très very

trésor *m.* treasure

tribu *f.* tribe

tribunal *m.* law court

tricolore tricolored

triomphal triumphant

triomphe *m.* triumph

triste sad

tristesse *f.* sadness

tromper to deceive; **se tromper** to be mistaken

trop too much, too many

trottoir *m.* sidewalk

trou *m.* hole

trousse *f.* pencil case

trouver to find; **se trouver** to be found, be located

tuyau *m.* (*pl.* **tuyaux**) tube, pipe

typique typical

tyrannie *f.* tyrany

unique unique, only

(s') unir to unite, come together

unités de valeur *f. pl.* school credits

univers *m.* universe
universitaire university
urgence *f.* emergency
usine *f.* factory
ustensile *m.* utensil
utile useful
utiliser to use

vacances *f. pl.* vacation
vaccin *m.* vaccine
vache *f.* cow
vaincre to defeat, conquer
vainqueur *m.* victor
vaisselle: faire la vaisselle to do the
 dishes
valeur *f.* value, worth
valise *f.* suitcase; **faire les valises** to
 pack
vallée *f.* valley
valoir to be worth
valse *f.* waltz
vaniteux (*f.* **vaniteuse**) vain
(se) vanter to boast
vapeur *m.* boat; *f.* steam
varicelle *f.* chicken pox
varié varied
varier to vary, change
vase *m.* vase; *f.* mud
vaut: il vaut mieux it is better; **cela
 vaut la peine** it's worthwhile
veau *m.* veal
vedette *f.* film star
vélo *m.* bicycle
vendeur *m.* (*f.* **vendeuse**) salesclerk
vendre to sell
venimeux (*f.* **venimeuse**) venomous,
 poisonous
venir to come; **venir de** to have just
vent *m.* wind; **faire du vent** to be
 windy; **coup de vent** *m.* gust of
 wind
vente *f.* sale; **vente aux enchères**
 auction
ventre *m.* stomach; **mal au ventre** *m.*
 stomach ache
vérifier to verify, check
véritable true, real
vérité *f.* truth

verre *m.* glass; **verre de contact**
 contact lens
vers toward; about
Verseau *m.* Aquarius
verser to pour
vert green
vestiaire *m.* checkroom; locker room
vêtements *m. pl.* clothing
veuillez please, kindly
viande *f.* meat
victoire *f.* victory
victorieux (*f.* **victorieuse**) victorious
vide empty
vider to empty
vie *f.* life
vieil (*f.* **vieille**, *pl.* **vieux**) old
vieillard *m.* old man
vierge *f.* virgin; **Vierge** Virgo
vieux (*f.* **vieille**) old
vif (*f.* **vive**) lively; alive
vigne *f.* vine
vignoble *m.* vineyard
vigueur *f.* vigor; **en vigueur** in force
vilain nasty; ugly
ville *f.* city
vin *m.* wine
violon *m.* violin
vipère *f.* viper, snake
virage *m.* turn
virtuose *m. & f.* virtuoso
virtuosité *f.* virtuosity
vite quickly, fast
vitesse *f.* speed; **faire de l'excès de
 vitesse** to go over the speed limit;
 vitesse de pointe maximum speed
viticulture *f.* wine growing
vitrail *m.* (*pl.* **vitraux**) stained-glass
 window
vitrine *f.* store window
vivant alive, living
vivre to live
vœu *m.* (*pl.* **vœux**) wish; vow; **carte
 de vœux** *f.* greeting card
voici here is (are)
voilà there is (are)
voile *f.* sail; **faire de la voile** to go
 sailing
voir to see
voisin *m.* neighbor; neighboring

voiture *f.* car
voix *f.* voice; **à haute voix** aloud
vol *m.* theft, robbery; flight
volaille *f.* poultry
volant *m.* steering wheel; flying
volcan *m.* volcano
volcanique volcanic
voler to steal; to fly
voleur *m.* thief
volonté *f.* will
volumineux (*f.* **volumineuse**) volu-
 minous

voué dedicated, devoted
vouloir to want; **veuillez** + *inf.*
 kindly, please
voûte *f.* vault, arch
voyager to travel
voyageur *m.* (*f.* **voyageuse**) traveler
voyante *f.* clairvoyant
vrai true
vue *f.* view

yaourt *m.* yogurt

English-French Vocabulary

The English-French Vocabulary includes those words that occur in the English-French exercises.

ABBREVIATIONS

adj.	adjective	*inf.*	infinitive
adv.	adverb	*m.*	masculine
f.	feminine	*pl.*	plural

a lot beaucoup
abandon abandonner
able: to be able to pouvoir + *inf.*
about de; **about** + *number* environ;
  at about vers
accept accepter
accompany accompagner
acquaintance connaissance *f.*
act agir
active actif (*f.* active)
activity activité *f.*
administration administration *f.*
administrative administratif
  (*f.* administrative)
adore adorer
advice conseil *m.*
affectionately affectueusement, de
  manière affectueuse
after après
afternoon après-midi *m.*
again de nouveau
age âge *m.*
airport aéroport *m.*
alarm clock réveil *m.*
album album *m.*
all tout; **at all** du tout
allow permettre
alone seul
also aussi
always toujours

a.m. du matin
ambitious ambitieux
  (*f.* ambitieuse)
American américain
amusement park parc
  d'attractions *m.*
angry fâché; **to get angry** se fâcher
announcement annonce *f.*
another un(e) autre
answer répondre
anxious anxieux (*f.* anxieuse)
any aucun; **at any price** à
  n'importe quel prix
anymore ne ... plus
anyone quelqu'un, ne ... personne
anything quelque chose, ne ... rien
appear apparaître; paraître; avoir
  l'air
applaud applaudir
April avril
architect architecte *m.*
argument dispute *f.*
arm bras *m.*
arrive arriver
artist artiste *m. & f.*
as comme; **as well** aussi; **as ... as**
  aussi ... que
ask (for) demander
asleep: to fall asleep s'endormir; **to**
  fall asleep again se rendormir

association association *f.*
astronaut astronaute *m. & f.*
at à; chez; dans
attack attaquer
attend assister à
attention: to pay attention
  faire/prêter attention
attract attirer
August août
aunt tante *f.*
authoritative autoritaire
authority autorité *f.*
avenue avenue *f.*
average moyen (*f.* moyenne)
avoid éviter
away: right away à l'instant
awful affreux (*f.* affreuse)

bakery boulangerie *f.*
ball balle *f.*
based basé
basement sous-sol *m.*
basket corbeille *f.*
bathing suit maillot de bain *m.*
battle bataille *f.*
be être
beautiful beau, bel (*f.* belle)
because parce que, car; **because of** à
  cause de
become devenir
begin commencer
believe croire
besides d'ailleurs
best meilleur; **to do one's best** faire
  de son mieux
better meilleur (*adj.*), mieux (*adv.*);
  to be better valoir mieux
bird oiseau *m.*
birthday anniversaire *m.*
bite mordre
black noir
blue bleu
bone os *m.*
book livre *m.*
bookstore librairie *f.*
bore ennuyer; **to get bored**
  s'ennuyer
born: to be born naître

bother gêner, énerver
box boîte *f.*
boyfriend petit ami *m.*
break casser; **to break one's arm/leg**
  se casser le bras/la jambe
breakfast petit déjeuner *m.*; **to
  eat/have breakfast** déjeuner,
  prendre le petit déjeuner
bring amener (*people*), apporter
  (*things*); **to bring back** rapporter;
  ramener
broken cassé
brother frère *m.*
brush brosse *f.*
bus autobus *m.*; **bus stop** arrêt
  d'autobus *m.*
but mais
buy acheter
by avant; par; d'ici (+ *time*)

cafeteria cantine *f.*
cake gâteau *m.* (*pl.* gâteaux)
California Californie *f.*
call appeler; téléphoner
calorie calorie *f.*
Canadian canadien
  (*f.* canadienne)
car voiture *f.*; **sports car** voiture de
  sport
carrot carotte *f.*
catalog catalogue *m.*
cause causer
cent centime *m.*
certain certain
chair chaise *f.*
chalkboard tableau *m.* (*pl.* tableaux)
change monnaie *f.*
charming charmant
chat bavarder
check chèque *m.*; **traveler's check**
  chèque de voyage
chicken poulet *m.*
child enfant *m. & f.*
childhood enfance *f.*
chocolate chocolat *m.*
choose choisir
city ville *f.*
claim réclamer

class classe *f.*
classmate camarade de classe *m. & f.*
clean propre; **to clean** nettoyer
close près de; **to close** fermer
clothes vêtements *m. pl.*
coat manteau *m. (pl.* manteaux); **fur
  coat** manteau de fourrure
coffee café *m.*
college université *f.*; **college degree**
  diplôme universitaire *m.*
Columbus Christophe Colomb
come venir; **to come back home**
  rentrer; **to come out** sortir
company compagnie *f.*
complain se plaindre
completely complètement
computer ordinateur *m.*
confident assuré; **to be confident**
  avoir confiance
consequently par conséquent
consume consommer
contain contenir
cook cuisiner
correct corriger
cost coûter
costume costume *m.*
counselor (*school*) conseiller *m.*,
  conseillère *f.* (*camp*) moniteur *m.*,
  monitrice *f.*
country pays *m.*
courageous courageux
  (*f.* courageuse)
course cours *m.*; **to take a course**
  suivre un cours
cousin cousin *m.*, cousine *f.*
creative inventif (*f.* inventive)
credits (*school*) unités de valeur *f.
  pl.*
croissant croissant *m.*
cultivate cultiver
cup tasse *f.*
curiosity curiosité *f.*
curtain rideau *m. (pl.* rideaux)
custom coûtume *m.*
customer client *m.*

date dater; date *f.*
day jour *m.*, journée *f.*; **the following
  day** le jour suivant

dear cher (*f.* chère)
decide décider
decision décision *f.*
degree diplôme *m.*; **college degree**
  diplôme universitaire
delicious délicieux (*f.* délicieuse)
demand exiger
demonstrative démonstratif
  (*f.* démonstrative)
department département *m.*
describe décrire
deserve mériter
desk bureau *m.*; **student's desk**
  pupitre *m.*
dessert dessert *m.*
destroy détruire
determined déterminé
diamond diamant *m.*
dictionary dictionnaire *m.*
different différent
difficulty difficulté *f.*
dining room salle à manger *f.*
dinner dîner *m.*; **to eat/have dinner**
  dîner
dirty sale
disappear disparaître
discover découvrir
discuss discuter
dish plat *m.*
divide diviser
do faire; **to do one's best** faire de son
  mieux; **to do without** se passer de
dog chien *m.*
dollar dollar *m.*
domineering dominateur (*f.* domina-
  trice)
dormitory dortoir *m.*
dozen douzaine *f.*
dream rêver
drink boire
drive conduire
during pendant
Dutch hollandais

each chaque; **each one** chacun *m.*
early tôt, de bonne heure
earn gagner
easy facile

eat manger; **to eat lunch** déjeuner
education éducation *f.*
either ... or soit ... soit; **not ... either**
   non plus; **not ... either ... or**
   ni ... ni
employee employé *m.*, employée *f.*
end fin *f.*; **at the end of** au bout de
energetic énergique
energy énergie *f.*
English anglais
enjoy aimer; **to enjoy oneself**
   s'amuser
enough assez
enthusiasm enthousiasme *m.*
entire entier (*f.* entière), tout
entirely entièrement
erase effacer
essential essentiel (*f.* essentielle)
establish établir
even même; **even if** même si
evening soir *m.*
ever jamais
every chaque, tout; **every day** tous
   les jours; **everyone** tout le monde;
   everything tout
evident évident
exaggerate exagérer
exchange rate cours de change *m.*
exercise exercice *m.*
expect s'attendre à
expenses frais *m. pl.*
expensive cher (*f.* chère)
experience expérience *f.*
explain expliquer
extremely extrêmement
eye œil *m.* (*pl.* yeux)

face: to make a face faire une
   grimace
faithful fidèle
fall automne *m.*; **to fall** tomber; **to
   fall asleep** s'endormir; **to fall
   asleep again** se rendormir
family famille *f.*
father père *m.*
favorite favori *m.*, favorite *f.*
   (*adj. & noun*); préféré
fear avoir peur, craindre

few: a few quelques-un(e)s
fewer moins de/que
finally enfin, à la fin
find trouver
finish finir
fire incendie *m.*; **to fire** renvoyer
first premier (*f.* première)
fish pêcher
fix réparer
flooded inondé
follow suivre
following suivant
food nourriture *f.*
foot: on foot à pied
for pour, pendant
forget oublier
former ancien (*f.* ancienne); celui-là,
   celle-là
fortunately heureusement
franc franc *m.*
France France *f.*
free libre
French français
Friday vendredi *m.*
friend ami *m.*, amie *f.*; copain *m.*,
   copine *f.*
friendly aimable
from de; (*among*) parmi
fruit fruit *m.*
fun: to make fun of se moquer de;
   have fun s'amuser
fur coat manteau de fourrure *m.*
furious furieux (*f.* furieuse)

gain gagner
garage garage *m.*
general général *m.*
generally généralement,
   d'habitude
generous généreux (*f.* généreuse)
gentle doux (*f.* douce)
get obtenir; **to get angry** se fâcher; **to
   get bored** s'ennuyer; **to get up** se
   lever
gift cadeau *m.*
girl fille *f.*, jeune fille *f.*
girlfriend amie *f.*; petite amie *f.*
give donner

glass verre *m.*
go aller; **to go out** sortir
good bon *m.*, bonne *f.*
good-looking beau, bel (*f.* belle)
government gouvernement *m.*
grandfather grand-père *m.*
grandmother grand-mère *f.*
grandparents grands-parents *m. pl.*
great formidable
green vert
group groupe *m.*
guide guide *m.*

hair cheveux *m. pl.*
half moitié *f.*
Halloween veille de la Toussaint *f.*
happen arriver, se passer
happy heureux (*f.* heureuse),
    content
hard dur
hard-working travailleur (*f.* travail-
    leuse)
hardly à peine; ne ... guère
hat chapeau *m.* (*pl.* chapeaux)
hate détester
have avoir; **to have to** devoir, falloir;
    to have just venir de
healthy sain
hear entendre
heartily de bon appétit
help aide *m.*; **to help to** aider à; **to
    help oneself** s'aider soi-même; **to
    help one another** s'entraider
here ici; **here is/are** voici
hero héros *m.*
hey tiens
himself lui-même
home: to return home rentrer (à la
    maison)
homework devoirs *m. pl.*
honest honnête
hope espérer
hotel hôtel *m.*
hour heure *f.*
house maison *f.*
how comment; **how much/many**
    combien (de); **how long** depuis
    quand
hungry: to be hungry avoir faim

ice cream glace *f.*
idea idée *f.*
if si
imagine imaginer
immediately tout de suite,
    immédiatement
impatient impatient
important important
impossible impossible
impulsively impulsivement
increase augmenter
independent indépendant
individual personne *f.*; individu *m.*
influenced influencé
inform informer; **informed** au
    courant
insist insister
intelligent intelligent
interesting intéressant
interview entrevue *f.*
invent inventer
island île *f.*
Italian italien (*f.* italienne)
Italy Italie *f.*

jeans jean *m.*
job poste *m.*
joy joie *f.*
July juillet
jump with joy sauter de joie
June juin
just: to have just venir de

kind aimable
king roi *m.*
kitchen cuisine *f.*
know connaître; savoir; **to know how
    to** savoir

lake lac *m.*
land terre *f.*
large grand
last dernier (*f.* dernière), passé
later plus tard
Latin latin *m.*
latter celui-ci, celle-ci
laugh rire

learn apprendre
least: at least au moins
leave partir, quitter
leg jambe *f.*
less moins
lesson leçon *f.*
let laisser
letter lettre *f.*
library bibliothèque *f.*
lie mentir
lightning foudre *f.*
like comme; **to like** aimer
limit limiter
line queue *f.*
listen écouter
live habiter; vivre
logical logique
long long (*f.* longue)
look regarder; **to look for** chercher
lose perdre
lot: a lot beaucoup
lottery loterie *f.*; **lottery ticket** billet de loterie *m.*
love aimer
lunch déjeuner *m.*; **to eat/have lunch** déjeuner

mail carrier facteur *m.*, factrice *f.*
make faire; **to make someone do something** faire + *inf.* + quelque chose à quelqu'un
man homme *m.*
manager gérant *m.*, gérante *f.*
manufacturer fabricant *m.*, fabricante *f.*
many beaucoup de, plusieurs; **how many** combien de
map carte *f.*
market marché *m.*
marry épouser, se marier avec
math les maths *f. pl.*
May mai
meal repas *m.*
meet rencontrer; **to meet** (*for the first time*) faire la connaissance de
melancholy mélancolique
memory mémoire *f.*
menu carte *f.*

meticulous méticuleux (*f.* méticuleuse)
middle milieu *m.*
million million *m.*
millionaire millionnaire *m.*
minute minute *f.*
Monday lundi *m.*
money argent *m.*
month mois *m.*
Montreal Montréal
more plus
morning matin *m.*
most le plus; la plupart de + *noun*
mother mère *f.*
move déplacer
movies cinéma *m.*
Mr. monsieur
Mrs. madame
much beaucoup; **how much** combien; **as much as** autant que

name nom *m.*; **to name** nommer
naturally naturellement
necessary nécessaire; **to be necessary** être nécessaire, falloir
necklace collier *m.*
need besoin *m.*; **to need** avoir besoin de
neighbor voisin *m.*
neither non plus; **neither ... nor** ni ... ni
nervous nerveux (*f.* nerveuse)
never jamais; ne ... jamais
nevertheless cependant
new nouveau (*f.* nouvelle)
news nouvelles *f. pl.*
newspaper journal *m.* (*pl.* journaux)
next prochain; **next to** près de, à côté de
nice sympathique, aimable
night nuit *f.*; soir *m.*; **last night** hier soir
no: no longer ne ... plus; **no one** ne ... personne
none aucun; ne ... aucun
noon midi *m.*
nor non plus

normal normal
nothing rien; ne ... rien
novel roman m.
now maintenant
number numéro m.; (*quantity*) nombre m.

obey obéir
office bureau m. (*pl.* bureaux); (*of doctor*) cabinet m.
often souvent
old vieil, vieux (f. vieille)
on dans, sur
once une fois f.
one un; on
oneself soi-même
only seulement, ne ... que
open ouvrir
opinion avis m.
order: to put in order mettre en ordre
other autre
ourselves nous-mêmes
over plus de
owe devoir
owner propriétaire m. & f.

paint peindre
painting tableau m.
pair paire f.
paper papier m.
parent parent m.
participate participer
passionate passionné
passport passeport m.
past passé m.
patiently patiemment
pay payer; **to pay attention** faire/ prêter attention
people gens m. pl.
per par
person personne f.
phone téléphone m.
photo(graph) photo(graphie) f.
physical physique
picture photo f.
pineapple ananas m.
place endroit m.

plan projet m.
planet planète f.
plate assiette f.; **paper plate** assiette en papier
play jouer; (*sport*) jouer à; (*instrument*) jouer de
please s'il vous plaît; veuillez + *inf.*; **to please** plaire à
p.m. de l'après-midi, du soir
popular populaire
possible possible
pound livre f.
practical pratique
precisely précisément
prefer préférer
prejudice préjugé m.
prepare préparer
present cadeau m. (*pl.* cadeaux)
president président m., présidente f.
pretty joli
price prix m.
principal directeur m., directrice f.
prize prix m.
problem problème m.
program programme m.
proud fier (f. fière)
provided that pourvu que
punish punir
put mettre; **to put on** mettre

Quebec Québec
question question f.
quickly vite
quiet silencieux (f. silencieuse)

radio radio f.
rain pluie f.; **to rain** pleuvoir
raise augmenter
react réagir
read lire
really vraiment
receive recevoir
recent récent
recommend recommander
reduce réduire
reference référence f.
refuse refuser de

remain rester
remember se rappeler, se souvenir
  de
reserve réserver
resolve résoudre
respect respecter
rest se reposer
restaurant restaurant *m.*
return retourner; revenir
right away à l'instant
ring sonner
river fleuve *m.*
room (*space*) place *f.*; pièce *f.*;
  dining room salle à manger *f.*
rule règle *f.*

sad triste
salad salade *f.*
salesclerk vendeur *m.*, vendeuse *f.*
salt sel *m.*
same même
satisfied satisfait
Saturday samedi *m.*
sauce sauce *f.*
say dire
scare effrayer
scholarship bourse *f.*
school école *f.*
science fiction science-fiction *f.*
scientist chercheur scientifique *m.*,
  chercheuse scientifique *f.*
scream crier
second deuxième; second
see voir
seem paraître, avoir l'air
sell vendre
send envoyer
sensitive sensible
September septembre
serious sérieux (*f.* sérieuse)
serve servir
several plusieurs
shampoo shampooing *m.*
share partager
shine briller
shoe chaussure *f.*, soulier *m.*
shop faire les courses

shopkeeper marchand *m.*,
  marchande *f.*
show montrer
shower, take a shower prendre une
  douche
since puisque; depuis
sincere sincère
sing chanter
sister sœur *f.*
sit down s'asseoir
sleep dormir; **to fall asleep**
  s'endormir
small petit
smart intelligent
smile sourire *m.*
soap savon *m.*
solution solution *f.*
some quelque(s), du; **some of them**
  quelques-un(e)s; **some others**
  d'autres
someone quelqu'un
something quelque chose
sometimes quelquefois
son fils *m.*
soon bientôt; **as soon as** aussitôt que,
  dès que
souvenir souvenir *m.*
Spain Espagne *f.*
Spanish espagnol
speak parler
spend (*time*) passer
sport sport *m.*
sports car voiture de sport *f.*
spring printemps *m.*
stain tache *f.*
star étoile *f*
start commencer
stay rester
steak bifteck *m.*
stocking bas *m.*
stop arrêter; **bus stop** arrêt
  d'autobus *m.*
store magasin *m.*
storm orage *m.*, tempête *f.*
story histoire *f.*
street rue *f.*
strict sévère
strong fort
stubborn obstiné, têtu

studies études *f. pl.*
study étudier
succeed réussir
success succès *m.*
such si
suggest suggérer
suit costume *m.*; **bathing suit** maillot
de bain *m*
suitcase valise *f.*
summer été *m.*; **summer program**
programme d'été *m.*
sun soleil *m.*
Sunday dimanche *m.*
sunrise lever du jour *m.*
sure sûr
surprise surprendre
swim nager
sympathetic compatissant
sympathetically de manière com-
patissante

table table *f.*
take prendre
talented doué
talk parler
taxi taxi *m.*
teacher professeur *m. & f.*
tell dire
terrible terrible
that cela; ça
theater théâtre *m.*
then puis, ensuite, alors
there là; y; **there is/are** il y a
thing chose *f.*
think penser
thirsty: to be thirsty avoir soif
this ce; ceci
those ces; ceux-là
thought pensée *f.*
thousand mille
throw jeter
Thursday jeudi *m.*
ticket billet *m.*; **lottery ticket** billet
de loterie *m.*
time fois *f.*; heure *f.*; temps *m.*; **at
the same time** en même temps; **at
what time** à quelle heure; **free time**
temps libre; **from time to time** de

temps en temps; **on time** à l'heure;
to have a good time s'amuser; **to
spend time** passer du temps
tobacco tabac *m.*
today aujourd'hui
together ensemble
tomorrow demain
too trop; aussi
toward vers; (*in regard to*) envers
tradition tradition *f.*
travel voyager
traveler's check chèque de voyage *m.*
tree arbre *m.*
trip voyage *m.*; **to take a trip** faire un
voyage
troop troupe *f.*
trust se fier à
truth vérité *f.*; **to tell the truth** à vrai
dire
try essayer de
Tuesday mardi *m.*
turn on allumer
twice deux fois

understand comprendre
university université *f.*,
universitaire
until jusqu'à
upon en
use employer, utiliser, se servir de
useful utile
usually d'habitude, généralement

vacation vacances *f. pl.*
veal veau *m.*
vegetable légume *m.*
very très
visit (*place*) visiter; (*people*) rendre
visite à
vocabulary vocabulaire *m.*
voice *f.* voix; **in a low voice** à voix
basse
volunteer work travail bénévole *m.*

wait (for) attendre
waiter garçon *m.*, serveur *m.*

waitress serveuse *f.*
wake up se réveiller
walk: to take a walk faire une promenade
want vouloir, désirer
war guerre *f.*
warn prévenir
wash laver; **to wash (oneself), get washed** se laver
watch regarder
water eau *f.*
wear porter
weather temps *m.*
week semaine *f.*; **last week** la semaine dernière
weekend week-end *m.*
weight poids *m.*; **to lose weight** perdre du poids
well bien
well-mannered bien élevé
what que, qu'est-ce que; ce que; quel; **at what time** à quelle heure
when quand
where où
which quel; lequel
while pendant
who qui, qui est-ce qui

whole entier, tout
whose à qui; dont, de qui; duquel
why pourquoi
wife femme *f.*
willing prêt; **to be willing** vouloir bien; **willingly** de bon cœur
win gagner
winning gagnant
wish vouloir, désirer; souhaiter
without sans; **to do without** se passer de
woman femme *f.*
wonder se demander
wonderful formidable, magnifique
woods bois *m. pl.*
work travail *m.*; **to work** travailler; (*operate*) marcher, fonctionner; **volunteer work** travail bénévole *m.*
write écrire; **to write to each other** s'écrire

year an *m.*, année *f.*
yesterday hier
young jeune

Index

NOTE: For specific verb conjugations, see the Appendix.